돌봄과 — 연대의 — 경제학

가부장제 체제의 부상과 쇠락, 이후의 새로운 질서

돌봄과 ─ 연대의 ─ 경제학

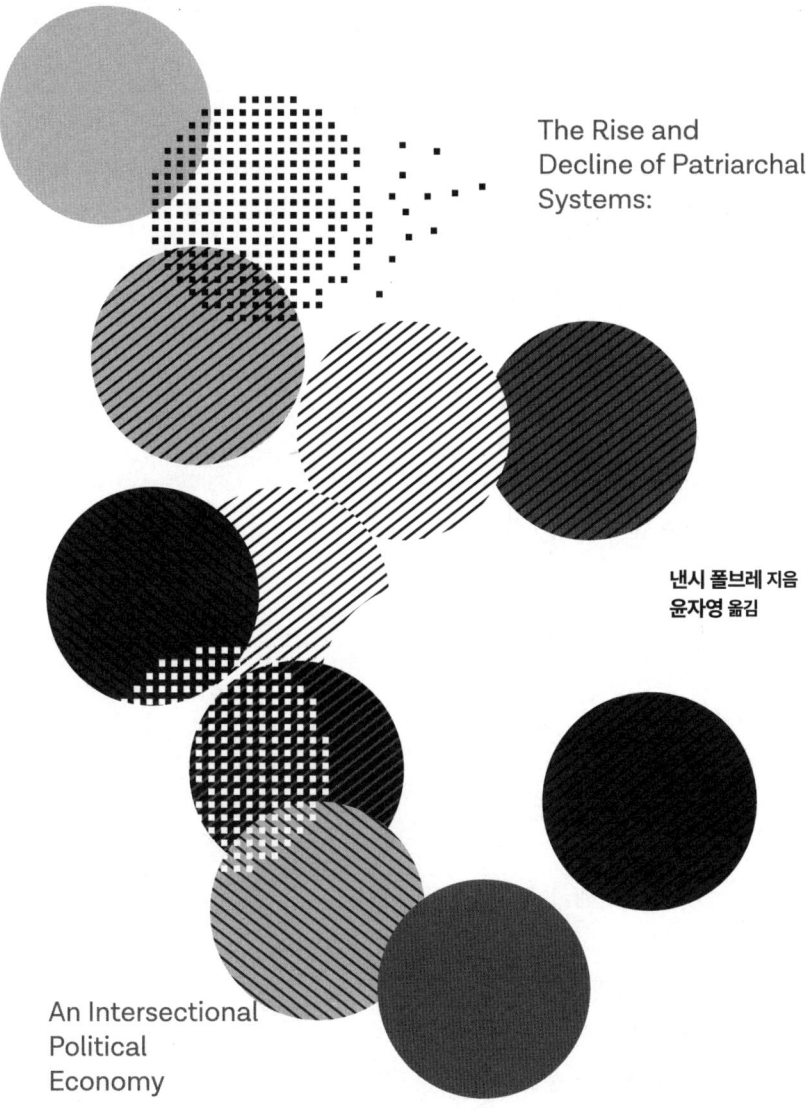

The Rise and
Decline of Patriarchal
Systems:

낸시 폴브레 지음
윤자영 옮김

An Intersectional
Political
Economy

에디토리얼

차례

신 화

오랜 세월이 흘러 늙고 눈이 먼 오이디푸스는 길을 가고 있었다. 어디선가 익
숙한 냄새가 났다. 스핑크스였다. "묻고 싶은 게 있소. 왜 난 어머니를 알아보
지 못했소이까?" 오이디푸스가 말했다. "오답을 말했던 거야." 스핑크스가 대
답했다. "하지만 그렇게 답했기 때문에 일이 다 풀렸잖소." 오이디푸스가 말했
다. "그렇지 않아. 아침엔 네발로, 정오엔 두 발로, 저녁엔 세 발로 걷는 게 무
엇이냐고 묻자, 넌 '남자man'라고 대답했어. 여자woman에 대해선 아무 말도 하
지 않았지." 오이디푸스가 항변했다. "남자라고 말할 때는 여자도 포함되는 거
요. 그건 누구나 아는 사실이오." 그러자 스핑크스가 말했다. "그건 네 생각일
뿐이야."

뮤리얼 루카이저Muriel Ruykeser, 『부서지며 열리는Breaking Open』, 1973

감사의 말

나는 불꽃에 달려드는 불나방처럼 오랫동안 성 불평등, 사회 분열, 집단 갈등에 관한 거대한 이론적 질문에 끌렸다. 원고를 쓰면서 날개가 그을린 느낌이 들기 시작했고, 제목의 단어 순서를 바꾸거나 부상, 쇠락, 그리고 다시 부상처럼 단어를 좀 더 추가할까 생각하기도 했다. 그러나 예언은 이 책의 목표가 아니다. 가부장제적 제도가 어떤 식으로 뒤틀리고 변했든지 간에 그 진화에서 우리는 배울 것이 많다.

이 책에서 발전시킨 교차정치경제학은 약자 집단들이 적극적으로 폭넓게 동맹할 필요성을 주장한다. 교차정치경제학은 여러 학문과 정치적 경계를 넘나드는 협력적인 노력에서 등장했다. 예리한 관찰과 제안을 해주신 편집자 로지 워런Rosie Warren에게 감사드린다. 지금까지 나와 협업해 온 친구들이 핵심 아이디어를 발전시키는 데 도움을 주었다. 리 배짓Lee Badgett, 마이클 비트먼Michael Bittman, 엘리사 브론스타인Elissa Braunstein, 미셸 부디그Michelle Budig, 폴라 잉글랜드Paula England, 앤 퍼거슨Ann Ferguson, 제임스 하인츠James Heintz, 줄리 넬슨Julie Nelson, 크리스틴 스미스Kristin Smith, 서주연Jooyeun Suh, 윤자영Jayoung Yoon, 토머스 바이스코프Thomas Weisskopf, 더글러스 울프Douglas Wolf, 그리고 에릭 올린 라이트Erik Olin Wright 등 수없이 많다. 우리 학교 경제학과 동료 교수인 캐럴 하임Carol Heim은 인내심과 일관성, 분별력이 있는 피드백을 주었다. 매사추세츠 애머스트 주립대학교 정치경제연구소 공동소장인 제럴드 엡스타인Gerald Epstein 과 로버트 폴린Robert Pollin은 변함없는 격려와 지원을 아끼지 않았다. 1975년부터 현재까지 매사추세츠 주립대학교 애머스트 캠퍼스 University of Massachusetts Amherst의 동료들 모두 이 책의 아이디어를 끌어내는 데 도움을 주었다.

수많은 친구들이 끔찍하게 어수선한 초고를 다시 쓰는 데 도움을 주었다. 존 스타이플러John Stifler는 수사적 실수를 부드럽게 고쳐줬고 도움이 되는 중요한 제안을 했다. 하룬 아크람-로디Haroon Akram-Lodhi, 로우르데스 베네리아Lourdes Beneria, 샘 보울스Sam Bowles, 하임, 윌리엄 퍼거슨William Ferguson, 바이스코프는 구체적인 제안을 했다. 내가 강의하는 '젠더와 인종, 계층의 정치경제학' 세미나 수업에 참석한 대학원생들은 아무것도 당연하게 여기지 않고 엄청난 질문을 던졌다. 캐서린 무스Katherine Moos와 루이자 나시프 피르스Luiza Nassif Pires와의 토론과 논쟁으로 몇 가지 핵심 논점에 대한 생각이 바뀌었다. 나일라 카비어Naila Kabeer는 마지막 수정 작업을 할 때 엄청난 도움을 주었다.

나는 여러 기회를 통해 이 책이 담고 있는 생각의 일부를 발표할 수 있었고 큰 도움을 받았다. 이 지면을 빌려 다음 기회를 제공해주신 분들께 감사드린다. 정치경제연구소가 마련한 '토머스 바이스코프의 업적을 돌아보는 기념 논문집 발간 기념 학술대회'(지넷 림 Jeannette Lim에게 감사), 급진적 정치경제학 연합Union for Radical Political Economics이 후원하는 데이비드 고든 강의(프레드 모슬리Fred Moseley에게 감사), 애머스트 대학교의 여러 여성과 젠더 연구 수업(앰리타 바수

Amrita Basu에게 감사), 런던정치경제 대학교의 젠더연구소(다이앤 페론스Diane Perrons에게 감사), 코넬 대학교의 자본주의 역사 학술대회(제퍼슨 코위Jefferson Cowie에게 감사), 인디애나 대학교의 패튼 강의(린 더건Lynn Duggan에게 감사), 이탈리아 피렌체에 있는 유럽 대학교(로라 리 다운스Laura Lee Downs에게 감사), 미국 사회학 학술대회의 '가부장제 재고찰' 세션(폴라 잉글랜드, 실비아 월비Sylvia Walby, 브루샬리 파틸Vrushali Patil에게 감사), 콜로라도 주립대학교에서의 강의(엘리사 브론스타인Elissa Braunstein과 앤더스 프렘스태드Anders Fremstad에게 감사), 더블린 대학교와 글래스고 칼레도니아 대학교(새러 캔틸런Sara Cantillon에게 감사), 온타리오주 윈저 대학교(에리카 스티븐스 애빗Erica Stevens Abbitt에게 감사), 휘턴 대학교(브렌다 와이스Brenda Wyss에게 감사), 바르셀로나 대학교의 대학연합 여성과 젠더학 연구소 학술대회(베네리아 덕분에), 위스콘신 대학교(에릭 올린 라이트에게 감사), 2018 국제 페미니스트 경제학회 학술대회(에디트 쿠퍼Edith Kuiper와 바버라 홉킨스Barbara Hopkins에게 감사), 젠더 불평등의 다이달로스에 관한 특별 세션에서의 토론(나넬 코핸Nannerl Keohane과 프랜시스 로젠블루스Frances Rosenbluth에게 감사) 등이다.

    2019년 가을 컬럼비아 대학교에서 있었던 새뮤얼 보울스와 허버트 긴티스Herbert Gintis의 업적을 축하하는 모임(서레쉬 나이두Suresh Naidu 등에게 감사)과 에릭 올린 라이트의 생애를 기리는 학술대회(마이클 버러워이Michael Burawoy 등에게 감사) 참석자들은 이 주제에 관해 더 치열하게 생각하는 데 도움을 주었다. 특히 데브라 새츠Debra Satz의 피드백에 큰 빚을 졌다. 또한 조슬린 올컷Jocelyn Olcutt이 주최한 '돌봄의 인식론: 글로벌 정치경제 다시 생각하기' 학술대회 참석자들에게 감사드린다.

코로나19 대유행은 이 원고를 최종 수정하고 있을 때 전 세계를 덮치고 있었다. 전 세계가 협동과 타인에 대한 배려에 의존하고 있음을 가슴 아프게 상기시켜준 사건이다. 돌봄 노동에 대한 나의 연구는 돌봄 노동의 특징들을 강조한다. 하나의 특징은 돌봄 노동을 하는 개인의 부가가치를 정확하게 평가하기가 어렵다는 점이다. 우리는 다른 사람들이 우리를 위해 정확히 무엇을 했는지 또는 우리가 그들을 위해 정확히 무엇을 했는지 알 수 없다. 좋든 나쁘든 우리는 함께 생산하고 재생산한다.

1부

이론적 ─ 도구

1장

교차정치 ─ 경제학

사회 분열은 불공정하고 비효율적인 구조적 불평등을 초래할 수 있고 실제로 그렇게 되는 경우가 많다. 멀고 먼 과거에 깊이 뿌리 내린 분열에 집착하면 공평하고 지속가능한 미래 경제를 꿈꾸지 못하게 되지 않을까 우려하는 사람도 있을 것이다. 하지만 그렇지 않다. 그런 미래상을 구현하려면 다양한 차원의 집단 정체성을 기반으로 한 위계 제도와, 교차하고 중첩되고 상호작용하는 오래된 가부장적 제도를 비판적으로 분석해야 한다.

집단권력을 남용하는 행위가 진화한 방식을 이해해야 집단권력을 가뿐히 바꿀 수 있다. 집단권력은 다양한 형태로 얽혀 있어서 이와 비슷한 권력의 도전을 받기 쉽다. 지속적으로 쇠락해 온 젠더 불평등의 역사는 다른 집단 갈등의 궤적을 보여주기도 한다. 복잡한 양상을 보이는 착취의 역사는 타인의 현재와 미래 행복의 가치를 도외시하는 사익 추구 행위가 값비싼 결과를 낳을 것이라고 우리에게 경고한다.

누군가는 화해해야 한다고 하고 또 다른 누군가는 이혼해야 한다고 하는 페미니즘과 마르크스주의는 불행한 결혼 생활의 동반자로 묘사되었다.[1] 이제 페미니즘과 마르크스주의 둘의 부부 관계를 생각하기보다는 각자 문화적 유전자 풀meme pool에 어떤 기여를 했는지 생각해보는 것이 좋겠다. 나는 한때 마르크스주의적 자본주의 개념 및 구조와 비슷한 가부장제 개념에 바탕을 둔 페미니스트 정치경제학을 받아들였다. 자본주의와 가부장제라는 상위의 명사는 연령주의와 인종주의, 민족주의, 동성애 혐오증 같은 고유의 특징을 드러내는 형용사로 수식할 수 있었다. 1980년대 논자들은 어떤 명사가 더 크고 더 중요한지, 그리고 이 둘이 '가부장적 자본주의'나 '자본주의적 가부장제'라는 말로 결합될 수 있는지를 두고 치열하게 논쟁했다. 둘의 관계가 무엇이든 두 실체는 교차하고 중첩되는 여러 착취 형태 가운데 일부를 이야기할 뿐이다.

여기 제시된 교차정치경제학은 마르크스주의 이론이 제시한 중요한 통찰을 담지만, 페미니스트 이론과 제도경제학, 게임이론, 협상력 모형이 제시한 통찰에 힘입어 집단 갈등이 좀 더 복잡하다는 점을 보여준다. 내가 주장하는 바는 '가부장적' '자본주의적' '인종주의적' '민족주의적'이라는 수식어가, 서로 영향을 미치며 위계질서를 약화시키는 한편 단합된 저항을 무력화하여 위계 관계를 강화하기도 하는, 일련의 사회제도를 잘 묘사한다는 것이다. 내가 주의를 환기하려고 하는 착취라는 개념은, 임금노동이 나타나기 오래전부터 존재했고, 자본주의 제도가 팽창하면서 내부화되고 수정되고 어떤 면에서는 약화된 착취이다. 나는 이 책에서 사회적으로 구성된 여러 형태의 불평등이 공진화共進化하는 데 가부장제가 미친 영향을 사례를 들어 제시할 것이다.

이런 집단 정체성과 갈등 분석은 페미니스트 이론에서 나온 세 가지 명제에 기반을 두고 있으며 처음에는 젠더 불평등에만 해당하는 것처럼 보였다.

1. 여성은 몇 가지 관심사를 공유한다.
2. 이런 공통 관심사를 갖게 된 이유는, 역사적으로 여성의 역할이 넓게는 인간 역량의 생산과 유지로 정의되고 단순하게는 '돌봄'이라고도 말하는 재생산 활동에 특화되었기 때문이다.

3. 부양가족을 돌봐야 하는 의무는 여성에게 특히 큰 대가를 치르게 하는 방식으로 개인 행복과 집단 행복의 긴장, 더 넓게는 이기심과 이타주의의 긴장을 조정하는 데 도움을 준다.

각 명제는 젠더라는 원래 영역을 넘어 적용할 수 있는 놀라운 확장성이 있음을 입증했다. 여성이 여성으로서 공통된 이해관계를 가진다는 것은 남성 역시 남성으로서 공통된 이해관계를 가진다는 것을 의미한다. 공통 이해관계를 중심으로 개인을 조직화하려는 노력은 필연적으로 공통되지 않은 다른 이해관계를 강조한다. 집단 이해관계가 젠더를 기반으로 삼을 수 있다면, 연령과 섹슈얼리티, 인종/민족, 시민권, 계급, 다른 차원의 사회적 소속 집단을 기반으로 삼을 수도 있다.

재생산수단에 대한 통제는 생산수단에 대한 통제만큼이나 중요한 경제적 결과를 낳는다. 재생산수단은 여성의 정신과 육체뿐만이 아니다. 일상적, 세대적 재생산의 과정은 젠더와 섹슈얼리티, 연령에 기반한 상호작용으로 환원될 수 없다. 인간의 역량을 개발하고 유지하는 데 필요한 자원을 이용할 수 있는 기회는 다양한 방식으로 불균등하게 분배되고, 자산 분배의 영향을 받으며, 국가의 사회 지출 프로그램의 수혜 가능성에 달려 있다. 소득은 집단이 가진 이점을 측정하는 유일한 지표가 아니다. 의료와 교육, 사회적 보호, 취업 기회가 사회적 소속 집단에 따라 제한되는 글로벌 경제에서는 특히 그렇다.

여성도 남성만큼 자신의 이기심을 추구할 수 있는 공간이 있어야 하지만, 이기심을 추구하기 위한 전체 공간이 타인에 대한 돌봄을 희생시키며 확장되어야 한다는 말은 아니다. 여성이 권리를 더 얻으려면 남성이 의무를 더 져야 한다. 여성이 가족을 돌보는 일에 오래도록 전념해온 탓에 누군가 자아 경계를 침범할 수 있다는 자각이 뚜렷해졌다. 상호 의존적인 세상에서 '자기 이익'이 무엇인지를 분명히 밝히기란 어렵다. 이타적 헌신commitments의 비용과 편익, 위험은 공정하게 나누어야 한다.

페미니스트 나침반은 협동과 갈등의 동학을 강조하는 교차정치경제학을 가리키며, 마르크스 역사유물론의 영향을 받았지만 이에 휘둘리지 않는 학제간 어휘를 사용한다. 역사유물론처럼 교차정치경제학은 과거의 제도 변화를 폭넓게 다루고 해석하여 미래의 정치 전략을 구상하는 데 도움을 준다. 이어지는 장에서는 아래에서 간략하게 제시하는 관점을 자세히 다룰 것이다.

협동과 갈등

가부장제의 경제적 분석은 시장에 초점을 두는 신고전파 경제학과 자본주의에 초점을 두는 전통 마르크스주의 경제학의 범위를 크게 벗어난다. 젠더 불평등을 탐구하는 경험에 기반한 연구는 이런 불평등이 개인의 선택이나 시대에 뒤떨어진 문화적 규범, 이윤을 극대화하려는 자본주의적 지상명령 탓이라고 밝힌다.[2] 남성이 자신에게 경제적으로 이득이 되는 사회제도를 설계하고 강제하고 옹호할 수도 있는 가능성을 탐구하는 연구는 별로 없다.

신고전파 경제학과 전통 마르크스주의 경제학 이론은 이 가능성에 제대로 초점을 맞추지 않는다. 신고전파 경제학은 시장에서 개인이 선택하는 수단이 가부장제를 구축할 수 없다고 하고, 전통 마르크스주의 경제학은 가부장제가 임금노동에서 잉여가치를 추출하려는 동기에 기반한 집단 이해관계를 전제로 성립한다고 주장한다. 경제학자가 내린 '경제'와 '경제체제'에 대한 기존 정의를 고집하면, 젠더를 포함하면서도 이에 국한되지 않는 여러 차원의 사회적 불평등을 지탱하는 제도적 기반을 제대로 분석할 수 없다. 가부장제에 주목하려면 경제체제가 무엇인지 새롭게 생각해야 하며 이와 반대의 경우도 마찬가지이다.

경제체제의 특징은 다양한 사회제도가 매개하는 개인과 집단이 복잡한 방식으로 협동하고 갈등을 빚는다는 것이다. 체제 동학은 젠더와 인종/민족, 시민권, 계급 중 어느 한 축의 집단 갈등으로 환원되지 않는다. 체제는 가부장적인 동시에 인종주의적, 민족주의적, 자본주의적 성격을 띨 수 있으며, 시기에 따라 어느 하나가 더 도드라질 수는 있지만 이들 중 어느 것도 내부 논리를 완전히 포착하지 못한다. 위계 제도는 여기서 비롯되는 다중적 사회 분열의 안정화 효과에 크게 의존한다. 그러나 정치적 동맹과 사회적 발명, 기술 변화의 맹공격을 받아 정체성과 이해관계의 무게중심이 이동하면 위계 제도는 뿌리째 흔들릴 수 있다.

가부장제의 부상과 쇠락은 그런 무게중심의 이동을 보여주며 가부장제를 포함하는 광범위한 체제가 어떻게 진화했는지 함축적으로 보여준다. 젠더 불평등은 다른 불평등과 공존하고 발전한다. 서로 구분되는 집단권력 구조의 중첩과 교차, 상호작용은 가부장제의 출현과 경제 발전 과정에서 나타나는 변화, 복지국가에 미친 영향력을 설명해준다. 자본주의 제도보다 앞선 많은 형태의 착취는 시간이 지나면서 약화되었지만 어떤 착취는 새로운 형태를 취했다.

자본주의 제도는 사회 환경과 자연환경의 지속가능성에 결정적인 역할을 하는, 값을 매길 수 없는 공공재를 착취하여 단기적 이윤을 극대화하려는 강력한 유인을 창출한다. 타인을 위한 무급 돌봄과 유급 돌봄은 이런 공공재 중 하나이며, 공공재는 엄청난 사회적 편익의 원천이지만 이를 창출하는 사람들은 마땅한 대가를 받지 못하고 있다. 가정에서든 노동시장에서든 여성은 가족 돌봄에 특화하므로 단체협상력이 제한을 받고, 협력적이고 지속가능한 경제체제를 발전시키는 데 특별한 이해관계를 가진다.

'부상'과 '쇠락'이라는 용어는 결국에는 쇠락하다가 망한다는 뜻이 아니라 장기 곡선의 기울기가 변한다는 의미이다. 정치적 문화적인 도전으로 가부장제가 오르락내리락하는 상황은 여전히 혼란스럽고 고통스럽다. 전 세계적으로 젠더 평등을 반대하는 움직임이 뚜렷하다.[3] 도널드 트럼프와 블라디미르 푸틴과 같은 세계 지도자들은 넘치는 남성성을 과시하며 백인 국가의 영광이 번영의 길이라고 목소리를 높이고 여성을 경멸한다.[4] 그러나 이런 반동적인 움직임은 재생산 노동 조직과 구성이 근본적으로 변화함으로써 생겨난 뿌리 깊은 불안과 젠더와 인종/민족, 시민권, 계급에 기반을 둔 중첩된 특권의 공고함을 드러낸다.

공고해진 권력은 기존 권력을 발판 삼아 복잡다단한 불평등을 조장해 권력을 잃은 사람들이 정치적 동맹을 맺으려는 노력을 방해하기도 하고 갑작스러운 정치적 재편의 잠재력을 창출하기도 한다.

2017년 1월 옥스팜은 보고서를 발표했는데 이 추정에 따르면 세계에서 가장 부유한 사람 여덟 명이 전 세계 인구의 하위 절반의 순자산에 해당하는 부를 소유한다.[5] 그들은 모두 백인 남성이고 여섯 명은 미국 출신인데 이런 특성은 우연처럼 보이지 않는다.

가부장제가 점점 더 도전을 받으며 페미니스트는 구조 변화의 선구자가 되었다. 2011년 미국에서 '점령 운동Occupy Movement'을 촉발시킨 포스터에는 월스트리트의 청동 황소 꼭대기에 균형을 잡고 서 있는 우아한 발레 댄서가 등장한다. 2017년에는 겁 없는 소녀Fearless Girl로 알려진 자그마한 조각상이 몇 달 동안 청동 황소와 마주 보게 되었고 부자들은 분노했다. 뉴욕시장 말대로 그 소녀는 부자와 권력자에게 기꺼이 맞서려는 모든 사람을 표상하기 때문이다.[6] 이 은유적 도전이 실제 현실에서 성공하려면 페어플레이 원칙에 기반한 광범위한 진보 연합 구축에 도움을 줄 이론적 도구를 개발해야 한다.

체제와 구조

가부장제 체제란, 가부장적 권력 구조가 다른 집단권력 구조와 역사적으로 고유한 방식으로 중첩되고 교차하는 체제를 뜻한다. 권력 구조는 공통점을 가진다. 법, 이념, 자산 분배는 특정 집단에게 집단적 이득과 손해를 안긴다. 평평하지 않은 경기장과 부러진 사다리, 빈곤의 덫, 유리천장, 모성 벽, 끈적끈적한 바닥 같은 언어는 구조적 제약을 은연중에 드러내고 있다.

남성과 여성의 관계를 형성하는 제도의 구조는 인간의 재생산과 돌봄에도 영향을 미친다. 가장은 단순히 남자가 아니다. 이 남자는 나이와 성적 취향, 젠더에 힘입어 권력을 휘두르는 남자이다. 가부장적 법과 규율, 권리, 공공 정책은 뚜렷한 자취를 남긴 이후 쇠퇴하기 시작했다고 역사는 기록한다. 문화 규범을 형성하는 가부장적 이데올로기는 어릴 때 각인되고 문화적, 경제적 영향을 받아 강화되기 때문에 변화를 거부한다. 금융과 다른 자산에 대한 가부장적 통제는 젠더화된 권력을 지속시키는 또 다른 원천이다.

경제적 자산은 자본주의적 생산수단으로 좁게 정의해서는 안 된다. 여기에는 미래 소득을 창출하는 모든 원천이 포함된다. 화폐가치로 쉽게 표시할 수 있는 재산뿐만 아니라 인적 자본이나 노동력(생산 역량의 가치), 자연 자본(환경 자원과 생태 서비스의 가치), 사회자본(호혜의 네트워크, 의무, 상호 원조의 가치), 지적 자본(인류 역사에서 현대 기술에 이르기까지 지식의 가치)이 미래 소득을 창출하는 원천이다. 이런 형태의 자본은 어느 개인이 소유하기는 어렵지만 집단적 통제를 받는다. 필수 불가결한 경제적 편익을 가져다주지만 커다란 대가를 치르는 착취에 기여할 수도 있다.

정치적, 문화적, 경제적 제도의 시너지 효과를 강조하면 집단 정체성과 행동에 관심이 집중된다. 제도가 집단의 상대적 협상력에 미치는 영향을 분석하고 '이 제도는 어떤 사회적 소속 집단에게 보상을 제공하는가?'라고 물음으로써 제도의 분배 효과를 확인할 수 있다. 어떤 제도는 젠더와 연령, 섹슈얼리티를 기반으로 이득을 챙기게 한다. 다른 제도는 계급과 인종/민족, 시민권, 종교와 같은 집단 정체성을 기반으로 이득을 얻게 한다.

우리가 사용하는 단어들은 닮은꼴을 나타낸다. 접미사 archy는 통치와 통치자를 의미하는 그리스어에서 파생되었다. 'hierarchy'(위계)는 천사의 계급을 설명하기 위해 오래전에 고안된 단어인데, 점점 세속적 의미로 사용되어 불평등 구조라는 뜻이 되었다. 그 구조를 지배하는 사람들과는 상관없는 단어가 된 것이다.[7] '가부장제patriarchy' '군주제monarchy' '과두제oligarchy'라는 용어는 통치자라는 의미를 반영한다. 대부분의 군주제와 과두정이 아버지에게 책임을 맡기는데 이는 우연으로 보이지 않는다. '자본capital'이라는 단어는 경제학자가 발명하지 않았다. 그것은 라틴어 'caput'(영어의 head)가 변형된 'capitalis'를 거쳐 '선두/맨 앞에 서다standing at the head or beginning'를 뜻하는 중세 영어에서 파생했다. 자본주의는 부를 물려받거나 쌓아올린 자에게 임금 소득자를 통제하는 제도적 권력을 부여하는 위계적 구조이다. 전통 마르크스주의 이론은 자본주의를 계급이 아닌 다른 형태의 집단권력을 지배하거나 만들어내기까지 하는 헤게모니를 쥔 생산양식으로 취급한다. 그러나 자본주의는 진화하면서 다른 위계 구조와 공존하고 공진화하며 상호작용한다. 인과관계 화살표는 똑바로 가거나 한쪽 방향으로만 움직이지는 않으며 복잡하고 순환적이다.

모든 위계 구조는 경제적으로 중대한 결과를 낳는다. 강자가 약자를 착취할 가능성을 낳고 잉여의 생산과 분배에 영향을 미친다. 가부장적 제도 구조는 젠더와 연령, 성적 취향에 따라 권력을 배분했고 재생산을 조직하여 인구 증가라는 고유한 형태의 축적에 역사적으로 기여했다. 마찬가지로 노동을 조직화하는 자본주의적 방식보다 먼저 나타났던 인종주의적이고 민족주의적인 제도 구조는 한 집단이 다른 집단을 희생시켜 부자가 되는 집단행동을 조직해냈다. 이런 집단행동에는 전쟁도 포함된다. 이런 형태의 잉여 창출과 탈취는 자본주의가 발전한 이후에도 없어지지 않았고 자본주의 발전의 일부로 통합되었다.

이 역사적 서사는 봉건제에서 자본주의로의 이행과 같은 전통 마르크스주의적 생산양식의 연쇄보다 훨씬 더 복잡하며, 다중적이고 동시적인 착취가 특징인 권력의 생태를 드러낸다. 이 서사는 여성과 가족을 젠더 불평등 분석을 넘어선 더 큰 그림으로 끌어들인다. 경제 체제는 서로 맞물린 다수의 위계 구조로 구성되어 복잡하기 때문에 상대적으로 안정돼 있지만 간헐적으로 변화하기도 한다. 총체적으로 보아야 하는 제도를 단순히 '자본주의'라고 칭하면 오해를 불러일으킨다.

개인의 권리와 집단적 의사결정에 대한 평등한 참여를 보장하는 가장 넓은 의미의 민주주의는 착취를 최소화하려고 설계된 제도 구조이다. 민주주의라고 해서 위계질서가 전혀 없는 것은 아니다. 지도자를 세우지 않고 구성원들의 합의에 따라 결정을 내리는 집단조차도 권한을 정하고 경계를 설정하여 구성원 자격과 행동을 규정하는 규칙을 엄격히 적용한다. 민주주의가 불완전한 상태에서 효과적으로 작동하는 경우는 거의 없다. 그럼에도 불구하고 민주적 이상은 자의적이고 불공정한 불평등을 낳는 위계 제도를 비판적으로 분석할 때 끌어올 수 있는 중요한 기준이다.

전통 신고전파 경제학은 개인이 경쟁 시장에서 서로 만난다고 본다. 반면 전통 마르크스주의 이론은 양식화된 생산양식 내부의 계

돌봄과 연대의 경제학

급투쟁에 초점을 맞춘다. 두 이론을 비판하는 사람들은 사회제도에 주목하지만 다차원적 형태의 집단 갈등을 포괄적으로 분석하지는 못한다. 정치학은 보통 분배의 정치 공작에 더 천착하고 사회학과 인류학은 규범적 권력에 더 주의를 기울인다. 이런 접근 방식들은 서로 교차하기도 하고 중첩되기도 하며, 집단에게 가져오는 경제적 결과를 고려하여 집단권력의 제도 구조를 정의하는 프로젝트에 유용할 수 있다.

행위자와 행동

페미니스트가 '가부장제'를 이해하려는 이유는 명백하다. 구조물을 허물고 싶다면 구조물이 어떻게 만들어졌고 무엇과 연결되어 있는지 이해해야 한다. 집단권력은 스스로를 재생산하거나 모양을 바꾸기도 하지만 난공불락은 아니다. 하나의 제도 구조를 약화시키는 정치적 재편은 더 큰 조직을 불안정하게 만들 수 있다. 어떤 환경에서 성공하는 제도 구조가 다른 환경에서는 이념적 불일치로 약화되거나 기술 변화로 혼란을 겪으며 무능만 드러낼 수 있다. 단기에 거둔 이득은 별안간 손해가 될 수도 있다. 자본주의에 대한 전통 마르크스주의 비판의 핵심인 자본주의 체제의 위기 경향성을 좀 더 일반화하면 사회와 환경 붕괴 같은 심각한 위협에 적응할 수 없는 복잡계에 적용할 수 있다.

사회구조와 체제는 어느 날 하늘에서 뚝 떨어지지 않는다. 이것들은 협동과 경쟁의 변증법으로 생성되고 유지되며, 예상치 못한 사건과 예상치 못한 결과로 인해 복잡해진다. 개인은 전통 신고전파 경제학이 가정하는 대로 시장 교환에 참여할 때 자신의 이기심에 따라 행동하기도 한다. 마르크스주의 정치경제학이 가정한 대로 계급은 잉여의 통제를 놓고 투쟁하기도 한다. 그러나 이런 방식의 행위자와 행동은, 부당하게 불평등한 협상력이 착취의 원인이라는 복잡한 이야기의 아주 작은 부분에 해당할 뿐이다.

이 이야기는 경제활동을 정의할 때 시장 교환을 목적으로 한 생산을 넘어 점유(절도와 전쟁), 재생산(인간 역량의 생산과 유지), 사회적 재생산(사회 집단의 생성과 유지)의 광범위한 과정으로 확장해야 더욱 설득력이 있다. 이런 활동에는 집단권력 구조가 강제하는 조정이 필요하다. 이런 조정coordination(행위자들이 자신의 이익을 추구하면서도 다른 행위자들과 협동하고 조화를 이루는 과정─옮긴이)은 커다란 대가를 동반하는데, 권력자들이 다수의 협동으로 창출된 이익에서 부당하게 큰 몫을 주장할 수 있는 기회를 만들기 때문이다. 효과적인 민주주의가 유일한 안전장치이지만 경제적 불평등으로 인해 달성하기가 불가능하지는 않더라도 어렵다.

경제적 불평등은 단순히 시장 소득의 관점에서 정의될 수 없다. 경제적, 인적, 자연적, 사회적 자본 접근성이 차별화된 결과라는 측면에서 광범위하게 정의되어야 한다. 어떠한 이익 집단에 가입할지 선택할 수 있는 사람들도 많지만 젠더와 연령, 섹슈얼리티, 인종/민족, 계급, 국적과 같은 꼬리표를 달고 태어나면 사회적 소속 집단을 선택할 수 없다. 꼭 이런 꼬리표 탓은 아니지만, 꼬리표가 어떤 사람은 경제적으로 취약하게 만들고 어떤 사람은 부당한 이득을 보게 만들기도 한다. 어떤 집단과 동맹을 맺을지 선택할 수 있지만, 행위성

돌봄과 연대의 경제학

agency(개인이 독립적으로 자유로운 선택을 내릴 수 있는 역량—옮긴이)은 한계가 있고 다른 사람들이 동시에 어떤 결정을 내리는지 완벽하게 알 수 없으므로 최선의 선택을 할 수 없다.

어떤 집단에 속해서 이점을 누리는 경우도 있지만 불이익으로 고통받는 경우도 있다. 우리는 어떤 면에서는 유리하고 다른 면에서는 불리한 상황에서 혼란스럽거나 모순된 위치에 있음을 깨닫는다. 록산 게이Roxane Gay는 이렇게 말했다. "하나나 그 이상의 영역에서 특권을 누린다 해서 온전한 특권을 가진 사람이라는 의미는 아니다. [⋯] 특권을 인정한다고 해서 자신이 경험한 소외와 고통을 부정하는 것이 아니다."[8] 이런 복잡성으로 인해 경제 정의라는 원칙에 입각한 합의를 도출하기 어렵고, 합의를 보았다 하더라도 원칙을 적용하려는 노력을 이끌어내기 어렵다. 우리는 미래가 두려워서 과거에 집착한다. 동맹의 결과를 예측하기 어렵기 때문에 이론적 서사와 문화적 이데올로기는 우리의 결정에 막대한 영향을 미친다.

신고전파 경제 이론은 무임승차 문제를 강조한다. 개인의 이기심이 서로 약속한 협동을 훼손한다는 것이다. 하지만 그런 조정 문제를 극복하는 방법을 과소평가한다는 문제가 있다. 전통 마르크스주의 이론은 계급 연대를 강조하지만 그만큼 중요한 다른 종류의 연대는 어둠 속에 남겨둔다. 어느 이론도 사회 분열을 틀 지우는 협동과 갈등의 변증법을 완벽하게 설명하지 못한다. 개인과 집단 모두 협동과 교환에서 얻을 수 있는 이익을 더 많이 가져가려고 술책을 부린다. 무임승차를 억제하기 위해 고안된 제도 구조는 무임승차만큼 심각한 권력자의 꼭대기 승차나 실속 챙기기cream skimming라는 문제를 악화시킨다. 힘 있는 집단은 힘없는 집단을 착취하는 방법과 자신의 이점을 영구화하려고 이득을 제도화하는 방법을 찾아낸다.

우리는 모두 정해진 규칙과 보상이 있는 은유적 게임에 참여하는 선수이다. 특히 승자는 변화에 저항할 가능성이 높다. 그러나 모든 선수는 전체 상금의 규모와 지속가능성을 키우고, 승리의 가치를 드높이는 데 동일한 이해관계를 가진다. 정치경제학의 두 가지 중요한 도구인 협상 모델과 게임이론은 왜 평등한 협동이 장기적으로 모든 사람을 더 나은 삶으로 이끄는지를 설명한다. 우리가 즐기는 대부분의 게임, 실제 게임은 공정한 경기 규칙을 정하고 심판을 배치한다.

일부 페미니스트 이론가는 경제적 추론의 형식적 방법에 의혹을 갖는다. 오드리 로드Audre Lorde의 유명한 경고가 떠오른다. "주인의 도구는 주인의 집을 절대 허물지 않는다."[9] 그러나 어떤 도구는 양쪽에서 이용할 수 있다. 합기도라는 무술은 방어자가 공격자의 힘을 역이용하는 방법을 가르친다. 중세 전쟁의 역사에서 공격하는 측이 제꾀에 넘어가게 하는 것보다 더 인상적인 성공은 없었다.

경제적인 것을 확장하기

교차정치경제학은 재생산과 사회적 재생산을 아울러서 '경제적인 것'을 재정의한다. '경제적인 것'이란 적어도 몇 가지 정체성과 이해관계를 공유하는 사람들을 하나의 집단으로 묶는 사회제도와 인간 역량을 만들어내는 것이다. 이 책의 1~5장은 집단권력 구조가 서로 맞물리는 위계를 만들어내는 전략적 지평을 개념화한다. 집단권력 구조는 개인과 집단의 의사 결정 범위를 정의하고 개인과 집단의 노력을 조율하기 위해 규범적 이데올로기로 묶인 동맹을 만들어낸다. 집단권력의 서로 맞물린 구조는 특권을 강화하려는 집단과 구조적 불이익을 피하려는 집단이 벌이는 다층적인 단체협상 과정의 무대가 된다.

이 이론적 재구성 작업은 가부장적 협상(가부장제 내에서 여성이 안정과 자율성을 좀 더 많이 확보하기 위해 채택하는 전략—옮긴이)을 인류 역사의 최전선과 중심으로 가져오는 동시에 그것이 복잡한 위계 체제에 깊이 뿌리박혀 있음을 인정한다. 가부장제는 다양한 역사적, 문화적 맥락에서 점진적이지만 근본적으로 변화했기 때문에 제도를 바꾸어낼 몇 가지 요리법을 드러낸다. 푸딩의 맛을 알려면 재료의 성격과 상호작용을 보다 포괄적으로 파악해야 한다.

이 푸딩은 냄비 하나로 전부 요리할 수 없을 정도로 매우 크다. 대신 6~10장에서는 착취의 기원, 자본주의 제도의 확장, 복지국가 발전, 젠더 불평등 지속, 진보적 동맹 구축에 대한 희망 등 정치경제학에서 이야기하는 몇 가지 핵심 서사를 약간 변형해 요리했다.

이 6~10장에서는 개인과 집단의 결정을 제약하는 집단권력 구조가 매개하는 인구학적 동학과 경제적 동학 분석을 통합했다. 인과관계는 두 방향으로 작동한다. 개인적 사회적 선택은 집단권력 구조의 효과를 누적한다. 이런 호혜적 과정은 사회재생산이라는 우산 안에 느슨하게 들어오지만, 단일 체제로서 자본주의의 사회재생산으로 축소되거나 문화적 관성과 기술 변화의 결과로 단순하게 설명될 수 없다. 이 과정은 집단 협동과 갈등이라는 복잡한 춤의 리듬을 반영한다.

그의 이야기, 그녀의 이야기, 우리 이야기

자본주의적 발전은 인구 증가가 아니라 1인당 소득과 소비 증가에 더 시간과 노력을 투입하라고 인간을 부추겼고 여성에게 긍정적인 결과를 많이 가져왔다. 그러나 이는 상대적으로 협상력이 거의 없는 집단을 착취하여 달성되었다. 북반구는 남반구를 희생시키면서 이익을 얻었고, 국내총생산의 성장은 자연 자원 남용과 기후 불안정, 사회적이고 정치적인 기능 장애 같은 위험에 대항할 수단이 없는 미래 세대를 희생시켜 달성되었다. 노래를 따라 부르는 사람들조차도 이 오페라가 어떻게 끝날지 알 수 없다.

기원

불평등은 프랙탈(일부 작은 조각이 전체와 비슷한 기하학적 형태—옮긴이) 같아서 작은 패턴이 더 큰 규모로 복제된다. 사회 전반의 불공정한 불평등을 이해하려면 가족 내의 불공정한 불평등을 먼저 이해해야 한다. 남성과 여성의 권력 분할이 전적으로 생물학적 차이에 따른 거라면 때로 왜 그렇게 많은 사회제도가 이를 폭력적으로 강제했는지 설명하기 어렵다. 그녀나 우리의 이야기가 아닌 그의 이야기his story로서 역사history가 발명되기 훨씬 이전에 제도의 역사는 시작되었고, 가축이나 토지 같은 사유재산이 없는 사회는 대체로 평등하다는 마르크스의 가정에 도전한다. 그러나 마르크스의 역사유물론이 제기한 보다 기본적인 원칙은 여전히 적절하게 들어맞는다. 착취적 제도는 집단 내에서 이득이 불평등하게 분배되더라도, 집단 전체에게 이득이 되도록 잉여를 빼앗거나 만들어내는 데 도움이 된다. 착취적 제도가 일단 확립되면 모든 구성원이 커다란 희생을 치를 때조차도 변화를 거부한다.

가부장제는 처음에는 계급과 인종에 기반한 사유재산과 지위를 확립하는 제도의 발전에 보완적이었고, 그 제도의 사회적 재생산을 안정적으로 뒷받침했다. 전리품으로 획득한 여성을 노예로 삼기도 했는데 이는 훗날 가족을 가축처럼 사고팔았던 노예제의 전조였다. 부족, 혈통, 왕조는 일종의 대가족으로 인식되었고, 그들 사이의 구분은 이후 도래한 인종 이데올로기의 표본이었다. 아버지의 권위는 왕의 권위에 대한 은유이자 모델이었다. 위계 제도는 군사적 성공을 거둘 때 상당한 이점을 제공했는데 농업 생산에서 나오는 잉여와 그와 다를 바 없이 중요한 인구를 축적하는 이점을 가져왔다.

자본주의 발전

대출에서 임금노동에 이르는 자본주의 제도들은 혁신에 대한 보상은 물론 새로운 형태의 착취를 부추기는 가부장적, 인종차별적, 민족주의적, 봉건적 습속에 뿌리를 내려 서로 다른 시기에 느리게 등장했다. 자본주의 제도들은 기존의 불평등과 집단 충성을 기반으로 구축되었거나 의존했을 수도 있다. 중요한 역할을 한 제도 중 하나는 노예 기반 농장식 농업이었다. 이윤을 짜내려는 강제 노동은 계급 권력의 차이가 인종적/민족적 권력의 차이와 중첩되는 곳에서 출현했다. 많은 형태의 식민화가 비슷한 방향을 취했다.

초기 자본주의 발전은 단순한 강압이 아닌 혁신으로 이윤을 추구하도록 고용주를 압박할 만큼 충분한 협상력이 노동자에게 있었던 국가에서 가장 역동적으로 나타났다. 실제로 권력 집단이 대가 없이 공물을 요구하거나 귀중한 자연 자산을 몰수할 수 있는 곳에서는 자산가들이 생활수준을 높일 수 있는 투자에 자기 재산을 거는 경우는 거의 찾아볼 수 없었다. 그들은 인도에서 영국 동인도회사가 수행한 전략처럼 현지 엘리트를 매수하는 데는 아낌없이 투자했다.

임금노동은 다양한 방식으로 시작되었다. 노동자들이 최후의 수단으로 공장에 들어갔는지 아니면 임금을 받고 고용되기를 간절히 원했는지는 지역 경제 상황과 젠더, 연령에 따라 크게 달랐다. 어떤 경우에는 공장 생산 체제가 확대되기 시작할 때 모순된 효과가 발생했다. 청년은 부모의 토지와 경제적 부양에 덜 의존하게 되었지만 새로 등장한 노동시장에 의존하게 되었다. 보통 임금노동은 뚜렷하게 젠더화된 형태를 취했으며 여성은 가장 보수가 낮은 일자리에만 취업할 수 있었다. 자본가는 남성의 이점을 보호하려고 다른 남성 자본가뿐만 아니라 남성 노동자와 굳건히 연대했다.

다른 한편 자본주의 발전은 경제적 성공으로 가는 길을 바꾸어 놓았다. 가족에 기반한 생산이 감소하고 가족 규모가 줄어들기 시작한 지역에서 여성이 집에 남을 때 치러야 하는 경제적 대가는 점점 더 커졌다. 출산율이 감소하고 시장에서 소득을 올릴 기회가 늘어나 가족의 생활수준이 높아졌고 가부장제 규칙과 규범을 재협상할 수 있는 여성의 능력도 향상되었다. 초기 페미니스트 운동가들은 제도를 바꾸어 이득을 얻었고 이는 이데올로기적 파급 효과를 가져왔다. 경제적 변화가 비교적 적은 지역에서도 일부 가부장적 법률과 규범이 약화되었던 것이다. 영국과 같은 제국 열강은 식민지에서 조혼과,

남편을 여읜 여성의 학대를 금지하는 법을 도입했으며 이를 자랑스러워했다.

여성이 권력을 획득할 수 있는 잠재력은 모든 곳에서 인종/민족, 계급, 시민권과 같은 다른 차원의 집단 정체성의 영향을 받았다. 자본주의적 발전과 지리적 이동성 증가는 가족에 대한 헌신을 약화시켰다. 임금노동은 집 밖에서 돈을 벌 기회를 제공했지만 가족 구성원을 직접 돌보거나 부양하는 노력을 보상하지 않았다. 일부 젊은이들은 독립된 삶을 선호했다.

여기서도 결과는 모순적이었다. 자녀를 양육하는 비용이 늘어나 가족 규모를 줄이려 노력하게 됐고 결국 출산과 자녀 양육에 대한 막대한 수요 감소가 나타났다. 다른 한편 여성은 여전히 증가하는 노인층과 가족을 돌보는 책임을 우선적으로 떠안아야 했다. 유럽, 미국, 중남미 지역에서 이혼과 비혼 인구가 증가하면서 아버지가 자녀를 경제적으로 책임질 가능성은 줄어들었고 어머니가 되는 것 자체가 빈곤으로 이어질 위험은 증가했다. 가족과 지역사회에서 협동의 동기가 감소하고 자본주의적 개인주의 정신이 확산되자 경제적으로 타인에게 의존하는 사람은 방치되기 십상이었다.

복지국가

20세기 전반에 걸쳐 부유한 자본주의 국가에서 가족 유대가 약화되고 교육, 의료, 연금, 사회 안전망과 같은 돌봄 서비스를 국가에서 제공해야 한다는 주장이 나오면서 국가가 받는 경제적 압박이 커졌다. 국가는 이런 서비스를 제공함으로써 특화, 규모의 경제, 위험 분산을 통해 효율성을 높일 수 있었다. 노동계급 조직은 '사회적 임금' 인상을 위한 협상에서 핵심 역할을 했지만, 고용주 또한 건강하고 교육과 돌봄을 잘 받은 노동력을 양성하는 데 경제적 이해관계를 가지고 있었고, 군대는 건장한 군인을 필요로 했다.

복지국가 정책은 남성의 손을 통해 연금을 비롯한 사회적 혜택을 전달하여 전통적인 생계 부양자/전업 주부 가족에 보조금을 지급했다. 미국과 같이 인종적, 민족적으로 분열된 국가에서 백인은 다른 사람들이 혜택을 받지 못하도록 협력하여 행동하면서 백인에게 이윤과 임금이 돌아가도록 일련의 요구를 했다. 계급 불평등은 세금과 국민이 받는 혜택의 구조에 영향을 미쳤다. 북유럽 국가에서는 인종과 계급 불평등 수준이 상대적으로 낮았기 때문에 조직화된 여성 집단이 출현해 더욱 관대하고 보편적인 사회적 혜택을 얻어내기 위해 성공적으로 투쟁할 수 있었다.

21세기에 접어들면서 세계화는 재생산과 생산의 단절을 심화시켰다. 대기업 고용주는 사회 지출에 돈을 대려고 하지 않았고 해외 위탁과 외주로 세금과 임금 지출을 최소화할 수 있었다. 자본 이동성이 높아지고 자동화가 확산되어 고용주는 한 국가의 노동력에만 의존할 필요가 줄었다. 무인 드론, 사이버 전쟁 같은 군사 분야 신기술의 확산으로 인간 사병에 대한 의존도가 낮아졌다. 신자유주의 정책이 전면에 등장했다. 불가피하다고 생각했던 복지국가 정책의 전 세계적인 확장세는 상당히 둔화되었고 어떤 국가에서는 이런 흐름이 역전되었다.

재생산 영역의 변화로 노동자와 납세자들이 수세에 몰리기도 했다. 여성은 새로운 의료 기술로 임신과 출산을 통제할 수 있는 힘이 커졌다. 반면 자녀 양육과 교육 비용은 상대적으로 증가했다. 복지국가 내부에서 긴장이 고조되었는데 이는 가족 내 긴장을 반영한다. 누가 누구를 돌봐야 할까? 가족수당, 보육 서비스, 유급 가족 휴가와 같이 양육을 지원하기 위해 설계한 공공 정책은 부모가 감당해야 할 비용의 아주 적은 부분을 충당할 뿐이다.

출산율 감소로 대다수 국가의 인구 구조에서 노인의 비중이 커졌고 의료와 돌봄 서비스에 대한 필요성이 증가했다. 사람들은 오래 살고 싶어 하는 법이다. 노동 연령층에 진입한 성인은 노인에게 제공하는 공적 연금과 의료 서비스 비용 부담에 짓눌려 있고 자녀 세대가 자신들을 부양할 의사와 능력이 없음을 두려워한다. 대부분의 노인은 이미 자녀를 키웠고, 다른 사람의 자녀, 특히 자기 자식을 닮지 않은 아이에게 혜택을 주는 공적 투자를 지원해봤자 직접적인 이득을 보지 못할 것이라고 생각한다. 이런 세대 간 분열은 악화될 수밖에 없다. 복지국가 정책에 내재한 세대 간 협상을 이해하기 어렵고 현상을 개선하기도 어렵기 때문이다.

계급과 인종/민족 동학을 이해하지 못하면 사회적 분열이 초래되어 큰 대가를 치러야 한다. 사회 안전망의 약화와 함께 부와 소득의 불평등 증가로 말미암아 신체적, 정신적 건강이 악화되고 공통 문제에 협력하여 효과적으로 대응하기가 어려워진다.[10] 경제적 성공의 척도로 국내총생산GDP과 주식시장 수익률을 이념적으로 강조하면 혼란과 오해가 일어난다. 돌봄과 인적 역량에 대한 투자를 인적 자본과 사회자본에 대한 (근본적으로 중요한) 투자가 아니라 소비의 또 다른 형태로 취급하는 국민소득계정은 불평등한 사회가 야기하는 진짜 비용을 감춘다.

가족과 마찬가지로 복지국가는 돌봄과 인적 역량에 대한 투자의 원천이라고 하기에 미덥지 못하다. 그러나 사람, 자연 자산, 생태 서비스, 사회적 연대는 모두 지속가능한 경제 발전을 도모하기 위한 중요한 투입 요소이자 본질적 가치의 원천이다. 가격이 매겨지지 않은 이런 자산을 효과적으로 보호할 수 있는 제도를 구축하지 못해서 자본주의적 집단권력 구조는 침식되고 있다. 특히 무제한적 이윤 추구를 정당화하는 규범은 흔들리고 있다. 코로나19 팬데믹은 긴장을 고조시키고 있다. 생명과 생계를 교환하는 것으로 보이는 정책은 중요한 질문을 제기한다. 누구의 생명과 누구의 생계를 교환하자는 것인가?

돌봄 불이익, 돌봄 위기

복지국가의 불확실한 미래는, 시장에서 사고팔 수 있는 상품과 서비스의 생산 활동만을 보상하는 경제체제 안에서 가족이 직면한 불확실한 미래와 비슷하다. 전통 신고전파 경제학은 아이와 가족에 대한 돌봄을 개인적인 만족의 원천이자 값비싼 사치품인 반려동물 돌보는 일처럼 다룬다. 그러나 인간 역량의 생산과 유지는 공공재를 생산한다. 이로 인한 편익은 사회 전체로 분산되고 시너지 효과를 창출하며 정확하게 값을 매기기 불가능한 생산물이다.[11]

여성은 가정에서나 노동시장에서나 주된 돌봄 제공자이며, 받는 사람이 아니라 주는 사람으로 불리는 데에는 이유가 있다. 돌봄을 제공한 개인이 해당 편익을 회수하기 어려운 상황에서 여성은 남성의 선의나 애정에 의존하는 경우가 많다. 물론 그런 남성의 감정이 사그라들 때는 의존하기조차 어렵다. 무임승차자는 제멋대로 행동한다. 경제적 지원이나 자녀 양육에 아무런 기여를 하지 않은 아버지라도 여전히 자녀에게 애정이나 도움을 요구할 수 있다. 교육을 지원하는 공공 지출에 아무런 기여를 하지 않는 고용주라도 여전히 교육을 받은 노동자를 고용할 수 있다. 교육 분야 공공 지출을 줄이는 국가는 다른 국가가 키워낸 대학 졸업생을 수입할 수 있다. 시장에서 수입을 늘리기 위해 돌봄 책임을 지려 하지 않는 여성은 다른 여성이 낳고 기른 아이에게 돈을 지불하고 노후의 돌봄을 받을 수 있다.

다른 사람을 무보수로 돌보는 데 상당한 시간과 노력을 들이는 개인과 집단은 평생 소득 감소라는 경제적 대가를 치른다. 미국에서 경제적 부양과 직접 양육을 일차적으로 책임지는 많은 어머니가 상당한 불이익을 받는다는 사실이 알려졌고 이를 뒷받침하는 증거가 있다. 여성도 자녀가 없으면 비슷한 수준의 교육과 경험을 가진 남성과 비슷하게 돈을 번다. 성별 소득 격차의 상당 부분에는 아이를 낳고 기른 비용과 위험이 반영돼 있다. 국민연금과 자산조사 공공부조와 같은 공공 정책은 가족 돌봄이 진짜 '일'이 아니라는 이유로 돌봄 제공자에게 혜택을 받을 자격을 주지 않는다.

돌봄 불이익은 무급뿐만 아니라 유급 노동에서도 나타난다. 건강, 교육, 사회 서비스 같은 돌봄 산업과 보육, 요양, 교육, 간호 같은 돌봄 직종에서 일하는 남성과 여성 모두 비슷한 교육을 받고 경력을 쌓은 다른 사람들보다 수입이 적다. 미국에서 코로나19 감염에 특히 취약한 의료 인력의 약 75퍼센트는 여성이 차지한다. 코로나19로 인한 치명률이 치솟는 상황에서 2020년 4월 미국의 많은 병원은 재정이 바닥났고 의료 종사자의 급여를 삭감하거나 근무 시간을 단축했다. 최전선에서 환자를 돌보는 의료진도 예외는 아니었다.[12]

협상력은 만족스러운 보상을 받을 때까지 직무 수행을 보류할 수 있는 능력에서 나온다. 어린이, 노약자, 장애인은 협상력이 약할 수밖에 없으며 특히 인종/민족, 시민권, 계급 차원에서 불리한 위치에 있으면 더욱 그렇다. 유급이든 무급이든 가족을 돌보는 노동을 하는 사람들은 돌보면 돌볼수록 경제적으로 취약해진다는 공통점이 있다. 정서적 애착으로 인해 더 이상 돌보지 않겠다는 위협을 하기가 어렵다. 돌봄을 제공하도록 단단히 뒷받침하는 문화적 규범과 도덕적 가치는 여전히 강력하게 작동하고 있다. 하지만 돌봄을 주고받을 수 있는 권리를 사회적으로 합의하여 제도적으로 지원할 필요가 있다.

분열과 동맹

페미니즘은 여성이 이해관계를 공유한다고 주장하지만 여성들의 동맹은 차이점을 극복하는 데 달려 있다. 이 책에서 발전시킨 교차정치경제학은 그런 차이를 인식하고 이론화하고 문제를 제기할 필요성을 강조한다. 교차정치경제학은 가부장제가 약화되면 여성의 상대적 지위가 향상될 수 있지만 여성이 계속 인종/민족, 시민권, 계급 차이로 점철된 취약한 지위에 머물게 되는 이유를 설명한다. 또한 자본주의 동학을 그대로 내버려두면 환경과 인구, 사회의 지속가능성은 훼손될 수밖에 없음을 보여준다.

어떤 집단과 연대하는가, 이는 중요한 문제이다. 인간의 역량은 공공재이지만 모든 사람이 공공재를 평등하게 누릴 수는 없다. 누군가 자신의 역량을 발휘해 창출한 편익 중 일부는 사람들이 속한 가족, 집단, 국가가 회수한다. 불우하거나 하위 집단에 속한 여성은 특히 더 모순된 위치에 있다. 즉 보상이 부족한 돌봄 서비스를 조금만 줄여도 협상력은 커지지만 이 경우 가족과 지역사회가 다른 제도화된 착취에 저항할 수 있는 능력이 줄어들 수 있다.

우리 모두는 공정하고 공평하며 지속가능한 경제 개발을 촉진할 수 있는 제도 구조를 개발하는 데서 혜택을 본다. 공익을 효과적으로 수호하고 공동선에 투자할 수 있는 튼튼한 민주주의 제도를 구축하기 위한 정치적 동맹을 형성하는 것보다 더 중요한 일은 없다. "모든 사람은 자신을 위해every man for himself"라는 슬로건은 가부장제 권력의 원칙이자 멸종의 요리법이다.

2장

가부장제 ─ 정의하기

'가부장제'와 '가부장적'이라는 단어는 젠더 불평등과 (문자 그대로) 아버지의 권위를 묘사할 때 쓴다. 이 단어의 정확한 정의는 여전히 논쟁의 여지가 있지만 성숙한 이성애 남성에게 타인을 지배하는 권력을 부여하는 사회 질서를 보통 지칭한다. 명사 '가부장제'는 중력의 영향을 받는 행성에 둘러싸인 태양처럼 홀로 분리되어 존재하는 실체를 묘사한다. '자본주의'도 이 점에서는 같다. 그러나 수많은 태양으로 구성된 은하계처럼 서로 교차하고 맞물린 제도 구조로 구성된 사회체제를 생각해보자. 이러한 사회체제의 제도 구조는 서로 구분되면서도 중첩되는 집단에 속한 사람들이 이용할 수 있는 기회의 경계를 정한다.

부분은 전체의 영향을 받고 전체는 부분의 영향을 받는다. 복잡한 집단권력 구조로 구성된 광범위한 사회체제를 잘 이해하면 가부장제의 의미를 정확히 설명할 수 있다. 마찬가지로 가부장제가 인종/민족, 시민권과 계급에 기반한 위계와 어떻게 연결되어 있는지 면밀히 분석하고 이해할 수 있다면 광범위한 사회체제를 설명하는 데 도움이 된다. 가부장적 집단권력 구조에서 출발하여 사회체제를 설명하는 이유는, 가부장제가 다른 제도보다 더 중심적이거나 중요하기 때문이 아니라 최근 역사에서 재협상과 개혁의 궤적을 보여 왔기 때문이다.

어떻게 다양한 제도들이 집단권력 구조라는 의미를 가진 무언가로 묶이는가? 지금까지 수행된 페미니스트 연구는 여성을 불리한 지위로 몰아넣는 규칙, 이데올로기, 경제적 자산에 대한 통제를 다룬다. 이것이 바로 비나 아가왈Bina Agarwal이 규정한 '사회적 위계 구조'

이다.[1] 드니즈 칸디요티Deniz Kandiyoti는 '가부장적 협상'이라는 용어를 사용하여 여성이 어떻게 "일련의 구체적인 제약 내에서 전략을 수립"하여 서로 다른 '게임 규칙'을 만들어내는지를 설명한다.[2] 개인이나 집단이나 이런 제약을 옹호하거나 수정하고 새로운 규칙을 수립하려고 체계적인 노력을 기울인다.

가부장적 권력 구조에 대한 이런 접근 방식은 정치적, 문화적, 경제적 힘의 중요성을 존중하고 젠더와 연령, 섹슈얼리티를 기반으로 한 집단 정체성과 이익을 반영하고 강화하는 사회제도의 연결을 강조한다. 또한 페미니스트 이론을 뛰어넘어 인종/민족과 국적, 시민권, 계급 같은 집단 정체성에 기반한 다른 형태의 집단권력 구조를 분석할 수 있는 이론틀을 제공한다.

누가 혜택을 받는가?

권력은 다차원적이다. 그러나 권력이 법과 정책, 규범과 이데올로기, 사람을 포함한 자원의 소유권과 통제에 미치는 영향은 하나의 질문으로 평가할 수 있다. '누가 혜택을 받는가?' 소수 집단이 순이익을 챙겨 다른 사람들의 이익이 희생될 때도 있지만 거의 모든 사람이 동등한 혜택을 받기도 한다. 대개는 몇몇 사람이 다른 사람보다 훨씬 더 많은 이익을 가져간다. 제도가 가져오는 결과는 투명하게 나타나지 않고 우리는 가설에 의존하는 경우가 많다. 이 제도나 저 제도가 개혁되면 무슨 일이 일어날까? 불행히도 이 질문에 대한 답을 제공하는 사회과학자와 역사학자는 공정하지 않다. 그들이 설명하려는 권력의 영향을 받기 때문이다.

페미니스트 이론은 숱한 저항을 받아왔고 이는 이데올로기적 권력의 영향을 여실히 증명한다. 권위 있는 사람들은 가부장제를 분석하려는 노력을 조롱해 왔고 아직도 조롱한다.[3] 그러나 최근 몇 년간 가부장적 권력의 가장 날카로운 모서리가 일부 무뎌지면서 페미니스트 이론이 새로운 영향력을 얻고 정치적, 문화적, 경제적 불평등의 연관성이 드러나고 있다. 사회구조를 묘사하거나 설명하기란 쉽지 않지만 해당 구성 요소를 구별해내고 사회구조를 지탱하고 있는 지지대를 드러낼 수는 있다.

심리적인 것과 제도적인 것

가부장제를 정의하려는 페미니스트 학자는 남성 지배적인 행동이나 심리적 특성을 강조했다.[4] 여성의 생생한 경험을 아무리 자세히 묘사한다 해도 행동과 심리를 강조할 경우 이런 정의는 문제를 일으키며 잘해봐야 불완전하다. 남성 지배는 가부장제의 사회적 결과가 아니라 행동 특성을 묘사한 말이다. 차별이나 가정 폭력, 성희롱같이 결과가 확연히 눈에 보이는 상황에서도 지배라는 말로 가부장제를 정의하기는 어렵다. 지배의 반대는 복종이지만 많은 여성은 말 그대로 복종하지 않는다.

지배라는 분석틀은 생물학적으로 구조화된 서로 다른 사회적 종족에게 나타나는 위계에 대한 논의를 불러온다. 여성과 남성의 생리적 차이가 시간과 공간에 따른 젠더 관계의 변화를 설명하지 못한다고 해서 해당 영향을 무시할 필요는 없다. 진화심리학은 사회제도의 급속한 진화와 가변성을 설명하지 못한다. 남성 지배는 아버지에게 아들을 통제할 권위를 부여하지 않으며 남성과 여성에게 이성애를 강요하지 않는다.

남성 지배에 근거한 가부장제에 대한 정의는 젠더 불평등이 주로 심리에 뿌리를 두고 있음을 함축하며 계급은 경제적 착취, 인종과 민족성은 사회적 차별, 민족주의는 정치나 군사 권력에 뿌리를 두고 있음을 강조해 학문 간 분업을 부추긴다. 그러나 지배의 심리학은 젠더와 연령, 섹슈얼리티뿐만 아니라 모든 형태의 불평등을 재생산하는 데 매우 중요하다. 지배는 항상 남성의 심리와 행동의 결과만은 아니며 차별이나 착취, 전유를 동반하기도 한다. 특권과 불이익은 보통 심리적, 정치적, 사회적 차원을 가지고 있으며 표현 방식에 영향을 미치는 제도 구조에 잘 숨겨져 있다.

제도와 제도 구조

경제학자 더글러스 노스Douglass North는 '제도'를 "정치적, 경제적, 사회적 상호작용을 구조화하는 인간이 설계한 제약"으로 정의한다.[5] 사회 환경을 설계하고 수정하는 인간 주체의 역할을 효과적으로 전달하기 때문에 나는 다른 글에서도 이 정의를 사용했다.[6] 그러나 '제약'이라는 용어는 약간 오해의 소지가 있다. 제도는 인간의 결정을 제약하지만은 않는다. 단체행동을 허용하고 촉진할 뿐 아니라 협동을 촉진하고 조정 비용을 최소화한다. 이 점에서 제도는 제약 조건을 완화할 수 있고 반대로 강화할 수도 있다.

경제 발전과 변화에 대한 제도주의적 접근 방식은 정의상 마르크스주의나 신고전파 경제 이론보다 추상적이지 않고 특정 역사와 문화적 상황을 고려한다. 그러나 반대 방향으로 너무 멀리 간 나머지 순전히 묘사에 그쳐버리기도 한다. 집단권력 구조라는 개념은 일종의 방법론적 타협이다. 창출하는 집단 이익을 어떻게 분배하느냐에 따라 정치·문화·경제 제도들을 하나의 범주로 묶어내기 때문이다. 경제사에서 자본주의와 노예제를 다루는 방식이 이런 방법론적 성격과 잘 맞을 때가 있다.[7]

그러나 가부장적 제도 구조에도 이러한 방법론을 적용할 수 있음을 인정하는 경제사학자는 거의 없다. 자본주의 출현을 설명하는 신고전파나 마르크스주의는 역사가 전前 자본주의에서 자본주의 단계로 이동한다고 가정하고 이 순서에 들어맞지 않는 집단 갈등은 무시한다. 그들은 젠더나 인종/민족, 국적, 시민권에 기반한 불평등이 물려받은 태도나 선호의 비합리성, 문화 규범의 지체, 자본가 계급의 이해에서 비롯된다고 주장하며 불평등에 책임을 져야 하는 역사의 행위자들에게 면죄부를 준다.

거꾸로 페미니스트 사회과학은 가부장적 권력 구조보다는 가족과 기업 내에서 발생하는 젠더 불평등의 역학에 초점을 맞춘다. 구조라는 개념 자체가 유행이 지났다고 보기 때문이다. 포스트모던 이론가는 지나친 일반화와 본질주의를 경고하고 제도주의자는 이론화를 꺼린다. 실비아 월비는 '가부장적'이라는 용어를 싫어한다. 괴란 테르본Göran Therborn은 주로 시대에 뒤떨어진 가족법에 해당 용어를 적용한다.[8] 집단 갈등을 폭넓게 학제적으로 분석하기 위해 노력한다면 그런 망설임을 극복할 수 있을 것이다.

자본연속체

정치, 문화, 경제 제도라는 삼총사는 서로를 강화한다. 정책과 법률, 규칙은 이념의 뒷받침을 받아야 지속되며 경제적 자원에 휘둘리는 경우가 많다. 정치와 문화, 경제 제도의 복잡한 상호작용에 대한 인식은 자본주의를 자본, 즉 생산수단의 사적 소유에 기반한 제도 구조로 보는 분석틀 밑바탕에 깔려 있다. 그러나 전통적인 마르크스주의 분석은 자본과 생산을 매우 협소하게 정의한다. 인간 역량의 차이나 이런 역량을 창출하고 유지하는 비용이 많이 드는 재생산 과정은 거의 언급하지 않는다.[9]

여성의 신체와 생식 능력에 대한 통제는 타인에 대한 명시적인 소유권과 마찬가지로 경제적 자산에 해당한다. 기준이 무엇이든 사회적 소속 집단의 구성원이 되면 사회적 자본을 이용할 수 있는 기회를 얻을 수 있다. 위험을 분산하고 동료 집단 구성원에게서 자원을 빌려 쓸 수 있는 능력은, 해당 집단에 속하지 않는 사람들을 차별하여 경쟁을 피할 수 있는 능력과 마찬가지로 경제적 이점을 가져온다. 다음 장에서 자세히 설명하겠지만 집단 충성심을 자본화하는 능력은 집단 정체성이 경제적으로 얼마나 중요한지를 설명해준다.

대부분의 경제체제는 어떤 의미에서 사적 형태의 자본에 의존해 작동한다. 여기에는 임금 소득자의 '자기 소유'도 포함된다. 모든 경제체제는 가격을 매기기 어렵고 쓰지 말라고 막기도 어려운 자본에 의존해 작동한다. 이런 자본은 사적이라기보다는 공적 성격을 띤다. 자연 자원과 생태 서비스가 이 범주에 들어가며 공적 영역에 속하는 지식과 기술도 마찬가지다. 투자에서 거둘 수 있는 편익이 예기치 못한 방식으로 확산되는 인간 역량이나 사회적 역량도 이 범주에 들어가는데, 대표적으로 비시장 노동의 생산성 향상, 개선된 지배 구조와 신뢰, 상호 원조 같은 사회자본의 개선을 들 수 있다.

타인의 역량과 기회에 대한 통제와 금융자본의 소유권이나 통제를 명확히 구분하지 못한다는 점은 여러 집단권력 구조가 유사성이 있음을 강조한다. 양자를 구분하지 못하므로 경제 제도의 개념을 확장할 필요가 있고 그래야 가부장적 권력 구조를 밝혀낼 수 있다. 인간 그리고 인간의 유급 노동과 무급 노동 생산물에 대한 직간접 사유재산권이 어떻게 진화했는지를 이해해야 가부장제 체제의 궤적을 따라갈 수 있다.

가부장적 권리와 규칙

가부장적 정치 제도는 약간 겹칠 수도 있는 세 범주로 나뉜다. 첫째 범주는 여성과 아동에 대한 재산권이다. 둘째 범주는 여성과 아동, 성소수자의 개인 권리에 대한 명시적 제한이다. 예를 들어 생산에 활용할 수 있는 토지나 금융자산 이용 권리를 제한한다. 마지막 범주는 타인, 특히 가족을 돌보는 시간과 노력, 자원을 보상하는 규칙이다.

그야말로 '아버지의 통치'로 정의되는 가부장적인 법은 동시대 상황에는 걸맞지 않다. 오늘날 비교적 소수의 국가에서만 남성에게 아내와 자녀에 대한 재산권을 부여하는 법이 사회를 지배하고 있고 개인 권리에 있어서 남성과 여성의 차별은 급격히 감소했다.[10] 이런 변화는 새롭게 등장한 집단의 세력화와 운동이 일궈낸 제도 변화가 초래한 영향을 입증한다. 전 세계적으로 펼쳐진 여성에 대한 폭력에 맞서 싸우는 노력에서 사회운동은 특히 큰 역할을 해냈다.[11]

그러나 노골적으로 가부장적인 법이 무너지며 여성뿐만 아니라 남성도 혜택을 누렸다. 아버지의 통제에서 벗어나 자유를 누리고, 가족을 부양하는 의무도 줄어든 것이다. 시장 교환이 확대되면서 타인을 돌보는 헌신은 사회에 꼭 필요한 기여가 아니라 개인에게 즐거움을 가져다주는 활동으로 간주되었다. 새로운 규칙을 만들기보다 낡은 규칙을 없애기가 더 쉽다. 여성이 해온 돌봄 노동의 경제적 가치를 제대로 인정해주지 않는 동안 남성과 고용주는 인간과 사회적 자본을 생산하고 유지하는 여성의 자발적 기여에 아무렇지 않게 무임승차했다.

여성과 아동에 대한 재산권

대다수 페미니스트 학자들이 가부장제를 순전히 문화적이고 심리적인 용어로 정의한 탓에 재산권을 분석하는 경제 이론은 물적 자산이나 금융자산과 관련한 사적 소유권과 집단적 소유권이 어떻게 서로 다른지 비교하는 문제에 초점을 맞춘다.[12] 선견지명이 있었던 제도주의 경제학자 스티븐 청Steven Cheung은 1972년 발표한 논문에서 부모에게 자녀, 특히 딸을 실질적으로 통제할 수 있는 권리를 부여한 혁명 이전 시기의 중국 관습을 자세히 설명했다.[13] 청은 멀리 일하러 나간 아들보다 전족을 해서 출산과 가족 돌봄 역할에 구속된 딸과 며느리를 통제하기가 더 쉬웠다고 주장했다. 젠더 불평등보다 부모가 가진 권력에 더 강조점을 두었지만 가부장적 재산권의 성격을 명쾌히

해명한 것이다.

대부분의 사회에서 가부장적 재산권은 오랜 역사를 자랑한다. 소유권과 다름없는 타인의 권위에 대한 복종은 공식적인 노예제도의 영역을 훨씬 넘어서 존재했다.[14] 뒷장에서 주장하겠지만 여성의 노예화는 남성의 노예화에 앞서 존재했고 본보기가 되었을 것이다. 그러나 가부장적 재산권은 다른 차원의 집단 갈등에 기반한 제도 구조와 교차하고 이런 제도 구조에 의해 완전히 무효가 돼버리기도 했다. 예를 들어 가부장적 노예 소유 사회에서 남성 노예는 결혼을 하고 가족을 꾸려도 권위를 갖지 못했고 여성 노예는 자신의 성과 재생산 역량을 통제하지 못했다.[15]

친족이 여성을 강압적이고 폭력적으로 학대하는 행위를 정치적으로 승인하는 관행은 광범위하게 퍼져 있었다. 중국의 전족은 수세기 동안 지속되었으며 여성 할례는 북아프리카와 중동의 일부 지역에 만연해 있다. 남편이 아내를 신체적으로 학대하는 행위는 19세기 후반까지 유럽의 많은 지역에서 법적으로 용인되었다. 신체적 학대 외에도 다른 형태의 몸에 대한 통제가 존재했다. 아우구스트 베벨 August Bebel이 19세기 후반 『여성과 사회주의*Woman and Socialism*』라는 페미니즘 고전에서 언급한 대로 프로이센의 남편은 아내가 모유 수유를 할 수 있는지, 한다면 얼마나 오래 할 수 있는지를 정하는 법적 권한을 가졌다.[16]

가부장적 규칙은 보통 남성이 친자 관계를 확인할 수 있도록 가혹한 성적 이중 기준을 적용한다. 이 이중 기준은 완경(월경의 끝을 나타내는 용어로 부정적 어감을 주는 폐경 대신 쓰이며 '월경의 완성'을 의미한다—

옮긴이)을 한 여성에게도 적용되며 현대의 DNA 검사로 생물학적 부모를 확인할 수 있는 곳에서도 여전히 영향력이 있다. 동기가 무엇이든 여성의 섹슈얼리티에 대한 통제는 오랫동안 여성의 이동을 제한하고 선택을 제한하는 효과를 가져왔다. 아버지와 남자 형제는 가족 중에 성적 경험이 있는 젊은 여성을 그야말로 가치가 떨어지는 재산으로 대하기도 했다. 반대편 극단에 있는, 여성이 할 수 있는 역사상 가장 오래된 유급 노동인 성매매 제도는 남성에게 상호 쾌락이나 재생산 결과에 대한 책임을 지우지 않으면서 비교적 저렴하게 성적 만족감을 제공했다.[17]

여성과 아동의 활동에 대한 가부장적 통제는 신체적 처벌이나 투옥의 위협으로 강화되었다. 로마법은 남자 가장에게 자녀에 대한 생사여탈권을 부여했다. 프랑스의 나폴레옹법전(1789년 프랑스혁명 직후 나폴레옹이 중앙집권식 통치를 위하여 세계 최초로 통일된 민법전을 제정하여 1804년에 공포하였다. 당시 프랑스가 점령하고 있던 많은 국가에서 프랑스 민법전이 수용되었다-옮긴이)은 아내에 대한 남편의 권위를 규정하고 아버지에게 순종하지 않는 자녀를 감금할 권리를 부여했다.[18] 19세기 초 미국의 대다수 주에서 아내의 복종을 규정하는 법이 통과되었고 그중 일부는 1970년대까지 법적 구속력이 남아 있었다.[19] 아내의 동의 없이 성관계를 할 수 있는 권리를 남편에게 주는 법이었다.

중매결혼은 신부나 신랑의 친가 구성원에게 경제적으로 이익이 되는 교환을 수반하며 이 때문에 부모는 자녀의 결혼 결정을 통제하려 든다.[20] 경제적 교환 항목이 신붓값이든 지참금이든 신부는 불이익을 받는다. 인도에서는 신부의 가족에게 지참금을 더 많이 뽑아내기 위해 아내를 폭력적으로 위협한다. 경제적으로 어려운 상황에서는 더욱 그렇다.[21] 사하라 사막 이남 아프리카 일부 지역에서 아내는 결혼할 때 남편이 아버지에게 준 소에 대한 값을 치르지 않으면 남편을 떠날 수 없다.

오늘날 여성과 아동에 대한 재산권을 명시적으로 행사하는 경우는 비교적 드물지만 암묵적 재산권은 여전히 유효하다. 조직화된 매매춘과 인신매매에서 보통 나타나는 강압적 관행은 노예제 관행이나 다름없다.[22] 여성의 피임과 임신중절 권리를 법적으로 제한하려는 노력은 여성의 몸을 공적으로 통제하겠다고 조용히 주장하는 셈이다. 가정 폭력이나 직장 내 성희롱 금지법이 실질적으로 효력을 발휘하지 못하게 하려고 사법권을 엄정하게 적용하지 않는 관행은 새삼스럽지 않다. 세계보건기구WHO에 따르면 전 세계 여성의 3분의 1 이상이 신체 폭력이나 성폭력 피해자였다.[23]

개인 권리에 대한 젠더화되고 성별화된 제약

일부일처제와 이혼 금지, 가족 부양 의무, 동성애 금지와 같은 전통 가족법의 내용은 남성과 여성의 선택을 제한한다. 그러나 젠더화된 제약은 보통 여성에게 더 구속력이 있다. 경제학자는 결혼을 남편과 아내가 교역을 통해 이익을 보는 파트너십 관계로 묘사한다.[24] 그러나 법적 파트너십과 똑같은 형식의 결혼 계약은 거의 없다. 예를 들어 영국에서는 관습법에 따라 아내는 자신의 재산이나 소득에 대한 법적 권리를 포기해야 했다. 1850년까지 미국에서 백인 부부를 규율하는 법률은 아내와 미성년 자녀의 경제 활동과 수입, 재산에 대한 공식 권한을 남편과 아버지에게 부여했다.[25] 이는 아내와 미성년 자녀를 경제적으로 부양하는 대가였다. 남편과 아버지가 제공하는 경제적 부양은 가족 소득 가운데 일정한 몫이 아니라 최소 생계비 수준의 지급으로 규정되었다.[26] 19세기 초 미국의 페미니스트는 아내가 남편 수입의 절반을 가질 수 있는 권리를 보장하는 법을 제정하라는 캠페인을 펼쳤지만 성공하지 못했다.[27]

결혼은 남성보다 여성의 삶의 반경을 더 좁게 제한하기 때문에 이혼할 권리는 남성보다 여성에게 더 중요하다. 전통적으로 가부장적 법은 남성이 여성보다 더 쉽게 이혼하도록 만들었고 남녀가 이혼할 수 있는 사유도 달랐다. 남편은 아내가 불륜을 저지르면 이혼할 수 있었지만 남편이 불륜을 저지른다고 해서 아내가 이혼을 요구할 수는 없었다. 어떤 사회에서는 남편에게만 일방적으로 이혼권을 부여했다. 오늘날에도 여전히 효력을 지닌 전통 이슬람법에 따라 남편은 말 한마디로도 아내를 집에서 쫓아낼 수 있다.[28] 남녀에게 다르게 적용되는 이혼법은 여성의 건강과 행복에 중대한 영향을 미친다. 1969년 미국에서 이혼법 개혁(혼인의 해소를 위해 일방의 잘못을 입증할 필요가 없는 무과실 이혼을 합법화한 것—옮긴이)이 주마다 다르게 진행되는 과정을 분석한 연구에 따르면 이혼법 개혁으로 여성의 자살과 가정 폭력, 아내 살해 행위가 감소했다.[29]

비전통적인 성행위, 특히 임신 가능성이 없는 성행위를 금지하는 가혹한 법에는 다양하고 오래된 역사가 있다. 모든 지역에 보편적으로 제정된 법은 절대 아니었지만 식민지가 되면서 유입되기도 했다. 대영 제국은 1860년대 인도 형법을 수정해서 모든 형태의 구강이나

돌봄과 연대의 경제학

항문 성교를 한 사람을 종신형에 처했다. 이는 2018년까지도 법전에 남아 있었다.[30] 가장 가혹한 처벌을 받은 사람은 남성 동성애자였지만 어쨌든 남성이든 여성이든 처벌을 받았다. 2018년 말레이시아에서 두 여성이 동성 성교를 시도한 혐의로 체포됐다.[31]

이성애를 법적으로 강제하는 관행은 높은 출산율을 자랑하는 사회에서 특히 엄격했다. 이런 관행이 친출생주의적pro-natalist 사회가 항상 동성애 혐오에 기울거나 동성애 혐오가 항상 친출생주의적 효과를 낳는다는 사실을 함의하는 것은 아니다.[32] 오히려 젠더 지배 구조와 섹슈얼리티 지배 구조가 서로 평행선을 달리고 있음을 보여준다. 전통적인 젠더 규범을 강하게 고집하는 현실은 게이와 레즈비언, 양성애자, 트랜스젠더 정체성을 승인하지 않는 관행과 밀접하게 관련돼 있다.[33]

가부장적 가족법은 보통 남성 가장에게 아내와 미성년 자녀의 가정 밖 활동과 시장 수입을 통제하는 권한을 부여했다. 여성이 교육을 받고 취업을 하려는 시도를 명시적으로 제약하는 것은 흔한 일이었고 아직도 많은 국가에서 힘을 발휘한다. '여성에 대한 모든 형태의 차별에 반대하는 협약the Convention Against All Forms of Discrimination Against Women'과 같은 국제 캠페인은 지난 20년 동안 꾸준히 추진되었지만 체계적이지도 않고 일부 국가에만 영향력을 미쳤다.[34]

법적 정치적 차원에서 젠더 불평등 현황을 자세히 볼 수 있는 국제적 수준의 대규모 데이터베이스가 많다. 경제협력개발기구OECD가 개발한 '젠더와 제도, 발전Gender, Institutions and Development' 데이터베이스는 가족법, 신체 통제권, 시민적 자유, 소유권 등 네 가지 범주의 성 편견 항목에 점수를 매기고 가중치를 부여한다.[35] 이 데이터베이스에서 구성된 변수를 기반으로 '사회제도와 젠더 지수Social Institutions and Gender Index'를 설계하고 분석하면 지역과 국가 수준에서 어떤 변수들이 측정된 경제 성과와 상관관계가 있는지를 밝힐 수 있다.[36] 당연히 여성은 법적 권력과 정치적 권력을 더 많이 누릴 때 경제적으로 더 나은 성과를 거둔다. 연구에 따르면 여성의 정치적 세력화는 공공재 공급과 교육 투자, 아동 사망률 감소를 촉진한다.[37]

1995년 이래로 UN 인간개발보고서는 남성과 여성의 경제적 성과를 보여주는 국가 지표를 발표한다. '젠더발전지수Gender Development Index'는 여성의 기대수명, 교육 수준, 1인당 소득을 남성과 비교하여 평가한다. '젠더권한지수Gender Empowerment Measure'는 정치적 대표성(의회에서 차지하는 의석수), 경제적 기회(공직, 관리직 및 전문직 직위), 여성의 예상 근로 소득을 남성과 비교하여 평가한다. 이 두 지수는 (과거보다 많이 나아졌지만) 가족법과 노동시장 참여, 사적 소유권 영역에서 심각한 젠더 불평등이 지속되고 있음을 드러내고 있다.[38]

가족 돌봄에 대한 보상을 요구하는 권리의 미약

여성이 시장 노동에 참여할 기회를 보장하는 법적 권리가 확대되면서 자녀의 아버지와 성인 자녀, 국가에게 가족 돌봄에 대한 보상을 요구할 수 있는 권리가 제대로 보장되지 않는다는 사실은 오히려 관심을 받지 못했다. 현재 기혼 부부 사이의 소득과 여가의 분배 방식은 남성에게 보통 더 이득이 되지만 남성과 함께 사는 여성은 어느 정도 동일한 생활수준을 보장받을 수 있다. 그러나 장거리 이주와 별거, 이혼, 비혼이 증가하면서 가족이 함께 살고 소득을 공유할 가능성도 감소했다. 결과적으로 가족의 돌봄 제공자, 특히 어린 자녀를 둔 어머니는 경제적으로 취약해진다.

전통 가부장제 사회에는 강력한 공동체의 처벌과 비공식적 규칙이 있어서 남성이 혼전에 임신시킨 여성과 결혼하고 경제적으로 책임을 져야 했다. 미국의 사례는 그런 비공식적 규칙이 무너졌음을 확인해주는데, 요인은 다양하다.[39] 세계 많은 지역에서 결혼하지 않고 아이를 출산하는 일은 여전히 흔한 일은 아니지만, 증가 추세에 있는 지역도 있다. 중남미에서 인종/민족과 계급에 기반한 불평등은, 비교적 오래전부터 아버지의 책임 이행을 강제할 법적 수단을 여성에게 주지 않은 젠더 문제와 연결되어 있다.[40]

유럽과 미국 말고 다른 지역에서 자녀를 양육하지 않는 부모에게 어떠한 책임을 부과하고 집행하는지 파악하기는 쉽지 않다. 양육에 있어서 어머니와 아버지의 비용 분배를 체계적으로 파악하려는 관심이 부족한데 이는 가족 내 자원 이전을 수치화하기를 꺼리는 현실을 반영한다. 그러나 가족을 부양해야 하는 부담의 증가는 여성의 상대적인 임금 인상 효과를 가뿐히 뛰어넘을 수 있다. 이에 대해서는 9장에서 더 자세히 살펴볼 것이다.

어머니와 아버지는 보통 노후 부양과 도움의 형태로 자녀에게서 경제적 보상을 받는다. 이런 기대는 가족법에서 정식화되곤 했다. 예를 들어 18세기 프랑스에서는 부모가 가진 자산의 최소한의 몫을 자식에게 물려줄 의무가 있는 만큼 자식은 법적으로 부모를 부양할 의무가 있었다. 같은 기간 영국에서는 자식은 부모가 가난할 때만 법적 부양 책임이 있었고 모든 부모는 뜻대로 자산을 처분할 자유를 가졌다.[41] 미국의 어떤 주에서 부모가 요양원 비용을 내지 않는 자식을 고소하는 사건이 있기는 했지만 오늘날 선진국에서는 세대 간 책임을 규정하는 법의 효력이 거의 없다.[42]

일부 아시아 국가에서는 자식이 연로한 부모를 부양해야 하는 법적 책임이 여전히 구속력이 있다. 인도, 중국, 한국에서는 아들이 연로한 부모를 부양하리라는 기대로 오랫동안 아들 선호가 사라지지 않았다.[43] 1995년 싱가포르에서 제정된 부모부양법은 다른 국가 법률보다 한발 더 나아가 부모가 다달이 정해진 용돈을 주지 않은 자녀를 고소할 수 있었다.[44] 그러나 적정 금액과 지속 기간은 분명치 않다. 대다수 여성은 가족의 부양이든 연금 수령이든 간에 노후 부양이 확실히 보장돼 있지 않은 국가에 살고 있다.

8장에서 더 자세히 논의할 현대 연금 제도는 노동시장 소득에 기반하여 연금을 제공하기 때문에 가족 돌봄을 제공하느라 노동시장을 떠났던 사람들에게 경제적으로 불이익을 준다. 유럽 국가는 한부모에게 가족 돌봄 크레딧과 더 관대한 공적 지원을 제공하는 데 있어서 미국보다 앞서 있다. 자산조사를 기초로 공공부조를 제공하는 미국에서는 가족을 돌보는 일은 일이 아니라는 이유로, 노동을 해야 수급 자격 요건이 되는 공공부조를 자녀를 양육하는 한 부모에게 주지 않는다. 그러나 유럽에서도 혼자 아이를 키우는 어머니는 경제적으로 취약하다.[45] 남반구 국가의 저소득층 여성이 아마도 경제적으로 가장 취약할 것이다.[46]

상당한 수준으로 가족 돌봄에 재정 지원을 하는 선진 자본주의 국가에서도 공적 이전(정부가 조세나 연금, 사회복지 정책을 통해 저소득층이나 시민의 필요를 충족하기 위해 현금이나 서비스를 제공하는 지출—옮긴이)은 자녀와 가족을 돌보는 시간과 돈의 아주 작은 부분을 책임질 뿐이다.[47] 여성은 이런 비용 중 많은 몫을 지불하고 어린아이를 비롯한 가족, 미래의 고용주, 지역사회에 상당한 혜택을 제공한다. 우리 사회는 노동의 생산물을 뭐라 부르든—인적 역량이나 인적 자본이나 노동력이나—이를 생산하고 유지하는 데 투여되는 노동을 당연시하고 대가를 지불하지 않는다.[48]

단순히 남편과 아버지의 법적 권한을 축소한다고 해서 평등한 사회로 이어지지는 않는다. 전통적인 가부장적 규칙은 여성이 가부장적 권위에 종속되는 대가를 치르며 가족을 돌볼 수 있도록 지원한다. 그러나 개인의 선택 범위의 확대는 양날의 칼이 되었다. 자녀 양육을 둘러싼 실효성 있는 규칙이 없기 때문에 많은 어머니와 자녀가 빈곤에 빠질 위험은 더 높아졌다. 법전에서 가부장적 법과 정책을 빼고 돌봄 비용을 보다 균등하게 분배하는 새로운 법과 정책을 새겨 넣어야 한다.

가부장적 규범과 이데올로기

모든 위계 제도 구조는 권리와 의무를 정의하는 규범적 원칙에 의존한다. 남성과 여성의 바람직한 행동을 이분법적으로 구분하는 가부장적 구성물은 어린아이에게도 강요된다. 엄격한 젠더 경계를 넘어가지 않는지를 여러 가지 방식으로 삼엄하게 감시하며, 위반하는 사람을 폭력적인 방식으로 처벌하기도 한다. 이런 경계는 경제적 노동 분업만이 아니라 도덕적 노동 분업을 규정하며, 언어와 문화에 깊숙이 박혀 있어 그 경계가 침범당하기 전까지는 존재하는지조차 알 수 없다. 여성은 종신 돌봄 군단에 징집되어 매일 남을 위해 봉사하도록 압박을 받고 그렇게 하지 않으면 낙인이 찍힌다.

도덕적 이중 기준은 항상 법적 이중 기준을 수반하며 법적 이중 기준보다 오래 지속된다. 가족 돌봄 의무를 강제하는 가부장적 규범은 경제적 효과를 낳는다. 남성은 가족 구성원에게 신체적 보호와 경제적 부양을 제공하리라는 기대를 받는다. 여성은 가족, 특히 자녀에게 정서적 양육과 돌봄을 제공하리라는 기대를 받는다. 그러나 위에서 설명한 법적 규칙과 마찬가지로 이런 규범은 남녀에게 결코 동일하지 않은 효과를 낳는다. 혼자서 아이를 키우는 어머니는 실패자로 간주되는 경우가 많지만, (많지 않지만) 같은 상황에 놓인 아버지는 영웅 대접을 받는다.

가부장적 규범은 남성의 덕목이 무엇인지 규정하지만 엄격하게 강제하지는 않는다. 자신이 낳은 아이를 부양하지 않는 남자에게는 무책임하다는 딱지를 붙이지만 아기를 버리는 어머니에게는 무자비하다는 딱지를 붙인다. 성을 사는 남성은 생물학적 욕구에 굴복하고 말았다는 식으로 면죄부를 주지만 성을 파는 여성은 도덕심이라는 것이 아예 없는 인간 취급을 한다. 최근까지도 아내와 아이들을 구타한 남자를 범죄자로 보기보다는 그냥 수치스런 행위를 한 자로 생각했다. 전통적인 성 역할을 엄격하게 고집하는 태도는 동성애 혐오적 규범과 나란히 간다. 최근 수십 년 동안 동성애를 용납하는 대중은

다소 증가했지만 이에 대한 편견과 거부는 여전히 만연해 있다.[49]

전통적인 여성다움 규범은 여성에게 비용과 위험을 부과한다. 남녀의 분리를 옹호하는 사람들은 여성과 남성이 다르지만 양쪽을 동등하게 취급하라고 외친다. 그러나 법적, 문화적 경계가 허물어지면 여성은 남성 영역으로 들어가고 싶어 하지만 남성은 그렇지 않다. 여성다움은 비용을 초래하기 때문이다. 여성이 다수를 차지하는 직종은 보수가 낮고, 임금노동을 수행하는 여성은 무급 노동을 행하는 남성보다 훨씬 더 빠르게 늘었다.[50] 가족을 직접 돌보는 남성 비중보다 가족을 경제적으로 부양하는 여성 비중이 더 빠르게 증가했다. 이런 차이가 나타나는 이유는 아마도 남성이 돌봄 노동을 할 경우 불이익을 받는다는 사실을 깨달았기 때문일 것이다. 타인을 이롭게 하는 돌봄을 전담하는 것은 즉각적이고 확실한 경제적 보상을 가져다주지 않는다.

규범적 권력

집단 이익을 대물림하려면 단순히 시간과 돈을 이전하는 것보다 많은 일을 해야 한다. 사회학자들이 오랫동안 강조한 대로 행동 규범을 조직하고 내부화하는 사회제도를 수립하고 유지해야 한다.[51] 기존 사회 규범에 순응하면 보통 이미 유리한 지위를 차지한 사람만 더 유리해진다.[52] 이념은 일단 소유한 권위와 재산에 대한 권리를 신성화한다.[53] 애국주의 규범이 국가 침략을 정당화하고 인종차별적 규범이 백인우월주의를 부추기며 엘리트주의적 규범이 계급 격차를 정당화하는 것처럼 여성다움과 남성다움의 규범은 젠더 불평등을 강화할 수 있다. 게이와 레즈비언, 양성애자, 성전환자와 기타 성소수자를 향한 문화적 비난은 그들에 대한 폭력을 조장한다.[54]

사회화의 영향은 개인의 선호뿐만 아니라 사람들이 세상을 인식하는 방식에도 영향을 미친다. 사람들은 가질 자격이 있는 사람이 가지는 것이 공정한 세상의 규칙이라고 믿는 경향이 있다.[55] 제대로 설계된 실험은 보상에 관한 정보가 성취에 관한 정보를 좌우한다는 것을 보여준다. 사실은 그 반대임을 입증하는 증거가 있어도 승자가 패자보다 훨씬 더 유능하다는 인식은 변하지 않는다. 이런 결과는 '피해자 탓'이라는 사회학적 개념과 프레이밍 효과에 대한 경제적 분석과 일치한다.[56]

공정한 세상에 대한 믿음은 어떤 집단에 경제적으로 유리할 수 있다. 더불어 좋은 행동과 근면을 장려하고 집단 갈등의 긴장을 완화하여 협력과 심지어 순종마저 촉진한다.[57] 패자가 된 데에는 그럴 만한 이유가 있다고 생각하면 경쟁은 악감정을 불러일으키지 않는다.[58] 그러나 공정한 세상에 대한 믿음에도 단점이 있다. 승자는 자신의 기여를 순진하게 과대평가하고 패자를 뻔뻔하게 무시한다. 승패가 엇갈린 결과가 의심의 여지 없이 부당하다고 밝혀지면 그에 따른 갈등은 복수심을 불러일으킬 것이다.

허위의식(노동자들이 자본주의 체제에 대한 정확한 이해가 없어 계급 의식을 가지지 못하거나 우선시하지 못하는 상태를 의미한다—옮긴이)라는 마르크스의 개념은 현대 행동경제학에서 쓰는 용어로 재개념화할 수 있다. 사회 규범은 개인의 선호뿐만 아니라 인지적 지각에도 영향을 미친다. 개인과 집단은 사회환경을 정확히 이해하기 어렵고 사회 권력

돌봄과 연대의 경제학

의 원인이나 결과를 명확하게 식별하지 못한다.[59] 정의를 구현할 수 있다는 믿음이 있어야 정의를 달성하기 위해 꾸준히 노력할 수 있다. 그러나 가질 만한 사람이 가진다는 가정이 선수를 쳐서 그런 노력을 무력화하는 경우가 많다.

돌봄 제공을 사회적으로 조직하는 일에 갈등이 존재한다는 사실을 인정하면 성 역할의 이데올로기적 구성을 설명하는 데 도움이 된다. 공정한 세상에 대한 하나의 믿음, 즉 젠더 불평등은 자연스러운 것이라는 믿음에 체계적으로 도전하면 다른 믿음들도 무너뜨리는 파급효과를 낳을 수 있음을 보여줄 것이다. 페미니스트의 도전에 저항하는 이유는 그런 이념적 파급효과를 두려워하기 때문이다.

강요된 이타주의

남성과 여성의 선호와 행동의 차이는 생물학적으로 타고난 요소에 영향을 받을 수도 있고 그렇지 않을 수도 있다.[60] 이 오랜 논쟁에 대한 해답을 제시하는 일보다는 남녀 차이를 증폭시키고 이에 따른 경제적 결과에 영향을 미치는 사회제도에 관심을 기울이는 일이 더 중요하다. 사회적 기대의 내면화는 가부장적 규범의 변화에 저항하게 만든다.[61] 사회학자는 젠더에 적합한 행동 규범을 인간 행위자가 따라야 하는 대본으로, 즉 '젠더 수행하기doing gender'에 대한 지침서로 설명하곤 한다.[62] 누가 대본을 쓰고 편집할 수 있는 권한을 가지느냐는 분명 중요하다. 물론 대본이 낳는 경제적 결과도 중요하다.

페미니스트 이론가는 여성에게 가해지는 규범적 압력을 젠더화된 형태의 '강요된 이타주의'로 설명한다. 이 용어는 여성의 종속적 지위가 개인의 이기심을 추구하지 못하게 만드는 상황을 강조한다.[63] 정치경제학의 역사를 보면, 남성이 경제적 이기심을 추구할 수 있었던 것은, 여성에게 타고났거나 신이 내려주신 덕목인 자기희생이라는 성향이 있다는 믿음에 근거한 자신감 덕분임을 보여주는 중요한 일화들이 등장한다. 19세기 경제학자가 여성이 남성처럼 이기적으로 행동하는 법을 배울 수도 있다고 걱정했다는 사실도 엿볼 수 있지만, 이기심이 자본주의 경제 발전의 엔진이라는 믿음도 커지고 있음을 알 수 있다.[64]

실제로 남성의 이타주의를 경시하는 문화적 규범의 영향력이 커지면서 여성은 남성이 정의한 공동선에 종속되어야 한다고 주장하는 종교 교리가 부활한다. 오늘날 많은 종교 교리는 여성은 천국에서 환영해줄 하나님 아버지에게 순종하듯이 묵묵히 대가족의 성공을 책임져야 한다고 가르친다. 불과 20년 전만 해도 미국에서 가장 큰 개신교단인 남침례교는 아내가 남편의 지도에 "은혜롭게 복종"해야 한다고 선언했다.[65]

가족 돌봄에 대한 여성 자신의 헌신도 젠더화된 규범을 재생산한다. 대부분의 사회에서 여성은 남성보다 가족을 돌보는 데 시간과 에너지를 훨씬 더 많이 할애하며 가족을 개인이 책임진다는 일이 무엇인지를 몸소 보여준다. 딸들은 어머니의 전례를 따른다.[66] 유니세프는 전 세계적으로 5~14세 소녀의 경우 또래 소년보다 가사노동에 세 배나 많은 시간을 쓴다고 추정한다.[67] 2003년부터 2014년까지 미국시간사용조사를 분석한 최근 연구는 15~19세의 젊은 여성은 젊은 남성보다 가사에 약 50퍼센트 더 많은 시간을 쓴다고 밝혔다.[68]

돌봄과 연대의 경제학

여성에게 '젠더 수행하기'는 보통 '돌봄 수행하기'를 의미하며 앞에서 설명한 강요된 이타주의가 여성적인 형태로 표현된 것이다.[69] 예를 들어 미국일반사회조사US General Social Survey는 응답자에게 "미취학 아동은 어머니가 일하면 고통을 겪을 것이다"와 "일하는 어머니는 자녀와 좋은 관계를 맺을 수 있다"에 동의하는지 질문한다. 이런 질문은 엄마 역할이 일보다 우선한다는 가정에 도덕적으로 동의하는지를 묻는 것이다. 질문 문항의 표현은 아이를 돌보는 일은 노동이 아니라고 가정한다. 아이를 돌보는 활동은 도덕적으로 가치 있지만 경제적으로는 가치가 없다는 가정을 강화하는 딱지 붙이기 관행이다. 오랫동안 일반사회조사나 세계가치조사의 질문 항목에는 "남성이 성취자가 되고 여성이 가정과 가족을 돌보는 것이 모든 사람에게 훨씬 더 낫다"라는 문구가 있었다. 이 문구는 전통적인 성별 분업의 핵심 가정을 담고 있는데 가족 돌봄은 성취가 아님을 함축한다.

사회 규범은 인간 행동을 조정하는 중요한 역할을 하고 인간 사회가 지속되는 데 필요한 이타적 헌신을 보장한다. 가부장적 규범은 그런 헌신의 비용을 불공정하게 분배한다. 우리 사회는 그런 규범을 바꾸기 위해 재협상할 수 있고 재협상에 성공한 경험도 있다. 그러나 문화적 협상 과정은 아직 진행 중이며 미래에 어떤 결과를 가져올지 확실하지 않다.

규범적 변화

어떤 과학자는 젠더 규범이 우리에게 너무 깊숙이 내장돼 있어 근본적으로 변화할 가능성이 없다고 주장하는 반면 다른 과학자는 젠더 규범이 변화에 취약하다는 사실이 인류 문명의 미래를 위협한다고 경고한다.[70] 극단에 서 있는 두 견해는 신뢰할 만하지 않다. 젠더 규범은 다소 유연하지만 변화에 저항하기도 한다. 젠더 규범은 가족 내부와 집단들 사이의 경쟁과 갈등, 협동 과정에서 진화했으며 새로운 층위의 사회적 분열이 나타난 결과 점차 변화해 갔다.

가부장제 규범에 대한 저항이 여러 지역에서 고르지 않게 일어난 이유는 사회적 분열로 설명할 수 있다. 교육과 고용, 리더십에 대한 여성의 개인적 권리가 꾸준히 신장되었고 이 사실은 전 세계적으로 명백하다. 그러나 선진국의 정책 수립자들은 개발도상국에 대한 군사 개입이나 경제 개입을 정당화하려고 할 때 가난한 개발도상국의 젠더 불평등 문제에 우려를 표명하곤 한다. 마찬가지로 위에서부터 아래로 혹은 밖에서부터 안으로 젠더 평등을 강제하려는 노력은 저항을 불러일으킬 수 있다. 특히 인종/민족이나 계급과 같은 다른 차원의 집단 정체성에 기반한 연대를 위협할 때는 더욱 그렇다.

태도에 관한 조사를 보면 아시아나 서구의 선진국에서 젠더 평등의 기본 원칙을 더 많이 수용하는 경향이 나타난다.[71] 미국에서는 1970년대 이후 평등한 성 역할 수행을 지지하는 응답자가 증가했다. 이런 추세는 2000년대 초반에 잠시 누그러졌다가 다시 상승 궤도를 그렸고 대부분 세대 변화와 이를 지지하는 젊은 남성이 증가한 덕분이었다.[72] 그러나 대부분의 설문 조사는 여성이 남성 역할을 맡는 것을 어떻게 받아들이는지를 질문하되 그 반대 질문은 하지 않는다. 부모 노릇을 하는 데 들어가는 비용을 줄일 수 있는 공공 정책에 대한 태도도 질문한 적이 없다.

설문 조사는 가족을 돌볼 수 있도록 얼마간 돈을 주는 남성에게 경제적으로 의존할 것이냐 아니면 가족을 돌보는 데 아무런 도움을 주지 않는 임금노동을 해서 경제적으로 자립할 것이냐 사이에서 여성이 선택할 수 있는 것처럼 문구를 만든다. 그러나 선택의 여지는 별로 없다. 남성뿐만 아니라 많은 여성이 개인의 자율성과 이기적인 선택이라는 규범보다 가족에 대한 헌신의 규범을 선호한다는 것은 놀라운 일이 아니다. 다름 아닌 설문 조사 문구의 수사가 자율성과 돌봄 사이에서 더 나은 성 중립적 균형을 찾으려는 노력을 가로막는다.

주로 돈을 주는 일자리를 둘러싼 개인의 경쟁이 경제적 성공을 결정할 때마다 돌봄 제공자는 불리한 상황에 처할 것이다. 헌신적인 부모, 특히 어머니는 평생 수입과 재산을 축적할 기회를 잃는 경제적 대가를 치르게 될 것이다. 타인을 돌보는 일을 사회적으로 필요한 헌신이 아니라 생활방식의 선택지 중 하나로 결정할 수 있는 문제로 보는 경향이 심화된 이유는, 생산성을 개인의 수익률로 정의하고 젠더 평등을 오로지 상대 소득으로만 측정하는 시장 중심적 개인주의가 부상했기 때문이다.

여성적 의무라는 규범은 단순히 여성을 억압하기 위한 이념적 장치가 아니며 남성만이 규범의 수혜를 받는 것은 아니다. 고용주와 자녀, 병자와 노약자 등 기타 사회 구성원은 믿을 만하고 저렴한 돌봄 서비스의 혜택을 받는다. 반페미니스트 캠페인에 팽배한 분노는 여성이 전통적인 역할을 거부하면 타인에 대한 돌봄 제공이 대체로 감소할 수 있다는 두려움을 반영한다. 아주 비현실적인 두려움이라고 할 수는 없다. 성 역할을 재협상하기 위해서는 타인에 대한 돌봄의 의무 규범을 재협상해야 하며, 이 경우 전보다 비용을 더 많이 부담하지 않으려는 사람들의 저항을 자극한다.

가부장적 자산

가부장적 정치와 문화 제도는 자산 소유 패턴의 영향을 받으며 그 반대도 성립한다. 이런 순환적 인과관계는 다른 집단권력 구조에도 보통 드러난다. 전통적으로 교환과 자본축적에 사용되는 주요 생산수단의 소유로 정의할 수 있는 집단권력 구조가 그런 예이다. 자본은 전통적으로 정의된 바와 같이 미래 수익을 산출하는 자산이다. 토지나 기계와 같은 실물자산과 주식이나 채권, 현금 형태의 금융자산으로 분류한다. 그러나 현대 회계 관행이 보여주듯이 자본은 브랜드나 평판, 소프트웨어, 지적재산권과 같이 형태가 없고 수치화하기 어려운 형태를 취할 수도 있다.[73] '인적 자본' '자연 자본' '사회적 자본'과 같은 용어가 갈수록 많이 쓰이는 상황에서 자본이라고 정의되는 대상의 경계가 느슨해짐을 다시 확인할 수 있다.

앞에서 가부장적 재산권을 논의하며 암시한 대로 이런 자산들을 취득할 수 있는 기회에 젠더 불평등이 있다. 젠더와 연령에 따른 실물자산과 금융자산의 소유 패턴은 계급 불평등에 대한 전통적인 분석과 비슷한 점이 있다. 다른 형태의 자본 소유와 접근 기회도 마찬가지인데, 다양한 집단에 기반한 불평등이 시간이 지나도 사라지지 않는 이유를 설명해주기 때문이다.

실물자산과 금융자산

여성이 실물자산과 금융자산을 독립적으로 가지지 못하도록 소유권을 제약한 역사 기록은 많고 오늘날에도 많은 국가에서 효력이 남아 있다.[74] 제도의 구체적인 내용은 저마다 다르다. 어떤 나라에서는 결혼 생활 동안 취득한 재산은 부부의 공동 소유이다. 다른 나라에서는 남편이 아내의 재산을 통제할 수 있는 권리를 갖는다. 역사적으로 여성은 아버지나 남편의 재산 일부를 상속받을 때 실물자산과 금융자산을 가질 수 있었는데 이는 남성 권위에 대한 복종을 보상하는 경제적 제도라고 할 수 있다.[75] 19세기 후반 미국과 영국에서 통과된 기혼여성재산법The Married Women's Property Acts은 상당한 재산의 재분배를 가져왔다.[76]

재산 분배를 분석한 대부분의 경험적 연구는 개인보다는 가구를 분석 단위로 사용하여 실태를 호도한다. 예를 들어 19세기와 20세기 유럽보다 식민지 아메리카에서 재산이 더 평등하게 분배되었다는 오랜 믿음은 아내의 재산을 남편이 통제할 수 있는 제도나 계약 하인(돈을 받지 않고 일하기로 계약한 노예의 형태로, 계약의 외피를 쓴 강제노동—옮긴이)을 두었던 관행, 노예제도와 같은 법 제도를 무시하는 셈법에 기반을 둔다.[77] 중남미에서 실시했던 20세기 토지 개혁은 처음에는 저소득 가정에 이로운 것으로 환영받았지만 사유재산 소유권은 남성의 손에 집중되었고 나중에야 여성의 독립된 소유권을 확립하려는 노력이 이루어졌다.[78] 아프리카를 포함한 많은 지역에서는 공유재산이 사유화되면서 여성이 피해를 보았다.[79] 남아시아에서는 남성의 저항 탓에 여성에게 자산 통제권을 주려는 법 개혁이 제대로 효력을 발휘하지 못했다.[80]

미국과 같은 선진국에서도 남녀의 자산 격차가 소득 격차를 앞지른다.[81] 배우자보다 재산이 적은 여성은 가정 내에서 협상력이 적고 이혼할 경우 빈곤에 취약해진다.[82] 정책 설계가 중요하다. 중국의 주택 개혁에 대한 최근 연구에 따르면 직원에게 국가에서 임대한 주택을 구입할 수 있는 기회를 제공한 결과 남성이 주택을 소유하면 소비와 가사 노동 방식이 기혼 남성에게 유리하게 변했다.[83] 연금을 포함한 퇴직 자산에서 남녀 간 차이가 날 경우 나이 많은 남편보다 오래 사는 노인 여성의 빈곤율이 높아진다.

인적 자본과 자연 자본

신고전파 경제학자는 '인적 자본'이라는 용어를 매우 특정한 방식으로 사용하는데 이 말은 모든 사람이 그야말로 자본가이며 미래 소득을 증가시키는 능력에 투자를 결정한다는 뜻이다. 그러나 인적 자본은 마르크스주의 경제학자가 일컫는 '노동력'이라고 광범위하게 해석될 수 있다. 생산 역량의 분배와 그런 역량에 따른 수익률은 사회 제도와 단체협상의 영향을 받는다.[84] 임금 기반 경제에서 여성의 교육과 고용 기회를 차단하는 행위는 인종/민족이나 시민권을 이유로 기회를 차단하는 것과 마찬가지로 협상력을 약화시키고 소득을 감소시킨다.

신고전파와 마르크스주의 전통은 모두 생산 기술 발전의 기초를 제공하는 인간이 생산되고 유지되는 과정에서 나타나는 분배 갈등을 무시했다. 진화적 성공과 경제적 지속가능성에 필수불가결한 이 재생산 과정은 비용이 들고 수익이 발생하는 데 오랜 시간이 걸릴 뿐

돌봄과 연대의 경제학

아니라 수익의 몫을 주장하기가 어렵다. 미래 세대는 공공재라는 특성을 지닌다. 개인이 소유할 수 없으며 시장에서 매매되지 않는다. 아이들은 언제 어떻게 세상에 태어나야 하는지 어떤 양육을 받아야 하는지를 놓고 부모와 협상하지 못한다. 이런 점에서 인적 자본은 지구상의 모든 생명체가 의존하는, 값을 매길 수 없는 자원과 생태 서비스인 자연 자본과 공통점이 있다.[85]

여성과 남성은 서로 다른 신체적 자산을 부여받고 태어난다. 보통 여성은 아이를 신체적으로 생산하는 데 비교우위를 가진다. 여성은 아이를 낳는 데 남성보다 생리적 비용을 많이 지불하고 생애에 걸쳐 출산할 수 있는 아이 수가 제한되며 남성보다 이른 나이에 생식 능력을 잃는다. 진화론적 관점에서 볼 때 어머니는 아버지보다 아이가 죽을 때 잃는 것이 더 많다.[86] 진화생물학자의 주장에 따르면 자연선택은 수컷에게는 짝짓기에 성공할 때 보상하는 데 반해 암컷에게는 새끼가 다 자랄 때까지 키워내는 데 성공하면 보상한다.[87] 오늘날 대부분의 사회에서 여성은 남성보다 아동과 아동을 돌보는 데 도움이 되는 친족과 지역사회에 자원을 더 많이 할애한다.[88]

페미니스트 사회이론가는, 현상 유지를 정당화하려고 남녀의 생물학적 차이를 지나치게 강조하는 시도에 정당한 의구심을 표했다.[89] 그러나 학제 간 융합 연구에 노력한 결과, 초기 진화심리학의 여성 혐오는 다른 주장에 자리를 내주었다.[90] 페미니스트 진화생물학자는 개인과 집단선택 모두에 영향을 미치는 젠더와 성sex, 집단 갈등의 상호작용을 강조한다.[91] 위험하고 폭력적인 활동에 남성이 특화하면 전체 인간에게 이익이 되지만 여성을 지배하고 괴롭힐 가능성도 있다. 여성이 가족 돌봄에 특화하면 전체 인간에게 도움이 되지만 여성의 협상력이 줄어들고 경제적 취약성이 커질 수 있다.

여성과 남성은 서로 다른 생물학적 자산을 부여받았지만 이런 자산의 가치는 사회제도와 경제 환경에 크게 좌우된다. 자본주의보다 먼저 존재했던 제도와 다르게 임금노동을 관장하는 자본주의 제도는 인구 증가를 독려하지 않는다. 대신 낮은 출산율을 촉진한다. 동시에 개인이 다른 사람의 생산 역량에 투자할 경제적 유인을 줄였다. 노동시장 경쟁이 인적 자본과 노동력에 기반을 두는 경향이 심해지면 타인의 교육과 기술에 대한 접근을 제한하는 집단적 노력이 보상을 받을 것이다.

'시장의 마법'이 예상대로 작동하는 곳에서도 그것의 효과는 미미하다. 시장은 어머니와 대자연이 매우 중요한 역할을 하는 광범위한 경제체제에 내재되어 있기 때문이다. 가부장제는 재생산을 위계적으로 통제하여 자본주의 제도의 출현을 촉진했다. 가부장제의 약화가 젠더와 연령, 섹슈얼리티에 기반한 사회관계뿐만 아니라 자본주의 제도에도 어떤 의미를 가진다는 사실은 놀랍지 않다.

예를 들어 여성이 남성과 똑같이 성공적인 자본가가 될 가능성을 보장하려는 정책이 도입되면 어떤 효과를 가져올지 생각해보자. 실물자산과 금융자산의 성 중립적 분배는 아마도 젠더 불평등을 완화할 테지만 가족과 공동체의 돌봄 비용이 균등하게 분배되지 않는 한 효과는 그다지 크지 않을 것이다. 가부장제와 자본주의 제도는 공통점이 있다. 둘 다 타인의 역량에 투자하는 사람들의 힘을 박탈하는 제도로서 여성에게 특히 불이익을 준다는 사실이다. 그러나 이런 불이익이 미치는 영향은 다른 많은 차원의 집단 정체성에 따라 달라진다.

사회자본과 문화자본

어떤 가족이나 집단의 구성원이 미래에 누릴 호혜나 상호 원조의 혜택은 일종의 자본에 해당한다. '사회자본'이라는 용어는 모든 방식의 협동에 요구되는 타인에 대한 신뢰를 묘사할 때 사용된다. 시장 교환에도 적용된다.[92] 신뢰는 유형의 경제적 보상을 제공하며 보상은 신뢰를 강화한다.[93] 그러나 시민 참여와 공동체 연대의 수준이 사회자본의 전부는 아니다.

사회학자가 오랫동안 강조한 대로 집단은 집단의 이익을 증진하기 위해서 사회자본을 만들고 축적하고 비축한다.[94] 집단 구성원 자격과 충성심은 이런 형태의 자본에 접근하기 위한 요건이다. 구성원 자격은 젠더나 인종/민족과 같은 개인의 특성에 따라 규정될 수 있다. 복장이나 몸가짐같이 문화자본을 나타내는 미묘한 단서로 구성원 자격을 드러내기도 한다. 사회자본은 인적 자본 형성에 중요한 역할을 한다는 것은 자명하다.[95] 이웃 효과라고 묘사되기도 하는 사회자본과 인적 자본의 상호작용은 집단 간 불평등을 의도치 않게 재생산할 수 있다.[96]

사회자본은 외부인에 대한 차별을 행사하여 집단 이익을 강화하기 위해 사용되기도 한다. 자유지상주의적인 경제 이론조차도 사람들이 클럽을 만들고 그 안에서 생산된 공공재에 외부인이 접근하지 못하도록 할 수 있다고 인정한다.[97] 흔한 골프 코스에서부터 경제적으로 영향을 미치는 사립대학과 노동조합, 기업체에 이르기까지 그런 예는 많다. 여성 차별을 다루는 이야기는 '올드 보이스 네트워크 old boys' network'가 미친 영향을 언급한다. 미국에서 이런 영향을 추정한 최근 논문에 따르면 올드 보이스 네트워크는 고용 기회에 직접 영향을 미친다. 백인 남성 네트워크에 속한 사람은 여성/소수자 네트워크에 속한 사람보다 일자리를 가질 기회를 두 배 더 많이 얻었다.[98]

실물자산과 금융자산의 소유권은 인적 자본과 사회자본을 누릴 권리에 영향을 미치지만 이를 전적으로 결정하지는 않는다. 현대 자본주의 경제에서 대학과 대학원 학위는 쉽게 수익을 가져다줄 수 있는 자산이다. 공적 재정 지원을 받는 교육과 의료 서비스를 이용하면 개인의 비용과 잠재적 부채를 줄일 수 있다. 마찬가지로 임금 수준이 높은 사회로 이주할 수 있는 법적 권리는 수치화할 수 있는 가치를 가진다. 정보와 고용에 대한 네트워크 접근성에서 파생되는 문화적 이점이 엄청난 가치를 가지는 것과 똑같다. 이처럼 다양한 유형의 자산이 공존한다는 사실을 이해하면 집단행동이 벌어지는 전략적 환경을 복잡하게 만드는 다양한 집단 불평등의 복잡한 상호작용을 이해할 수 있다.

집단권력 구조

어떤 가부장제는 젠더와 연령, 성적 취향에 따른 권리와 의무를 직접 명시하는 반면, 다른 가부장제는 타인을 돌보는 일에 적절한 보상을 하지 않아 여성에게 불이익을 초래한다. 개인적 권리가 없는 여성은 돌봄에 특화해야 한다는 압박을 받기 쉽고 결국 권리를 취득할 수

돌봄과 연대의 경제학

있는 능력이 줄어든다. 돌봄 제공자는 자기 몫을 사적으로 주장할 수도 없고 보상받을 수 없는 사회적 혜택을 오랜 기간에 걸쳐 제공하기 때문에 단기적 지원을 해주어야 한다. 돌봄이 '생산적인' 기여를 하지 않는다는 개념은 남성이 여성에게 의존하는 것보다 여성이 남성에게 더 의존한다는 견해를 정당화하고 가정과 노동시장에서 여성은 상대적으로 협상력이 부족할 수밖에 없다고 믿게 만든다.

앞에서 다룬 가부장제는 가변적이긴 하지만 명백하게 성인 이성애 남성에게 경제적 이익을 안겨주는 집단권력 구조와 단단히 맞물려 있다. 인종/민족과 국적, 시민권, 계급과 같은 집단 구성원 자격에 기반을 둔 집단권력 구조도 유사한 틀로 설명할 수 있다. 어떠한 정치적 결과가 나올지는 인간 행위성이 작동하는 공간을 만들어내는 제도 구조의 상호작용에 달려 있다. 예전보다 자유로워진 많은 여성은 구조적 변화의 잠재력을 깊이 인정한다.

3장

젠더와 구조, ── 집단 행위성

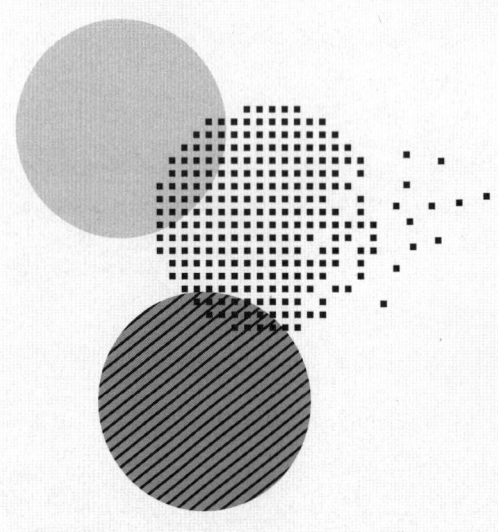

자신에게 경제적으로 불리한 사회제도를 바꾸어 다시 구성하기 위해 여성이 공통의 이익에 따라 행동할 수 있다면 다른 집단도 마찬가지다. 터널과 천장을 무너뜨릴 기회를 잡지 못하면 위계 구조의 바닥에서 벗어날 수 없다는 일반 원칙이 적용된다. 성공 확률은 어떤 기회가 생기느냐에 달려 있는데 이런 기회는 구조적 약점이나 외부 충격, 혹은 이 둘의 결합으로 인한 결과로 생긴다. 성공에 필요한 더욱 중요한 요인은 이질적인 집단이 연대를 유지하고 정치적 원칙과 제도 설계 지식에 기반한 동맹을 형성할 수 있는 능력이다.

교차정치경제학은 중요한 이론적 전통을 넘어설 때도 이 전통에서 시사하는 바를 구할 수 있다. 경제적 불평등을 둘러싼 경쟁적인 패러다임은 구조와 행위성을 둘러싼 대조되는 주장을 기반으로 한다. 개인이 자신의 성공과 실패에 전적으로 책임을 져야 한다고 주장하는 사람들은 보통 제도 구조의 영향을 무시하는 반면, 제도 구조를 비난하는 사람들은 이런 구조가 어떻게 또는 왜 구성되었는지 설명하지 못한다. 전통 마르크스주의 이론이나 전통 신고전파 경제학은 젠더 불평등을 설득력 있게 설명하지 못했지만 두 전통의 영향을 받은 학자는 집단권력 구조의 실체를 밝혀낼 수 있는 개념어를 발전시키고 있다.

피라미드형 미로나 그물망이라는 시각적 은유는 서로 다른 집단의 구성원에게 서로 다른 진입점과 장애물을 만드는 사회체제가 각 집단이 도달할 수 있는 경제적 지위에 영향을 미친다는 점을 시사한다. 개인과 집단은 위로 올라가는 가장 좋은 길이 어디에 있는지 확실히 알 수 없는 혼란스러운 상태에서 전략적 결정을 내린다. 꼭대기에 올라간 사람은 권력을 획득하고 자신의 유리한 지위를 재생산할 수 있도록 법률, 이념, 자산 분배에 영향을 미친다. 그러나 피라미드의 꼭대기는 그 바닥의 안정성에 달려 있다. 바닥은 결코 움직임이 없어야 한다.

구조 대 행위성

개인과 사회의 책임에 대한 견해의 차이는 정치적으로 뚜렷하게 다른 결과를 가져온다. 어떤 당을 지지하느냐에 상관없이 대다수 사람들은 나쁜 사회구조가 행위자의 선행을 훼손할 수 있다고 믿는다. 그러나 어떤 구조가 좋은 구조냐를 두고는 의견을 달리한다. 보수적인 관점에서 보면 국가가 경제에 간섭하면 개인의 주도권은 약화될 위험이 있다. 진보적 관점에서 보면 자본주의적 제도는 취약 집단 구성원의 사기를 꺾거나 힘을 빼앗거나 착취하겠다고 위협한다.

보수적 세계관은 단체행동보다 개인을 칭송하며 영국 총리였던 마거릿 대처는 이런 세계관이 담긴 말을 남겼다. "사회라는 게 뭔가요? 그런 것은 없습니다! 남녀 개인이 있고 가족이 있고 정부는 사람을 통하지 않고는 아무것도 할 수 없고 개인은 스스로 바로 서야 합니다."[1] 보수주의자는 개인에게 충분한 선택지를 제공하는 시장을 이상적인 사회조직으로 보아 끌어안는다. 그들에게 사회 안전망 구축에 재정 지출을 하는 식의 정부 개입은 개인이 자신과 가족을 책임지는 노력을 가로막는 시장 간섭에 해당하는 것일 뿐이다.

이런 패러다임 분열은 젠더 평등을 둘러싼 논쟁으로 이어진다.

예를 들어서 입법에는 실패했지만 미국 의회가 발의한 임금공정법 the Paycheck Fairness Act을 생각해보자. 이 법의 취지는 여성이 직장에서 남성보다 급여를 적게 받는지를 판단하고 차별에 이의를 제기하는 집단소송에 참여하게 하자는 것이다. 사람들은 정치적 입장에 따라 이 법을 강하게 지지하거나 반대했다. 민주당원들은 불공정 관행이 극복될 수 있다며 법 제정을 지지했다. 공화당원은 법이 노동시장에 불필요하게 간섭한다며 남녀 임금격차가 생기는 이유는 여성이 임금이 낮은 직업을 선택하기 때문이라고 주장한다. 한 보수 진영 평론가가 말한 대로,

> 임금격차 신화를 지지하는 사람들은 가부장제가 여성을 돈이 안 되는 일에 밀어 넣고 있다고 주장하고 싶어 합니다. 그렇게 믿는 사람들은 정말 불쌍해요. 여성은 멍청하거나 나약해서 자기에게 무엇이 최선인지 생각해서 진짜 하고 싶은 일을 선택하지 못한다는 사고방식을 가지고 있어요.[2]

젠더 불평등에 관한 대다수 연구에도 구조와 행위성을 둘러싼 상반된 견해가 깊이 깔려 있다. 전통 마르크스주의자는 젠더 불평등이 자본주의 생산양식에 기인한다고 보는 반면 신고전파 경제학자는 젠더 불평등이 집단권력이 아니라 개인의 선호와 능력에 기인한다고 본다.

전통 마르크스주의 정치경제학

마르크스주의는 잉여를 어떻게 빼앗느냐로 생산양식을 정의하며 이는 마르크스주의 정치경제학의 중심 개념이다. 이 관점에서 보면 사유재산과 이윤 획득을 목적으로 한 생산, 임금노동을 아우르는 일련

의 제도인 '자본주의'라는 사회구조가 생산력을 발전시킨다. 생산양식은 원시적 공산주의와 봉건주의, 자본주의, 사회주의, 공산주의로 일련의 정식화된 순서를 따라 약간의 변형을 거치며 순차적으로 이어진다. 마르크스는 자본주의를 봉건적이고 가부장적인 사회관계에서 한발 나아간 진보적 체제로 묘사했다. 그렇다. 그는 가부장제라는 용어를 사용했다. 그러나 주기적으로 경제 위기를 초래하는 자본주의 내부의 긴장을 강조하기도 했다.[3]

전통 역사유물론에서 생산적 자산의 소유권은 경제적 토대이며 법과 규범적 제도는 상부구조나 지붕이다. 계급 구조는 개별 고용주의 동기나 도덕, 선호와 무관하게 존재하는 억압의 피라미드를 표상한다. 임금노동자는 자신이 창출하는 가치보다 적은 임금을 받기 때문에 이를 통해 자본가는 잉여를 수취한다. 1911년에 출판된 『산업노동자*Industrial Worker*』에 실린 한 상징적인 삽화에서 왕족과 국가 지도자는 꼭대기에 자리 잡았고, 그 밑에 성직자("우리는 당신을 속인다")와 군인("우리는 당신을 쏜다")이 배치되어 있고 맨 아래에 자본가가 그려져 있다.

계급 구조는 우리가 제대로 인식하지 못하고 완전히 이해하지 못하는 비인격적인 힘이 만들어낸다. 이념적 혼란이나 허위의식은 개인이 받을 자격이 있고 받을 자격이 있는 것을 받았다는 착각을 불러일으킨다.[4] 개인의 행동은 계급 구조와 같은 집단 정체성과 집단행동보다 훨씬 적은 영향을 미친다. 마르크스주의 학자는 계급과 가족을 공통된 경제적 이해관계를 갖는 실체로 취급한다. 몇 가지 중요한 예외를 빼면 심지어 계급과 가족이 잘못된 정보나 허위의식으로 분열해 있을 때조차 같은 이해관계를 가진다고 본다.

이런 식으로 제도 구조를 묘사했기에 마르크스와 엥겔스는 젠더 불평등이 계급 불평등에서 파생되었다고 설명했다. 통일된 노동계급이 자본주의에 맞서 투쟁하기를 희망했기에 초기 여성 인권 운동가들이 반자본주의 전선에서 사람들의 결집을 가로막는다고 좋지 않게 보았다. 엥겔스는 사회주의 페미니스트인 베벨이 쓴 『여성과 사회주의』를 반박하려고 『가족, 사유재산, 국가의 기원』이라는 책을 저술했다. 베벨은 책에서 자본가의 계급 이익에 남성의 젠더 이익을 대놓고 비유했다.[5] 오늘날 대부분의 마르크스주의 경제학자는 베벨을 하찮은 수정주의자라고 생각한다.

계급과 경제적 이해관계를 결합한 마르크스주의자들은 나중에 자본주의에서 젠더 불평등이 지속되는 이유를 설명하려고 시도했다. 1세대 마르크스주의 페미니스트는 가정 내 여성의 무급 노동에 관심을 가지면서 고용주는 무급 노동 덕분에 노동자에게 임금을 적게 지불하는 이득을 본다고 주장했다.[6] '가사노동에 따른 임금을 요구하는 국제 캠페인The International Wages for Housework Campaign'은 무급 노동의 가치와 체제로서의 자본주의가 그런 가치에 얼마나 의존하는지에 관심을 촉발시켰지만, 임금을 어떻게 결정할지와 정확히 누가 임금을 받을지는 명확히 밝히지 않았다. 젠더 불평등이 다른 제도 구조에 뿌리를 내리고 있을 가능성과 남성이 남성 집단의 이익을 추구할 수 있는 가능성을 언급하기만 하면 사회주의가 아니라 급진적 페미니즘으로 이탈했다고 간주되었다.[7]

『공산당 선언』에서 마르크스와 엥겔스는 자본주의의 발전이 가부장제와 더불어 계급 이외의 불평등까지 일거에 붕괴시킨다고 설명함으로써 다른 불평등에는 상대적으로 관심이 없었음을 드러낸다. 마르크스주의 전통에 영향을 받은 역사가들은 가부장제가 자본주의보다 먼저 나타났다고 설득력 있게 주장했다. 예를 들어 가부장제는 봉건적 생산양식의 중심 기둥 역할을 했다는 것이다.[8] 그러나 최근까지도 대부분의 역사가들은 젠더나 인종/민족에 대한 관심 없이 계급 갈등의 역사적, 정치적 우연성에 초점을 맞추었다.[9] 그러다가 젠더 불평등 얘기를 할 때는 갑자기 사유재산과 자본주의를 비난한다. 예를 들어 오늘날에도 상당한 영향력이 있는 영국사의 한 토막은 여성이 남성과 함께 가족 소비를 목적으로 재화와 서비스를 생산하던 시기에는 여성이 실질적인 경제적 평등을 누렸다고 주장한다.[10]

자본주의 세계 체제의 출현은 모든 경제적 악의 근원으로 간주되기도 한다. 예를 들어 임마누엘 월러스틴은 전적으로 계급 동학이 주도하여 주변부 국가의 반프롤레타리아에게서 추출한 잉여가 더 부유한 국가로 흘러 들어간다고 설명한다.[11] 잉여 추출의 부산물인 갈등을 제외하고는 중요하다고 할 만한 계급 내부 갈등은 발생하지 않는다는 것이다.[12] 젠더 불평등을 중앙 무대로 가져오려 할 때도 뜬금없이 계급 갈등이 모든 것을 설명하는 것처럼 다룬다. 실비아 페데리치Silvia Federici는 14세기 유럽을 뒤흔든 마녀사냥의 주범이 자본가였다는 식으로 설명한다.[13] 여기서 자본가의 정의는 매우 느슨한데 봉건 영주와 매우 흡사하다. 그러나 자본가가 아니라 남성이 여성을 이런 식으로 위협해서 득을 봤을 가능성은 없었을까?

현대 마르크스주의 이론가는 단기에 이익을 극대화해야 한다는 압력에 의해 평가절하되고 훼손될 수 있다는 점에서 가족에 대한 여성의 헌신과 값을 매길 수 없는 환경 자산이 비슷하다고 지적한다.[14] 이런 유사성에 근거한 이론은 원래 마르크스가 주장한 경제 위기론과 구별되는 사회의 지속가능성과 생태적 지속가능성의 위기론을 보완한다. 이후 뒷장에서 자세히 설명할 것이다. 그러나 자본가가 단기 이익을 취하고자 장기적 지속가능성을 희생시키려는 유일한 집단이라든가, 오로지 자본주의만이 위기에 취약한 집단권력 구조라고 주장하는지는 확실하지 않다.

전통 신고전파 이론

전통 마르크스주의자가 하나의 유해한 생산양식이 지배하는 세계에 주목한다면 전통 신고전파 경제학자는 항상 자기 이익을 추구하는 개별 행위자가 가득한 세상에 주목한다. 미시경제학 교과서는 합리적 인간Rational Economic Man을 외부에서 결정된 선택지에 반응하여 경쟁 시장에서 교환을 통해 효용을 극대화하는 존재로 묘사한다. 허버트 사이먼Herbert Simon은 미로 안에서 치즈를 찾고 있는 쥐라는 은유를 들어 문제 해결자로서의 합리적 인간을 강조했다.[15] 이미 정해진 구조인 미로를 그냥 받아들이는 쥐는 구조 설계에 책임이 없다. 쥐든 사람이든 행위자의 선호도 이미 정해져 있다. 이전에 벌어진 치즈 경쟁이 선호에 영향을 미쳤을 수는 있다.

이런 이론적 전통은 인종/민족과 젠더, 성적 지향, 시민권 등의 특성에 대한 선호에 기반을 둔 차별 이론을 만들어냈다. 고용주의 선호는 고용 결정에 영향을 미친다. 선호에 기반한 차별은 비효율적이고 경제적 대가가 클 수 있다는 게리 베커Gary Becker의 주장은 아주 유명하다.[16] 고용주의 차별은 차별을 당하는 사람에 대한 수요를 줄여 임금을 낮춘다. 선호에 기반한 차별 행위를 하지 않는 고용주는 낮아진 임금으로 노동자를 고용할 수 있어서 이득을 보지만 결국 임금은 올라간다. 합리적 자기 이익 추구는 비합리적 차별을 서서히 침식한다. 국가 규제가 없는 경쟁 시장에서 차별을 선호하는 고용주는 다른 고용주보다 불리한 처지에 놓인다. 이런 고용주는 점차 사라지고 여성과 차별을 당했던 사람들은 치즈에 접근하기 쉬워질 것이다.

선호 이론에 따르면 남녀 소득 불평등의 원인은 여성이 남성보다 돈을 중요하게 생각하지 않고 가족을 돌보는 데 더 관심을 기울이기 때문이다. 여성은 책임이 덜한 일자리를 택하거나 노동시간을 단축하면서라도 돈을 덜 받고 일할 용의가 있으며 빈곤에 빠질 위험이 증가하더라도 아이들을 경제적으로 책임지려고 한다는 것이다.[17] 이런 선호는 제도 구조의 결과라기보다는 행위자의 특성으로 취급되며 사람들은 제도 구조가 행위자의 선호에 영향을 미칠 가능성을 탐구하지 않는다.

선호와 선호에 영향을 미치는 규범이 고정돼 있다고 보는 편리한 가정은, 행위자가 원칙적으로 미로의 구조를 변화시킬 수 있는 단체 행동처럼 문제를 해결하려는 행동에 집단적으로 참여하기도 한다는 사이먼의 (미로에 대한) 설명과 배치된다. 인간은 타인의 몸을 통해 세상에 와서 모국어를 배우는 사회적 피조물이다. 불완전하지만 영향력 있는 사회화 과정은 아이들이 자신을 양육하는 사람들에게 순응하고 협력하도록 한다. 선호는 교육과 습관, 반복을 통해 주입된다.

베커가 개인과 가족의 관계에 특히 관심을 기울인 이유는 양자의 관계를 단순화하려고 했기 때문이다. 베커는 이타주의적인 가장을 자신의 힘을 사용하여 말썽부리는 아이들까지도 가구의 효용 극대화에 참여하도록 유도하는 자비로운 독재자로 상정한다.[18] 이상하게도 베커가 말하는 가족은 지도자가 구성원은 모두 일심동체라는 원칙을 강제하는 소규모 사회주의 사회처럼 작동한다. 남성에게 여성과 어린이보다 더 큰 협상력을 주는 제도는 베커가 상정하는 가족에서는 아무런 역할을 하지 않는다. 어른은 시장에서는 이기적으로 행동하지만 가정에서는 이타적으로 행동하기 때문이다.[19]

베커는 『선호를 설명하기Accounting for Tastes』라는 책에서 부모는 자녀에게 노후 봉양 같은 이타적 선호를 주입하려 하고 부자는 가난한 자에게 순종을 주입하려 한다고 말한다. 그러나 다름 아닌 개인이 이런 방식의 영향을 받기로 선택한다고 주장한다.[20] 개인의 자율성은 침해돼서는 안 되므로 개인은 모든 결과를 책임져야 한다. 사람들은 가족을 제외하고는 어디에서나 이기적으로 행동하므로 단체행동에 참여하지 않는다. 다른 사람이 자신의 노력에 무임승차할 위험이 있으므로 다른 이들과 협력할 이유가 없다고 주장한다.

이런 행위자 중심 모델은 마법 같은 낙관주의를 낳는다. 경쟁 시장이라면 여성을 차별하는 고용주는 시장의 힘이 처벌할 것이다. 이타적인 가정에서는 성인 남성에게 여성과 아동을 통제하는 권력을 부여하는 제도적 규칙의 영향을 애정이 무력화시킬 것이다. 사회가 변한다면 그것은 기술 변화 같은 외부 충격이 성별 분업에 영향을 미쳤기 때문이다. 예를 들어 클로디아 골딘Claudia Goldin은 19세기 미국에서 남성 대비 여성의 임금 비율이 점진적으로 증가한 이유는 체력보다는 정신적 기술이 필요한 직업이 확대되었기 때문이라고 생각한다.[21] 릭 게디스Rick Geddes와 딘 루엑Dean Lueck은 인적 자본의 가치가 증가하여 남성이 여성에 대한 권력을 포기하게 되었다고 주장한다.[22] 제러미 그린우드Jeremy Greenwood, 아난스 세샤드리Ananth Seshadri, 메흐멧 요루코을루Mehmet Yorukoglu는 세탁기 같은 노동 절약형 가전제품이 '여성 해방의 엔진'이라고 설명한다.[23]

그러나 기술은 운명이 아니다. 기술이 발휘하는 효과는 사회제도에 달려 있다. 화이트칼라 직종에서 일자리를 얻으려는 여성은 교육을 받으려고 고군분투해야 했다. 남성과 함께 투표할 수 있는 권리를 쟁취하기 위해 조직을 만들어야 했으며 노동 부담을 줄일 수 있는 가전제품을 사기 위해 가구 소득을 통제하는 남편을 설득해야만 했다. 20세기에 일어난 미국의 '피임 혁명'은 여성에게 긍정적인 경제적 결과를 가져왔다. 법적으로 어렵게 쟁취한 신기술을 이용할 수 있는 기회가 주마다 달랐고 피임 도구를 사용할 수 있는 주에서 여성의 경제적 지위 향상이 두드러졌다.[24] 기술 변화와 같은 외부 요인이 중요하다고 해서 제도화된 불평등의 중요성이 감소하지는 않는다. 페미니스트 관점에서 볼 때 여성의 권리가 어떻게 진보했는지를 설명하기보다는 그런 진보에 강력히 저항한 힘이 무엇인지 설명할 필요가 있다.

구조와 행위성을 중재하기

구조와 행위성 중의 어느 하나를 출발점으로 선택하라는 패러다임 차원의 압력이 여전히 상당하지만 많은 경제학자와 사회학자는 제도를 행위자가 구조를 만들면서 동시에 구속되는 영역으로 묘사하는 종합적인 접근 방식을 선택한다.[25] 교차정치경제학은 마르크스주의 전통과 신고전파 전통에서 비롯된 새로운 통찰을 활용하여 구조와 행위성의 상호작용을 보는 시야를 확대할 수 있다. 가부장제에 보다 분명히 관심을 기울여야 이런 이론적 지평이 풍요로워진다.

생산양식 풀어내기

오늘날 마르크스주의 전통의 영향을 받은 학자는 자본주의를 단일한 헤게모니를 장악한 체제로 묘사할 수 있다는 개념을 거부한다. 생산수단의 공동 소유와 관리가 예상보다 더 어렵다는 사실이 역사적으로 드러났다. '국가자본주의'라고 부르기도 하는 국가사회주의가 왜 정도에서 벗어났는지를 두고 다양한 설명이 존재한다. 민주주의적 계획에 필요한 제도 인프라 마련에 관심이 부족했다는 점은 확실히 중요한 역할을 했다.[26] 쿠바와 베트남과 같은 상대적으로 작은 국가만이 아니라 구소련과 중국에서 사회주의 이후의 궤적에서 드러난 극적인 차이는 역사 발전 단계설 같은 단순한 이론에 도전장을 내민 셈이다.

현대자본주의 분석은 변이와 순열을 강조한다. 북서부 유럽의 사회민주주의의 특징은 소위 미국과 영국의 자유주의 정권보다 공적 서비스를 더 많이 제공하고 소득 불평등 수준이 낮다는 점이다. 식민지 지배를 경험한 국가에서는 보통 다른 국가와는 다른 계급 동학이 전개된다.**27** 어떤 자본주의 국가는 다른 자본주의 국가보다 좀 더 중앙집권적으로 국정을 운영하고 노동의 숙련도를 높이며 실직 노동자를 위한 사회 안전망을 구축한다.**28** 이런 논의가 젠더나 인종/민족과 같은 집단 정체성에 기반한 차이를 다루지는 않지만 제도 동학에 관심을 두다 보면 그러한 차이를 고려하지 않을 수 없다.**29**

사회적 축적 구조라는 마르크스주의 개념은 특정 역사와 제도 맥락에서 일어나는 변화에 주목하는 광범위한 분석틀을 제공한다.**30** 서유럽과 미국에서 제2차 세계대전 이후 수십 년 동안 국내총생산 GDP이 꾸준히 증가하여 자본가는 손쉽게 이윤을 가져가고 노동자의 실질임금은 증가했다.**31** 그러나 점차 증가하는 글로벌 경쟁이 이 지역에 타격을 가하기 시작하고 신자유주의 정책이 출현하여 노동자의 힘은 약화되고 복지 지출은 감소했다. 이 기간에 일어난 여성 임금노동자의 증가는 보통 자본주의 동학의 결과로만 취급되기는 하지만, 적어도 논의는 되고 있다.**32**

노동자 사이에서 나타난 분열에 관심이 커지면서 미묘하게 다른 여러 이론적 접근이 등장했다. 마르크스주의 사회학자인 에릭 올린 라이트는 소유주와 노동자 사이의 중간 위치에 있는 전문가-관리자 계급에 주목한다. 전통 마르크스주의 계급 이론에 존재하는 프티부르주아지처럼 이 계급은 다소 모순되고 우연성을 띤 정치적 이해관계를 가진다.**33** 공공 정책과 진입 장벽, 숙련도의 차이 등 제도적 요인 탓에 어떤 노동자는 다른 노동자보다 훨씬 더 많은 임금을 받을 수 있다. 젠더나 성 정체성, 인종/민족, 시민권을 기반으로 어떤 노동자에게 불이익을 주는 제도 규칙은 이런 그림에 들어맞는다. 라이트는 계급 차이를 논할 때만 '착취'라는 용어를 사용하지만, 계급이 아닌 다른 형태의 억압이 미치는 중대한 영향에도 주목한다.[34]

미국에서 금융 위기가 터지자 자산과 소득 불평등에 대한 관심이 증가했고 '점령 운동'에 나선 이들은 "우리가 99퍼센트다We are the 99percent"라는 정치적 구호를 내걸었다. 이 구호는 뉴욕에 있는 엠파이어스테이트빌딩처럼 상위 1퍼센트를 표상하는 높이 솟은 첨탑으로 장식된 직사각형 건물 구조를 생각나게 한다. 밑바닥에 입주한 99퍼센트는 경제적으로 취약하다는 점에서 하나이므로 1퍼센트에 맞서 단결하여 저항하라고 호소한다. 우뚝 솟은 첨탑은 안정성을 잃어 쓰러지거나 쓰러질 가능성이 크다. 그래도 꼭대기 층과 바닥 층을 가르는 큰 차이는 남을 것이다.

어떤 마르크스주의 이론가는 더 큰 메타 구조나 사회구성체 안에서 서로 연결되거나 연접된 뚜렷이 다른 생산양식을 묘사하기도 한다.[35] '연접articulation'이라는 용어를 사용하는 이론가는 메타 구조나 사회구성체가 로봇처럼 따로따로 움직이는 부품으로 구성될 가능성을 인정하는 셈이다.[36] 마르크스주의 전통 안에서 활동하는 페미니스트는 그런 혼성hybrid 형태를 받아들인다. 안토넬라 피키오 Antonella Picchio는 노동계급 가정생활을 낭만적으로 보는 견해를 거부하고 젠더 갈등이 자본주의에서만 발생한다는 가정을 반박한다.[37] 메그 럭스턴Meg Luxton은 자본주의가 자신의 이해관계에만 복무하는 '성-젠더 체제sex-gender system'를 구축할 수 있다는 개념에 도전한다.[38] 독립된 젠더 동학을 단일 체제 분석에 끼워 넣으려는 시도는 가

부장적 자본주의와 같은 이중 체제를 설명하려는 사회주의 페미니스트의 노력을 보완한다.[39]

　이런 좀 더 복잡한 정식화는 자본주의로의 이행을 여러 이론을 교차시켜 설명하려는 시도에 영감을 주었다. 왈리 세콤브Wally Seccombe는 자본주의와 가부장적 이해관계 사이의 교차점을 명시적으로 지적하면서 서부 유럽의 노동계급 가정에서 흔히 볼 수 있었던 젠더 갈등과 가정 폭력을 무게감 있게 설명했다.[40] 세드릭 로빈슨Cedric Robinson은 인종과 국가 갈등을 강조하고 식민 권력이 부상하기 훨씬 전에 인종 동학이 자본주의에 영향을 미쳤다고 주장하면서 서유럽에서 진행된 자본주의 이행의 역사를 다시 썼다.[41] 이중 구조론을 넘어설 필요성을 주장하는 데이비드 맥널리David McNally는 "다중 억압에 대한 역사유물론"을 불러낸다.[42]

　이 수정주의자들은 사회구조를 정돈된 형태보다는 예측할 수 없는 윤곽과 들쭉날쭉한 모서리를 가진 무엇으로 묘사하면서 다양한 형태의 지배와 억압을 인정한다. 그래도 경제적 토대가 약하다는 이유로 비계급 갈등을 계급에 기반한 갈등과 동등하게 두는 것은 꺼렸다. 아마도 '경제'와 '착취'를 너무 협소하게 정의했기 때문일 것이다. 이는 다음 장들에서 내가 주장하는 지점이기도 하다. 수정주의자들은 신고전파 전통에서 나온 이론적 혁신을 망각할 때도 있는데 이론적 혁신이 신고전파 전통에 오염되었다고 생각하기 때문인 것 같다.

제약된 최적화를 넘어서

대학교에서 쓰는 교과서는 여전히 인간이 외부적으로 결정된 제약

아래서 합리적 선택을 한다는 양식화된 의사 결정 모델을 신주단지 모시듯 한다. 그러나 이제 주류 경제학 학회지에서도 보다 창의적이고 유연한 접근 방식이 나타나서 합리적 인간이 완벽하게 합리적이거나 전적으로 이기적이라는 견해에 도전한다. 기후변화가 끔찍한 비용을 유발하고 경제적 불평등이 급격히 증가하자 시장 교환이 초래한 의도하지 않은 결과에 관심이 커졌다. 그리하여 시장 교환이 항상 효율적이라는 신고전파 경제학의 확신은 훼손되었다.

진화생물학과 심리학에서 나온 새로운 이론은 신고전파 경제학의 가정을 흔들었다. 수십 년 동안 다윈주의에 대한 대중적인 해석은 개인 수준의 경쟁을 강조했으며, 이기심이 가까운 혈연 사이의 상호작용을 제외한 모든 인간 상호작용을 지배한다고 가정했다.[43] 다윈주의는 이제 개인뿐만 아니라 집단끼리도 경쟁한다는 다수준선택 multilevel selection 이론으로 대체되었다.[44] 집단은 자기들이 처한 특정 기술과 전략적 환경에 알맞은 수준으로 다른 집단과 협동할 때 살아남을 가능성이 커진다.[45] 지금까지 진화론적 압력은 분명히 집단 내에서는 서로 돕고 다른 집단과는 조건부로 협동하는 행동을 고무했다.[46]

동시에 남성과 여성, 어머니와 아버지, 부모와 자손 사이에 이해관계를 둘러싼 갈등이 존재할 수 있다는 사실에 주목하면서 가정을 온전한 연대의 장으로 간주할 수 있다는 가정은 흔들렸다.[47] 가구에서 이루어지는 의사 결정의 단일 모델은, 남성과 여성의 대안 지위fallback position 차이가 의사 결정에 미치는 영향을 인정하는 협상 모델로 대체되었다.[48] 이 모델은 어떻게 또는 누가 이런 대안 지위 차이를 만들

었는지 질문하지 않았지만 이런 문제 제기를 피할 수 없었다.[49]

심리학의 통찰력을 통합하는 행동경제학이 출현하면서 전통적인 신고전파 경제학의 가정들은 더는 성립할 수 없었다. 인간은 합리성을 열망할 수 있지만 인지적 한계와 본능적인 감정은 합리성을 제한한다.[50] 빈곤으로 인한 스트레스가 인지 기능을 방해할 수 있으며 사람들은 자신의 수행 능력을 저해하는 부정적인 고정관념을 내면화할 수 있다는 실험 증거가 많다.[51] 계급 스펙트럼의 다른 쪽 끝단에 있는 투자자들의 비합리성이 과잉에 이르면 주식시장 붕괴로 이어질 수 있다.[52] 인간의 성향이 밖으로 드러나는 경우도 있는데, 경영학이나 경제학을 전공하기로 결정한 학생들은 보통 다른 학생들보다 더 이기적인 태도를 보이는 듯하다.[53]

신고전파 경제학자는 또한 무력과 폭력이 미치는 경제적 영향과 씨름했다. 제2차 세계대전의 여파로 미국 정부는 전략적 최적화 원칙과 게임이론을 결합하여 갈등이론을 개발하는 데 돈을 대었다.[54] 이 분야의 개척자인 경제학자 잭 허슐라이퍼Jack Hirshleifer는 다른 집단의 재산을 압수하면 상당한 경제적 이익을 거둘 수 있다고 기대하는 집단은 평화로운 무역에 참여하지 않을 것이라고 주장했다. 이런 주장은 이름만 바꾼 마르크스주의처럼 들린다. 허슐라이퍼는 그런 기회주의를 "무력이 가진 어두운 면"이라고 이름 붙였다.[55] 갈등이론은 주로 군사행동에 적용되었지만, 폭력의 위협 때문에 등장한 사회제도의 출현을 설명하는 데도 도움이 된다.

'외부 효과'라는 용어가 처음 신고전파 후생경제학의 어휘에 들어갔을 때는, 양봉가의 수분 매개체가 우연히 이웃 농부들에게 도움

돌봄과 연대의 경제학

을 주는 의도하지 않은 결과를 낳는 것처럼 목가적인 상황에 국한되어 쓰였다. 오늘날 경제적 외부 효과가 낳는 시장 가치 추정치는 시장경제 자체의 규모보다 더 크다.[56] 유아 교육의 혜택과 아동 빈곤이 초래한 비용과 같은 사회적 외부 효과도 양적인 차원의 관심을 받기 시작했다.[57] 몇몇 공공재의 사례에서 시작하여 돌봄 제공이 전체 경제체제에 중요한 가치를 부여하지만 가격표를 붙여놓지 않은 서비스라고 폭넓게 분석하는 데까지는 얼마 걸리지 않았다.

마르크스주의 전통에 영향을 받은 경제학자는 합리적 행위자의 전략적 결정에 초점을 맞춘 비협동적 게임이론에 시큰둥하다. 그러나 죄수의 딜레마와 같이 비협동적 게임이론의 핵심인 특정 행동에 대한 보상 체계는 개인이 이기심을 무한정 추구했을 때 얼마나 비참한 결과가 초래될 수 있는지를 잘 드러낸다. '성 대결Battle of the Sexes'이라는 이름이 붙은 유명한 행동 보상 체계는 사소할 수도 있는 조정 문제에 관심을 갖게 한다. 서로 취향이 다르지만 데이트를 원하는 남성과 여성이 과연 오페라 극장이나 축구장에서 만날 수 있을까. 나중에 얘기하겠지만 다른 조정 문제들도 젠더 불평등에 대한 심오한 의미를 내장하고 있다.

기술과 사회 규범의 상호작용을 탐구하려는 최근의 노력은 전통적인 신고전파 가정을 훨씬 뛰어넘는다. 무케쉬 에스와란Mukesh Eswaran은 자본주의 이전 사회에서 출현한 가부장제를 설명했던 여러 유용한 시도를 잘 정리했다.[58] 네이선 넌Nathan Nunn, 알베르토 알레시나Alberto Alesina와 파올라 줄리아노Paola Giuliano는 에스터 보스럽Ester Boserup의 초기 연구를 기반으로 괭이 농업보다 육체적으로 더 힘을 써야 하는 쟁기 농업이 왜 여성보다 남성에게 더 많은 권력을 줬는지 설명한다.[59] 기술결정론 냄새가 약간 나지만, 초기에 생산에서 비대칭적이었던 남성과 여성의 역할이 나중에도 오랫동안 영향을 미쳤음을 강조하며 젠더 불평등을 재생산하는 사회제도의 영향력이 크다는 점을 자주 언급한다. 일단 확립된, 차이가 나는 제도 권력은 바꾸기가 어렵다. 이는 '경로 의존성'의 대표적 사례이다.

구조를 다시 생각하기

마르크스주의적 사고에서 구조는 생산수단의 소유권 혹은 더 넓게는 자산 소유권으로 정의된다. 신고전파의 사고에서 구조는 시장에 참여하는 개인이 가지는 초기 부존자원과 기술을 의미한다. 두 경우 모두 특정 사회제도의 존재를 함축하지만 다양한 형태의 집단권력을 강화하는 제도 권력들을 범주화하고 있지 않다. 모든 사회제도가 분배 불평등으로 이어지는 것은 아니다. 어떤 사회제도는 효율성을 분명히 향상시킨다. 그럼에도 '누구를 위한 효율성'인지 묻는 일은 여전히 중요하다.

상금이 주어지고 분배되는 피라미드형 미로 게임을 생각해보자. 상금은 대부분 최상단에 몰려 있다. 이 메타 구조나 체제는 서로 다른 여러 구조로 구성되어 있다. 이 구조들은 서로 교차하고 겹치면서 뚜렷한 청사진을 형성하며 정상까지 갈 수 있는 경로를 만들어낼 수 있다. 태어나서 살게 되는 미로의 높이는 사람들마다 다르고, 어디서 출발하는가는 앞으로 갖출 능력과 맞닥뜨릴 장애물에 영향을 미친다. 맞닥뜨리는 장애물에는 유리 천장과 끈적끈적한 바닥, 부비 트랩과 잠긴 문 같은 제도 질서가 있다. 이런 장애물을 극복할 가능성은 대부분 출발점이 어디냐에 달려 있다.

피라미드형 미로는 단순히 세대 간 릴레이 경주의 장소가 아니다. 집단이 잉여를 빼앗고 생산하고 재생산하는 장소이고 집단을 사회적으로 재생산하는 장소이기도 하다. 위로 올라가지 않는 사람들도 자신과 가족을 부양하기 위해서는 둘레를 계속 돌아가야 한다.

개인은 저항이 가장 적은 경로를 따라 혼자 힘으로 출발할 수 있지만 다른 사람들과 합류하여 경쟁에서 이기기 위해 팀을 구성할 가능성이 더 크다. 팀은 개인이 가진 이점을 조합하여 장애물을 치우고 경로를 바꾸는 능력을 얻을 수 있다. 사회제도는 일부 집단의 경로를 넓히고 다른 집단의 경로를 좁힌다.

행위성뿐만 아니라 구조 역시 교차적이다. 중첩되는 특성에 따라 개인을 분류한다. 모든 장애물과 진입점이 계급 구조가 인위적으로 만들어낸 결과물은 아니다. 배제 규칙과 차별적 규범을 기반으로 세워진 장애물은 성공할 가능성이 있는 팀에 합류하거나 동맹을 형성할 기회를 제한한다. 집단권력이라는 제도 구조는 다양한 차원의 집단 정체성을 기반으로 한 이익과 불이익을 걸러내는 거름망 역할을 한다. 이 효과는 결정적이기보다는 확률적이다. 어떤 개인은 제도 구조의 효과를 능가할 만큼 영리하거나 운이 좋거나, 혹은 영리한 데다 운까지 좋다.

피라미드 미로는 낙하산과 사다리, 소용돌이와 막다른 골목을 만들어내는 게임들이 겹쳐진 3차원 게임판이다. 선수는 게임을 수정하기 위해 서로 협상할 수 있지만 어떤 의미에서는 선호도와 인식, 능력, 전략적 선택에 영향을 미치는 게임의 산물이기도 하다. 바닥 근처에 있는 행위자는 자신이 직면한 제한된 선택 범위에 적응하며, 환경을 바꾸기보다 그것을 딛고 나아갈 때 에너지를 잘 썼다고 느낀다. 대조적으로 정상 부근에서 시작하는 사람들은 장애물을 공고하게 하거나 건설함으로써 자신의 이점을 쉽게 방어한다.

이 양식화된 이미지는 더 크고 복잡한 체제에 구축된 가부장제 구조의 변화를 묘사하는 방법을 제공한다. 여성과 성소수자, 청소년은 실현 가능한 더 나은 선택지가 나타날 때까지 가부장적 제도가 강요하는 고통을 인내한다. 그들은 선택지를 고를 때 인종/민족과 계급, 시민권과 같은 다른 차원의 집단적 정체성을 가진다는 사실도 고려한다. 모든 사람은 어딘가에서 이익을 봐도 다른 곳에서는 손해를 볼 수 있는 혼란스럽고 위험한 전략적 환경에서 의사 결정을 한다. 그렇지만 여성은 기회를 넓히는 사회제도를 발전시키는 데 공통의 이해관계를 가진다. 여성과 다른 집단은 불공정한 장애물에 직면한다는 공통점이 있고 경제 정의 원칙에 기반한 동맹을 형성할 가능성을 엿볼 수 있다.

집단 행위성

계급 분석은 자산 피라미드 안에서 개인의 위치뿐만 아니라 구조에 초점을 맞춘다. 이익-집단 이론은 개인이 어떻게 공동의 이익을 추구하기 위해 자발적으로 함께 뭉치는지를 설명한다. 젠더와 연령, 섹슈얼리티, 인종/민족, 시민권으로 정의된 집단은 자산이나 고용 형태

돌봄과 연대의 경제학

의 어느 범주에도 속하지 않는다. 이러한 집단은 자산 소유나 고용 형태로 환원되는 것이 아니라 대부분 사회적으로 배정된다. 우리는 고유한 이름을 가진 가족과 지역사회, 국가에서 태어났으며 이 안에서 젠더와 연령, 성 정체성 등으로 범주화된다. 이런 범주 중 일부는 상당한 경제적 결과를 가져온다.

배정받은 집단을 정의하는 능력과 해당 집단에 대한 충성심에는 항상 한계가 있다. 그러나 여러 가지로 구성된 집단 정체성과 행동 수단을 가지고 있을 때 전략적 결정을 내릴 수 있는 여지가 많아진다. 집단에 자신을 동일시해야 집단의 이해관계를 추구할 수 있을까, 아니면 집단의 이해관계를 누릴 기회가 생길 때 자신을 집단에 동일시하게 될까? 인과관계는 아마도 양방향으로 작용할 것이다.[60] 사람들은 다른 사람들과 협력하여 이익을 얻을 때 그들에 대한 헌신의 감정을 키운다. 같은 이유로 헌신의 감정은 상호 유익한 협력을 부추긴다.

경쟁은 집단에 대한 충성과 외부에 대한 적개심을 강화할 수 있다. 여러 면에서 비슷한 어린 소년들이 팀으로 나뉘면 서로 등을 돌린다는 유명한 강도 동굴Robbers' Cave 실험에서도 입증되었다.[61] 타인을 착취할 수 있는 기회가 있을 때도 이와 유사한 결과를 가져오는데, 착취당하는 자를 경멸하게 만든다. 타너하시 코츠Ta-Nehisi Coates가 말한 대로, "인종은 인종주의의 자식이지 아버지가 아니다."[62] 남성에게 경제적 혜택을 제공하는 가부장제는 여성에 대한 차별과 학대를 조장한다. 번성하는 집단은 집단에 충성하는 구성원에게 보상이라는 특권을 주지만, 뒤처지는 집단은 충성에 따르는 희생이 크기 때문에 구성원의 헌신을 끌어내기 어렵다.

계급이 먼저?

사회주의 활동가들은 집단 이해관계를 둘러싼 갈등이 사람들을 정치적으로 동원할 수 있는 주된 갈등 요인이라고 쭉 생각했지만, 계급의 경제적 중심성을 강조하느라 그들이 본능적으로 억압을 혐오한다는 사실은 덮어버렸다. 예를 들어 마르크스주의 지리학자 데이비드 하비David Harvey는 자본주의가 인종과 젠더 억압으로 가득 차 있지만 '자본의 논리'는 그런 영향을 받지 않는다고 지적한다.[63] 하비는 인종이나 젠더에 대해 어떠한 '논리'도 언급하지 않는다. 리제 보겔Lise Vogel 같은 마르크스주의 페미니스트 학자는 계급과 인종, 젠더가 잠재적으로 동일한 인과적 가중치를 지닌, 서로 비교할 수 있는 범주라는 개념을 단호히 거부한다.[64] 낸시 프레이저는 좀 더 부드럽게 범주들을 구분하는데, 인종/민족과 젠더를 둘러싼 투쟁을 재분배가 아닌 인정투쟁으로 묘사하고 계급 이해관계를 가진 집단 정체성과 대조한다.[65] 그러나 프레이저가 지적한 대로 계급의식은 공통의 정체성에 기초한 인정투쟁을 수반하기도 한다. 이해관계와 정체성은 보통 나란히 간다고 봐야 한다.

마르크스주의 정치경제학 고전은 '허위의식'을 다룰 때 이 문제를 시인한다. 마르크스도 당대의 평범한 영국 노동자를 매수cooptation당하기 쉬운 사람으로 묘사했다.

> 아일랜드 노동자와의 관계에서 영국 노동자는 자신이 아일랜드를 지배하는 국가의 일원이라고 생각하며 아일랜드에 대항하는 국가의 귀족과 자본가의 도구로 변모한다. 그런 식으로 귀족과 자본가의 지배를 강화한다. … 아일랜드 노동자에 대한 영국 노

동자의 태도는 미국에 노예제가 존재하던 시절 '가난한 백인'이 '검둥이'에 대해 갖는 태도와 똑같다.[66]

블라디미르 레닌은 노동귀족의 개념을 더욱 발전시켰다. 그는 노동귀족이 잠재적 혁명의 진원지를 (러시아와 같이) 경제적으로 덜 개발된 국가로 옮겼다고 믿었다.[67]

잘못된 인식으로 매수를 당하는 것은 아니다. 상대적으로 안전한 단기 이익과 다소 위험한 장기 이익을 따진 것이다. 1960년대에 식민주의와 제국주의의 후유증에 관심이 급증하며 선진국과의 무역이 세계 주변부 국가의 경제 발전을 방해한다는 주장이 나왔다. 자본가들이 자국 내에서 투자처를 찾기보다는 외국 자본과 협력하기가 쉬웠기 때문이다. 일부 마르크스주의자들은 선진 자본주의 국가의 노동자들이 불평등 교환 과정을 통해 추출된 잉여의 혜택을 누리는 직접적인 수혜자라고 주장했다.[68] 그런 불평등 교환 과정은 한 나라의 계급 사이에 일어나는 것이 아니라 두 나라의 시민들 사이에 일어난다는 것이다. 그런 주장은 1970년대 웨더 언더그라운드Weather Underground(1969년 활동을 시작한 급진적 좌익 전투 조직으로 미시간 대학교의 앤아버 캠퍼스에 설립되었다—옮긴이)와 같은 미국의 전투 조직이 사용하는 정치적 전략에 영향을 미쳤다. 이 조직은 미국의 노동자가 변화를 도모할 진보 세력이 될 가능성을 깎아 먹었다. 마찬가지로 어떤 페미니스트 학자는 남반구 여성 노동자 착취에 반대하는 캠페인이 선진국 노동자를 경쟁에서 보호하는 결과를 가져온다는 우려를 표현했다.[69]

인종/민족 정치경제학은 상충하는 집단 정체성을 오랫동안 강조했다. 20세기 초 윌리엄 에드워드 버가트 듀보이스William Edward Burghardt DuBois는 미국인이자 흑인으로 자기 정체성을 규정하는 사람들의 '이중 의식'을 호소력 있게 묘사했다.[70] 브힘라오 암베드카르 Bhimrao R. Ambedkar는 마르크스적 추론을 적용하여 계급과 카스트의 유사성을 인식하지 못하는 인도 마르크스주의자들을 비난했다.[71] 요 근래의 논의를 보면, 찰스 밀스Charles Mills는 '인종 계약'이 국제적이고 국가적 수준에서 나타나는 인종화된 불평등을 아우르는 광범위한 사회계약의 강압된 형태라고 설명한 바 있다.[72] 윌리엄 대리티William Darity와 동료들은 계급과 인종/민족 불평등이 유사하다고 강력히 주장하고 집단 정체성과 이해관계를 논의에 끌어들인다.[73]

이런 선례는 계급과 젠더, 계급과 민족, 계급과 인종/민족, 계급과 카스트와 같이 계급이라는 개념만이 두 번 이상 반복되는 이분법적 구별을 유지한다. 그러나 아프리카계 미국인 마르크스주의자 앤절라 데이비스Angela Davis는 자본가와 남성, 백인이 약자 집단을 착취하는 공동의 수혜자가 되었다는 점을 지적하면서 교차성이라고 불리는 이론틀을 수용했다. 데이비스의 마르크스주의는 전통적인 틀에 맞지 않았다. 1970년대 백인 페미니스트 운동이 젠더 불평등에 편협하게 초점을 맞춘 것을 날카롭게 비판하면서, 인종/민족과 젠더에 대한 관심 없이 계급에만 초점을 맞추거나 젠더와 계급에 관심 없이 인종/민족에만 초점을 맞추는 사람들에게도 도전했다.[74]

교차성의 중요성은 킴벌레 윌리엄스 크렌쇼Kimberlé Williams Crenshaw와 퍼트리셔 힐 콜린스Patricia Hill Collins를 포함한 아프리카계 미국인 법학자와 사회학자가 더 구체적으로 발전시켰다.[75] 대리

돌봄과 연대의 경제학

티는 "사회의 위계 구조에서 상대적으로 좋은 위치를 차지하거나 유지하려는 집단적 이해관계가, 집단 구성원 사이에서 경쟁적이기도 하고 협력적이기도 한 상호작용에 생기를 불어넣는다"고 강조하면서 교차정치경제학에 힘을 싣는다.[76] 탈식민주의와 초국가적 페미니스트 이론은 국가적 충성을 이론틀 안으로 가져온다.[77] 국경과 이민 정책은 시민권의 의미를 복잡하게 만든다.[78] 자칭 급진적 제도주의 경제학자와 사회학자는 인종/민족과 젠더, 계급, 국가에 기반한 불평등의 상호 유사점을 설명한다.[79] 이런 이론적 관점은 진보적 활동가들이 보통 직관적으로 수용하는 전략을 강화한다.

무임승차를 넘어서

역사를 통해서나 일상 경험을 통해서 함께 협동하여 행동하기가 어려울 수 있다는 것을 우리는 안다. 차이를 좁히기 위해 협상하는 데드는 비용은 클 수 있으며 집단은 흔히 입장을 달리하는 파벌로 분열된다. 그러나 협동은 막대한 이익을 가져다주는 동맹을 이끌어내기도 한다. 방법론적 개인주의에 깊이 뿌리를 둔 신고전파 경제학자는 집단행동에 오랫동안 회의적이었다. 이런 회의론은 다른 사람의 노력에 무임승차하려는 유혹의 도미노 효과를 강조한 제도주의 경제학자 맨서 올슨Mancur Olson의 저작에서 특히 명확하게 표현된다.[80] 올슨은 소규모 집단(암시적으로 가족)에서 상호 노력을 관찰하기 쉽고 태만을 처벌하기 쉽다고 지적하면서도 협동이 오래 지속될 가능성은 낮다고 본다.

그러나 다른 제도학파 경제학자는 사회제도가 무임승차 문제를 줄이는 집단 충성을 알게 모르게 부추길 수 있다고 주장한다.[81] 요즘 뜨고 있는 정체성 경제학은 사회 규범이 순응뿐만 아니라 연대도 장려할 수 있다고 강조한다. 조지 애컬로프George Akerlof와 레이철 크랜턴Rachel Kranton은 젠더 규범이 경제적 결과에 영향을 미치는 구체적인 방식들을 설명한다.[82] 정체성 경제학은 젠더를 훨씬 뛰어넘는 확장성을 갖는다. 비인지 과정과 집단 정체성의 상호작용은 '외부인'으로 간주되는 사람들을 명시적으로 차별할 뿐만 아니라 그들에 대한 암묵적인 편견을 만들어낸다.[83]

갈등이론은 보통 집단적 군사행동에서 얻을 수 있는 편익이 내부에 가해지는 폭력의 해로움을 능가하거나 이를 극복하기 위해 사용될 수 있다고 가정한다. 징집은 제도의 강제성을 드러내는 구체적인 사례이다. 모든 선원이 전리품을 공유했던 18세기 해적 기업의 민주적 조직은 긍정적인 동기가 가져오는 효과가 무엇인지 잘 보여준다.[84] 미셸 그로스먼Michele Grossman은 올슨의 추론을 뒤집어서 대규모 동맹이 상대적으로 안정적이라고 설명한다. 동맹을 이룬 구성원의 수가 많을수록 조직 내에서 반대파를 동원하는 일이 더 어렵기 때문이다.[85]

비협동적 게임이론은 선수가 잠재적인 보상에 대한 지식을 가지고 따로따로 혼자서 행동한다고 가정하는 반면, 협동적 게임이론에서 선수는 연이어 이합집산하는 동맹 전선에서 서로 협상하고 합의할 수 있다고 본다. 고도로 수학적인 접근법을 사용하는 게임이론은 동질적이고 이기적인 행위자를 가정하고 완전 정보와 초기 부존자원은 외부에서 주어졌다고 간주한다.[86] 그럼에도 불구하고 게임이론은 정치적 동맹뿐 아니라 군사적 동맹에 대한 통찰을 제공한다. 동맹에 참여한 일부 구성원은 집단을 탈퇴할 때 더 많은 이득을 얻을 수 있으며, 구성원의 탈퇴는 남아 있는 구성원끼리 협동하여 취득하는 이익을 분배하는 방식에 영향을 미칠 수 있다.[87]

올슨이 처음 무임승차 문제를 다룰 때 집단의 규모를 강조한 것과 달리 다른 경제학자는 집단 이질성이나 이해관계 상충이 효율적인 협동을 방해한다고 강조했다.[88] 수많은 경험적 연구에 따르면 인종과 민족의 다양성이 증가하고 그들의 경제적 격차가 커질 때 공공재에 대한 기여도가 감소한다.[89] 보통 사회적 불평등 수준이 높으면 자연환경의 악화 정도가 크다.[90] 남성과 여성의 정치적 선호도가 상당히 차이가 난다는 점도 잘 알려져 있다. 미국과 유럽에서 여성 참정권의 확대는 보건과 사회복지에 대한 공공 지출 증가와 관련이 있다.[91] 미국에서는 정치적 선호에 있어서 남성과 여성의 줄기찬 선호의 차이가 계급과 인종/민족의 간극을 메우고 있다.[92] 이 모든 양상은 교차적 관점에서 집단행동을 분석하는 연구의 타당성을 뒷받침한다.

복잡한 정체성들

연령이나 성적 지향뿐만 아니라 젠더에 기반한 집단 이해관계를 진지하게 고려해야 한다는 입장에 반대하는 사람들은 청년과 성소수자처럼 여성도 동질적인 집단이 아니라고 주장한다. 그러나 교차성의 관점에서 보면 어떤 집단도 동질적이지 않다. 하위집단subaltern 출신의 학자는 분열을 또렷하게 본다. 모든 집단이 구성원의 충성에 대해 상당한 보상을 제공하지는 못하며 약속을 이행하지 않을 수도 있다.

잠재적인 보상만을 생각해서 행동하는 사람은 거의 없지만 대부분은 자신과 자신이 돌보는 사람들에게 미칠 경제적 결과를 염두에 둔다. 사람들은 사회적으로 배정된 집단에 대해 어느 정도 행위성을 행사하며, 순응할지 순응하지 않을지 선택하고 충성이나 범법, 배반 행위를 하면서 집단 소속의 문화적 의미와 경제적 함의를 재협상하고자 한다.

선진국의 아프리카계 미국인과 라틴계 페미니스트, 남반구의 페미니스트는 젠더를 포괄하는 교차성 이론을 개발하려는 노력에 앞장섰다. 이민자 학자들도 복잡한 정체성에 주목한다. 아민 말루프Amin Maalouf가 말했듯이, "모든 개인은 다양한 집단에 충성할 수 있고, 집단에 대한 충성심이 서로 충돌할 때가 있으며, 어려운 선택 끝에 어떤 집단에 충성하게 된 사람과 정면으로 부딪히기도 한다."[93] 우리 모두는 정체성을 관리하려 하고 정체성의 문화적 의미와 경제적 결과를 재협상하려고 한다.

특히 미국의 페미니스트 이론은 역사적으로 상대적으로 부유한 백인 여성의 상황에 초점을 맞췄다.[94] 이 관점은 한계가 있을 수밖에 없는데 '여성과 유색인종'이 마치 상호 배타적인 개념인 것처럼 지칭했던 과거의 용법에 잘 드러나 있다.[95] 이 개념적 오류는 단순히 도덕적 권고로는 화해할 수 없는 충돌하는 이해관계의 힘이 상당하다는 것을 입증한다.

경제적 이해관계 대 정체성 정치?

초기 사회주의 페미니스트는 '교차성'이라는 단어를 사용하지 않았지만 집단권력 구조들의 유사성을 강조했다. 초기 아일랜드 사회주의자 안나 휠러Anna Wheeler와 윌리엄 톰슨William Thompson은 여성의 권리를 전면으로 내세웠다.[96] 1869년 출간된 『여성의 종속The Subjection of Woman』이라는 저작에서 존 스튜어트 밀과 해리엇 테일러Harriet Taylor는 여성에 대한 가부장적 통제와 인종에 기반한 노예제도를 집단적 이기심의 표현으로 묘사했다. 물리적, 군사적 우위와 결부된 "순수하면서도 숨김없는 이득에 대한 사랑"과 다름없다는 것이다.[97] 그들은 이 두 가지 불평등을 국가가 제도화하고 문화적 규범이 강화한다고 주장했다.[98] 또한 지배하는 사람들이 당연시하지 않은 지배란 것이 있느냐고 질문했다. 10년 후인 1879년에 베벨은 『여성과 사회주의』에서 모든 형태의 억압은 여성의 신체에 대한 권리와 독립적 재산권을 몰수하는 데 달려 있다고 주장했다.

'정체성 정치'라는 용어는 젠더와 연령, 성적 지향, 인종/민족, 시민권과 같은 사회적으로 배정된 범주를 기반으로 한 불평등에 맞서는 반발을 설명할 때 사용하며, 계급 기반 불평등보다 주관적 성격을 띤다고 보기도 한다. 정체성 정치가 분열적이라고 우려하는 좌파 비평가는 메시지가 아니라 메신저를 겨냥하는 것 같다. 집단 정체성에 기반한 분열이 없었다면 계급의식과 집단행동을 훨씬 더 쉽게 쟁취했을 것이라고 생각한다. 그러나 집단권력 구조는 재산 소유권 못지않게 정치적, 문화적 제도에 크게 의존한다. 정체성과 이해관계는 나란히 함께 간다. 하위집단이 구조 변화에 힘쓰는 것은 인정과 재분배

둘 다를 얻기 위해서이다.

　교차성은 제도를 바꾸기 위해 캠페인을 통합하고 굳건히 만들려고 애쓰는 집단에게 항상 불편한 전략적 결과를 가져왔다. 어떤 이론이 맹목적으로 집단 내 차이를 최소화하려고 해도 차이가 사라질 리는 없다. 모든 형태의 집단행동은 내부 불화와 구성원 이탈에 취약하며 이 경우 대가를 치를 수밖에 없다. 민주주의와 평등한 기회, 집단소유, 상호부조 같은 원칙에 기반을 둔 경우에도 한 집단의 세력화가 모두의 세력화를 보장하지는 않는다. 이 우연성은 페미니스트 운동을 포함하여 권위주의적 위계질서에 도전하려는 모든 노력이 왜 전부 성공하지 못했는지를 설명해준다. 더불어 동맹을 형성하려는 열망은 억압의 심각성이 아니라 다른 사람들과 협력해야만 달성 가능한 공동의 이상을 포용할 수 있느냐에 달려 있다는 결론에 도달한다.

　개인과 집단 사이의 경쟁은 진화 역사에서 중심을 차지한다. 그러나 중력의 영향으로 발이 땅에서 안 떨어지는 것처럼 경쟁도 협동을 고무하는 제도의 발전을 막지 못한다. 어떻게 시작할까? 제도를 설계하는 능력을 발전시키려면 우리 자신을 더 잘 이해할 필요가 있다. 교차정치경제학은 집단 갈등의 복잡성을 강조하면서 '경제적인 것'에 대한 더 큰 그림을 그릴 것을 경제학자에게 촉구한다.

4장

전유, 재생산 그리고 ── 생산

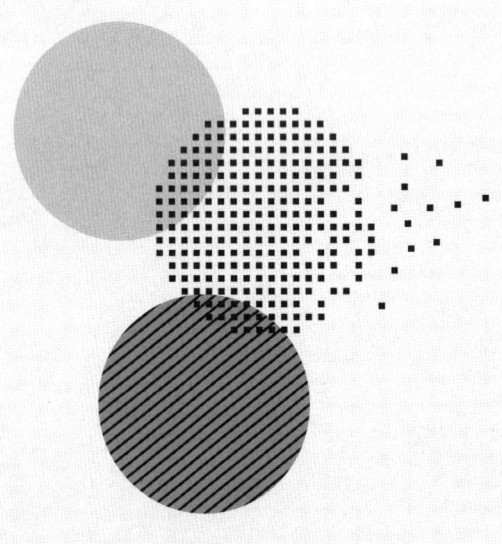

'경제적'이라는 단어는 가정을 가리키는 그리스어 '오이코스oikos'에서 파생되었다. 오이코스에서 정확히 무슨 일이 일어났을까? 마르크스주의 이론은 전통적으로 상품 생산에서 추출되는 잉여에 초점을 맞추었다. 자발적 교환을 다루는 신고전파 경제 이론은 대체로 다른 유형의 이전transfer이나 교환을 무시한다. 더 넓은 렌즈로 보면 보다 통일된 시각을 갖게 된다. 재생산 과정은 회사와 시장, 국가뿐만 아니라 가족과 지역사회 내에서 발생하는 서로 구분되는 형태의 노동과 상당한 세대 간 이전을 수반한다. 이런 모든 활동은 집단권력의 행사에 취약하다.

재생산은 가부장적 제도 발전에 특히 중요한 의미가 있다. 무인도에서 살아남기 위해 로빈슨 크루소는 오로지 자기 소비를 위해 무언가를 만들었지만 이와 달리 재생산 활동은 순전히 개인적인 노력만으로는 불가능하다.[1] 의존자는 말 그대로 독립적으로 의사를 결정하는 데 한계가 있기 때문에 의존자 돌봄은 전적으로 자발적인 교환으로 조직될 수 없다. 가족과 이보다 더 큰 집단은 재생산(여기서 재생산은 인간 역량의 생산과 유지로 정의된다)을 조직할 때 자기 집단을 영속화하는(사회적 재생산으로 정의된다) 방식을 추구하며, 재생산과 사회적 재생산을 가로지르는 제도적 제약에 상당히 의존한다.[2]

생산과 마찬가지로 재생산은 축적된 물질적 부보다는 인구의 규모 증가나 역량 강화를 통해 잉여를 창출할 수 있다. 신고전파 경제 이론은 인적 자본을 활용하는 자율적인 기업가로 개인을 묘사하는데 재생산은 이런 자기 투자 활동을 포함하면서도 이를 넘어선다. 또한 현대 마르크스주의 이론이 지배계급에게 혜택을 주는 과정으로 강조하는 노동력 재생산을 넘어선다.

인간 역량의 생산과 유지는 모든 경제체제의 필수 요소이며 비용이 많이 든다. 개인과 집단은 보통 불평등하게 분배되어 있는 비용을 조정하기 위해 협상할 수 있다. 생산과 마찬가지로 재생산은 외부효과나 파급 효과—주로 개별적 결정들이 가져올 대가를 측정할 수 없고 예상할 수도 없는 부작용—를 야기한다. 장기적으로 어떤 집단의 사회적 재생산에 영향을 미치는 요인은 생산 능력뿐만 아니라 구성원을 보충하고 확대하는 능력과 폭력으로 약탈하거나 이를 방어할수 있는 능력이다.

과정과 장소

사람들은 자신의 필요와 가족과 친구의 필요를 직접 충족하기 위해 시장 교환에 나설 뿐만 아니라 상품과 서비스를 생산한다. 사람은 다른 사람을 생산한다. 신체뿐만 아니라 체화된 신체적, 인지적, 정서적, 사회적 역량을 생산한다.[3] 페미니스트 경제학자는 이런 모든 과정을 아울러서 '사회적 공급social provisioning'이나 '사회적 재생산'이라는 용어를 사용한다.[4] 이 용어는 보다 신중하게 사용할 필요가 있지만, 용어 자체보다는 분배로 인한 갈등과 생산 결과가 밀접하게 얽혀 있는 경제 과정을 총체적으로 분석하는 것이 더 중요하다.

경제학자는 집단 갈등이나 제도적 제약에 대한 분석을 재생산 과정에 포함하여 이론을 확장하기를 특히 꺼렸다. 마르크스주의 이론과 신고전파 이론의 영향력 있는 선구자인 토머스 로버트 맬서스는 인구 증가는 도덕적으로 통제하지 않는다면 인류를 비참한 상태로 몰고 갈 수 있는 성적 열정에 지배되고 있다고 가정했다. 이 가정은 더 정교한 형태로 변형되어 오늘날의 경제 이론에 깊이 뿌리박혀 있다.[5]

인구학적 역사는 재생산과 생산의 훨씬 더 복잡한 상호작용을 보여준다. 잠재적 출산이나 재생산이 아닌 여성 1인당 출산으로 정의되는 출산은 채집과 수렵 사회에서 사회적 통제의 대상이었다. 명시적인 금욕 규칙을 두거나 모유 수유를 장기화하는 방식의 통제가 있었다.[6] 높은 출산율은 결코 '자연적'인 결과가 아니다. 명백한 이유로 남성보다 여성에게 훨씬 더 많은 비용을 치르게 만든다. 또 가족 규모에 대한 남성과 여성 선호도가 동일하다고 믿을 이유가 없다.[7] 높은 출산율을 달성한 대부분의 사회는 가부장제를 통해 달성했으며, 높은 출산율은 보통 남성에 대한 여성의 경제적 의존도를 높여 여성의 단체협상력을 줄이고 남성의 가부장적 특권을 공고히 한다.[8] 이후 장에서는 가족이 생산 단위로서 중요성을 잃어버리고 양육 비용이 증가하고 새로운 재생산 기술이 출현하고 나아가 특히 재생산을 관장하는 사회제도가 집단적으로 경쟁하고 재협상을 하는 가운데 어떻게 출산율과 협상력, 가부장적 특권의 인과관계가 약화되었는지 보여줄 것이다.

특히 많은 국가에서 출산율이 장기적으로 보아 인구 대체 수준 이하로 떨어졌기 때문에 인구학적 불안감이 고개를 들었다. 이제는 인구 과잉보다는 과소를 걱정한다. 세계 인구 감소는 환경 스트레스를 줄이는 데 도움이 되지만 이 과정에서 상당한 정치적, 경제적 스트레스를 유발할 가능성이 있다. 당연히 재생산 동학에 더 많은 관심이 집중되었다. 가부장적 제도와 재생산 성과의 연관성에 대한 초기 페미니스트 연구가 이제 널리 받아들여지고 있다.[9] 마르크스주의 페미니스트 학자는 가족 돌봄을 제공하는 자가 자본축적을 보조한다고 강조한다.[10] 사회과학자는 출산과 양육이 여성의 소득에 미치는 영향과 빈곤 취약성을 측정한다.[11] 그럼에도 불구하고 재생산이 경제 '외부에서' 일어난다는 남성 중심적 가정은 여전히 헤게모니를 쥐고 있다. 거시 경제의 성과를 측정하는 회계 관행이 뿌리 깊기 때문이다.

성공을 정의하기

비교적 사소한 예외를 제외하면 국제적으로 합의된 국민계정 시스템은 '산출'을 시장에서 판매되는 상품과 서비스의 가치로 정의한다.[12] 오랫동안 경제적 성공을 결정한다고 여겨져 온 GDP는 가족을 돌보는 무급 노동과 가격표가 붙지 않은 대자연의 생태 서비스 가치를 간과한다.[13] 경제성장의 목표는 상품 소비의 증가이다. 억만장자 맬컴 포브스Malcolm Forbes는 "마지막에 가장 많은 장난감을 가지고 있는 사람이 이긴다"라고 선언하여 자신의 유치함을 증명했다.[14]

진화론적 논리는 이 가벼운 농담이 묘비명이 될 수 있음을 시사한다. 인류 문명이 오랫동안 성공적으로 지속되려면 물질적 소비의 확대보다는 갈등을 최소화하고 협동을 촉진하며 인간 역량 개발을 우선시할 필요가 있다. 세계경제는 쉽게 고갈되거나 공급이 중단될 수 있는, 가격이 책정되지 않은 상품과 서비스에 크게 의존한다.[15] 그런 상품과 서비스의 양적 가치의 추정은 대체품을 구매할 수 있는지,

돌봄에 얼마나 많은 금액을 지불할 의향이 있는지 혹은 상품과 서비스 공급의 악화가 미래 세대에 어떤 영향을 미칠지 등을 판단하는 다양한 방식으로 가능하다. GDP의 증가는 부정적인 영향을 제외하고 나서 지속가능한 경제 발전에 얼마나 순수하게 기여하는지를 보여줘야 진정한 가치가 있다.

모든 사람이 그런 추정치가 도움을 준다는 데 동의하지는 않는다. 양적 추정치는 상품물신주의의 또 다른 형태인 화폐 중심적 분석에 굴복할 위험이 있다. 그러나 폭넓은 경제 회계 시스템을 개발한다 해서 꼭 도덕적 가치나 정치적 우선순위를 가진 분야에서 관심을 거두게 되지는 않으며 화폐 소득이 곧 물질적 생활수준과 동일한다는 가정을 뒤집을 수도 있다. 비시장 노동과 자연 자산, 생태 서비스 모두 시장 가치를 측정할 때 적어도 근사치를 매길 수는 있다.[16] 이런 추정치를 계산하는 데 쓰이는 방법론은 개선이 필요하지만 깜짝 놀랄 만한 결과를 낳았다. 2010년 미국에서 비시장 노동의 대체 비용을 추정한 결과 하한 추정치는 전통적으로 측정된 GDP의 약 44퍼센트에 이른다. 이 추정치는 아동을 보호 감독하는 데 투입한 시간까지 포함한 것이다.[17]

사랑과 공포

경제적 생산량을 측정하는 확장된 척도로 경제적 과정에 대한 확장된 그림을 그릴 수 있다. 이 반대의 경우도 가능하다. 자본축적과 시장 교환은 전유와 재생산과 같이 보다 분명하게 젠더화된 활동과 더불어 일어난다. 케네스 볼딩Kenneth Boulding은 "사랑과 공포의 경제"

를 묘사하면서 두 가지 모두에 주의를 환기시켰다.[18] 그는 꼭짓점에 교환, 사랑, 공포를 위치시킨 삼각형을 그렸다. 삼각형 안의 점들은 이 세 가지의 다양한 조합에 대응한다.[19] 볼딩은 감정을 하나의 요소로 포함했다는 칭찬을 받을 만하지만, 교환만을 냉정한 합리성의 영역으로 취급하여 낡은 비유에 기대고 있다는 비판을 면하기 어렵다. 많은 남성 계몽주의 사상가들은 열정과 이해관계를 병치했는데 이는 정체성과 이해관계라는 현대적이고 젠더화된 구분의 등장을 예고했다.[20] 열정과 이해관계를 그렇게 대조시킨 것은 지나쳤다. 전유와 재생산은 합리적 계산을 포함할 수 있으며, 교환은 본능적인 형태의 사랑과 공포를 통해서도 동기부여될 수 있다.

전유는 전략적 군사적 결정을 통해 달성되고, 오래도록 영향을 미치는 경제적 결과를 낳는다. 마르크스주의 원시 축적 이론은 토지 같은 생산 자산의 탈취가 어떻게 계급 불평등을 제도화할 수 있는지 설명한다.[21] 일부 갈등이론가는 값비싼 대가가 따르는 전쟁도 어떻게 승자의 권력을 강화할 수 있는지 설명하기 위해 경제 모델을 사용한다.[22] 전유 과정은 젠더 차이를 설명하는 데 도움이 되기도 한다. 페미니스트 이론가인 마리아 미스Maria Mies는 초기 인간 사회의 강압 수단인 무기를 남성이 통제한 역사적 경험이 훗날 잉여 추출의 본보기가 되었다고 주장한다.[23]

재생산 성과에는 합리적인 계산과 강렬한 감정이 영향을 미친다. 사람들은 성적 동반자 관계와 가족 돌봄에 헌신할 때 적어도 약간의 행위성을 행사한다. 열정과 이해관계가 반드시 상반되는 것은 아니다. 교환에서 합리적인 선택을 주장하는 신고전파 이론은 선호를 외부에서 주어진 것으로 받아들인다. 열정은 특히 변덕스러운 선호를 나타내며, 열정의 변동성은 선호가 늘 합리적인 결정으로 안내하는 안정되고 신뢰할 수 있는 지침서라는 개념에 도전한다. 섹스와 마찬가지로 폭력은 열정적이고 계산적일 수 있다. 경제적 자원의 약탈은 원칙적으로는 도둑이라는 단독 행위자가 수행할 수 있지만 보통 집단 노력을 통해 조정된다. 군사적 모험의 성공 가능성은 의사 결정을 간소화하고 복종을 강요하며 탈영을 처벌하는 위계적 규율을 포함한 제도 구조가 있느냐에 달려 있다. 재생산 과정도 제도 구조에 크게 의존한다. 왜냐하면 다른 사람에게 가장 많이 의존하는 사람들은 스스로를 부양할 수 있는 능력이 가장 적기 때문이다. 프랭크 나이트Frank Knight가 1920년대에 말했듯이, "우리는 개인이 알몸으로 가난하고 무력하게, 무지하고 훈련도 없이 태어나서 삶의 3분의 1을 자유 계약을 맺기 위한 전제 조건을 획득하는 데 보내야 하는 세상에 살고 있다."[24] 페드로 카네이로Pedro Carneiro와 제임스 헤크먼James Heckman은 아동이 양질의 돌봄과 교육 혜택을 기대할 수 없는 상황을 시장 실패로 묘사했다.[25]

모든 경제적 과정은 엇나갈 수 있다. 시장 교환은 실패할 수 있다. 정부가 실패하는 것처럼 군사행동은 실패할 수 있다. 가족도 실패할 수 있다. 이타적 헌신이 항상 지속가능한 것은 아니다. 가정 폭력과 성적 학대, 방치, 정서적 방임, 경제적 유기는 드문 일이 아니다. 다른 형태의 연대와 마찬가지로 가족 연대도 저절로 생겨난다고 생각할 수 없으며, 모든 노동계급 가족을 자본주의 착취에 저항하기 위해 하나로 묶인, 무정한 세상에서 동떨어진 안식처로 묘사하는 것은 끔찍한 오해의 소지가 있다.[26] 또한 가족 구성원 모두가 같은 것을 원한다는 결합효용함수 극대화 가정이나, 누군가를 더 불행하게 만들지 않고는 누구도 더 행복해질 수 없다는 파레토 최적화를 가정하는 것도 무리이다.

모든 경제적 과정이 동일하지는 않으며 감정은 비인격적인 상호작용에서보다 개인적인 상호작용을 통해 더 강해진다. 반면에 경쟁적 시장은 때때로 근시안적인 전망이나 공포에 굴복하고, 소비재 광고는 사회적, 성적 승인에 대한 약속을 남발한다.[27] 사랑과 공포는 분노와 탐욕과 함께 경계를 넘나든다. 마찬가지로 경제학자가 생산과 교환에만 적용하는 이기심과 집단적 권력화도 전유와 재생산에 적용될 수 있는 행동 양식이다.

재생산

존 로크 이래 현재까지 지속된 자유주의 정치 이론은 자기 소유와 노동의 산물에 대한 통제라는 두 가지 사유재산권이 지닌 경제적 미덕을 칭송했다. 그러나 이 두 가지 권리는 재생산에 쉽게 적용할 수 없다. 부모는 자녀를 '생산'하지만 소유하려면 성인이 된 자녀의 자기 소유권을 침해해야만 한다. 재생산에 대한 헌신은 '아동 투자'와 같이 은유적 투자로 설명할 수 있지만, 은유적 투자자로서 부모가 아이에게 미래의 경제적 보상을 요구하기는 어렵다. 투자한 노력과 수익률 사이에 밀접한 관계도 없다.

돌봄 제공자는 호혜와 상호 원조를 통해 경제적 혜택의 일부를 얻지만, 그들이 창출하는 공공 혜택이 더 확산할수록 총혜택의 합은 훨씬 더 커진다.[28] 아이들이 자라고 이 아이들이 또 아이들을 키울 때, 재생산 노동으로 받은 대가에 비해 들인 비용은 더 커지는 셈이다. 돌봄 제공자는 내재적 만족을 얻거나 신고전파 용어로 '심리적 소득'을 얻지만 이것은 물질적 보상보다 믿을 만하지 않고 대체하기도 어렵다. 게임이론의 용어를 빌리자면 돌봄 제공자는 '먼저 움직이는 사람이 안게 되는 불이익first-mover disadvantage'을 당하는데, 보상을 자발적 교환이나 계약을 통해 보장받기가 어렵기 때문이다. 갓난아기나 중상을 입은 군인은 돌봄 조건에 대해 협상할 수도 없다.

재생산에는 생물학적 과정이 포함된다. 농업 생산도 마찬가지다. 초창기에 씨옥수수의 사례는 경제적 잉여에 대한 은유로 사용되었으며 토끼와 효모의 번식력은 오랫동안 복리를 설명하는 데 사용되었다.[29] 판매를 목적으로 생산한 동물의 수효가 많아지면 재산이 불어나는 셈이다. 판매를 목적으로 마장마술馬場馬術 말을 훈련하는 데 지출한 돈은 투자로 간주한다. 이와 반대로 인구 증가는 국부 창출에 기여하는 요소로 간주되지 않으며, 공적으로나 사적으로 교육에 지출된 자금은 국민 계정의 투자 항목에 입력되지 않는다. 1인당 GDP의 국가 간 비교는 인구를 분모로 두어 사람이 마치 소비자에 불과한 존재인 것처럼 취급한다.

GDP는 인류의 건강과 복지를 향상시키기 위한 투입 요소의 표현일 뿐이지만 우리의 언어는 이런 현실을 가려버린다. 아기가 산도를 고통스럽게 통과하는 것처럼, 비교적 짧고 구체적인 하나의 돌봄 에피소드만 보통 노동labor이라고 칭한다(labor는 노동과 분만이라는 의미가 있다. 재생산 중 분만처럼 고통을 동반한 행위만 노동으로 부른다—옮긴이). 미국에서는, 이유는 모르겠으나, 농림부가 부모의 양육비 지출 규모를 정기적으로 추정한다. 여기에는 잠재적인 소득 창출 활동에 시간을 썼으면 얼마를 벌었을까 혹은 부모의 감독과 돌봄을 대신하는 사람을 고용했다면 얼마가 들었을까와 같은, 부모의 시간에 대한 가치 평가는 포함되어 있지 않다.[30] 마찬가지로 양부모에게 지급하는 공적 수당은 전적으로 필요한 현금 지출을 기반으로 산정되며 양육 시간의 가치는 무시한다.

이런 식으로 재생산 노동을 당연시해서는 안 된다. 유급이든 무급이든, 노동은 경제적 그리고 도덕적 측면에서 가치를 평가해야 하는 일이다. 인간의 역량을 생산하고 유지하려면 노동력과 자본, 시간, 에너지가 필요하다. 이런 요소가 기술 변화에 영향을 받으며 결합되고, 또 한편 긴밀한 인적 관계나 돌봄이 필요할 때도 있다.[31] 생산과 마찬가지로 재생산은 내재적 만족과 정서적 연결의 중요한 원천이 될 수 있으며 상당한 사회적 혜택과 사회적 비용을 창출할 수도 있다.

이렇게 정의될 경우 재생산은 여성이나 가족에만 국한되지 않는다. 가정과 지역사회, 민간 기업, 공공 부문 등 다양한 장소에서 수행되는 유급과 무급의 활동과 책임을 모두 포함한다. 다른 사람뿐만 아니라 자기의 돌봄도 포함되며 시간과 돈의 지출도 포함된다.

재생산 활동을 통한 사적 혜택이든 공적 혜택이든 이를 쉽게 자본화할 수는 없다. 인간의 역량은 구체적인 성취보다는 사람들이 할 수 있는 활동을 나타낸다.[32] 노동시장에서 돈을 벌게 해주는 교육과 직업훈련 활동 말고도 광범위하게는 만족스럽고 사회적으로 가치 있

돌봄과 연대의 경제학

는 다른 활동에 참여할 수 있는 잠재력도 포함한다. 인간의 역량은 고용주와 동반자, 미래 세대를 포함하여 혜택을 받을 수 있는 모든 사람에게 행복의 원천이자 경제적 자원이다. 역량은 그 자체로도 가치가 있다. 아마티야 센Amartya Sen이 말했듯이, "인간은 단순히 생산 수단이 아니라(생산수단으로서도 훌륭하지만) 생산 목적 그 자체이다."[33]

많은 형태의 생산과 마찬가지로 재생산은 신체적 기반이 필요하며 문자 그대로 체화되어 있다. 순전히 신체적인 차원에서 성공을 측정할 수 있다는 말은 아니다. 자손의 수를 기준으로 재생산 성공을 측정하는 것은 소비한 칼로리로 경제적 성공을 측정하는 것과 비슷하다. 전혀 관련이 없는 것은 아니지만 불완전한 가정이며 오해의 소지를 낳을 수 있다. 자기를 유지하는 활동은 소비와 겹친다. 사람들은 생존을 위해 음식과 물, 피난처, 기타 기본 편의 시설이 필요하다. 그러나 많은 재생산 활동은 자신이나 타인을 위해서 현재의 소비를 줄여 미래의 소비에 대비한다. 이런 투자는 개인적인 헌신의 대표적 사례이다. 금전적 보상을 따져서 실행되는 것도 아니고 사적 수익률보다 사회적 수익률이 더 높기 때문이다.[34]

가족과 지역사회는 특히 아동을 비롯한 가족의 경제적 부양과 돌봄에 중요한 장소이다.[35] 그러나 유일한 장소는 아니다. 재생산은 자본주의 경제의 공공 부문과 민간 부문에서도 발생한다. 미국과 같은 국가에서 여성의 노동력 참여가 증가한 이유는 가정에서 제공되던 의료, 교육, 사회서비스가 시장의 돌봄 서비스 영역으로 이동했기 때문이다.[36] 미국을 비롯한 선진국에서 공공 사회 지출 보조금은 한때 가족과 지역사회 구성원이 주로 책임졌던 경제적 부양을 보충하면서 세대 간 협력과 상호 원조에 대한 책임을 충족시킨다. 8장에서 자세히 설명하겠지만 직장에 다니는 노동자가 내는 세금은 아동 교육과 노인 은퇴를 재정적으로 지원한다. 의료를 재정적으로 보조하고 다양한 경제적 위험에 대한 보험을 제공한다. 이런 형태의 공공지출은 시장 기반 생산 활동에 핵심적인 역할을 했지만 그동안 간과했던 형태의 투입이다.

인간 역량의 경제적 가치는, 노예 소유주가 노예를 부리기 위해 지불하는 돈이나 고용주가 노동력을 임대하기 위해 지불하는 임금으로 환원할 수 없다. 노동자와 가족도 이것의 혜택을 받기 때문이다. 미래 세대가 자신이 물려받은 자연환경에 가해진 타격으로 인한 피해에 온전한 보상을 받을 수 없듯이, 자기 대신에 선조들이 실행한 투자 비용을 조상에게 온전히 되갚을 수도 없다. 재생산은 개인의 교환이 아닌 사회적으로 조직화된 이전에 기반한다. 성교에 참여하고 다른 사람들과 동반자 관계를 형성하려는 인간의 욕망이 강하게 뿌리내렸다 하더라도 이런 욕망만으로는 사회적 종을 성공적으로 영속시킬 수 없다.

자연선택이 개인의 욕망이 진화하는 이유를 설명한다면, 사회적 선택은 어떻게 제도적 질서가 개인의 욕망을 집단 성공으로 유도하는지를 설명한다. 재생산과 생산은 모두 사회적 재생산에 필요하며 반대의 경우도 마찬가지이다. 최근의 마르크스주의 페미니스트는 단일 체제로서 자본주의의 사회적 재생산에 분석의 초점을 맞추고 있으며, 여성이 무급 가사 노동을 수행하기에 고용주는 더 낮은 임금을 지불할 수 있어서 경제적 이득을 본다고 지적했다.[37] 사실이다. 그러

돌봄과 연대의 경제학

나 자본가만이 수혜자는 아니다. 재생산 비용의 분배를 놓고 투쟁하는 것은 계급의 범위를 넘어선다. 착취가 가정에서 일어날 때 투쟁은 남성과 여성의 상대적 복지에 영향을 미친다.[38] 임금노동자 사이의 상대적 복지에도 영향을 미친다. 전 세계적으로 교육과 건강의 혜택을 받을 기회는 계급만이 아닌 인종/민족과 시민권이 결정한다.

낸시 프레이저가 관찰한 바와 같이 사회적 재생산은 사회적 협동을 촉진하는 일종의 접착제다.[39] 그러나 사회적 재생산이 만들어내는 유대가 반드시 보편적이지는 않다. 우리는 분열될 수 있다. 사람들은 여러 클러스터로 묶인다. 이 점은 사회적 재생산을 "매일 그리고 세대와 세대를 이어 삶을 유지하는 데 관여하는" 모든 것이나 "사회의 모든 주요 관계가 끊임없이 재창조되고 지속되는 과정으로" 지나치게 폭넓게 정의할 때 간과된다.[40] 사실 이 범주에 속하지 않는 것을 상상하기란 어렵다. 여성이 수행하는 무급 노동의 경제적 중요성을 인정하기 꺼렸던 과거를 과잉 보상하는 것처럼 보일 지경이다.[41]

나는 '사회적 재생산'이라는 용어를 사회에 소속된 집단이 시간이 지남에 따라 자신과 자신의 이익을 영속화하는 과정으로 묘사하고자 사용한다. 이 과정은 집단 정체성과 이해관계를 강화하는 제도구조를 통해 달성되며 생산과 재생산을 모두 포함한다. 이 용법은 계급 관계에서 일어나는 생산과 재생산의 젠더 상호작용을 분석한 마르크스주의 페미니스트 통찰을 수용한 것이다.[42] 그러나 이 용어는 다른 차원의 집단적 정체성을 기반으로 한 불평등을 분석하기에도 적절한 폭넓은 개념적 공간을 제공한다. 형태가 어떻든 대다수 특권은 사회적으로 재생산된다.

누가 돌봄 비용을 지불하는가?

재생산에 대한 헌신은 주로 미래 세대를 이롭게 하는 것이므로 재생산 비용을 분배하는 제도 구조는 필수불가결하다. 가장 '효율적인' 제도 구조가 승리한다는 의미는 아니다. 승자는 전략적 결정뿐만 아니라 (우발적인 외부 상황이 승부를 결정하는) 다층적인 협동과 갈등 과정에서 결정된다.

외부 효과

'경제'를 경쟁 시장에서 명확하게 정의된 재산권에 기반한 일련의 교환으로 정의하는 신고전파 경제 이론에서, 이 경계를 위반하는 경제 과정은 '파급 효과'나 '외부 효과'라고 부른다. 긍정적이든 부정적이든 이런 외부 효과는 시장의 작동 과정에서 발생하는 효율적인 배분을 방해한다. 처방책은 가격을 조정하여 외부 효과를 내부화하는 것이다. 예를 들어 이산화탄소 배출의 부정적인 경제적 외부 효과는 탄소 배출에 세금을 부과하여 내부화할 수 있다. 마찬가지로 양육의 긍정적인 경제적 외부 효과는 부모에 대한 공적 지원으로 내부화할 수 있다.

어떤 사회과학자는 부모에게 보다 맞춤화된 재정적 보상을 제안했다. 예를 들어 예외적으로 생산적인 자녀를 키워낸 부모는 주에서 보너스를 받거나 자녀 소득의 일부를 법적으로 청구할 수 있게 하자는 것이다.[43] 이런 제안은 부모 노릇의 헌신을 상품화할 뿐만 아니라 부모 노릇이 창출하는 부가가치를 정확하게 보상할 수 없기 때문에 문제가 많다. 부모는 자녀의 역량에 기여하는 유일한 사람이 아니

돌봄과 연대의 경제학

며 이런 역량은 단순히 평생 소득의 관점에서만 평가할 수 없다. 많은 환경문제와 마찬가지로, 설사 책정된 가격이 옳은지 마법처럼 확인할 수 있다 하더라도 "가격을 올바로 책정하는 것"만으로는 충분하지 않다.[44]

남성중심주의적 이론을 학제적으로 비판하는 페미니스트는 외부 효과의 내부화를 묘사하는 남근적 풍자적 표현을 무시할 수 없다. 특히 아이 낳는 일을 이성애 성교와 정확히 대치되는 것으로 묘사할 수 있기 때문이다. 출산은 내부 효과를 외부화하는 것으로 볼 수 있지 않은가. 어머니나 대자연에게 시장 중심 추론을 적용하는 접근은 단순히 시장을 더 확장해서 시장을 되찾으려는 의도로 읽힌다. 그런 접근은 근본적으로 비시장적 과정의 경제적 중요성을 더욱 감추는 결과를 낳는다.[45]

부모와 돌봄 제공자는 사회적 혜택이나 비용을 생각해서 돌볼지 말지를 결정하는 경우는 거의 없다. 보통 헌신 자체로 내적 만족을 얻는다. 돌봄이 창출하는 외부 효과는 항상 긍정적인 것은 아니다. 아동과 돌봄 수혜자들이 타인에게 해를 끼치기도 하기 때문이다. 그래도 자신을 돌보지 못하는 사람을 돕는 행위는 공공재에 대한 교과서적 정의에 부합한다. 이는 당사자들의 교환을 넘어서서 다른 사람에게도 이득을 준다. 다른 사람이 이득을 누리지 못하게 할 수도 없고, 내가 이득을 보고 있다고 해서 다른 사람의 이득이 감소하는 것도 아니다.[46]

아이들은 성장하여 납세자가 되어 국가의 부채 상환을 돕고 노년층을 알게 모르게 부양한다. 인류와 문화, 지역사회, 가족을 영속시킨다. 코로나19 팬데믹이 보여주듯이 건강한 사람들도 예기치 않게 질병에 걸리며 가족과 친구, 이웃, 의료진의 도움이 필요하다. 노인 돌봄은 호혜의 한 형태로서, 우리 모두가 바랄 수 있는 최선은 돌봐주는 환경에서 늙어 가는 것이다.

보상을 받기에 앞서 먼저 비용을 지출해야 하는 헌신의 위험은 상당히 크다. 전통적인 비자본주의적 가부장제 체제에서도 부모는 보통 자녀에게서 돌려받는 것보다 더 많은 자원을 쓴다. 대부분의 현대 사회에서 세대 간 이전은 다양한 경로를 통한다. 인종/민족과 시민권 차원에서 정의된 집단은 재생산 자원을 얻기 위해 서로 경쟁한다. 노동자는 한 회사에서 습득한 숙련을 다른 기업에서도 쓸 수 있기에 자본주의 기업은 노동자 교육 비용을 줄이는 대신 정부의 교육 투자에 기대어 이익을 얻는다.[47] 현대 복지국가는 노인 세대가 생산가능인구를 늘리는 데 도움을 주었든 아니든 그들에게 혜택을 제공하기 위해 생산가능인구에게 세금을 부과한다. 이에 대해서는 8장에서 자세히 다룬다. 자녀 양육비 지불을 규정한 법령이 효력이 없을 때 양육을 하지 않는 아버지는 자녀를 직접 돌보는 책임뿐만 아니라 금전적 책임도 어머니에게 떠넘길 수 있다. 이에 대해서는 9장에서 자세히 다룬다.

재생산 비용의 분배는 사적 영역뿐만 아니라 공적 영역에서도 다툼을 불러일으킨다. 보건과 교육에 쓸 공공 지출의 재원을 마련하려는 국가가 세금을 부과하는 기업이나 부자는 내야 할 세금을 줄이기 위한 감세 운동에 기부하고 로비 활동에 투자한다. 어떤 주에서는 법으로 유급 가족 휴가나 보육 서비스를 제공하여 재생산 비용의 일부를 기업이 책임지도록 요구할 때 가임기 여성이 차별을 당하는 경우가 있다.[48] 환경 규제와 마찬가지로 조세 회피는 비용 대비 효과가 좋다. 이런 분배 경쟁에서 자본주의 기업은 나날이 가치가 증가하는 카드를 가지고 있다. 세금이 적고 규제가 적은 나라로 기업을 옮기겠다고 위협하는 것이다.

비용을 전가하기

재생산 비용 분배를 둘러싼 긴장은 자본주의 제도에 의존하는 체제에만 국한되지 않는다. 자녀를 키우려면 거의 필연적으로 현재 소비를 줄이고 상당한 시간과 에너지를 투자해야 한다. 여성이 출산과 양육에 특화하면 가족과 집단의 재생산에 큰 이득이 되지만 여기에는 큰 희생이 따른다. 딸이 부모와 경제적으로 연결되어 있다 하더라도 아들에게서 경제적으로 지원을 받기보다 딸에게서 경제적으로 지원받기가 훨씬 어렵다. 왜냐하면 딸의 비교우위는 당장 필요한 경제적 지원이나 노후 부모 봉양이 아니라 다음 세대를 생산하고 혈통을 확장하는 데 있기 때문이다.

여성과 마찬가지로 남성도 남성이기 때문에 경험하는 경제적 위험이 있다. 남성이 오래전부터 전투에 특화하면서 역사적으로 더 많이 다치고 더 많이 사망했다. 그러나 다른 사람들을 대신하여 치른 희생은 전투에서 살아남은 자에게 상당한 혜택을 제공한다. 전사로서의 용맹은 남성에게 권력을 쥐여준다. 여성보다 남성 수가 부족하면 짝짓기와 결혼 시장에서 남성의 협상력이 높아진다. 재생산적 성공이 경제적 상황에 달려 있을 경우 아들은 딸보다 더 많은 후손을 낳을 가능성이 있다. 아들이 결혼하고 아버지가 될 가능성이 높은 비교적 부유하고 지위가 높은 가정에서 특히 그렇다.[49]

부모가 양육 비용의 대부분을 부담하고 노후 봉양이라는, 질병과 노화에 대한 보험으로 양육 비용을 부분적으로 상환받을 수 있는 전통적인 가부장제 체제에서 아들 선호는 상당한 경제적 혜택을 제공한다.[50] 그러나 출산과 양육에 전념하는 여성이 줄어들면서 딸이 부모에게 당장 필요한 경제적 지원을 할 수 있는 가능성도 높아진다. 딸이 직접 돈벌이 노동에 참여하기 시작하면 부모의 소득 증대에 더 많이 기여할 수 있다. 개인 저축이든 공공 이전이든 새로운 형태의 보험이 등장하여 노후 대비를 할 수 있게 되면서 부모를 봉양하는 아들의 역할은 과거보다 덜 중요해지기도 했다.

나는 이어지는 장에서 자본주의 제도의 확장이 출산율 감소를 조장하고 아들 선호도를 감소시켰지만 다른 분배 갈등을 촉발시켰다고 주장한다. 노예 소유주나 봉건 영주와 달리 자본주의 사회 고용주는 두 가지 의미를 가진 자유 노동력을 사용한다. 노동자는 자유롭게 선택할 수 있지만 고용주는 노동자를 생산하거나 유지하는 데 드는 비용을 부담할 의무가 없다. 노동시장이 노동자들이 가족을 부양할 수 있을 만큼의 임금을 반드시 창출하지는 않는다는 관찰은 오랜 정치적 역사를 지닌 현대의 생활임금 캠페인에도 반영되었다.[51]

SF소설은 좀 더 적확한 예를 제공한다. 안드로이드가 대부분의 일을 하는 가상 경제를 생각해보자. 안드로이드는 오직 주기적인 유지 관리와 배터리 충전만 필요할 뿐이다. 장기적인 경쟁 균형에서 안드로이드의 구매 가격은 생산 비용과 동일할 것이다. 그러나 인간이 점차 안드로이드를 사랑하게 되고 안드로이드를 생산하는 데서 내재적 만족을 얻으면 생산 비용은 없는 셈이 되어 구매 가격은 0이 될 수 있다. 안드로이드는 일을 할 수 있을 정도로 완전히 충전되면 작동에 필요한 비용만 필요할 뿐이다. 그러나 대부분의 인간이 아직까지 안드로이드보다 인간을 생산하는 것을 선호하기 때문에 고용주에게 당분간은 안드로이드보다 인간이 더 싼 노동력이다.

아들 선호는 감소했지만 현대 자본주의 사회에서 사라지지는 않았다.[52] 시장 소득 차이에 따라 남성과 여성을 차별하여 평가하는 관행은 여전하다. 예를 들어 미국 정부는 불법행위법의 판례를 따라서 9.11 세계무역센터 공격으로 희생된 이들의 가족에게 피해 보상금을 지급했다. 보상액을 결정할 때 희생자의 미래 예상 수입의 가치에 큰 무게중심을 두었다. 그 결과 여성을 잃은 가족은 남성을 잃은 가족보다 평균적으로 훨씬 적은 피해보상금을 받았다.[53] 값이 매겨지지 않은 재생산 노동의 경제적 기여에 큰 가치를 부여하지 않는 관행을 여실히 보여준 사례이다.

재생산과 협상력

가족 돌봄에 대한 책임이 동등하게 분담된다면 돌봄이 노동시장의 경쟁적 결과에 영향을 미치지 않을 것이다. 그러나 오늘날 대부분의 국가에서 여성은 남성보다 돌봄 책임을 더 많이 지고 있으며 어머니는 다른 여성보다 돌봄 책임을 더 많이 지고 있다. 1990년대에 미국에서 자녀가 없는 여성은 똑같은 수준의 교육과 경험을 가진 남성과 거의 같은 수준으로 돈을 벌었다.[54] 9장에서 더 자세히 논의하겠지만 재정이 지원되는 양질의 보육 서비스가 확대되고 아버지가 양육에 더 많이 참여하면 어머니가 아닌 사람과 어머니의 소득 격차는 시간이 지나면서 사라진다. 반면에 어머니가 돌봄을 대신할 수 있는 대체재를 사적으로 구매할 경우 돌봄 비용은 다른 계급의 여성에게 전가된다. 보통 인종/민족이나 이민자 신분으로 경제적으로 취약한 상태에 있는 저임금 여성이 그 돌봄 비용을 떠안게 된다. 돌봄은 관대한 공적 지원을 받아야 하는 공공재이다.

가족 부양 책임의 불균등한 분배는 상당한 경제적 결과를 초래한다. 사회 정책과 문화적 규범의 차이는 측정 가능한 영향을 끼치는데 출산과 양육으로 발생하는 임금 불이익은 국가 간 상당한 편차가 있다.[55] 재생산적 헌신은 공공재 성격을 띠는데 이는 단체협상력을 약화시킨다. 재생산 비용을 재분배하려는 노력은 남성과 아동뿐만 아니라 고용주와 납세자의 반대에 부딪힌다. 이미 출산 비용의 자기 몫을 지불한 나이 든 여성도 젊은 여성이 아이를 낳아야 한다고 생각하여 비용을 재분배하려는 노력에 콧방귀를 뀐다.

돌봄을 제공하는 사람이 개인적 만족이나 심리적 소득의 형태로 보상 성격의 임금을 받는다는 주장도 있다. 신고전파 경제학자는 대개 그렇게 주장한다.[56] 그러나 개인이 항상 선호하는 바를 선택하지는 않으며 돌봄에 대한 선호는 개인을 취약하게 만든다. 착한 여자는 단기 경쟁에서 꼴찌를 한다.[57] 착한 남자도 다르지 않다. 경제적 자원을 가지지 못한 여성은 과도한 돌봄 요구에 시달린다. 특권적 위치에 있는 사람들이 보상이 주어지지 않는 일을 남성이건 여성이건 할 것 없이 다른 사람에게 떠넘겨버리기 때문이다.[58] 선호이든 특권이든 여성에게 강요된 의무가 여성 집단을 약자의 지위로 몰아넣는 인과적 현상을 무효화하지 못한다.

사회적으로 재생산된 불평등

전유와 재생산의 독특한 특성은 자유주의적 가정假定의 주요한 모순을 드러낸다. 즉 시장은 경제적 기여에 상응하는 경제적 보상을 제공하지 않으며 기회의 평등을 단순히 차별 없는 상태로만 정의할 수 없다는 것이다. 개인은 경쟁을 통해 노력과 헌신, 숙련에 대한 보상을 얻을 때도 있다. 그러나 게임의 규칙은 세력화된 집단의 구성원에게 상당히 유리한 기회를 제공하는 경우가 많다. 집단 폭력은 개인이 가진 초기 부존자원에 영향을 미치며 일찍 승자가 된 사람은 후계자에게 유리한 기회를 물려줄 수 있다. 첫 번째 라운드에서 생겨난 불평등한 결과는 불평등한 재생산 투자와 불평등한 역량으로 이어지고 다음 라운드에서 불평등한 기회로 이어진다. 이런 순환은 단절되는 법이 없다.

사회적 재생산은 계급의 사회적 재생산을 훨씬 넘어선다. 금융 자본은 집단에 기반한 경제적 이점의 유일한 원천이 아니다. 가치 있는 숙련을 개발하고 자신을 지지해주는 사회 연결망에 결합할 수 있는 기회는 인적 자본과 사회적 자본의 축적을 촉진하여 오래 지속되는 불평등을 만들어낸다.[59] 가족과 지역사회, 국가와 기업은 인간 역량의 생산과 인간 지식의 발전, 다양한 형태의 경제적 이점을 세대에서 세대로 전파하는 중요한 장소이다.

사회제도는 오래 지속되는 불평등을 자본화할 수 있는 자산으로 전환한다. 선진국의 시민권은 경제적으로 가치가 있으며 다른 자산처럼 구입할 수 있는 경우도 있다.[60] '백인됨Whiteness'은 쉽게 구매할 수 있는 것이 아닌데도 미국에서는 상당한 보상을 제공한다.[61] '남성됨maleness'은 매우 비싼 값이 매겨져 있지만 취득할 수 있으며 뚜렷한 경제적 이점도 제공한다. 이성애도 측정 가능한 경제적 편익을 제공한다.[62] 이런 목록은 여기서 끝나지 않는다.

사회적 재생산에 관심을 기울이면 계급과 다른 집단의 유사성을 규명하는 데 도움이 되는 한편 자본주의적 일터에서뿐만 아니라 가족과 지역사회에서 재생산되는 불평등에도 관심을 갖게 된다.[63] 고학력 부모가 치밀하게 관리하는 양육 방식은 자녀의 미래 수입을 높인다.[64] 미국에서 가구 소득 불평등이 증가하면서 자녀에게 지출하는 금액의 차이도 증가했다.[65] 아들과 딸이 경제적 사다리에서 부모의 지위를 고스란히 상속하는 경우는 거의 없지만 결국 부모의 지위에 가까이 간다.[66] 소득 분포의 다른 극단에 있는 최빈곤층 아동은 정상적으로 성장하기 어렵다.[67] 불안정하거나 이혼한 가정에서 아동기를 보내면 발달의 결과도 좋지 않다.[68]

인종/민족과 계급에 따른 주거와 교육 환경의 분리는 인적 자본과 사회적 자본의 차이를 재생산한다. 부유한 가족은 보통 부유한 지역사회에 거주하는데, 부유한 부모는 자녀를 사립학교에 보내고 공립학교 학생 1인당 교육 비용은 지방 재산세로 충당된다. 최근 연구에 따르면 오늘날 미국에서 가장 부유한 학군의 6학년 학생들은 가장 가난한 학군의 아이들보다 4학년 앞선 학력 수준을 보여주었다.[69]

단순히 부유한 동네에 사는 것만으로도 다양한 정보와 보호를 받고, 인맥을 만들며, 역할 모델을 보고 자랄 수 있다.[70] 그런 경제적 기회가 사회적으로 구성되는 경우 이런 차이는 자연스럽지도 않고 불가피하지도 않다. 차이의 정도는 한 나라 안에서도 다르고 나라마다 매우 다양하며 사회제도에 영향을 받는다.

생산을 넘어서

로빈슨 크루소는 무인도에서 비교적 단순하지만 매력적인 삶을 살았다. 주변에 있는 것을 손에 넣기만 하면 생계수단으로 이용할 수 있었고 결국 믿을 수 있는 하인도 생겼다. 마르크스는 크루소의 이야기를 타당한 이유로 조롱했다. 사회적 생산관계와 가혹한 착취의 현실에서 동떨어진 한 인간의 독창성에 대한 낭만적인 이야기라는 것이다. 그러나 노동귀족의 존재를 인정했음에도 불구하고 마르크스 자신은 사회관계와 생산, 착취를 협소하게 계급 중심적 용어로 정의했다. 그의 이야기 역시 지나치게 단순하다.

경제학이라는 학문은 재생산의 사회적 조직화의 경제적 결과를 줄곧 무시했다. 재생산에 대한 헌신의 가치가 젠더와 연령, 성적 취향에 따른 불평등을 감추고 있음에도 이것을 제대로 분석하지 못했기에 소비와 생산, 투자를 경제적으로 잘못 측정하는 결과를 낳았다. 타인을 돌보는 비용의 분배를 둘러싸고 계속되는 긴장의 존재를 인정하지 않는 태도는 집단 갈등의 중요한 차원을 감추고 말았다.

재생산과 사회적 재생산은 생산, 전유, 교환만큼 중요한 과정이다. 재생산 과정이 어떤 측면에서 집단 성공을 도모할 수 있다 해도 대물림된 불평등을 공고하게 만드는 제도 동학의 영향을 받기 쉽다. 여성은 가장 직접적으로 영향을 받는 집단이지만 가족과 사회 전체도 재생산 결과에 커다란 이해관계가 걸려 있으므로 사회적 재생산은 본질적으로 교차성을 띤다. 결과적으로 나타나는 집단 갈등의 복잡성은 위계와 협상, 착취를 설명할 수 있는 이론을 요구한다.

5장

위계 구조와 ── 착취

집단적 이해관계를 반영하고 발전시키는 여러 형태의 위계적 지배 구조는 모순된 효과를 낳기도 한다. 위계 구조를 명확히 설정하면 모든 사람에게 잠재적으로 유리한 결과가 나오는 결정을 조정할 수 있다. 반면에 권력이 집중되면 조정에서 나오는 이익이 매우 불평등하고 불공평하게 분배된다. 사회와 환경 변화에 제도적으로 적응하지 못하는 경직성을 키우기도 한다. 힘 있는 개인과 집단은 경제적 파이의 크기뿐 아니라 자기 몫을 키워 더 많은 이익을 손에 넣을 수 있기 때문에 자신의 상대적 위치를 약화시킬 수 있는 변화에 저항하는 경향이 있다.

정치경제학은 오랜 세월 동안 위계 제도가 만들어낸 긴장을 이해하려 노력했다. 전통 마르크스주의 관점에서 계급 권력은 잉여를 축적하는 착취 수단을 제공하여 기술 변화를 촉진하기도 하지만 어느 시점에서는 위기와 붕괴에 취약해진다. 전통 신고전파 관점에서 위계적 지배구조는 개인 동기와 집단 편익을 성공적으로 일치시키고 의사 결정 비용을 낮출 때 효율적이다. 이를 위해서는 완전 시장과 완전 가격, 완전 경쟁이 필요하지만 독점이 주는 이점이 엄청나기에 이런 조건이 완전히 충족될 수는 없다.

교차정치경제학은 자본주의 기업을 넘어 사회적 재생산에서 권력과 효율성의 변증법을 분석하며, 젠더 협상이 인종/민족과 시민권, 계급에 기반한 협상과 평행을 이루면서 상호작용한다는 점을 강조한다. 착취를 조정에서 나오는 이익에 대한 불공정 분배로 새롭게 정의하며, 자본주의적 고용에서 나타나는 잉여가치 추출을 포함하지만 그것을 넘어서는 착취 개념을 발전시킨다.

경쟁, 협력, 조정

진화론적 관점에서 볼 때 기술적이고 전략적인 환경에 적합한 자발적이거나 비자발적 조정 양식을 발전시키는 집단은 그렇지 않은 집단보다 지배적인 위치를 차지할 가능성이 높다.[1] 이타주의와 신뢰는 이 과정을 원활하게 만들지만 그것만으로는 충분하지 않다. 가져갈 수 있는 보상이 많다고 해서 지속적인 협동이 보장되지도 않는다. 이와 관련한 조정 문제는 왜 어떤 집단은 일부 구성원을 훈육하려고 강력한 인센티브를 주는 위계적 사회제도를 설계하는지 설명해준다.

그러한 집단에서 권력을 갖지 못한 구성원들이 훈육을 따를 때 이익을 얻고 잘 살아갈 수 있을지 여부는 부분적으로는 반사실적 대안—자원에 동등하게 접근했더라면 더 잘 살았겠는가—에 달려 있다. 이러한 반사실적 대안은 외부 환경에 의해서도 형성되지만, 또한 그들 사이에 지속가능한 동맹을 형성하는 능력을 포함하는 하위집단의 능력에도 의존한다.

경쟁의 비용

경쟁을 성공의 강장제로 간주하는 경제학자조차도 잠재적으로 독성이 있는 과다 복용 문제를 인정한다. 가족과 마찬가지로 기업은 경쟁 입찰을 하는 일일 경매를 거쳐 매번 사람을 바꾸기보다는 장기적인 관계를 장려한다.[2] 사기를 치고 도주하거나 환경에 해를 끼치거나 상당한 시장 지배력을 행사하는 회사가 없는 경우에만, 회사 내부 경쟁은 효율적인 결과를 이끌어낸다. 저작권이나 특허, 유사한 보호 장치가 없는 경우 경쟁은 혁신에 대한 동기를 약화시킬 수 있다. 대부분의 기업 인사 부서는 직원 사이의 과도한 경쟁이 효과적인 팀워크를 저해할 수 있음을 알고 있다.[3] 토너먼트식 보상이나 승자 독식 보상 구조는 사람들로 하여금 과도한 위험을 감수하고 상대적 지위에 집착하고 동료를 짓밟게 만든다.[4]

가부장적 제도는 섹스나 재생산 파트너에 대한 경쟁을 제한한다. 일부일처제는 여성에 대한 성적 접근을 제한하지는 않지만, 힘 있는 남성이 아내가 될 여성을 독점하지 못하게 만들고 결혼한 어머니와 아버지의 재생산 이해관계를 일치시킨다.[5] 장자상속제는 성인 자녀들이 아버지 소유의 자원을 더 많이 가져가기 위해 다투는 경쟁을 억제한다. 여성을 노동시장에 참여하지 못하게 하여 잠재적으로 아내가 될 수 있는 여성 공급을 증가시킨다. 여성의 음란 행위에 대한 제재는 여성이 남성 파트너의 성적 기량을 비교하지 못하게 제한하는 반면, 매매춘은 남성에게 즐거움을 주는 여성 성노동자 예비군을 제공한다.

진화생물학자는 같은 종의 구성원 사이의 과도한 경쟁이 집단 생존을 저해하는 현상을 관찰한다.[6] 서열은 경쟁을 억제하고 리더십 승계에 관한 규칙을 만들기 때문에 갈등을 줄일 수 있다. 수사슴뿐만 아니라 기업 경영자에게도 중요한 문제이다.[7] 인간 사회에서 협동은 공식적이거나 비공식적인 구속력이 있는 합의가 없는 경우 무너지곤 한다. 그런 합의가 배제된 비협동적인 게임이론은 그런 이유로 협동이 무너진 많은 사례를 제공한다. 유명한 죄수의 딜레마에서 완전히 이기적인 두 개인은 상대가 배신할까 봐 두려워하다가 최악의 결과를 초래한다. 별도의 방에서 심문을 받은 죄인들은 무죄를 주장할 경우 무거운 처벌 없이 빠져나갈 수 있다. 그러나 둘은 결국 자백하는 데 상대방이 누명을 씌울까 봐 두려워했기 때문이다.

천사와 개미

팀 내부의 경쟁은 개인과 집단 우승자를 모두 고려하는 다수준선택 이론을 보여주는 설득력 있는 은유를 제공한다. 개인의 성과가 중요 하지만 팀원 사이의 경쟁이 너무 심하면 집단적 성공 가능성이 낮아 질 수 있다. 이 둘 사이의 균형은 스포츠의 성격에 달려 있다. 전쟁은 가장 냉혹하고 피비린내 나는 스포츠의 한 예이다. 적군에 홀로 맞서 는 것보다 전우들과 나란히 서서 목숨 걸고 싸우는 편이 더 나을 것 이다. 그러나 달아나고 싶은 유혹, 즉 갈등에서 완전히 벗어나고 싶 은 희망이 꿈틀거린다. 군대는 탈영병을 처벌한다.

대부분의 집단은 다양한 형태의 협동을 강제하는 위계 제도를 발전시킨다. 그런 제도는 집단적 성공을 보장하는 데 도움이 될 가능 성이 있고 이를 단순한 기능주의로 치부할 수는 없다. 또한 집단적 성공을 보장한다고 해서 자신의 목적을 달성하기 위해 제도를 사용 하는 개인이나 하위집단이 그런 제도를 강요하는 행위가 정당화될 수는 없다. 위계 제도가 미치는 영향에 관심을 두면 협동의 비용과 위험을 여러 방식으로 분배하는 집단권력 구조의 부상과 쇠퇴를 진 화론적으로 설명할 수 있다.

진화생물학자는 인간종 안에서 일어나는 이 과정의 사회적이고 경제적인 복잡성을 충분히 주목하지 못한다. 에드워드 윌슨Edward Wilson은 도덕적 의미가 가득한 용어로 집단선택의 힘을 설명한다.

집단선택의 힘을 개인의 이기심 추구를 상쇄하는 이타주의의 원천으로 묘사한다.[8] 그에 따르면 우리는 모두

> 우리를 창조한 두 극단의 힘 사이에서 불안정하고 끊임없이 변화하는 위치에 매달려 있다. 우리는 사회적, 정치적 혼란을 수습할 이상적인 해결책을 찾고자 두 세력 어디에도 완전히 굴복하지 않을 것이다. 개인 선택selection에서 배태된 본능적 충동에 완전히 굴복하면 사회는 해체될 것이다. 집단선택의 충동에 굴복하면 우리는 천사 같은 로봇이 된다. 곤충을 공부하는 학생은 그들을 개미라고 부른다.[9]

분명히 두 극단은 개인의 이기심 추구와 로봇에 의한 집단 통제를 나타내며, 자본주의 대 사회주의의 패러디와 다름없다. 이 주제와 비슷한 맥락에서 생물학자 프란스 드 발Frans de Waal은 도덕 체계가 이해관계를 둘러싼 개인과 집단의 긴장을 중재하는 데 항상 성공하지는 않더라도 정말 필요한 도움을 제공한다고 주장한다.[10]

이는 부분적인 진실이다. 집단 연대가 항상 도덕적이거나 천사 같지는 않다. 집단은 이타적인 감정 이상의 무엇으로 함께 묶여 있지만 구성원들이 냉담하게 행동하기도 한다. 우발적인 이점이나 불이익의 복잡한 패턴을 만드는 여러 집단으로 분열된 위계 구조 내에서 사람들은 동시에 여러 집단에 속한다. 개인의 선택은 집단 충성도에 영향을 미칠 때 가장 중대한 결과를 낳는다.

어떤 경제학자는 인간이 협동을 촉진하는 강력한 호혜의 성향을 물려받았다고 주장한다.[11] 사람들은 약간의 비용을 지불하더라도 기회주의자를 처벌하고자 하는 조건부 협력자이며 이를 시사하는 많은

실험적 증거가 있다.[12] 그런 이타적인 행동은 기회주의를 배척하여 이타주의에 수반되는 비용을 낮출 수 있다. 협동에 도움을 주는 특질은 결속력이 약한 집단의 공격을 받는 사람에게 이로울 수 있다. 반면 이런 특질은 조직되지 않은 외부자를 공격하기 위해 사람들을 협동하게 만들기도 한다.[13]

우리가 '협동적인 종'이든 아니든 간에 우리의 협동은 사회적으로 설계되고 제도적으로 강제된다. 허버트 사이먼이 '유순함'이라고 부른 특질인, 사회적 영향을 더 잘 수용하도록 인간은 진화했을 가능성이 높다.[14] 정치경제학의 역사 자체는 '강요된 이타주의'와 같은 용어에서 드러나듯이 타인을 위한 희생이 남성이 아니라 여성에게 강요되었음을 보여준다.[15] 영국과 미국, 프랑스에서 19세기에 활동했던 학자는 자신의 이익을 추구하는 남성을 칭찬했고 타인에게 자신을 복종시키는 여성을 '집안의 천사'라고 칭송했다.[16] 남성은 경쟁을, 여성은 협동을 구현했다. 결혼은 둘의 비대칭적 거래이다. 오늘날에도 여성은 경쟁적 개인주의의 유혹에 저항하고 경쟁적 개인주의가 남성에게 미치는 영향을 완화하기 위해 '친절하게 행동하리라는' 기대를 받는다.[17]

이런 도덕적 노동 분업은 본능이나 훈계로 확립된 것이 아니다. 여성의 이기심 추구의 권리를 제한하고 여성 사이에 분열을 일으키는 위계 제도의 발전을 통해 강제되었다. 윌슨의 은유는 사실을 호도한다. 우리는 어떤 종의 개미나 천사보다 훨씬 더 사회적으로 분열되어 있다.

무임승차자 대 꼭대기 승차자

자발적인 협동을 오래 지속하기는 어렵다. 집단을 희생시키면서 자신의 이익을 추구하는 기회주의자가 몇 명만 있어도 협동은 무너진다. 남의 것을 훔치는 숙련된 도적이 되는 것이다.[18] 도적은 집단에 대한 책임을 회피하여 무임승차자가 될 수 있다.[19] 아니면 도적과 무임승차자를 징계할 권위를 장악한 다음 이를 이용해 잉여를 짜내서 꼭대기 승차자인 착취자가 될 수도 있다.

신고전파 경제학의 이상화된 시장은 자유로운 교환의 전제 조건이 가진 의미를 최소화하면서 자발적인 협력을 강조한다. 시장에 들고 오는 자원이나 역량을 개인이 어떻게 획득하는지 설명하지 않는다. 이상화된 시장은, 일부 참여자가 지배력을 행사하는 현실 시장의 조건을 따르지 않는다. 우리에게 필요한 재화와 서비스가 가격을 매기기 어려워 교환이 어렵다는 의미에서 공공재일 수 있다는 점을 인정하지 않는다.

가장 명백한 공공재 사례는 자연 자원과 환경 서비스이지만 미래 세대의 인간과 집단도 공공재이다. 미래 세대는 현재의 시장이나 선거에 참여하지 못하며 자신의 실존을 좌우할 결정에 직접 영향을 미칠 방법이 없다. 신고전파적 후생경제학이 제시하는 이 문제를 해결하는 한 가지 방법은 사회 전체의 후생 극대화에 매진하는 가상의 이타적 사회계획가를 상정하는 것이다.

가상의 사회계획가를 생각해낸 사람이 바로 깨달은 사실은 한 사회에 있는 모든 개인의 선호를 집계하는 일은 가까운 친척들의 차이를 극복하는 일과 마찬가지로 쉽지 않다는 것이다. 폴 새뮤얼슨

Paul Samuelson에 따르면 "우리가 말하는 가족은 사실은 가면을 쓴 사회라고 봐야 한다. 다시 말해 한 명 이상의 사람을 모은 것이다."[20] 후생경제학에서 상정한 자비로운 독재자는 자신의 이익을 아내와 자녀의 이익에 종속시키는 선한 아버지를 닮았다. 그러나 아내나 자녀 어느 쪽도 반드시 기대에 부응하지는 않는다.

자비에 회의적인 태도를 보이는 신고전파 경제학자는 사회계획가가 폭군이 돼서 지대 추구 행위를 할 가능성이 높다고 경고했다. 지대 추구 행위라는 멋진 용어는 대가 없이 얻으려고 한다는 뜻이다.[21] 신고전파 경제학자는 공공 부문만이 지대 추구 행위를 한다는 듯이 공무원을 기회주의자 중 가장 위협적인 존재로 여겼다. 사회주의자는 정반대 방향을 택한 듯하다. 모든 자본가는 착취자라고 주장하며 마오쩌둥이나 피델 카스트로 같은 독재자들은 결점이 있다 해도 인민의 이익을 무엇보다 앞세운다고 주장했다. 전통 마르크스주의 이론은 계급 없는 사회의 도래만으로 협동이 이론적으로 가능하다고 생각했고 현실에서 민주적 지배구조가 어떻게 작동하는지 관심을 기울여야 한다는 점을 무시했다.[22]

나쁜 행동을 어떻게 규정하든 상관없이 대다수 경제학자는 무급 노동을 '경제' 외부에 배치한다. 무급 노동의 이타주의적 요소가 계급이나 개인의 이기적인 행동이라는 가정과 모순되기 때문이다. 가족 연대라는 은유는 "형제 자매여 함께 행진하라"는 사회주의적 수사에 입김을 불어 넣었다. 신고전파 경제학의 자유방임적 가족에 대한 신념은 베커가 망나니 자식 정리Rotten Kid Theorem라는 용어로 공식화했다. 이 정리는 이타주의적인 가장이 어떻게 망나니나 다름없는

돌봄과 연대의 경제학

자식이 가정 전체의 이익에 맞춰 행동하도록 유도하는지를 설명한다.[23] 허슐라이퍼가 바로 지적한 대로 이 정리는 이기적인 자식에게 뇌물을 먹여 가정 전체의 행복을 위해 행동하게 만든다는 주장으로 귀결된다.[24] 만약 가장 본인이 이기적인 존재라면 문제가 되었을 것이다.[25] 분명 망나니 아버지와 남편, 왕, 독재자, 자본가는 망나니 자식보다 훨씬 더 해를 끼칠 수 있기 때문이다.

더글러스 노스와 존 조지프 월리스John Joseph Wallis, 대런 에이스모글루Daron Acemoglu, 제임스 로빈슨James Robinson 등 제도주의 경제학자는 형식적 민주주의적 절차를 넘어 사람들을 쥐어짜는 제도가 아니라 끌어안는 제도가 경제 발전에 이롭다고 주장한다.[26] 하지만 자본주의 기업과 가부장적 가족, 인종차별적 공동체와 같이 '짜내기'가 일어날 수 있는 다른 장소에 관심을 기울이지 않고 정치 제도에 주로 초점을 맞춘다. 노력하지 않고 얻은 협상력으로 어떤 집단이 다른 집단의 서비스를 손쉽게 요구할 수 있는 여러 방법이 있음을 인정하지 않는다.

제도주의 학파는 미국과 유럽을 다른 나라의 본보기로 내세우며 식민 지배와 제국주의 권력이 전 세계에 미친 영향을 가벼이 여기는 자축의 역사를 조장한다. 특권을 가진 사람은 꼭대기 승차자가 응당 받아야 할 것을 받았다고 가정하는 경향이 있다. 영주가 받는 대가는 보호를 받은 농노가 표하는 경의이며, 노예제는 노예에게 문명의 혜택을 베풀었으며, 폭력을 휘두른 식민 세력은 이를 보상하려고 혁신을 도입했고, 고용주에게 이윤을 창출해주는 노동자는 항상 노동의 가치를 제대로 보상받으며, 남편은 아내를 때려도 사랑과 경제적 지원을 베푼다는 식으로 생각한다.

그런 이데올로기적 합리화는 유토피아 사회주의적 환상 이상으로 터무니없다. 사회제도는 이상화된 시장 같은 환경에서 진화하지 않으며 재화와 서비스 생산을 늘리는 가장 효율적인 제도가 항상 우세한 위치를 점하는 것은 아니다. 무자비하게 경제적 이익을 추구하는 조직 폭력의 위협을 포함하여 개인과 단체의 협상력은 제도의 진화에 영향을 미친다.

매와 비둘기

매와 비둘기Hawk-Dove로 알려진 양식화된 게임의 보상 세트는 왜 개인의 선택보다 집단 특성이 더 중요한 역할을 하는지 잘 보여준다. 이런 비협동적 게임에서 선수는 서로 구속력 있는 합의를 할 수 없다고 가정한다. 이 게임의 진화론적 버전은 개별 전략에 초점을 맞추는 대신 매로 지정된 선수들은 전투 전략을 채택하고 비둘기로 지정된 선수들은 공유 전략을 채택하는 과정이 낳는 결과에 초점을 둔다.

전투 전략이 매에게 보상을 안겨줄지 여부는 세 가지 유형의 만남(매/매, 비둘기/비둘기, 매/비둘기)이 가져오는 결과에 달려 있다. 또한 매가 비둘기를 만날 확률을 결정하는 개체군 구성에 달려 있기도 하다. 전투 전략에서 매 개체군은 비둘기 개체군보다 규모가 커질 수 있다.

선수는 누구를 만날지 미리 알지 못한다. 매가 비둘기를 만나면 매는 긍정적인 보상을 받고 비둘기는 부정적인 보상을 받는다. 매가 다른 매를 만나면 싸움에서 지고 다치는 부정적인 보상을 받을 위험이 상당한데도 싸운다. 비둘기가 다른 비둘기를 만나면 둘 다 가지고 있는 음식을 공유하고 둘 다 긍정적인 보상을 받는다. 비둘기로만 구성된 개체군은 다치지 않기 때문에 매로 구성된 개체군보다 집단적 보상이 더 크다. 이 점에서 비둘기가 더 효율적이다. 그러나 비둘기가 모든 매를 궁지에 몰아넣지 않는 한 비둘기가 지배종이 될 거라 장담할 수는 없다.

매와 비둘기 둘 다 거의 비둘기로만 구성된 개체군에서 더 잘 살 수 있다. 만남을 반복하는 간단한 모형을 실험하면 매와 비둘기 중 어느 개체군이 상대적으로 증가하거나 감소하거나 혹은 동일한 규모를 유지할지 예측할 수 있다. 가정을 달리하면 매와 비둘기의 개체군 비중의 결과는 달라질 것이다.[27]

그러나 훨씬 더 많은 수의 비둘기를 침략하는 소수의 매는 풍부한 식량 공급원을 발견하여 매 개체군은 세를 넓힐 것이다. 짝짓기와 새끼를 키우는 동안만은 싸움을 피할 수 있다고 가정해야 가능한 일인데 이렇게 자세한 세부 사항은 보통 생략된다. 다른 한편 매 개체군이 성공적으로 세를 넓혀 비둘기가 멸종되면 매는 서로를 잡아먹을 가능성이 크다. 마지막에 남는 매는 굶어 죽을 것이다.

여기에 젠더의 암시가 있다. 매는 남성다움, 비둘기는 여성다움과 관련된다.[28] 그렇다. 달콤하다. 매와 비둘기가 서로를 필요로 할 수도 있으니까. 그러나 경우에 따라 매가 발톱을 세울 수도 있다는 점에 주목하자. 평화주의자의 취약성을 인정하는 데 게임이론이 필요하지는 않다. 수세기 전 중국의 병법가 손자와 이탈리아의 정치철학자 마키아벨리는 나쁜 사람이 존재하려면 착한 사람이 필요한데도 결국 착한 사람이 꼴찌로 결승선에 들어온다고 지적했다.

양식화된 비협동 게임은 사회제도가 결과를 바꿀 수 있는 다양한 방법이 있음을 간과한다. 예를 들어 매는 서로 공격하지 말자는 협정을 맺을 수 있고, 비둘기는 매를 고용해서 자신을 보호하게 만들 수 있고, 매는 비둘기 행세를 할 수도 있다. 규칙이 있는 협동 게임을 많이 하는 주된 이유는 비협동 게임은 모든 사람을 더 불행하게 만들기 때문이다. 자유주의자들조차 자유시장에 규칙이 필요하다는 점을 인정한다.

협동은 상당한 이익을 가져다주며 사회는 특히 폭력을 최소화하는 제도를 수립함으로써 많은 이득을 본다.[29] 공격자조차도 실제 폭력을 행사하지 않고 위협을 가하는 것만으로 이득을 더 많이 볼 수 있다. 제도주의 학파는 초기 인류 역사에서 방랑 도적은 황제와 왕 같은 정착한 도적이 대체했고, 이 정착한 도적은 피정복자의 생산성을 향상시키려는 동기를 가졌음을 시사한다. 올슨이 말한 대로 정착 도적은 엘크를 잡아먹는 늑대가 아니라 도살할 때까지 가축을 보호하는 목장주나 다름없었다.[30] 어쨌거나 동물을 가축화하는 쪽이 사냥보다 훨씬 경제적이었다.

마르크스주의 경제학자는 자본가를 방랑 도적으로 묘사하면서 자본주의 발전이 긍정적인 형태의 사회적이고 기술적인 변화를 고무했다는 견해에 도전한다. 스티븐 마글린Stephen Marglin은 자본주의 발전이 잉여를 재분배하고 가치를 창출할 수 있는 기술 변화를 방해하는 새로운 형태의 계급 권력을 확립했다고 주장한다.[31] 마찬가지로 어떤 페미니스트 이론가는 여성을 성적으로 지배하려는 남성의 욕망이나 노동계급 가정을 착취하려는 자본가의 욕망이 가부장제를 등장시켰다고 주장한다.[32] 진화론적 관점은 이런 설명이 너무 단순하다는 것을 암시한다. 꼭대기 승차자는 자신이 올라탄 사람들의 머릿수를 늘리고 생산성을 향상시킬 강력한 동기를 가진다.

민주적 위계 대 권위주의적 위계

위계적 통제가 반드시 착취로 이어지지는 않는다. 민주적 제도는 리더십과 책임을 결합하여 이런 가능성을 최소화하도록 설계되었다. 그러나 민주주의는 가뿐히 달성할 수 있는 과업이 아니다. 우리가 알고 있는 몇 가지 민주적 의사 결정 방식은 공정한 결과를 보장하지 못한다. 특히 선거에서 널리 사용되는 '소선거구제' 제도는 공정한 결과를 보장하지 못한다.[33] 비교적 짧은 인간 역사를 통틀어 민주적 의사 결정은 한 국가에 속한 좁은 범위의 정치 제도에 국한되어 실시되었기 때문에 예나 지금이나 다양한 유형의 부패에 취약하다.

완벽한 민주주의가 논리적으로 불가능하다는 증명으로 유명해진 경제학자 케네스 애로Kenneth Arrow는 다음과 같은 말로 자신의 연구 결과의 한계를 지적했다. "대다수 시스템은 항상 나쁘게 작동하지는 않을 것이다. 내가 증명한 바는 모든 시스템이 가끔은 나쁘게 작동할 수도 있다는 것이다."[34] 윈스턴 처칠의 지적은 뇌리에 더 강하게 남는다. "민주주의는 최악의 정부 형태이다."[35] 애로와 처칠의 잔인한 평가는 모두 민주주의가 뚜렷이 정의된 다음 실행되었다고 가정하는 듯하다. 그러나 단어는 보통 엄밀하게 사용되지 않는다. 초창기에 민주주의자라고 이름을 내건 사람들은 재산이 없는 남성과 유색인종,

여성에게 선거권을 주지 않았다. 프레더릭 더글러스Frederick Douglass 가 1857년에 말한 대로 "권력은 요구하지 않으면 아무것도 허락하지 않는다."[36]

오늘날 모든 명목상의 민주주의는 아이들에게 직접 투표권을 허용하지도 않고 부모가 대신 투표할 수도 없기 때문에 의사 결정 과정에서 아이들은 과소 대표된다.[37] 미국에서 수감자와 유죄 판결을 받은 중범은 투표에 참여할 수 없으며 걸핏하면 유권자 등록을 방해하는 자들이 나타난다.[38] 선거구 조작 같은 여러 전략적 조작은 선거 결과를 왜곡한다.[39] 자산과 소득의 극단적 불평등은 정치적 영향력과 문화적 발언권의 극단적 불평등으로 이어진다.

민주주의는 항상 단계적으로 발전했다. 민주주의가 경제적 자치 같은 새로운 방향으로 개선되고 확장된다면 무임승차와 꼭대기 승차를 모두 줄이고, 도적을 처벌하며, 비용을 초래하는 집단 갈등을 줄일 수 있다. 비둘기에게 더 안전한 세상을 만들어줄 수 있다. 말할 필요도 없지만 매는 이에 호응하지 않는다.

효율성과 불평등

대다수 게임에는 협동과 갈등의 요소가 함께 있다. 민주주의에 대한 헌신과 마찬가지로 게임의 경우도 계약의 내용을 구체적으로 작성하고 강제하기는 어렵다. 국제적, 국가적, 지역사회, 가족 차원에서 서로 협동하여 편익을 누리는 사람도 편익의 몫을 놓고 협상한다. 협상은 기술과 환경 변수뿐만 아니라 사회제도가 구성한 전략적 환경 속에서 명시적이거나 암묵적으로, 순차적으로 혹은 동시에 진행된다.

　　사회제도는 집단적인 찌르기, 밀치기, 은근슬쩍 밀기의 과정으로 만들어진다. 일단 확립된 사회제도는 힘을 행사할 수 있는 공간을 정의하는 대안 지위에 다시 영향을 미친다. 이 순환적 인과관계는 유사한 방식으로 생산과 재생산 과정에 영향을 미치며, 이렇기에 효율성과 불평등을 분리하려는 신고전파 경제학의 시도는 무용지물이 된다. 기술적 용어로 파레토 최적성은 다른 사람을 더 불행하게 만들지 않고는 누구도 더 행복해질 수 없는 상황을 뜻한다. 이런 개념으로 사회적 최적성을 정의하면 현재의 협상력 분배 상태를 승인하는 셈이 된다. 현재 우리는 파레토 최적 상태에 있는지 몰라도 이전 단계에서 누군가를 더 불행하게 만들어 달성된 파레토 최적 상태일 수도 있다.

주인과 대리인

경제학자는 자본주의 기업 내에서 평등과 효율성 사이의 개념적인 줄다리기를 오랫동안 연구해 왔다. 그러나 가부장적 가족 내에서 나타나는 이와 유사한 동학에는 관심을 별로 기울이지 않았다. 기업과 가족에서 주인-대리인 모형은 위계 제도가 모순적 의미를 지녔다는 사실을 잘 설명한다. '주인'은 "계약을 명시할 수 있는 권한을 가진 자"를 의미하고 '대리인'은 "계약에 동의할 수 있지만 이를 전복시키려는 자"를 의미한다.[40] 많은 경우 주인은 지도자나 먼저 행동하는 자이고 대리인은 추종자이다. 주인-대리인 관계는 제도적 맥락을 함축한다. 이상적인 형태의 경쟁 시장 교환에서는 주인과 대리인 관계와 대조적으로 구매자와 판매자는 동등하며 서로의 결정에 영향을 미칠 수 없다.

　신고전파 경제학자는 양식화된 자본주의 기업이 효율적인 제도 형태라고 자신 있게 주장하고 이를 설명하기 위해 주인-대리인 모델을 사용한다. 고용주(주인)는 노동자(대리인)를 고용하고 정해진 기간 동안 수행된 작업에 대해 보상하기로 동의한다. 고용주는 생산 비용을 전부 지불한 후 남은 것에 대한 법적 권리를 가진 '잔여 청구자'이기 때문에 이익을 극대화하기 위해 생산성을 높이려는 강력한 동기를 가진다.[41] 신고전파 관점에서 고용주는 일시 해고나 영구 해고처럼 가혹해 보이지만 장기적으로 모두에게 편익을 가져다주는 징벌 제도를 실시한다.

　물론 결과는 징벌의 잠재적인 편익이 어떻게 분배되는지에 달려 있다. 그러나 징벌이 생산성을 향상시킨다는 주장의 기본 논리에도 결함이 있다. 노동자가 이윤의 일정 몫을 받는 것이 아니라 노동시간에 따라 임금을 받는 조건에서는 노력을 덜 하거나 게으름을 피울 동기를 갖는다. 개수급個數給 방식의 작업piece work이 사실상 불가능하고 팀워크가 필요하며 성과보상제를 시행하기 어려운 생산과정에서 게으름을 피우는 노동자를 식별해내기는 어렵다.[42] 결과적으로 생산성이 떨어질 수 있다. 이윤 공유는 기업 소유자와 노동자의 동기를 보다 효율적으로 일치시키는 방법이다.[43]

　그러나 경제학자는 무임승차자 문제 때문에 이윤 공유에 회의적이다. 노동자들이 기업을 공동으로 소유하면 내가 아니어도 다른 노동자가 열심히 일할 것이라는 생각에 게으름을 피울 수 있다고 생각한다. 기회주의자가 단 한 명이라도 있으면 노동자들의 노력은 허사로 돌아갈 수 있다. 이런 일은 실제로 일어나며 집단적 의사 결정 과정은 비용이 많이 들고 쉽지 않음을 보여준다. 다른 한편 노동자끼리도 서로를 감시하고 훈계하면서 다른 형태의 무임승차를 줄이려는 동기를 가진다. 회사의 순이익만 신경 쓰는 멀리 떨어져 사는 소유자와 달리 노동자들은 기꺼이 지역사회의 환경과 사회적 지속가능성을 보호하려고 할 것이다.

현대 기업은 소유자가 경영도 하는 전통적인 회사 이미지에 들어맞지 않는다. 보통 소유권이 분산되어 있고 급여를 받는 전문가에게 경영이 위임되기 때문이다. 이 전문가는 또 다른 층위의 주인-대리인 문제를 만든다. 그러나 남는 것을 전부 가져가는 잔여 청구자의 논리는 변하지 않으며 개별 기업을 넘어서는 의미를 낳는다. 노동자의 게으름을 줄일 수 있는 전략 중 하나는 게으름이 발각되어 해고되었을 때 잃는 것이 많도록 임금 프리미엄을 지불하는 것이다. 그러나 이 전략은 대체로 채용되는 노동자 수를 줄이고 그런 '효율 임금'을 받는 노동자와 그렇지 않은 노동자 사이의 불평등을 증가시킨다.**44** 다른 왜곡된 결과도 발생할 수 있다. 소유자 그리고 대리인인 관리자는 노조를 조직하려는 노동자를 해고하거나 임금이 낮은 지역으로 사업장을 이전하겠다고 위협해서 노동자의 협상력을 감소시키려는 집단적 동기를 가진다. 그런 정치적 투자는 기술 혁신이나 경영 개선보다 수익률을 더 향상시킬 수 있다.

전통적인 가부장적 가족의 제도 구조가 자본주의 기업의 제도 구조를 미리 형상화했음을 알아채는 경제학자는 거의 없다. 예를 들어 19세기 후반까지 영국과 미국 관습법은 기혼 남성에게 가족 재산과, 아내와 미성년 자녀의 노동에 대한 법적 권리를 부여했다. 남편과 아버지는 아내와 자녀에게 기본적인 생계 수단만 제공하면 됐고, 아내와 자녀에게 자신의 수입 전체를 공유해줄 필요가 없었다.[45] 다시 말해 남편과 아버지는 자본가처럼 기본 비용을 공제하고 남는 모든 잉여를 법적으로 통제했던 잔여 청구자였다.

자본주의 기업의 노동자들처럼 아내들도 이른바 '태운 토스트 burnt toast' 전략으로 게으름을 피우며 일할 수 있다. 더 이상 사랑하지 않겠다는 위협 전략을 기반으로 좀 더 개인적인 방식의 협상에 의존하기도 한다. 그러나 아내의 선택은 한계가 있다. 말 그대로 해고될 수는 없지만 구타당하거나 집에 갇히거나 경제적으로 방치될 수 있다. 남편이 그런 선택지를 사용할 가능성이 있다고 해서 자주 그렇게 했다는 이야기는 아니다. 신체적으로나 성적으로 학대하겠다는 위협만으로도 학대하지 않는 남편에게 고마워하고 의존하게 만드는 훈육 효과가 있다. 마치 미국 남부 지역에서 노예를 끔찍하게 대우하는 노예 소유주 사이에서 자비로운 노예 소유주가 가지는 협상력이 오히려 커지는 것과 마찬가지이다. 힘 있는 집단에 속한 구성원은 자신들은 절대 직접 행사하지 않을 권력을 누군가 남용하는 행위를 못 본 체하거나 참아준다.

집단을 어떻게 정의하든 간에 분배를 놓고 협상하는 과정은, 총생산량이 증가하지만 개인의 몫은 감소할 수 있는 제도 변화에 권력 집단이 저항하는 동기를 만들어낸다.[46] 작은 파이의 큰 조각이 큰 파이의 작은 조각보다 더 만족스러울 수 있다. 미국의 노예 소유주는 노예 교육을 불법화했다. 노예 교육으로 초래될 권위에 대한 위협이 교육으로 파생될 잠재적 이익보다 더 크다고 믿었기 때문이다.[47] 고용주 한 명 한 명은 노동자에게 행사하는 영향력을 유지하거나 키우는 기술 혁신을 선호할지 모른다.[48] 그러나 계급의 일원인 자본가는 그런 정책이 경제성장을 저해하더라도 실업률을 높게 유지하여 노동자의 협상력이 줄어들기를 원할지도 모른다. 이처럼 가장은 아내가 벌어올 수입을 포기하는 손해를 보더라도 집에 두고 통제하고 싶어 할 수 있다.

파이의 크기와 몫의 동학, 다시 말해 창출된 잉여의 절대량과 차지할 수 있는 몫의 동학은 다른 방식으로도 작동할 수 있다. 파이의 크기가 달라지면 분할 방식도 바뀐다. 냉정한 비용-편익 분석이 항상 의사 결정을 좌우하지는 않는다. 권력에 중독된 나머지 희생이 따르고 망가질 수 있는데도 권력에 집착할 수 있다. 그럼에도 경제적 동기는 행동을 바꾸고 협상을 재편하며 위계 제도를 약화시킬 수 있다. 변화를 모색하려는 동기가 항상 외부 사건이나 기술 혁신의 부산물은 아니다. 이런 변화의 동기는 집단 조직화와 제도 개혁이라는 창의적인 형태를 통해서도 생겨난다.

파이의 크기와 몫

협동을 통해 생산된 산출물의 분배를 보여주는 도형은 효율성과 분배의 변증법을 깔끔하게 설명한다. 존 롤스John Rawls의 정의론과 다른 가구협상모형에서도 볼 수 있는 이 도형은 제도 권력의 원인과 효과를 어떻게 시각화할 수 있는지 보여준다.[49] 롤스와 아마티야 센 등은 이 과정을 '협동적 갈등'으로 칭했다. 왜냐하면 관계를 끝내기보다 협동을 해서 더 많은 이익을 얻을 수 있는 두 당사자의 상호작용을 설명하기 때문이다.[50] 찰스 밀스는 협동적 갈등이라는 표현이 전적으로 선의와 상호 동의에 기반한 과정처럼 보이게 한다고 정확하게 지적한다.[51] '강제된 협동'이라는 표현이 더 적절한 상황도 있다.

강제된 협동이라는 표현은 단순히 자산이나 소득의 차이로 환원될 수 없는 집단권력 구조가 만들어낸 격차를 강조한다. 제도 질서를 둘러싼 협상 전략의 구체적 내용은, 분배된 몫을 성공적으로 차지하는 데 영향을 미치는 대안 지위와 차선책, 출구 선택지에 따라 달라진다. 합법적인 수단이든 불법적인 수단이든 상관없이 제도적 이점을 가진 집단은 협동에서 파생되는 이익을 더 많이 챙겨두는 록인 효과 lock-in를 누릴 수 있고, 이는 다시 사회제도에 영향을 미치는 집단권력을 강화한다.[52] 집단 갈등에 대한 이런 접근 방식은 신고전파 경제학에서 영향을 받은 지대 추구 개념과 마르크스주의의 잉여 추출 개념을 전부 '이득 추구gain-seeking'라는 큰 우산 아래로 끌어들였다.[53]

개인이든 집단이든 경쟁 시장에서 자발적 교환을 넘어서 협동하는 두 행위자를 상상해보자. 둘이서 협동을 하면 이득이 상당히 커지지만 각자가 이득을 키우는 데 어느 정도로 기여했는지 측정하기 어려운 상황도 상상해보자. 이득의 창출이 협동의 시너지 효과 그리고 가격을 산정할 수 없는 자원, 가격을 정확히 산정할 수 없는 공공재에 의존할 때 이런 상황은 흔히 일어난다.[54] 앞서 재생산을 논의하며 강조한 대로 인간의 역량도 생산된다. 그렇다면 누가 그 공로를 인정받아야 할까? 이런 맥락에서 협동을 통한 이득의 분배는 협상 과정이 결정한다.[55]

지금까지 이득은 경제적 산출물로 정의했다. 그러나 효용이나 여가 시간과 같이 다른 항목에도 유사한 분석을 적용할 수 있다. 그림 5.1은 행위자 A와 B 사이에 배분 가능한 고정 자원의 점들을 연결한 우하향 직선 P를 보여준다. 이 직선은 행위자 A와 B가 공동으로 달성한 일종의 협동적 경계선cooperative frontier이나 전문 용어로 파레토 경계선Pareto frontier이라고 이름 붙일 수 있다. 세로축은 A가 사용할 수 있는 자원을 나타낸다. A가 협동을 통해 모든 이득을 얻는다면 A의 자원은 A_1으로 표시된다. B가 사용할 수 있는 자원은 가로축에서 읽어낼 수 있다. B가 협동을 통해 모든 이득을 얻는다면 B가 사용할 수 있는 자원은 B_1으로 표시된다. 직선 P와 두 축 사이 공간의 모든 점은 한 행위자가 다른 행위자를 불행으로 몰아넣지 않으면서 자기 자원을 늘릴 수 있는 배분 상태를 나타낸다. 직선 P 위의 모든 점은 "타자에 남아 있는" 자원이 없다는 점에서 효율적이다. 이 직선 위에서 어느 쪽이든 자원을 늘리는 유일한 방법은 다른 쪽이 사용할 수

그림 5.1. 대안 지위가 평등할 때 몫을 둘러싼 협상

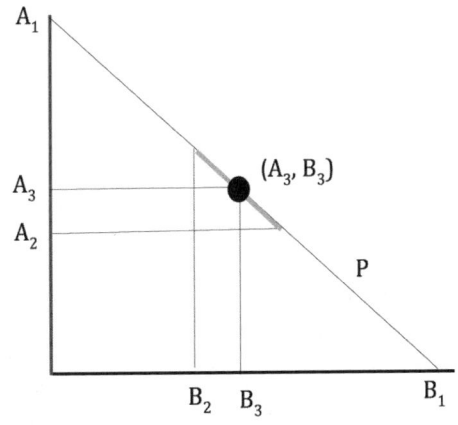

있는 자원을 줄이는 것이다.

A와 B가 협동을 거부하거나 협동 계약을 끝낼 때 각자가 사용할
수 있는 자원을 나타내는 대안 지위는 A_2와 B_2로 각각 표시한다. 어
느 쪽도 협동하지 않을 때보다 협동의 이득을 배분할 때 더 불행해진
다면 이런 배분에는 동의하지 않을 것이다. 따라서 실현 가능한 결과
의 범위는 P 직선 위의 두 대안 지위인 A_2와 B_2 사이 굵게 칠한 부분
이다. 두 사람 다 협동에서 이득을 얻을 수 있다고 해서 이득의 분배
방식을 두고 협상을 안 하는 것은 아니다. 그림 5.1에서 A와 B의 대안
지위는 똑같다. 왜 점(A_3, B_3)으로 표시된 배분 상태가 평등주의적이고
이 경우 각 행위자가 자원을 똑같이 분배받는지를 이해할 수 있다.

그림 5.1을 약간 수정하면 대안 지위가 불평등하다는 것이 함축
하는 바를 나타낼 수 있다. 그림 5.2에서 행위자 A는 행위자 B보다 훨
씬 더 강력한 대안 지위를 가진다. 결과적으로, 두 행위자 모두에게
더 나은 결과를 가져다주는, 실현 가능한 결과의 범위에는 균등 분배

그림 5.2. 대안 지위가 평등하지 않을 때 몫을 둘러싼 협상

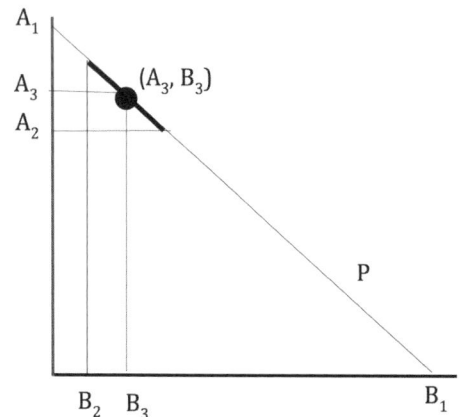

돌봄과 연대의 경제학

의 가능성이 포함돼 있지 않다. P 직선의 A_3, B_3 지점에서 두 행위자가 협동으로 얻은 이득을 똑같이 나누더라도 행위자 B가 가져가는 몫은 훨씬 더 적다. 실제로 행위자 A는 대안 지위의 차이에 비례해서 이득의 몫을 차지할 때 훨씬 더 행복해질 것이다.[56]

그림 5.1과 5.2는 특정 시점에서 일어나는 분배 상태를 보여준다. 실제로 협상은 역동적인 과정이다. 초기 라운드에서 얻은 이득의 분배는 최대한 협동할 수 있는 역량이나 동기에 영향을 미치고 두 번째 라운드에서 P 직선의 위치를 바꿀 수 있다. B의 대안 지위가 알려지지 않았거나 결정되지 않았으며, A가 B에게 협동에서 얻은 이득에서 일정 부분을 나누어 주겠다는 제안을 했다고 하자. 자기는 A_2보다 훨씬 많이 가져가고 B에게는 B_2보다 훨씬 적게 주는 매우 불평등한 분배 제안을 할 수도 있다. A가 권위주의적인 사람이라면 총을 겨누고 나눠줄 몫을 일방적으로 정할 수도 있을 것이다. 그러나 B가 계속 협동하게 만들기 위해서는 협동하지 않을 경우 엄벌하겠다고 협박해야 하며 이런 행위는 비용이 많이 들 수 있다. A가 먼저 움직이는 자라면 상대방의 생존 제약 조건을 고려해야 한다. B가 생존해서 자발적이든 비자발적이든 계속해서 협동을 할 수 있을 만큼 충분한 자원을 보장해주어야 한다.

이런 동기 구조는 가장 힘이 약한 참가자에게 어느 정도로 이득을 분배해야 하는지 대략적인 하한선을 제시한다. 노예 소유주는 노예를 전부 때리거나 굶겨 죽일 이유가 전혀 없다. 자본가는 노동자의 장기적 생존을 보장하기에 충분한 돈을 지불해야 한다. 가장은 아들의 생존을 보장하고 싶어 한다. 그러나 지배 집단의 실세들이 행한 폭력과 방치의 대가는 크지만 앞서 언급한 바대로 징벌 효과를 발휘하기 때문에 지배 집단에게는 비용 대비 좋은 효과를 가져다준다.

민주적 위계 구조

민주주의는 이런 역동성을 매개하는 여러 사회제도 가운데 하나이다. 권위주의적 지도자와 달리 민주적으로 선출된 지도자는 바뀔 수 있다. 완벽하게 책임지는 것이 불가능한데도 선출하지 않은 권력보다 선출한 권력에게 책임을 묻는 경우가 더 많다. 권위주의적 지도자와 민주적으로 선출된 지도자가 내놓는 총이익의 상대적 크기를 결정하는 것은 무엇일까? 민주주의가 많은 시간을 소모하는 제도라면, 유권자가 그릇된 결정을 한다면, 혹은 유권자가 다른 집단의 자원을 빼앗는 공격적이지만 수익을 낳을 수 있는 행동을 막는다면, 협동적 경계선은 권위주의 정권에서보다 대체로 더 적은 이익을 낳는 지점으로 이동할지도 모른다. 그림 5.1과 5.2에서 P 직선이 두 축의 원점에 더 가깝게 이동하는 것으로 표현할 수 있다.

　다른 한편 권위주의적 지도자는 더 양호한 분배 결과를 얻기 위해 감시와 처벌 조치에 투자를 더 많이 해야 하고, 이로써 협동으로 얻을 수 있는 총이익도 줄어들 수 있다. 나아가 권위주의적 지도자는 정의상 민주적 지도자보다 제약을 적게 받기 때문에 이익을 더 많이 차지할 가능성이 크다. 그림 5.2의 행위자 A처럼 행동할 것이다. 결과적으로 권위주의에서 총이익이 민주주의에서 총이익보다 대체로 더 클 가능성이 있더라도 권위주의적 지배를 받는 사람들은 민주주의적 지배를 받는 사람들보다 더 적은 몫을 받게 될지도 모른다.[57]

대다수 참여자에게 더 나은 이익을 제공하는 민주주의 제도의 존재 자체는 가족과 기업, 정치의 권위주의적 위계 구조를 약화시킬 수 있다. 결과적으로 젠더와 인종/민족, 계급에 기반한 권위주의적 위계 구조에서 이득을 누리는 집단은 다른 집단과 달리 정치적 민주주의에서 얻을 수 있는 이득이 별로 없다. 마찬가지로 선진국 시민은 가난한 국가의 시민보다 글로벌 민주주의에서 얻을 수 있는 이득이 별로 없다. 특권을 가진 사람은 누구라도 특권 자체가 존재하지 않는 다고 주장하며 특권을 보호하려 들 것이다.

심하게 얽혀 있는 집단권력 구조의 교차는 안정화 효과와 불안 정화 효과를 둘 다 낳을 수 있고 사회적 재생산 과정에 의도하지 않은 영향을 미칠 수 있다. 예를 들어 군사력을 공격적으로 사용해서 얻을 수 있는 잠재적 이득은 인구 규모가 커질수록 증가할 수 있다. 인구 확대는 다른 집단의 여성을 빼앗거나 출산을 강요해서 달성할 수 있다. 음모는 필요 없다. 이런 전략을 채택하는 집단은 그렇지 않은 집단을 제치고 결국 세상을 평정할 것이다. 6장에서 주장하겠지 만 이러한 가능성은 권위주의적 위계 구조가 가부장적 제도를 포함 하곤 하는 이유를 설명해준다.

한편 지식 축적과 창조적 혁신에서 얻을 수 있는 이득은 다른 원 천에서 얻는 이득보다 클 수 있다. 이런 혁신은 좀 더 성평등주의적 이고 저출산을 유도하는 제도 구조를 마련하도록 경제적으로 압박하 여 폭력적 갈등을 억제하고 인간 역량의 개발을 촉진할 수 있다. 이 런 시나리오는 그저 희망적인 생각처럼 들릴 수 있지만 협상의 결과 를 바꿀 보상 체계의 변경 가능성을 보여준다. 밥 딜런이 노래한 대로 시대가 변해서 "지금 정상에 오른 자들이 훗날 말단이 되리라."

집단권력 구조는 경직성이 있어서 일단 확립되면 개혁하기 어렵다. 반면 압력을 받으면 부서지는 취약성도 커져서 예측할 수 없는 결과와 의도하지 않은 희생을 초래할 수 있다. 기술 변화는 변화의 유일한 촉매가 아니다. 변화는 힘없는 집단이 동맹 전략의 성공으로 넓어진 협상 공간을 이용할 수 있는 능력에 달려 있기도 하다. 이런 동맹 전략은 서면 합의나 동맹의 재편으로만 수립되거나 드러나는 것은 아니다. 동맹 전략은 경제 정의와 상호 원조의 원칙에서도 드러나며 문화적 다툼과 탈퇴 협박, 대안적 제도의 발전은 그러한 원칙을 구현한다.[58]

협상과 착취

경제 정의와 상호 원조의 원칙은 다소 명백한 이유로 쉽게 합의를 보기 어렵다. 개인과 집단 사이의 재분배에 영향을 미치기 때문이다. 신고전파 경제 이론은 자발적 교환에서 착취가 일어날 수 있다는 점을 인정하지 않는다. 전통 마르크스주의 이론은 착취가 자본주의적 임금노동에서만 일어난다고 본다. 교차정치경제학은 착취에 대한 보다 일반적인 정의가 필요하며 민주적 원칙은 그러한 정의를 제공할 수 있다. 착취란 협동에서 얻은 이득을 불공정한 수단으로 취득한 권력을 행사하여 공정하게 분배하지 않는 행위로 정의할 수 있다.

'불공정'은 어떻게 정의할 수 있을까? 대학 교수가 답해야 할 질문은 아니다. 원칙적으로 민주적으로 결정되어야 한다. 실제로 공정성에 대한 인식 자체는 단체협상력의 영향을 받는다. 롤스가 의사결정자에게 "무지의 베일"을 씌워 정체성과 이해관계에 대한 지식을 차단한 가상의 사고실험으로 해결하려 했던 문제와 비슷하게 공정에 대한 인식도 순환논법에 빠진다. 그러나 공정성은 법치라는 단순한 개념 위에 서 있기 때문에 정의 내리기가 아주 어렵지는 않다. 우리는 이미 어느 정도 공정과 불공정의 정의에 토대를 두고 합법과 불법의 정의를 협상하고 있으며, 협상이 경제적 지속가능성에 미치는 영향을 좀 더 정확히 이해할 때 협상을 계속할 수 있을 것이다.

롤스가 옹호한 정의의 원칙은 사회의 가장 가난한 구성원을 좀 더 나은 상태로 만들지 못하는 불평등한 분배 결과에 도전한다. 이 원칙은 경제적 산출의 크기와 분배 사이의 변증법과 매우 명확하게 연결된다. 자본주의 제도는 역사적으로 '낙수효과'라는 말처럼 경제성장에 대한 약속에서 자신의 도덕적 정당성을 찾았다. 그러나 "좀 더 나은 상태"의 정의를 소득과 자산의 척도를 넘어서 집단권력 제도에 영향을 미치는 것에까지 확장할 때 불평등한 분배 결과에 대한 롤스의 도전은 힘이 빠진다. 권력에서 소외된 집단의 소비 수준이 향상된다 해도 민주적 의사결정에 참여하고 문화적으로 영향력을 행사할 수 있는 잠재력은 손상된 채로 남아 민중들은 앞으로도 착취를 당할 수 있기 때문이다.

혹자는 이렇게 경제적 결과뿐만 아니라 정치적, 문화적 결과에 관심을 기울이는 것이 롤스의 정의의 원칙을 확장한 것이라고 해석할지도 모르겠다. 그러나 정의의 개념은 결과에만 토대를 둘 수 없다. 역사도 중요하다. 어떤 형태의 집단적이거나 개인적인 권력은 폭력과 절도, 사기, 정치적 배제 같은 불공정한 수단을 통해 취득된다. 로버트 노직Robert Nozick 같은 자유지상주의 철학자조차 이러한 점을 인정했다. 마르크스는 약탈expropriation의 역사적 과정을 "피와 불의 글자로 새긴 인류 연대기"로 묘사했다.[59]

무력과 폭력의 직간접적 효과는 흔히 사회제도 안에서 결정체를 이룬다. 생산수단의 탈취는 결정체를 만드는 촉매 중 하나일 뿐이다. 많은 역사적 사건 가운데서도 가부장제 통치와 노예 소유의 제도화, 제국적 권력 행사를 통해서 사람 자체를 탈취한 행위는 생산수단을 탈취한 것과 똑같이 지극히 중대하고 장기적인 결과를 낳았다. 기후 불안정화와 같이 물리적, 사회적 환경에 존재하는 공유 자원을 체계적으로 약탈하는 행위는 최근에 추가된 역사적 사건이다.

정당한 법치처럼 공정과 불공정에 대한 정의는 결국 민주적 협상을 통해서만 확립될 수 있다. 나아가 이런 협상만이 배상이나 화해의 과정을 거쳐 역사적 범죄를 바로잡을 수 있는 수단과 방법이다. 어떤 조건에서 진정으로 민주적인 협상이 일어날 수 있을까? 이 질문에 대한 답은 열려 있다. 민주적 협상의 달성은 다양한 방식의 권력 배제와 착취를 경험한 이질적인 집단이 서로 동맹할 수 있느냐에 달려 있다. 그런 동맹은 파편화되고 중첩되는 집단들의 단체협상력이 경제적 결과에 어떤 영향을 미치는지를 명확하게 이해해야 결성될 수 있다.

누적된 대안 지위

가시적이고 실현 가능한 대안이 있어야만 의미 있는 선택을 할 수 있다.[60] 대안 지위가 약하면 협상력은 줄어든다. 그림 5.2는 협동에서 나온 이득을 불공정하게 배분하는 힘이 어디서 나오는지 보여준다. 개인은 집단에 기반한 약점을 극복해내거나 집단에 기반한 이점을 무력화하는 행동을 하기도 하지만, 집단권력의 제도 구조가 개인의 그런 행동에 영향을 미친다는 사실을 숨길 수는 없다.

가부장제 구조는 여성의 대안 지위를 약화시킨다. 마찬가지로 인종 차별적 제도 구조는 인종/민족 등에 기반한 집단의 대안 지위를 약화시킨다. 개인은 동시에 많은 집단에 속하기 때문에 개인의 협상 결과는 개인의 역량과 노력뿐만 아니라 어느 집단에 소속되어 있느냐에 달린 문제이기도 하다. 개인이나 집단의 상대적인 이점이나 불리한 점이 꼭 합산되거나 선형적으로 누적된다고 할 수는 없지만 효과의 방향을 확인할 수는 있다. 다른 모든 조건이 동일하다고 가정했을 때 사회적으로 불리한 집단에 속한 구성원 개인은 경제적 불이익을 경험할 가능성이 높다.[61]

사회적으로 불리한 집단에 속한다는 것은 집단 구성원으로서 개인 자신이나 자녀의 역량을 계발하기 어려움을 의미한다. 또한 똑같이 노력해도 다른 사람보다 보상을 적게 받고, 결국 노력을 아예 덜하거나 사회적 편익보다 비용을 유발하는 활동에 노력을 더 많이 기울일 수도 있다. 다시 말해, 그림 5.2에 표시된 P선은 원점을 향해 아래쪽으로 이동하지만 유리한 위치에 선 집단은 산출물에서 더 많은 몫을 가져간다.

산출물의 전체 크기가 아니라 몫을 늘리려는 노력을 우리는 '지대 추구'라고 부른다. 왜냐하면 지대는 대체로 노력보다는 소유에서 나오는 수익이기 때문이다. 이보다 더 적절하면서도 혼란을 부르지 않는 용어는 '이득 추구'이다. 경제학자에게 총생산량의 증가는 '가치 창출'인데 반해 협상으로 얻는 몫이 증가하는 이득 추구는 가치 추출이다. 일상 언어로 '만들기'는 가치 창출을, '받기'는 가치의 재분배를 의미한다.**62** 이런 용어는 이데올로기적인 다툼의 대상이다. 보수주의자가 남성은 노동자이고 여성은 가족이라고 주장하는 것처럼 부자는 만드는 사람이고 가난한 사람은 받는 사람인 것이다.

불공정한 협상력은 마르크스가 말한 착취를 아우르는 일종의 가치 추출에 해당한다. 이 용어는 라이트와 대다수 현대 마르크스주의 사상가가 구분했던 억압과 착취의 개념에 도전한다. 라이트는 착취자와 달리 억압자의 후생은 "피억압자가 특정 자원에 접근하지 못하게 막는 데 달려 있고 피억압자의 노력과는 상관이 없다"고 주장한다.**63** 그러나 자발적 협동이든 강제적 협동이든 집단의 상호 의존성은 반드시 직접적인 노동 통제를 필요로 하지 않는다. 공공재에 대한 기여나 다른 사람을 기꺼이 도우려는 의지, 법치에 대한 존중처럼 간접적인 방식으로도 집단은 서로 의존한다. 예를 들어 코로나19 팬데믹의 부정적 영향을 줄이는 데 도움이 된 사회적 거리두기에는 다른 사람들을 도우려는 이들의 상당한 노력이 필요했다. 그러나 미국인들은 사회적 거리두기의 이득이 불평등하게 분배될 거라고 생각했고 그 결과 소수 인종/민족의 치명률은 다른 집단보다 훨씬 더 높았다.**64**

착취와 억압에 대한 라이트의 구분은 여전히 의미가 있으며 차별은 착취와 억압 둘 다에 영향을 미칠 수 있다. 모든 경제적 상호작

돌봄과 연대의 경제학

용이 공정하든 불공정하든 전부 협상으로 환원될 수는 없다. 가장 중대한 결과를 가져오는 경제적 상호작용은 절도나 탈취, 상해, 살인, 대량 학살의 형태를 취한다. 반대편 극단에서는 선물의 형태를 취하기도 한다. 그러나 양극단 사이에는 상당히 비민주적으로 확립된 사회제도가 만들어낸 다양한 이득 추구 행위가 있다. 착취를 불공정한 방식으로 얻는 이득이라고 정의하면, 악의 없는 사람들의 순수하고 사심 없는 선택도 착취와 다름없는 결과를 낳을 수 있다.[65]

가족과 노동시장 모두에서 여성보다 남성의 협상력을 높이는 가부장제는 여성의 평생 소득을 낮추고 빈곤에 대한 취약성을 높이며 가사일과 시장 노동을 합한 총노동시간을 늘린다. 남성이 득을 본다. 백인의 협상력을 높이는 인종 차별적 제도는 다른 인종/민족 집단이 자산과 공공서비스에 접근하지 못하게 만든다.[66] 백인이 득을 본다. 제국주의가 남긴 유산으로 선진국 시민은 남반구 시민보다 더 많은 구매력과 정치권력을 누린다. 결과적으로 선진국 시민은 극심한 기후변화의 비용과 위험에서 안전하게 벗어난다. 이외에도 관련 사례는 많다. 가로축과 세로축에 여러 형태의 제도 권력을 동시에 놓기가 어렵다 해도 불리한 집단에 소속될 경우 선택지가 줄어든다는 사실을 이해하기란 어렵지 않다.

착취

집단권력 구조에 관심을 기울이면 강탈disposession을 원시축적의 한 형태로 설명한 마르크스주의를 확장하여 강압이 어떻게 꾸준한 경제적 편익의 흐름을 창출하는지를 잘 알 수 있다.[67] 역사가 중요하다는 개념은 자발적인 교환, 즉 그야말로 총을 겨누지 않고 참여하는 교환이 공평하고 효율적이라는 자유지상주의적 주장과 극명한 대조를 이룬다.[68] 또한 특권을 획득하는 방식에 아무런 책임도 지지 않고 이 특권을 상속할 수 있다는 견해를 거부한다.

집단권력 구조는 오래 지속되는 경제적 유산을 창출한다. 미국에서 있었던 노예제를 둘러싼 배상 논쟁은 이를 효과적으로 보여주었다.[69] 집단으로서 흑인 미국인에게 노예제가 얼마나 큰 희생을 초래했는지는, 노예제도가 없었거나 이를 보상하겠다고 했던 정치적 약속이 지켜졌더라면 흑인 미국인이 경제적으로 얼마나 더 나은 상황에 처했을까를 묻는 것과 같다. 이러한 사실과 다른 일이 있어났다고 가정하는 반사실적 사고실험은 공정성을 평가하는 또 다른 방법이다.

마르크스주의 경제학자 존 로머John Roemer는 노동자들이 전체 생산적 자산의 1인당 몫을 받고 자본주의 경제에서 철수해서 경제적으로 더 나은 상태가 된다면 노동자들이 착취당하고 있음을 의미한다고 주장한다.[70]

로머는 자산 소유권 측면에서만 착취를 정의한다. 이러한 정의를 젠더 불평등에 적용하는 데는 한계가 있다. 그러나 그의 반사실적 추론은 보다 광범위한 사회제도로 쉽게 확장될 수 있다. 남성이 여성에 대한 재산권을 설정한 적이 없었다면 어땠을까? 여성이 교육과 고숙련 일자리, 선거권을 늘 평등하게 누릴 수 있었다면 어땠을까? 이런 질문은 계속 이어진다. 로머의 작업을 바탕으로 로버트 구딘Robert Goodin은 특히 기혼 가정 내 분업에 적용되는 '페미니스트 철수 규칙'을 제안한다. 가족 돌봄에 할애하는 시간의 가치를 포함해 창출된 총

돌봄과 연대의 경제학

가치를 남녀가 똑같이 나눠 가지고 여성이 동반자 관계에서 철수했을 때 하게 될 노동시간보다 더 오래 일하는 여성이 있다면 그 여성은 착취당하고 있음을 의미한다.[71] 이런 규칙을 실제로 적용하기는 어렵다. 그러나 자신이 기여한 가족 돌봄의 경제적 편익을 회수하지 못하는 어려움으로 인해 여성이 안게 되는 불이익을 극적으로 드러낸다.

반사실적 추론은 미래에 발생할 결과에도 적용될 수 있다. 라이트는 "자본주의는 불필요한 인간의 고통을 체계적으로 만들어낸다. 불필요하다는 것을 구체적으로 말하자면, 사회경제적 관계를 적절히 바꾸기만 하면 그런 고통을 제거할 수 있다는 말이다"라고 주장한다.[72] 이 문장에서 '자본주의'는 '가부장적 제도'나 '인종차별주의적 제도'와 같이 다른 강압적 제도로 바꾸어도 된다. 상충 관계를 연구하는 경제학자가 다수의 후생이 소수의 사치보다 중요한지, 중요하다면 언제 그런지를 질문하는 경우는 한 번도 본 적이 없다.

모든 억압이 착취로 이어지지는 않는다. 억압과 착취 가운데 착취가 꼭 악한 것도 아니다. 실제로 사람들은 착취 관계를 맺음으로써 경제적 이익을 얻기도 한다. 다른 대안 지위보다 착취 관계에서 얻는 경제적 이익이 더 클 때가 있기 때문이다. 바로 이런 이유로 대안 지위와 대안 지위를 제도적으로 구성하는 과정이 중요한 것이다.

대안 지위, 권력, 복잡성

'대안 지위'라는 용어는 퇴각할 경우 가질 수 있는 최선의 선택지를 의미하는 군사적인 느낌을 준다. 사회적으로 유리한 위치에 건설된

요새는 과거의 협상 라운드에서 받은 상금으로 건설된다. 대기업이 어느 정도 시장 점유율을 확보한 다음 규모의 경제를 활용하여 신규 진입자를 막는 것처럼, 집단은 집단적 승리를 통해 법과 이념에 영향을 미치거나 자산을 축적하여 장기적 헤게모니를 구축할 수 있는 투자를 단행하려 한다. 협상력에 다양한 차원이 존재한다는 사실을 조금 다른 방식으로 표현한 것에 불과할지도 모르겠다. 행사되는지조차 감지하기 힘든 협상력도 있고 너무 익숙해서 협상력인지도 알기 어려운 경우가 있으니 말이다.[73]

사회제도가 전체 구성원의 협상력에 교차적 영향을 미친다는 개념은 혼인 가정의 남편과 아내의 협상에 관한 페미니스트 모델에서 비롯되었다. '외부 환경 척도extra-environmental parameter'나 '젠더 특수 환경 척도gender-specific environmental parameter' 혹은 결합효용함수에서 개인의 선호에 부여된 가중치로 묘사할 수 있는데, 사회제도가 가구 내의 자원 배분에 영향을 미치는 방식은 이제 널리 알려져 있다.[74] 그러나 가구와 가족 동학에 관한 이론적 관심은 순수한 개인의 이기심을 지나치게 강조하지 말라고 경고한다. 타인에 대한 사랑과 애정은 개인 간의 협상을 중재하고 협동을 통한 총이익을 증가시킨다는 것이다. 내가 당신을 사랑하면, 당신의 이득은 내 것이다. 적어도 부분적으로는.

이타주의는 협상을 무산시키지는 못하지만 확실히 협상을 복잡하게 만든다. 우리는 모두 불확실하고 불편한 전략적 선택에 직면해 있다. 우리는 자신이 아닌 다른 사람들에게 얼마나 관심을 가지며 다른 사람들은 또 우리에게 얼마나 관심을 가질까? 개인의 성과를 개

돌봄과 연대의 경제학

선하기 위해 얼마나 많은 시간과 노력을 투자해야 하며, 그런 성과를 제한하는 착취적 제도에 도전하거나 자기 역량을 강화하기 위해서는 또 얼마나 많은 시간과 노력을 투자해야 할까? 이런 질문에 답하기 어렵다는 점은 형식적인 협상 모델의 한계를 보여주며 보다 구체적인 상황을 고려하도록 요구한다.

비즈니스 트레이닝 컨설턴트를 양성하는 한 유명 회사는 "응당 얻을 만해서 얻는 것이 아니다. 협상한 것을 얻는다"라고 광고한다.[75] 이 슬로건이 의미하는 협상의 개념은 너무 협소하다. 모든 협상이 협의를 기반으로 하지는 않으며 모든 게임이 계약으로 끝나지도 않는다. 위협과 약속, 가짜와 속임수, 설득과 강압, 연합과 타협은 참가자들이 한 탁자에 함께 마주하지 않고도 일어날 수 있다. 시장 교환조차도 이런 광범위한 의미의 협상에 노출된다.[76]

협상 과정은 보상 구조만큼 중요하다.[77] 효과적인 협상은 합리적으로 따질 때 유리하지만 부적절한 정보와 빈약한 의사소통, 정서적 기능 장애로 쉽게 무너진다.(군사 전략가들은 이런 문제를 "전장에 낀 안개"라고 칭한다.) 명시적 협상에는 많은 비용과 시간이 소요된다. 분노와 악의가 생겨날 수도 있다. 경제학자는, 행위자들이 자신에게 피해가 없다면 다른 사람의 후생을 개선하는 재분배를 막지 않을 것이므로 (항상 파레토 경계선에 도달한다는 좁은 의미로) 협상의 결과가 효율적이라고 가정한다.[78] 그러나 현실 세계에서는 악의가 이성을 압도하고 복수심을 유발하여 두 협상자 모두 이전보다 더 나쁜 상황에 놓인다. 가족을 살해한 뒤 살인자가 자살하는 경우는 대표적 사례이다. 전면적인 핵전쟁이든 돌이킬 수 없는 환경 파괴든 간에 전 지구적 차원에서도 서로를 파괴하는 위협은 계속해서 커지고 있다.

　이런 어려움은 사회 규범이 왜 그토록 중요한지를 설명한다. 사회 규범은 비용을 많이 초래하는 의견 불일치를 해결하는 암묵적인 규칙과 명시적인 해결책을 제공한다. 파이를 나누는 가장 좋은 방법은 무엇일까? "당신이 자르면 나는 선택할게." 싸움을 피하고 싶어? "동전을 던지자." 그러나 기존 사회 규범에 순응하자는 제안은 보통 이미 유리한 위치에 있는 사람들에게 유리하다.[79] 일단 장악된 권위와 재산에 대한 권리는 이데올로기에 의해 신성화된다. 에드나 울만 마갈릿Edna Ullmann-Margalit이 기술한 대로 규범은 "불평등이라는 현 상태에서 유리한 위치에 있는 집단이 현상을 유지할 목적으로 이해관계를 조장하는 데 쓰는 세련되고 강압적인 도구이다."[80] 적절한 여성다움이라는 규범이 젠더 불평등을 강화하는 것처럼, 애국적 규범은 타국에 대한 침략을 정당화하고, 인종적 자부심은 백인우월주의를 부추길 수 있으며, 엘리트주의적 가치는 계급 격차를 정당화할 수 있다.

　규범은 개인의 선호와 인식에 영향을 미치도록 내면화된다. 협상에 나선 두 사람 중 한 명이 상대방이나 (협상으로 영향을 받을 수 있는) 제3자의 복지에 관심을 더 기울일 때, 협상 결과는 왜곡되어 다른 사람의 복지에 관심이 덜하거나 더 많은 몫을 주장하는 구성원에게 유리해질 것이다. 계급으로 생긴 "숨겨진 상처"가 가져오는 결과는, 위계질서의 맨 아래에 감금된 개인과 집단의 주체성은 약화이다.[81] 어떤 사람이 열등한 사회적 지위에 있음을 상기시켜준다는 의미의 '고정관념 위협'은 낙인찍힌 사람들의 성과를 저해할 수 있다.[82] 동성애 혐오적인 태도뿐만 아니라 이원 규범적인heteronormative 가치는 일탈

돌봄과 연대의 경제학

이라는 꼬리표가 따라다니는 사람들의 자신감을 훼손한다. 가부장적 권력과 식민 권력은 매우 유사한 방식으로 악영향을 끼치며 내면화될 수 있다.[83] 이와 대조적으로 위에서 내려다보는 시각은 위험할 정도로 강한 권력을 부여하곤 한다.

생산양식 대 위계 체제

개인은 집단권력의 제도 구조에 제약을 받으며 전략적 결정을 내린다. 이런 구조는 순수하게 계급 갈등의 결과물이 아니며 자본주의와 같은 단일 생산양식으로 환원될 수 없다. 이런 제도 구조는 젠더를 포함하여 다양한 사회적 소속 집단을 기반으로 하는 서로 맞물린 위계 구조로 볼 때 가장 잘 이해할 수 있다. 특정 집단이 다른 집단보다 본질적으로 더 중대한 영향을 미친다고 볼 수는 없다. 어떤 집단이 더 중요한가는 특정 경제 상황뿐만 아니라 효과적인 동맹을 구축하기 위한 전략에 달려 있다.

　꼭대기 승차자 문제의 중대성은 무임승차 문제를 제대로 볼 수 있게 하고 다양한 형태의 권위주의적 위계 구조의 유사성은 위계 구조의 공진화에 대한 몇 가지 단서를 제공한다. 인류 역사에서 집단 갈등의 뿌리 깊은 유산은 쉽게 극복할 수 없지만 망나니 아빠와 망나니 고용주, 망나니 지도자의 권위를 박탈할 수는 있을 것이다. 민주적 협동과 평등한 기회, 상호 원조의 이상은 가부장제를 포함한 많은 권위주의적 위계질서에 성공적으로 도전했다. 더욱이 여성의 세력화는 더 큰 규모로 민주적 지배구조를 발전시킬 수 있는 가능성을 예고한다.

2부

서사의 ─ 재구성

6장

가부장제 ─ 전사前史

집단권력 구조가 인류 역사 발전의 발판이 되었지만 우리는 아직도 집단권력 구조의 제도적 구성을 온전히 이해하지 못하고 있다. 진화적 추론에 따르면 위계 구조가 등장하는 이유는, 위계 구조를 만드는 집단이 몇 가지 이점을 이용하여 경쟁에서 이기거나 다른 집단을 제거하고 무력화하고 점차 대체할 수 있기 때문이다. 위계 구조의 기원에 대한 추측성 설명은 채집/수렵과 목축, 농업, 산업 사회를 비교하면서 보통 생산 기술의 의미에 천착한다. 이런 구분은 기술적 범주 내의 중요한 차이를 제거하고 집단 폭력이나 생산과 재생산을 지배하는 사회제도의 중요성을 최소화한다.

가부장제의 기원에 대한 초기 연구는 처음에는 페미니스트 학문 분야 밖에서는 영향력이 없었지만 점차 폭넓은 주목을 받았다.[1] 마르크스주의적 역사유물론을 수정주의적으로 적용해서 섹슈얼리티와 재생산을 전면 혹은 중심으로 가져왔다.[2] 마찬가지로 '거대한 역사big history'라는 시간 차원을 보는 시각은 젠더와 연령에 기반한 갈등을 통합하며, 선사시대에서 현재에 이르는 장기간에 걸쳐 젠더와 연령이 사회적 전환에 어떤 의미가 있다고 지적한다.[3] 그러나 이런 접근 방식 중 어느 것도 교차 갈등 분석에 적절한 일관된 이론틀을 제공하지 않는다.

역사적 기록은 젠더와 다른 형태의 사회적 소속 집단에 기반한 집단권력 구조 사이에 복수의 상호작용이 존재함을 보여준다. 인류 역사의 초기 단계에서 가부장제와 다른 권위주의적 제도는 집단 간의 갈등과 경쟁 압력을 받아 공진화한 것처럼 보인다. 전제정치와 노예제, 봉건제, 자본주의, 식민주의는 옛 역사를 대체하는 새로운 단계를 대표하지 않으며 심지어 옛 페이지를 대체하는 새로운 페이지 조차 되지 못했다. 오히려 기존 불평등에 덧대어 이것을 변화시키는 새로운 위계의 층들을 만들었다.

가부장제의 역사

사회 진화와 젠더 불평등이 서로 연관돼 있다는 시각은 역사가 자신의 편이라고 믿고 싶은 페미니스트 이론가에게 오랫동안 생기를 불어넣었다. 전통적인 성 역할이 시대착오적인 구시대 유물로서 신의 계획이 아니라 경제적 상황과 사회제도의 부산물일 뿐이라는 개념이 19세기 사회과학과 역사 연구에서 등장했다. 가부장제가 전쟁과 다른 형태의 집단적 갈등과 연결되었다는 보다 구체적인 주장은 서유럽 문화사에서 특히 뿌리 깊은 선례에 근거를 둔다.

젠더와 진화

초기 페미니스트는 다윈의 이론이 원죄에 대한 여성의 책임과 에덴동산에서의 추방에 대한 종교적 교리를 강력하게 반박한다며 환영했다.[4] 1898년에 출판되어 널리 읽힌 『여성과 경제학Women and Economics』의 저자인 샬럿 퍼킨스 길먼Charlotte Perkins Gilman은 여성이 가족 돌봄에 특화하도록 권장하는 사회 규범은 자연스럽지 않고 시대에 뒤떨어진 것이라고 주장했다.[5] 다윈이 여성의 권리를 옹호하지는 않았지만 집단선택에 관한 그의 생각은 페미니스트 입장에서 사고할 여지를 제공했다. 사회학자 레타 홀링워스Leta Hollingworth가

1916년에 쓴 다음과 같은 글은 이 장의 일부 주장을 예견한 것이다.

> 사실 출산은 여러 면에서 군인의 일과 유사하다. 부족이나 국가
> 가 존재하는 데 필요하다. 개인의 이익을 크게 희생해야 한다. 위
> 험과 고통을 수반하고, 어떤 경우에는 실제로 목숨을 잃을 수도
> 있다. 따라서 우리는 전쟁에 대비해 국가 안보를 보장하기 위해
> 꾸준히 사회적 노력을 하는 것처럼 인구를 유지하기 위한 집단
> 적 이해를 보장하기 위해 꾸준한 사회적 노력을 기울였을 것이
> 라고 생각할 수 있다. 아이를 태어나게 하고 군인을 죽게 만드는
> 사회적 장치는 여러 면에서 분명히 유사하다.[6]

엥겔스의 『가족, 사유재산, 국가의 기원』에서 영향을 받은 사상가들
은 초기 계급사회에서 사유재산이 나타나며 젠더 불평등이 발생했다
고 생각한다.[7] 베벨의 초기 저작인 『여성과 사회주의』는 계급과 젠더
에 기반한 불평등을 순차적인 현상이 아니라 병렬적인 현상으로 취
급했는데, 둘 다 강압적인 법과 규범의 폭력적 행사로 발생했다고 생
각했기 때문이다.[8] 그러나 엥겔스의 견해가 베벨의 견해보다 더 낙관
적이었기 때문에 지배적인 관점으로 살아남은 것 같다. 인류는 선사
시대의 상당 기간을 수렵 채집 사회에서 살았음이 분명해졌다. 그런
사회가 정말 협동적이고 평등적이었다면 나중에 도래했던 사회주의
의 강력한 선례가 되었을 것이다.

  일부 채집/수렵 사회는 이 이상화된 그림에 걸맞은 사례로 보이
며 사유재산에 기반한 사회로 전환되면서 계급과 젠더에 기반한 불
평등이 공고해졌을 가능성이 있다.[9] 반면 채집/수렵 기술의 존재, 사
유재산과 국가의 부재가 평등주의적 결과를 자동으로 보장했다는 주

장은 터무니없다. 가부장제는 누군가 토지나 가축을 사유화하여 재산을 축적하기 이전에 나타났을 것이다. 마리아 미스는 '약탈적 생산양식'은 남성이 다른 집단의 젊은 여성을 약탈하는 형태로 잉여를 탈취하도록 허용한 것이라고 주장한다.[10] 리안 아이슬러Riane Eisler는 남녀의 동반자 관계에 기반한 신석기시대 유럽 사회를 폭력적인 권위주의적 약탈자가 전복하고 제압했다고 설명한다.[11]

이런 모든 주장에는 본질적으로 선사시대에 일어난 사건을 역사적으로 재구성하는 데 어려움이 있다는 단점이 있다. 그러나 위계질서를 조직적 폭력과 연결하는 진화론적 추론은 가부장제 문화의 고대사에서 끌어낸 상징적인 일화들을 떠올리게 한다.

전쟁의 전리품

많이 연구된 서유럽 역사는 전쟁과 여성에 대한 통제가 강력한 연관성이 있음을 보여준다. 호메로스가 지었다고 전해지는 『일리아스』는 아내를 훔치는 이야기로 시작하며 딸 이피게니아의 목을 베어 신의 도움을 받기를 바라는 장군이 등장한다. 트로이를 포위하여 끝내 파괴한 전사들은 첩을 가지려고 서로 경쟁한다. 아마존 펜테실레이아는 맞대결 상대인 아킬레우스의 존경을 받지만, 용감하게 싸웠음에도 결국 패배해 함께 싸운 여전사들의 명성은 과거의 어둠 속에 묻힌다. 그리스의 비극 시인인 아이스킬로스가 쓴 고전극에서 이피게니아의 어머니는 희생된 딸에 대한 복수에 나서 남편을 죽이지만 자신의 아들에게 살해당한다.

로마 역사는 집단 갈등이 젠더화된 모습으로 나타나는 이야기를 들려주기도 한다. 플루타르코스가 말한 대로 로마를 건설한 남자들은 속임수를 써야만 아내를 얻을 수 있었다. 그들은 이웃 사비니족을 축제에 초대하면서 가족을 동반하게 했고, 매복하고 있다가 남자들은 쫓아내고 젊은 여자들은 빼앗고 임신시켰다. 사비니족 남자들이 동족을 되찾기 위해 동맹자들과 함께 돌아올 즈음에 이미 사비니족 여자들은 아이를 낳은 뒤였다.[12] 어머니들은 양쪽 군대 사이에 몸을 던지며 아버지와 형제들에게 갓난아이의 아버지와 싸우지 말라고 간청하였다. 그 어머니들의 집단적 몸부림의 이야기는 니콜라 푸생과 자크루이 다비드, 파블로 피카소 같은 유럽의 가장 위대한 예술가들의 작품에서 불후의 명성을 얻었다.

사비니족 여성의 납치 이야기는 어떻게 모성적 헌신이 강간을 한 남성 개인에게는 번식의 성공을 보장하고, 집단에게는 개체수를 효과적으로 증가시킬 수 있는 효과적인 전략을 제시하는지 잘 보여준다. 또한 동족 관계에 기반한 동맹이 집단 불평등을 복잡하게 만들거나 심지어 강화할 수 있음을 보여준다. 여성의 결혼 상대를 통제하는 행위는 어떤 집단과 동맹을 구축하는 한편 다른 집단은 효과적으로 차단하는 수단이었다. 이는 나중에 카스트 제도와 인종 간 경계, 국가 정체성 문제의 핵심이 되었다.[13]

구약성서는 강간과 전쟁을 "전리품을 즐겨도 좋다"와 같은 맥락에서 다룬다.[14] 히브리 지파가 모세의 지휘 아래 미디안 족속을 정복하고 그들의 재물과 가축을 빼앗고 성관계를 한 번도 하지 않은 여자를 제외하고는 다 죽이니 사망자의 합이 3만 2000명이었다.[15] 구약성서 신명기 21장은 전쟁 중에 포로로 잡힌 여자들을 한 달 후에 아내로 삼을 수 있다고 명시한다.[16] 19세기 후반 철학자 프리드리히 니체는 후에 나치 이데올로기에 깊이 침투할 정도로 폭력적인 이 정신을 거듭 언급하며 "남자는 전쟁을 위해 훈련을 받고 여자는 전사의 오락recreation을 위해 훈련받아야 한다"고 말했다.[17] 이런 맥락에서 오락은 즐거움과 출산이라는 이중의 의미를 지닌다.

사회적 진화

생산 효율성과 재생산적 적자생존, 군사력은 모두 다양한 방식으로 집단의 성공에 기여할 수 있다. 진화심리학자들과 신고전파 경제학자는 유전된 행동 성향이나 선호를 강조하는 경향이 있다. 페미니스트 심리학자와 경제학자는 사회제도를 강조할 가능성이 더 크다.[18] 이 두 가지 접근 방식은 상호 배타적이지 않다. 인간행동생태학은 유전자와 문화는 같이 유전된다고 강조한다.[19] 사회제도는 경제적 결과뿐만 아니라 생물학적 차이의 표현에 영향을 미친다.

진화적 성공이 반드시 탁월한 효율성을 의미하지는 않는다. 생산적 혹은 재생산적 역량을 투입한 결과가 아니라 기회주의적 폭력의 결과일 수 있기 때문이다. 살인과 절도는 총생산량을 낮출 수 있지만 가해자에게 이익이 된다. 인간 집단은 자신의 생산 역량의 증대뿐만 아니라 다른 집단에서 자원을 추출하는 방식으로 부자가 되었다. 이 두 가지 전략은 상호 보완적임이 입증되었다. 티라노사우루스 렉스와 기타 멸종된 화석화된 유물이 증명하듯이 진화적 성공은 일시적일 수 있다.[20]

젠더의 행동생태학

영장류와 원숭이의 행동생태학은 자연환경의 특성과 집단 경쟁, 사회 조직과 젠더에 따른 차이가 서로 관련돼 있음을 보여준다. 예를 들어, 똑바로 서서 싸우는 땅 위에 사는 수컷 개코원숭이는 암컷보다 훨씬 몸집이 크고 힘이 세다. 회피와 도피에 특화되어 있는 나무에 사는 암컷과 수컷 수목 원숭이들은 신체적으로 서로 비슷하다. 그러나 행동 편차는 상당히 크다. 침팬지와 보노보와 같이 약간 다른 생태학적 환경에 서식하는 영장류 사이에서도 암컷과 수컷의 동학은 상당히 큰 차이가 난다.[21]

진화생물학은 전통적으로 수컷에게 작동하는 선택압selection pressure을 강조하면서 수컷이 암컷을 두고 벌이는 경쟁을 강조했다. 그러나 여성에게 직접 작용하는 선택압을 강조하는 연구도 최근 늘고 있다. 자손이 오랜 기간 모성 양육과 보호에 의존하는 종들을 보면 어미의 지능과 수완, 전략적 사고가 재생산 성공 확률을 높인다는 사실을 알 수 있다.[22] 수컷의 성공이 암컷을 조종하고 통제하는 능력의 영향을 받는다면, 그 반대도 마찬가지이다. 즉 암컷의 성공은, 수컷이 암컷의 재생산 능력을 조정하는 데서 발생하는 역효과를 얼마나 최소화할 수 있는지에 달렸다.[23] 예를 들어 암컷 영장류는 수컷의 폭력으로부터 자신과 자손을 보호하기 위해 동맹을 결성한다.[24]

영장류들의 성에 기반한 집단행동에 주목하면, 젠더화된 행동 성향이 미치는 영향을 사회제도가 중재한다는 주장을 뒷받침할 수 있다. 인간 사회에서 문화적 유전자(밈)는 유전자와 관련하여 특히 중요하다. 재생산 성공과 경제적 이점을 모두 향상시킬 수 있는 사회제도의 문화적 공진화는 남성과 여성이 구사하는 전략의 생물학적 공진화를 덮어버렸기 때문이다.

농업 사회 이전의 역사

오랫동안 인간 역사상 가장 위계적이지 않은 역사 단계로 간주된 채집/수렵 사회에서 보통 여성은 수렵 채집을, 남성은 사냥을 전담했다. 그들의 사회적 진화에 대한 대다수 연구는 생산 기술의 함의에 초점을 맞추고 모든 채집/수렵 사회를 하나로 뭉뚱그려버린다. 그러나 최근 연구는 이 범주 안에 상당한 차이가 있음을 드러내고 있다.

채집과 사냥 활동은 모두 칼로리 섭취에 기여할 수 있으며 영양가와 계절성 측면에서 서로를 보완한다. 서로 협동해 사냥을 하면 작은 사냥감보다 수사슴이든 고래든 큰 사냥감을 포획할 때 더 큰 이득을 얻는다. 마찬가지로 채집에서도 채집 활동이 흩어지고 분산될 때보다 집중될 때 협동의 이득이 더 클 수 있다.[25] 과일 따기 게임에서 협동에 대한 상대적 보상은 사슴 사냥으로 알려진 양식화된 게임의 보상과 유사할지도 모른다. 두 게임 모두 협동 사냥과 단독 사냥의 상충하는 관계가 반영된 보상 매트릭스를 가진다.

재생산적 우선순위도 작용한다. 수렵 채집은 사냥 활동보다 가족을 돌보는 일과 더 상호 보완적인 관계에 있다. 여성이 함께 음식을 모으고 준비하며 일할 때 어린아이들을 살피거나 아프거나 허약한 성인을 돌보는 책임을 쉽게 공유할 수 있다. 가족을 돌보는 상대적 비용은 많은 요인의 영향을 받는데, 아동이 자신이나 다른 사람을 돌보고 가족의 생계에 기여하기 시작하는 나이는 그런 요인 가운데 하나이다. 예를 들어 사냥 기술을 익히는 데는 수년이 걸리며, 이는 남자아이가 상대적으로 나이를 먹어서도 어른이 소비하는 대상물의 획득에 기여하지 못함을 의미한다.[26]

채집과 사냥 집단의 인구학적 동학은 정주해서 사는 집단의 동학과 아마도 많은 차이가 있었을 것이다. 가축의 도움 없이 계속 이동해야 했기 때문에 부양 인구가 많은 집단이 치러야 하는 비용은 더 컸다. 어린아이들은 안고 다녀야 하고 성인은 한 번에 한 명 이상을 운반하기가 쉽지 않다. 결과적으로 이동성이 높은 집단은 출산율을 제한하고 임신 가능성을 감소시키기 위해 장기간의 모유 수유를 장려하고 임신으로 이어질 가능성이 있는 성교에 제한을 가했을 가능성이 높다.[27] 또한 영아 살해에 의존했을 수도 있다. 장애인이나 허약한 사람들이 집단을 떠나도록 조장하거나 그들을 유기하는 규범은 돌봄 부담을 줄였을 수도 있다.[28]

싸움과 도둑질

채집/수렵 사회의 경제적 조직은 상대적으로 평등한 남녀 관계에 기여했을 수 있다. 그러나 무기류와 사회제도의 편차는 특히 집단 간 갈등이 심한 지역에서 서로 다른 결과를 초래할 수 있다. 싸움과 도둑질, 강간과 복종은 생산적 성공과 재생산적 성공 모두에 영향을 미칠 수 있다.

엘리너 리콕Eleanor Leacock 같은 마르크스주의 학자는 채집/수렵 사회를 낭만화하면서 잉여를 창출하지 못한다는 것은 싸울 일이 없음을 의미한다고 주장했다.[29] 그러나 초기 채집/수렵 사회에 대한 고

고학적 기록은, 집단 내부의 다양한 이타주의 패턴이 집단 사이의 상당히 많은 싸움과 여성을 약탈하려는 노력, 폭력에 의한 죽음과 결합되어 나타난다는 점을 보여준다.[30] 갈등을 피하고 싶어 하는 평등주의적 집단은 여성과 어린이를 약탈하여 영토를 확장하고 개체수를 늘리려는 공격자의 침략에 취약한 것 같다.[31] 5장에서 설명한 매-비둘기 게임에서 알 수 있듯이 공격적인 집단은 갈등을 회피하는 집단에 둘러싸여 있을 때 가장 성공적이다. 마오리족의 모리오리족 말살에 대한 재러드 다이아몬드Jared Diamond의 흥미진진한 설명은 기억에 남을 훌륭한 예를 제공한다.[32] 무력 충돌을 경험하지도 예상하지도 않았던 모리오리족은 손쉬운 먹잇감이 되었다.

남성이 사냥과 전쟁에 특화하면서 젠더 관계에 파급 효과가 미쳐 여성을 지배하고 신체적으로 학대하는 남성의 능력이 증가했을 수 있다. 가장 성공적인 전사는 다른 집단 구성원을 위협하고 지배하는 데 가장 큰 능력을 발휘하는 사람이 되며, 이런 이점을 권력 세습 같은 권위주의적 제도를 확립하는 데 활용할지도 모른다.[33] 집단 간 갈등은 개인이 홀로 생존하기 어렵게 만들고 출구 선택지를 줄여서 위계 제도 수립을 간접적으로 촉진한다.

신석기시대를 훨씬 넘어서까지 영향력을 발휘했던 기술인 활쏘기와 야생동물의 가축화는 초창기에 등장한 전쟁 기술이다.[34] 미국의 대평원에서 살던 코만치 같은 원주민 부족은 말 관리 능력 덕에 한 곳에 정주해 살던 이웃을 정복할 수 있었다.[35] 그리스인이 전하는 아마존 부족 이야기는 남성과 나란히 말을 탔던 여성 스키타이 전사 이야기를 바탕으로 했을 가능성이 크다. 활로 무장한 말을 탄 여자는 칼만 들고 서 있는 남자보다 더 무섭다.[36] 아마도 이런 점에서 아마존은 젠더적 의미가 있는 오늘날 드론 전쟁을 예고한 것 같다. 여성은 남성만큼 빠르게 가상 발사 버튼을 클릭할 수 있다.

선사시대 전쟁의 비용과 편익은 아마도 인구학적 측면에서 측정되었을 것이다. 젊은 성인 남성의 높은 사망률이라는 비용과 젊은 성인 여성의 포획을 통해 달성할 수 있는 증대된 출산력이라는 이익을 비교했을 것이다.[37] 그런 상황에서 청년들은 서로 충돌하는 끔찍한 결과에 직면했다. 부상이나 사망의 위험은 개인이 받을 보상 가능성보다 거의 확실히 더 크다. 동시에 집단선택의 논리는 실제로 싸우려는 행동 성향이 있는지에 상관없이 청년을 싸우도록 사회화한 집단에 상당한 이점을 제공할 수 있었다.[38]

전쟁의 대가는 여성에게도 컸다. 살인, 포획, 강간을 당할 뿐만 아니라 동반자의 죽음으로 경제적으로 취약해질 수 있었다.[39] 높은 전쟁 발발률은 남성에 비해 여성의 단체협상력을 감소시켰을 수도 있다. 아들을 잃는 데서 오는 재생산 비용은 잠재적으로 자식을 더 많이 낳을 수 있는 아버지보다 어머니에게 더 컸다. 이에 더하여 높은 남성 사망률과 가임기 여성의 포획의 결과, 남성 대비 여성 공급이 증가하여 여성의 협상력이 낮아졌고 여성이 일부일처제 관계를 형성하기 어려워졌다. 일단 확립된 여성에 대한 가부장적 통제는 인구 확장보다는 조절에 기여할 수 있다. 일종의 안전장치로 어린 여아를 살해하기도 했다.[40]

개인 소유의 가축에 기반을 둔 목축 경제도 여성의 종속을 촉진했을 수 있다. 살아 있는 자산은 경제적 이득을 안겨주기에 사람들은 조직적 절도를 부추겼다. 목축 사회에서 사람들은 가뭄과 같이 경제적으로 어려운 기간에 끊임없이 습격을 감행했다.[41] 덩치가 있는 동물의 절도는 젊은 여성의 절도로 쉽게 확장되었다. 여성을 가둬 놓고 통제하기가 더 쉬웠을 것이다. 가축화는 동물과 사람 모두에게 쉽게 적용되는 단어이다.[42] 실제로 어떤 목축 사회에서는 남자들이 가축으로 신붓값을 지불하고 아내를 얻었다.[43]

엥겔스는 사유재산이 친자식 획득에 대한 남성의 욕구를 증가시켜 여성의 섹슈얼리티에 대한 통제를 유발한다고 지적했다.[44] 현대의 진화론은 가부장적 협상에 영향을 미치는 아버지의 자녀에 대한 투자 수준을 바탕으로 남성의 짝 지키기mate-guarding를 보다 구체적으로 설명했다. 강간 때문이든, 임신시키고 책임을 안 지는 우발적 성관계 때문이든, 지역사회에서 양육을 지원하기 때문이든, 아버지가 생물학적 자녀에게 많은 자원을 투자하지 않을 때 여성 배우자의 정절은 남성에게 사실 크게 중요하지 않다. 그러나 아버지가 자녀에게 상당한 자원을 투입하는 상황에서는 아이가 자기 아이임을 확실히 보장받고자 한다. 남성은 사유재산을 통제함으로써 정절에 대한 대가로 여성에게 경제적 지원을 제공하는 교환 조건을 유리하게 만든다.

여성에 대한 가부장적 통제를 발전시킨 채집/수렵과 목축 사회는 다른 집단보다 더 많이 싸우고 훔치고 약탈했을 가능성이 높다.[45] 또한 인구수를 더 강하게 규제했을 수도 있다. 가장 성공적인 전사는 여성을 더 많이 확보하여 생산과 재생산 서비스의 혜택을 받으며 권위를 더욱 공고히 할 수 있다.[46] 만일 여자와 남자가 에덴동산에 살았다면 에덴동산에서 그들이 쫓겨난 이유는 이브의 불복종 때문이 아니었을 것이다. 사유재산이 원죄라고 결론을 내릴 충분한 증거도 없다.

잉여만이 아니라

정주 농업은 쉽게 저장하고 축적할 수 있는 잉여를 창출할 가능성을 높여 부의 축적 기반을 더 확장했다. 제도주의 경제학자와 마르크스주의 전통에 직접 영향을 받은 학자는 농업과 착취 제도의 출현 사이의 인과관계를 줄곧 강조했다.[47] 고고학 연구는 채집/수렵 사회 사이에 다양한 수준의 부의 불평등이 존재한다는 그림을 제시하는데 이들은 서로 일치하지 않는다.[48] 지금의 튀르키예에 있는 신석기시대 차탈회위크Çatalhöyük 공동체 같은 일부 초기 농업 사회는 상당히 평등주의적이었던 듯하다.[49] 차탈회위크 유적지는 여성과 남성의 상대적인 경제적 차이가 거의 없음도 드러낸다.[50]

　농업 잉여를 창출할 가능성이 생기자 확실히 위계 제도가 촉진되었다. 그러나 정치적 통제의 중앙 집중 체제인 '국가'의 출현은 도망치거나 이동할 수 없는 패배자 집단을 예속시킨 군사적 승리로 가능했다.[51] 정주 사회는 외부 공격에 취약했다. 기록된 역사는 선사시대의 동학에 대해 몇 가지 단서를 제공한다. 13세기 몽골의 칭기즈칸은 적들을 무찌르고 소유물을 훔치고 그들의 아내와 딸을 임신시키는 일보다 더 큰 기쁨은 없다는 말을 했다고 전해진다. 칭기즈칸의 정복을 잘 정리한 최근 자료에 따르면 오늘날 전 세계 3200만 명이 넘는 사람들이 그의 후손임을 증명하는 유전적 증거가 있다.[52] 이 방랑 도적은 오래지 않아 정착의 이점을 발견했다. 13세기에 몽골군이 중국 북부를 정복했을 때, 어떤 칸은 원주민을 아예 말살하자고 제안했다. 죽이는 대신 모든 원주민에게 세금을 부과함으로써 더 많은 돈을 챙길 수 있을 것이라고 다른 신하가 지적한 후에야 이 제안은 철회되었다.[53]

경제적 생산성과 군사적 성공 모두 재생산 조직에 영향을 받았다. 경제적 생산성이나 군사적 성공은 인구가 많을 때 생기는 규모의 경제 효과로 긍정적인 영향을 받는다. 높은 출생률은 기술 변화와 영토 확장을 촉진하는 자극제로서 집단에 유리하다는 점이 입증되었을 것이다.[54] 많은 경제학자는 여전히 과거의 인구 증가가 사망률의 변화와 일정한 '자연적'인 수준의 출산율 상승에 의해 주도되었다고 가정한다. 그러나 산업화 이전 시기 집단의 출산율에 편차가 있다는 증거가 나타나 맬서스주의적 가정을 약화시켰다.[55]

정주 농업으로의 경제적 전환은 아마도 여러 가지 이유로 출산율 증가를 촉진했을 것이다. 유아 사망률은 여전히 높았고 심지어 증가했을 수도 있다. 음식 섭취를 통한 열량 증가의 이점은 전염병 매개체에 많이 노출되면서 상쇄되었다. 이동의 필요성이 줄어들었고 아이 돌보기는 괭이를 사용한 경작과 작은 동물 돌보기와 같이 집 근처에서 할 수 있는 생산 활동과 결합될 수 있었다. 아이들은 비교적 어린 나이에 물 주기와 풀 뽑기 같은 농사일에 기여할 수 있었다.

농업 기술에 장착된 미시경제적 동기는 가부장적 제도에 의해 강화되었다. 토지 재산권을 손에 쥔 남성은 아내와 자녀에 대한 경제적 영향력을 행사할 수 있어 노후에 상당한 지원을 받을 가능성을 높였다.[56] 동시에 결혼 밖에서 여성이 이용할 수 있는 경제적 대안에 제약을 두어 결혼한 여성의 행위성을 제한했다. 부모 모두 자녀에 대한 통제력이 높아짐에 따라 누릴 수 있는 혜택이 많아졌지만 그야말로 대가족을 돌보는 비용의 대부분은 어머니가 부담했다.

강압적인 출산주의와 강요된 이성애는 남성과 여성 모두에게 가능한 한 많은 자녀를 양육하도록 압력을 가했다.[57] 구약성경의 창세기를 비롯한, 히브리인의 성서인 모세오경은 모든 사람에게 "아이를 낳고 번성하라"고 권고한다. 기독교와 이슬람을 포함한 다른 종교들도 다산과 동성애 혐오를 지지하며 교리를 고수하는 대가로 사후 세계의 보상을 약속한다. 종교적 권위뿐만 아니라 세속적 권위에 복종하도록 하는 그런 약속은 특히 여성에게 많은 대가를 치르도록 했다.

혼종 위계 구조들

다른 형태의 집단 갈등이 없는 상태에서 여성을 체계적으로 통제할 수 있었을까? 젠더와 연령만을 기반으로 한 단순한 위계 구조는 불안정할 수밖에 없고 끊임없는 갈등과 협상에 취약했을 가능성이 크다. 더 복잡하고 교차하는 위계 구조는 그런 비용을 없앨 수는 없지만 줄일 수는 있어서 여성 억압을 묵인할 만한 중첩된 동기를 만들어낸다. 가장 높은 수준의 정치권력을 가진 전제적인 통치자는 여성의 성과 재생산 역량에 가장 쉽게, 많이 접근할 수 있었다. 여성도 미래의 자녀를 위해 그들의 요구에 응했기 때문이다.[58] 다른 남자의 권위에 종속된 남자들은 아마도 여성과 어린이에 대해 권위를 행사함으

로써 부분적으로 위안을 받았을 것이다. 집단권력 구조는 미묘하면
서도 오래 지속되는 형태의 종속을 강제한다.

노예제와 가부장제

거다 러너Gerda Lerner 등이 관찰한 바와 같이 여성의 노예화는 남성
의 노예화에 선행하면서 영향을 미쳤던 것 같다.[59] 타인의 신체와 노
동력에 대한 제도화된 통제로 정의되는 노예제는 처음에는 전쟁 승
자가 패자를 말살하는 대신 도입한 것이다. 『일리아스』와 『오뒷세이
아』에 언급된 대부분의 노예는 여성이다. 고대 그리스와 로마에서는
외국인이었던 여성과 남성을 노예로 삼는 관행이 비교적 널리 퍼져
있었다.

그리스와 로마를 비롯한 여러 지역에서 노예 신체를 통제하는
권한의 수준은 다양했지만 학대와 착취의 성격은 농장이나 광산에서
의 강제 노동에만 국한되지 않았다. 노예 소유주는 성적 서비스와 재
생산 서비스도 요구했다. 일부 지역에서 음부봉쇄술은 드문 일이 아
니었는데, 여성 노예에게 성교를 방지하기 위해 대음순을 폐쇄하는
금속 링을 설치했다.[60] 역사적 증거에 따르면 북부 아프리카의 여성
성기 절단은 원래 누군가의 첩이 될 여성이 최종 판매될 때까지 순결
과 비임신을 보장하여 노예무역을 촉진하기 위해 고안되었다. 이 초
기 무역에 관여한 집단의 후손들은 오늘날에도 그런 절단 행위에 참
여할 가능성이 다른 집단보다 더 높아 보인다.[61] 예순여섯 개 사회를
비교 연구한 올랜도 패터슨Orlando Patterson은 노예제도의 독특한 특
징은 '사회적 죽음'을 초래한 가족관계의 강제 단절이었다고 주장한

돌봄과 연대의 경제학

다.[62] 부부는 지속적인 관계를 형성할 수 없었고 자녀는 부모와 분리되었다.

중세의 서유럽에서는 종교적 교리가 기독교인의 노예화를 막았지만 대신 이교도의 노예화를 정당화했다. 식민지화와 함께 국제 무역이 확대되면서 식민 본국은 무력한 사회에서 다른 원료와 마찬가지로 노예를 거둬 갔다. 유럽의 새로운 식민지에서 노동집약적인 농장이 발달하면서 노예 노동에 대한 수요를 부채질했다. 농장에서 감독자들은 노동자들을 바싹 감독하고 훈육했다. 이런 맥락에서 노예 소유는 상당한 자본축적의 원천이 되었고 인종에 기반한 강도 높은 착취와 새로운 계급을 등장시키는 데 기여했다.[63]

'타자'를 노예화했으므로, 내부자에 대한 강도 높은 착취가 자행되었다면 집단 연대를 해칠 수도 있었던 위협은 감소했다. 18세기에 독일의 박물학자 요한 블루멘바흐Johann Blumenbach는 자신이 가장 좋아하는 유럽 산맥의 이름을 따서 붙인 캅카스인을 가장 꼭대기에 둔, 가치의 위계를 성문화한 영향력 있는 인종 분류 체계를 고안했다.[64] 미국에서 인종은 법적 계보에 의해 결정되었다. 흑인 조상을 두었다는 증거, 더 일상적인 용어를 사용하자면, 아프리카인의 피 한 방울만 있어도 흑인으로 판정했다.[65] 미국으로 이주한 아일랜드 이민자는 피부가 흰데도 경멸적으로 '흑인'으로 지정당했던 것처럼 국적과 인종은 융합되기도 했다.[66]

노예제가 세계 상품 무역에 종사한 지주 엘리트에게 제공한 현상금은 생산과 재생산에서 착취를 기반으로 하는 사악하고 지속적인 형태의 인종차별을 낳았다. 프랑스와 영국 식민지에서 노예 소유주는 자신의 인간 재산을 사실상 완전히 통제했는데, 저렴한 성 서비스를 제공받았고 노동력과 인적 자본의 축적을 보장받았다. 미국 남부에서는 노예 아이들이 일종의 환금작물이 되었는데, 국제 노예무역이 금지된 후 특히 수익성이 높아져 국내 수요가 증가했다.[67]

미국의 백인 노예 소유주는 자신의 자손을 팔 수 있었다. 노예였던 사람들과의 인터뷰에 따르면 어머니가 가장인 가정 여섯 가구 중 한 가구의 자녀들은 백인 아버지를 두었다.[68] 다른 곳에서는 노예 소유주에게 더 엄격한 규제가 적용되었다. 스페인 식민지에서는 가톨릭 교리의 영향을 받은 왕의 칙령에 따라 노예도 결혼할 수 있고 결혼한 부부는 헤어질 수 없으며 자유를 살 권리가 있었다. 이렇게 대가가 따르는 법적 제약이 있어서 그 지역에서는 노예제도가 상대적으로 일찍 쇠퇴했던 것 같다.[69]

노예 기반 체제는 층층이 쌓인 복잡한 위계 구조로 인해 안정화되었다. 백인 여성은 가부장제를 용인했는데, 대안이 없다고 생각했기 때문이기도 했지만 계급 차이로 인해 권력자 남성과 동맹을 맺기 위해 여성끼리 경쟁했기 때문이다. 인종적 특권을 누리는 백인 여성은 현상 유지로 큰 이득을 얻을 수 있었다. 남부인들은 노예제도가 가족 같은 제도라고 옹호했지만, 농장의 주인과 여주인, 그리고 인간 재산인 노예 사이의 정서적 유대감은 약했다. 이데올로기적 정당화는 정교한 형태를 취했는데, 보통 노예들의 타고난 열등성이라는 가정에 기반을 두었다.

그럼에도 노예제가 존재하는 곳이면 어디에서나 집단 저항이 교차 동학으로 강화되었다. 고대 그리스 역사는 그런 종류의 우화를 제

돌봄과 연대의 경제학

공한다. 기원전 8세기 후반에 스파르타인은 이웃인 메세니아인을 정복하여 토지와 노동력을 장악했다. 메세니아 노예가 반란을 일으키자 이를 통제하기 위해 스파르타 남성은 사실상 기한 없이 군사대에 동원되었다. 대부분 혼자 남겨진 스파르타 여성은 농경지 관리에 상당한 책임을 졌다. 그리하여 스파르타 여성은 다른 그리스 지역 여성보다 소유권에 대한 권리를 훨씬 더 많이 얻게 되었을 것이다.[70]

공간적 분리는 생산뿐 아니라 재생산 조직에도 영향을 미쳤다. 남편과 헤어진 스파르타 아내들은 보통 다른 그리스 여성보다 자녀를 적게 낳았고 전쟁으로 인한 사망자 발생으로 이미 감소한 인구의 성장률을 낮췄다. 2세기가 넘는 기간 동안 스파르타 인구의 상대적인 감소는 스파르타 전투 병력의 상대적 감소를 초래했고 메세니아인들은 마침내 주인을 몰아냈다. 그 결과 스파르타 군사들이 집으로 돌아가면서 스파르타 여성의 재산권은 다시 제한되었고 점차 그리스 규범으로 복귀했다.[71]

미국에서 노예제도의 종식은 교차 동학에 의해서도 영향을 받았다. 남북전쟁은 노예제도 자체의 정당성뿐만 아니라 개별 주에서 벌어진 권리에 대한 논쟁으로 발발했다. 남과 북의 경제적 차이로 매우 다른 자산을 소유한 두 계급은 첨예하게 맞붙었다. 북부에서 노예제도에 대한 대중의 분노는 해리엇 비처 스토Harriet Beecher Stowe가 지은 인기 있는 책 『톰 아저씨의 오두막』으로 불이 붙었다. 이 책은 노예 어머니와 아버지가 자녀와 강제로 분리되는 내용을 다루었다. 남북전쟁으로 인해 링컨 대통령은 당시 논쟁의 여지가 있었던 노예해방선언문에 서명하게 되었다. 그 결과 노예 소유주로부터 노예에게 막대한 부의 재분배가 일어났다.

가부장적 봉건주의

유럽 역사가들은 서유럽의 위계질서를 설명하기 위해 '봉건제'라는 용어를 오랫동안 사용했다. 봉건제는 노예제에는 미치지 못하지만 농촌 농민의 이동성을 제한하는 강압에 크게 의존하는 위계질서였다.[72] 상속된 토지 재산권과 강제 노동, 징집으로 영주와 영주 부인은 식량을 재배하고 음식을 준비하는 사람들의 희생을 바탕으로 호의호식할 수 있었다. 그러나 영주 부인은 영주보다 개인 선택의 여지가 훨씬 적었고 농민 여성은 경제적으로 크게 기여했음에도 불구하고 남성의 권위와 폭력, 괴롭힘의 대상이 되었다.[73]

계급 위계가 젠더 위계보다 더 중요할 때가 있었다. 영주는 부하의 신부에게 성적 요구를 하기도 했다. 이와 유사한 사례가 많다. 프랑스와 달리 영국 군주제는 남성 후계자가 없을 때 여왕의 통치를 허용했다. 그러나 보통 여왕조차도 은유적 가정의 가장으로서 자신의 권력에 복종하는 대가로 남성에게 여성과 어린이를 통제할 권위를 강화해주었다.

17세기 후반까지 가부장제는 도전받지 않았던 유럽 정치사상의 교리였다.[74] 프랑스 철학자 장 보댕Jean Bodin은 아버지와 왕을 같은 방식으로 묘사했다.[75] 1680년에 출판된 로버트 필머Robert Filmer 경의 『가부장Patriarcha』은 상속받은 남성의 신성한 권리를 웅변적으로 옹호했다.[76] 인간의 육신을 가진 대리자들이 통치하는, 하늘에 있는 아버지의 자녀로 남성을 묘사했다. 필머는 영국 왕의 혈통이 성서의

아담에 닿아 있다고 주장했으며 여성과 어린이에 대한 남성의 지배를 아담의 생득권 탓으로 돌렸다.[77]

가부장적 봉건제는 강력한 출산 압박을 가했으며 이는 높은 출산율과 인구 증가에 확실히 기여했다. 주로 친족 사이의 협동에 기반을 둔 노동집약적 경제에서 더 많은 자녀는 더 많은 노동자를 의미하고 더 많은 노동자는 더 많은 잉여를 의미했다. 종교적 교리는 혼외 교제 기회를 제한하고 결혼으로 인한 종속을 신성시했으며 임신으로 이어질 가능성이 낮은 성행위를 금지했다. 맬서스의 추론과 달리, 인구 증가가 항상 궁핍으로 이어지지는 않았다. 오히려 늪지 배수와 계단식 논의 조성과 같이 농업을 포함한 여러 분야의 기술 발전을 촉발하기도 했다.[78]

높은 출산율은 노동력의 대량 공급을 보장하여 노동자 집단의 협상력을 감소시키기도 했다. 인구학적 외부 충격은 위계 제도를 약화시키는 경향이 있었다. 14세기 유럽에서 흑사병의 파괴적인 영향은 농민에게 힘을 실어주었고 봉건 엘리트의 영향력을 약화시켰다.[79] 특히 고아가 된 딸과 과부는 새로이 재산을 얻을 수 있게 되었다. 페데리치는 이 기간 동안 주로 여성이었던 이른바 마녀에 대한 박해가 강화된 이유를 지배계급이 여성에 대한 가부장적이고 출산주의적인 통제를 재확립하려고 노력했기 때문임을 설득력 있게 주장한다.

그러나 이상하게도 실비아 페데리치Silvia Federici(1972년 가사노동에 임금을 지급하라는 운동을 펼친 페미니스트 학자—옮긴이)는 이에 공모한 남성의 행위를 "선전과 테러"의 결과로 설명하면서 그들을 모두 용서해버린다.[80] 그녀는 왜 자본주의 자체가 "여성에 대한 대량 학살을 요구했는지", 그리고 봉건적이고 반봉건적인 생산관계가 지배하는 사회에서 그녀가 언급하는 자본가가 정확히 어떤 성격을 띤 자본가인가를 설명하지 않는다.[81] 여성에 대한 조직적 폭력에 대한 페데리치의 흥미진진한 이야기는 마녀사냥을 지주의 계급적 이해와 남성의 젠더적 이해가 중첩되는 교차적 접근 방식으로 설명하는 것이 더 일관성 있음을 시사한다.

전염병의 양적 영향은 마녀사냥의 인구학적 영향을 덮어버렸고 다른 지역의 가부장제에 비해 유럽의 가부장제를 약화시켜버린 듯하다. 그러나 가부장적 제도는 여전히 강력하게 남아 있었고 유의미한 수준의 인구 증가로 경작지가 부족해졌다. 일부 지역에서는 가족이 다음 세대를 부양할 충분한 토지를 찾는 데 어려움을 겪었고 토지 소유의 파편화로 농촌 인구는 궁핍해졌다.

이런 상황에서 부모가 자녀에게 투자하여 노후를 보장받도록 한 바로 그 제도가 변화한 상황에 적응력이 있는 것으로 판명되었다. 아버지는 조혼을 억제하고 조혼에 필요한 재산이나 사용권의 양도를 보류하면서 세대 사이의 간격을 늘려 안정적 노후를 보장받을 가능성을 늘렸다.[82] 가톨릭교회는 미혼 아들딸이 몸 둘 장소를 제공하고 신부와 수녀로서 독신 생활을 할 것을 강요했다. 또 한편 매매춘이 제도화되어 남성은 성적 욕구 충족을 보장받았다.

가부장제와 봉건제의 바로 이러한 중첩은 유럽에 회복력을 부여했다. 여성의 성생활과 재생산 활동에 대한 통제는, 결코 절대적이지는 않았지만, 재산 상속을 기초로 계급 기반 경제 권력과 정치 권력을 강화했다. 그 반대도 사실이었다. 계급 권력은 대부분의 경우 젠더 권력을 강화했다. 그러나 이런 형태의 착취에도 불구하고, 그리고 아마도 부분적으로, 특정 형태의 착취를 통해 서유럽은 군사력과 경제력을 점진적으로 강화해 이후 자본주의 발전과 제국주의 지배를 위한 기틀을 다졌다.

유럽 바깥의 가부장적 혼종

유럽 이외의 세계 여러 지역에서 계급 기반 위계질서가 등장해 다양하게 중첩된 형태를 취하며 여성과 어린이에 대한 가부장적 권위를 행사했다. 평등주의적 질서가 작은 틈에서 살아남을 때도 있었지만 대규모 국가는 중앙 집중식 문화와 정치적 통제를 도입했다. 새로이 출현한 세계적인 거대 종교는 모든 것을 동질화하는 힘임을 증명했는데, 가부장제 형태를 취하는 경우가 많았다.

중국에서 유교 원칙은 여성의 세 가지 종속을 규정했다. 딸은 아버지에게, 아내는 남편에게, 과부는 장남에게 종속되었다.[83] 남자 가장은 자녀들에 대한 재산권을 향유했다.[84] 17~19세기 세계의 다른 지역과 마찬가지로 나타난 중국의 급속한 인구학적 팽창은 여자 영아 살해로 억제되었다. 1774~1873년 한 지역의 인구학적 경향을 상세히 관찰한 연구는 여자 영아 살해 이외의 수단으로는 달성할 수 없는 기울어진 성비가 지속되었음을 밝혔다.[85]

원하는 바를 성취할 길이 없는 사회에서 제한된 역할만을 수행했던 여성은 때로 집단적 종속을 영속화하는 행동을 취하기도 했다. 중국에서 나타난 전족의 역사가 그런 예이다. 10~13세기에 어느 귀족이 처음 도입하여 많은 여성을 불구로 만든 관행은 점차 다른 계급과 지역으로 퍼졌다. 19세기 초까지 중국 여성의 절반 이상이 극심한 고통을 받았고 건강이 위태로워졌으며 발이 완전히 절단되어 돌아다닐 수 없는 경우도 있었다. 그로 인한 장애는 여성이 집 밖에서 일할 수 있는 능력을 제한하여 격리와 정절을 강제하는 데 도움이 되었다.

극빈층 가족은 여성의 농업 노동 참여에 제일 많이 의존했는데 이들만이 딸의 발을 아끼는 것처럼 보였다. 발을 꽁꽁 묶는 관습은 수세기 동안 지속되다가 20세기 초 영향력 있는 남성 집단이 발을 묶은 여자와 절대 결혼하지 않겠다고 공개적으로 발표하면서 갑자기 사라졌다. 그런 남성들의 행동은 어머니들이 전통을 거부한다면 딸들이 더 잘 살 수도 있다는 희망을 주었다.[86]

브라만이 최상층에 군림하는 인도의 카스트 제도는 하위 집단의 정체성을 강화하고 남성의 권위를 지지하는 방편으로서 가족이 결혼과 여성의 성적 행동을 통제하도록 했다. 20세기 초반에 암베드카르는 살아 있는 아내를 죽은 남편의 시신과 함께 화장하던 사티 풍습 같은 가부장적 제도와 여성의 재산권 소유에 대한 거부가 특권 카스트 계급의 이익에 기여했다고 주장했다. 여성의 순응은 "동의와 강압의 조합"을 통해 달성되었다.[87] 동족 결혼과 노동 분업에 관한 카스트 규칙이 공간과 시간에 따라 상당히 다양했다는 것은 놀라운 일이 아니다. 카스트 제도에서는 경제적 보상이 특정 상황에 따라 결정되는 경우가 많았기 때문이다.[88]

중동의 이슬람 교리는 젠더에 관해 그다지 명확하지 않은 규칙을 두었고 이질적인 집단을 통합하는 데 도움이 되었다. 코란 같은 종교적 텍스트의 실제 문구보다도 정치적 종교적 권한을 가진 조직이 제시한 경전 해석이 가족법에 훨씬 더 많은 영향을 미쳤다.[89] 어떤 경제학자는 이슬람 가족법이 경제 발전을 방해했다고 주장하지만, 다른 지역에서 헤게모니를 쥔 가부장제는 장기적인 경제 발전을 방해하지 않았다.[90] 중동에서 교차하는 힘들은 독특했다. 고도로 독점된 석유 자원 추출에 기반을 둔 경제는 다양한 형태의 국제적 간섭과 결합하여 생산적 투자를 저해하는 가부장적 관행을 방어하는 이데올로기적 반응을 유도했다.[91]

가부장적 협상은 시간이 지남에 따라 엄청나게 다양해졌지만 여성에게 제시된 기본 매개변수는 놀라울 정도로 유사하다. 약간의 경제적 지원을 받는 대가로 남성에게 복종하고 가족 돌봄에 특화하는 것이다. 이 거래의 안정성은 다른 선택지의 실행 가능성에 달려 있다. 이 선택지는 물리적, 기술적 환경에 의해 제약을 받지만, 집단적 권력이 맞물려 있는 구조를 바꿀 수 있는 동맹의 형성 가능성에도 영향을 받는다.

가부장적 식민주의

16~19세기에 유럽 국가들은 지리적, 경제적 이점을 군사적 역량으로 전환했고 이는 다시 경제적 성공을 강화했다.[92] 노예제같이 무력과 폭력으로 집단적 세력 확대를 도모한 것은, 주로 기업가적 혁신에 기반을 둔 "서양의 부상"이라는 유쾌한 이야기가 거짓에 불과하다는 사실을 드러낸다.[93] 노예무역은 유럽의 자본축적에 영향을 미쳤고 이에 대한 역사적 기록은 식민주의의 물질적, 이념적 유산을 바탕으로

한 탈식민주의 학문의 출현을 예고했다.[94]

추출된 잉여 가운데 어느 정도가 자본축적 과정에 영향을 미쳤는지 밝혀내기란 어렵다. 중남미의 잉카제국에서 빼앗은 막대한 은과 금이 스페인에 심각한 인플레이션을 초래했을 때처럼 식민화는 때로 침입자에게 독약이 되었다.[95] 제국 권력은 막대한 부를 부패한 군주의 목구멍으로 몰아넣기도 했다.[96] 그러나 많은 경우에 식민지화는 계속해서 상당한 경제적 이익을 창출할 수 있는 상인과 투자자, 기업가 같은 신흥 계층에게 권력을 부여했다. 식민 강대국은 종속에 대한 충분한 보상을 약속하며 세계 권력이 안겨줄 잠재적 이점을 하위 집단 사람들에게 떠벌렸다. 근대성이 가져올 편익을 홍보하면서 국가 전체를 분할하고 정복하고 통제하는 능력을 향상시켰다.[97]

식민 부성父性

정복만으로는 새로 차지한 드넓은 지역을 지배하는 제도적 통제를 확립하기에 충분하지 않았다. 식민화는 군사력뿐 아니라 전략적·정치적 행정과 이념적 정당성을 요구했다. 유럽의 젠더 이데올로기는 기존 뿌리에 접목되어 교차 긴장이라는 격자 구조물 위에서 배양되었다. 식민주의자들은 도덕적 권위를 확고히 하고 선호하는 위계적 통제를 도입하고자 자신들이 직면한 가부장제를 뒤흔들려고 했다.

분할 정복 전략을 완전히 드러내는 사례는 스페인의 멕시코 정복이다. 스페인은 아스테카 왕국의 지배하에 있는 소수민족과의 동맹과 여성의 배신을 통해 멕시코 정복을 달성했다. 에르난 코르테스가 첫 전투에서 승리했을 때 그는 스무 명의 여성 노예를 공물로 받았다. 그들 가운데 한 여성은 나중에 그의 연인이자 아들의 어머니이자 통역사이자 고문이 되었다. 말린체Malinche로 알려진 그녀는 멕시코인들에게 동족에 대한 반역의 상징이 되었다. 이 사례에서 '동족'은 분명히 말린체를 군사 공물로 팔았던 사람들을 가리킨다.

식민화는 보통 국가와 인종/민족, (많은 아내와 딸도 포함하는) 계급이 교차하는 위계의 꼭대기에 있는 사람들에게 지나치게 많은 혜택을 제공하는 한편, 여성에 대한 가부장적 권위를 강화하는 방향으로 규제되기도 했다. 예를 들어 스페인과 포르투갈의 지배 엘리트는 인구 감소를 두려워하여 여성의 신대륙 이민을 혹독하게 제한했다. 그 결과 16세기 중남미에서 유럽 남성과 여성의 수는 10 대 1 이상의 비율로 남성이 더 많았다.[98] 원주민 인구는 군사적 종속과 유럽인에 딸려온 질병에 대한 면역 취약성이 결합하여 황폐화되었다. 유럽 남성은 살아남은 원주민 여성에게 사실상 제한 없이 접근할 수 있었고, 그 결과 메스티소 인구가 급격히 증가했다.

그러나 결혼에 대한 가톨릭교회의 분명한 규칙은 그대로 유지되었다. 일찍이 1549년에 스페인 왕실은 인디오 혈통을 물려받은 사람은 출생의 합법성에 관계없이 토지를 상속받지 못하게 하는 법을 통과시켰다.[99] 한 역사가의 말에 따르면 메스티소인은 "결혼이라는 범위 밖에서 백인 남성과 인디오 여성의 성교"로 태어났다.[100] '메스티소'라는 용어 자체가 사실상 '사생아'와 동의어가 되었다. 자녀를 함께 양육하거나 경제적 지원을 제공하는 일은 전적으로 아버지 마음에 달려 있었으므로 믿을 만한 것이 못 되었다.

이와 유사하게 성애화된 식민지 이야기가 있다. 네덜란드 동인도

회사와 같이 태평양 일대에서 기업 활동을 하는 일부 유럽 회사는 오로지 미혼 남성만 고용했다. 그들에게 첩을 두도록 장려하면서 결혼은 못 하게 했고, 현지 원주민 아내와 자녀가 있는 유럽 남성은 네덜란드로 돌아가지 못하게 금지했다.[101] 한 추정에 따르면 1880년대 인도에 있었던 유럽 남성 인구의 거의 절반이 아시아 여성과 동거하는 미혼 남성이었다고 한다. 이 결합에서 태어난 아이들은 아버지의 수입에 대한 법적 청구권이 없었고, 유럽의 페미니스트는 아이들이 처한 곤경에 대해 분노와 우려를 나타냈다.[102] 1904년에 유럽에서 초연된 자코모 푸치니의 유명한 오페라인 〈나비 부인〉은 거짓 약속에 기만당한 일본 여성의 취약성을 극화한 것이었다.

영국인 지원자들이 동인도회사 내의 직위에 점점 더 매력을 느낄 때, 이른바 유라시아인 인구는 18세기 후반 인도에서 문제가 되고 있었다. 1791년에 채택된 정책은 군대와 공직의 고위직에 유라시아인 등용을 금지함으로써 인종 혼합을 억제하고자 했다. 인도 사람들도 혼혈인을 무시하고 명령을 받지 않겠다고 주장했던 것이다.[103] 그런 공식적 장애물을 없앴을 때도 영국인은, 인도 사람들은 말할 것도 없고, 유라시아인을 직업 위계의 최하위 수준에 묶어놓는 데 성공했다.

1810년에 식민 정부의 의료위원회는 병사들이 매춘부에게 쉽게 접근할 수 있도록 하면서 "개별 여성에게 개인적으로 애착을 갖도록" 권장했다.[104] 반면에 회사의 고위직 관리자와 지주는 영국 상류 계급의 관습을 따랐다. 그들은 마음에 드는 사람과 잘 수 있었지만 아랫사람에게 애착하거나 헌신하기를 피했다.

식민지 개척자는 "권력이 권리를 만든다"라는 현실정치를 가장

돌봄과 연대의 경제학

한 인종차별주의 교리와 종교적 충성으로 자신은 물론이고 피지배자들을 속였을지도 모른다. 가부장제 이데올로기는 매우 유연했다. 예를 들어 어린이와 같은 원주민을 이교주의와 야만주의에서 구출해줄 침착하고 유능한 어른이 필요하다고 말했다.[105] 영국의 정치경제학자 제임스 밀은 영국 여성에게 투표가 필요하지 않은 이유는 아버지와 형제, 남편이 그들의 이익을 대변할 것이기 때문이라고 주장한 것으로 유명하다. 그의 주장은 영국이 인도에서 벌인 온정주의적 지배와 완벽하게 평행을 이루는 설명을 제공했다.[106] 프랑스인은 여기에 어머니의 간청을 덧붙였다. 윌리엄 아돌프 부그로가 1883년에 그린 〈어머니의 땅*Motherland*〉에는 그런 간청이 극단적으로 우스꽝스럽게 묘사되어 있다. 그림에서 프랑스의 상징인 마리안느는 피부와 머리칼 색깔이 다른 여러 아이들을 품고 있다.

강탈과 분리

유럽인이 가족과 함께 이주했을 때 식민화의 젠더 효과는 다르게 나타났다. 정착민 식민주의는 집단권력의 독특한 구조를 만들었다.[107] 남아프리카공화국과 케냐, 로디지아, 잠비아에서는 백인 정착민 사이의 계급 차이가 다른 곳보다 뚜렷하지 않았다. 그들은 아프리카인과의 국제결혼에 가혹한 제재를 가했으며 그리하여 인종 혼합이 거의 일어나지 않았다. 인두세와 같은 정부 정책은 아프리카 남성을 임금을 미끼로 고용하여 값싼 농업 노동력을 얻기 위해 설계된 것이었다.[108] 아프리카 여성은 주로 가사 서비스나 매매춘에 종사하도록 직업이 제한되었다.[109]

외부 위협처럼 새로운 조건에 얼마나 빨리 적응하는가를 관찰한 연구는 아프리카 토착 부족 여성의 상대적 지위에 대한 민족지적 설명은 신빙성이 없다고 밝혔다.[110] 대체로 식민 시대의 유럽 지배자는 성인 남성에게 자녀의 결혼 통제권을 부여하는 전통적인 부족 권위에 기꺼이 도전하는 것처럼 보였지만, 여성에게 권한을 주는 행위는 주저했다.[111] 초기에 탕가니카(오늘날의 탄자니아)에서는 남성만이 소를 소유했다는 추정에 기반해서 마사이족에 대한 식민 정책을 펼쳤고 이는 여성의 경제적 기회를 확실하게 감소시켰다.[112] 남아프리카의 정착민 정부와 마찬가지로, 지금은 국명이 짐바브웨로 바뀐 로디지아 중앙정부는 여성의 도시 지역 이주를 어렵게 하는 정책을 채택하여 많은 사람들을 원주민 보호 구역에 가두었다.[113] 이런 공간적 젠더 분리 정책은 아프리카 가족의 삶에 오래도록 파괴적인 영향을 미쳤다.[114]

호주에서는 인구 대비 가용 토지의 비율이 상당히 높았다. 원주민 인구는 보통 주변부로 쫓겨났고 생계를 꾸리기 위해 가끔 생기는 일자리에 종사했다. 미국과 캐나다에서 캐나다인들이 최초의 사람 First People이라고 부르는 아메리카 원주민을 추방하는 과정은 더 복잡했다. 군대를 동원하고 원주민을 다른 곳으로 이주시키고 감금시키는 국가 정책을 설계해야 했다. 전쟁의 위협으로 원주민 부족들의 협상력은 약해졌고, 결과적으로 보호 구역에 감금되어 비참한 상황에 처하게 되었다.[115]

이스라엘의 등장과 영토 확장으로 정치적으로 해체된 팔레스타인을 제외하면, 중동의 많은 국가들이 식민지가 된 이유는 주로 세계

열강이 전략적 군사적 이유로 이 지역을 탐냈고 긴요한 화석연료를 채굴할 수 있었기 때문이다. 대부분의 경우 식민 세력은 기존 엘리트의 협조를 얻고 조종하는 데 중점을 두었고, 부족과 종교 분열을 이용하고 가부장제와 봉건제도를 강화했다. 주로 천연자원에 대한 지대에 기반을 둔 경제 발전 세력은 사회적 생산관계의 변화를 부추기는 일을 추진하지 않았다.

이런 상황 묘사는 드니즈 칸디요티의 가부장적 협상 개념이나 수아드 조지프Suad Joseph가 일컬은 신사협정에 동기를 부여했다. 신사협정은 종교법을 국법으로 전환하여 전통적 권위를 강화하려는 목적을 가지고 있었다.[116] 이 협상에 여성이 참여하게 된 것은 선택할 만한 대안이 부족했을 뿐만 아니라 외부 통제와 공격에 취약할 수 있다는 인식이 컸기 때문이다. 정치적, 문화적으로 우월하다고 생각하는 서구를 향해 동족이라는 은유에 교차성을 박아 넣은, "서양 자매보다 아랍 형제가 먼저"라는 정치적 슬로건이 등장했던 것이다.[117]

전체 집단이 공격을 받고 있을 때 남성 권위에 대한 도전은 전략적으로 성공하기 어려웠다. 결과적으로 식민화 자체에 대한 여성 집단의 저항은 외부 통제를 거부하는 저항이었기 때문에 "비밀리에 진행된, 일종의 인정받지 못한 형태의 페미니즘"으로 해석되었다.[118]

확장과 세계화

진화생물학자들이 관찰한 바대로 외부 경쟁에 노출되지 않은 고립된 생태계는, 일부 예외는 있지만, 유사한 방식으로 발전한다. 플라톤의 『아틀란티스』와 프랜시스 베이컨의 『뉴 아틀란티스』 같이 서구의 유명한 문학적 유토피아는 섬에서 번창했다.[119] 18세기 초 영국 문학의 두 위대한 영웅인 로빈슨 크루소와 르뮤엘 걸리버의 난파선은 두 사람을 자신들이 살던 세상과 완전히 다른 환경으로 몰아넣었다. 한 명은 혼자서도 쉽게 생존할 수 있는 합리적 인간의 아이콘이 되었다. 다른 한 사람은 난쟁이의 도덕과 거인의 도덕을 비교하여 민족지적 호기심의 아이콘이 되었다.

이 두 소설의 등장인물은 우리의 관심을 규모가 더 큰 드라마에서 멀어지게 만든다. 식민화는 젠더가 중심 역할을 했던 집단 간 경쟁과 갈등의 초기 과정을 확장한 것이었다. 세상의 수많은 진짜 섬과 가상의 섬이 무역을 통해 서로 빈번하게 접촉하면서 거래 조건을 흥정하기 시작했다. 이익의 가장 큰 몫은 가장 합리적이거나 가장 생산적인 사람이 아니라 가장 힘 있는 사람이 차지했다. 그들의 권력은 군사적 용맹과 축적된 자산에서 나왔을 뿐만 아니라 가부장제에 의존하는 맞물린 집단권력 구조에서 비롯되었다.

식민화는 자본주의 발전의 결과만큼이나 많은 원인이 되는 경제적 이점을 제공했다.[120] 식민화의 열매는 상당히 불평등하게 분배되었지만 효과적으로 위에서 아래로 흘러내려 권위에 대한 저항을 약화시키기도 했다. 적당한 번영의 약속은 비록 간헐적으로만 지켜지더라도 종속을 정당화하는 듯하기도 했다. 하지만 이로 인한 긴장이 억제된 상태로 남아 있으면 제대로 이해되지도 해결되지도 않은 채로 계속 남게 된다.

7장

자본주의 ─ 궤적

자본주의에 크게 의존하는 체제로 이행하자 경제가 가변적이고 복잡하고 불완전해졌다. 어떤 성과는 모두에게 잠재적인 혜택을 제공하는 행복한 결과를 가져왔다. 기술 변화는 생산의 한계를 확장시켜 잠재적 산출물을 확대하고 교육과 혁신의 수익을 증가시켰다. 기대수명이 연장되고 재생산 성과를 통제하는 능력이 향상되어 재생산 결과도 개선되었다. 많은 여성이 세력화를 위한 새로운 길을 찾았다.

그러나 자본주의 발전의 성과는 전 세계 인구 대다수에게 치명적인 타격을 안겼다. 경제적 성공은 다양한 양상을 띠었다. 어떤 국가는 다른 국가를 약탈할 수 있었고 대서양을 횡단하는 노예무역이 확대되었다. 투자 증가에 따른 이익의 상당 부분은 이미 집단권력을 확고히 장악한 무리들에게 집중되어 부익부 빈익빈 현상이 심화되었다. 한편 19세기 정치경제학자들은 남성 개인의 이기심 추구는 찬양했지만 기혼 여성은 가정의 천사로 남아 있어야 한다고 주장했다.

그러한 누적된 효과는 조지프 슘페터Joseph Schumpeter가 '창조적 파괴', 즉 "경제구조를 내부로부터 끊임없이 혁신하고, 옛것을 끊임없이 파괴하고, 끊임없이 새로운 것을 창조하는 산업적 돌연변이 과정"이라고 불렀던 미래 비전에 부합한다.[1] 그러나 슘페터는 경제구조가 자본주의 기업으로만 구성된다고 단순하고 협소하게 정의했다. 하지만 생산과 재생산의 경계를 관장하는 제도 구조에 훨씬 더 근본적인 변화가 일어났다. 계급 갈등은 다른 많은 형태의 집단적 대결과 얽혀 있었다.

전통 가부장제 이데올로기가 서유럽에서 지배적이던 시기 노동시장에서 여성은 차별을 당했다. 이러한 관행은 명백한 근거가 있다는 식으로 언급되었다. 앤드루 유어Andrew Ure는 1835년에 공장에 고용된 여성에게 적은 임금을 제공하는 것은 아주 바람직하다고 주장했다. 적은 임금은 "가사 노동을 가장 이득이 되고 기분 좋은 직업으로 생각하게 만드는 경향이 있고 집에서 아이를 돌보는 일을 그만두고 싶은 유혹을 받지 못하게 하기 때문이다."[2] 1890년 영국의 경제학자 앨프리드 마셜Alfred Marshall은 여성이 임금노동에 참여하면 엄마 노릇을 제대로 할 수 없게 된다고 주장했다.[3] 마셜과 같은 경제학자는 남성에게 신흥 시장에서 부를 추구할 것을 촉구했지만 여성에게는 타인을 돌보는 일에 헌신해야 하는 도덕적 의무를 져야 한다고 거듭 말했다. 오늘날에도 경제학자는 젠더 불평등을 여성이 자신의 이타적 선호를 영혼을 담아 증명하는 것으로 규정하여 합리화한다.

시너지

만일 모든 사회가 자본주의적이라면 자본주의적 명령imperatives(자본주의 체제의 핵심 원칙과 추진 동력—옮긴이)은 사회마다 자본주의의 모습이 상당히 다르다는 사실에 대해서는 거의 말하지 않는 셈이다. 지난 200년 동안 선진 자본주의 국가들은 민주적 통치를 확대하고, 노예제도를 불법화하고 가부장제를 개혁하고 사회보험을 도입하고 경제성장을 누렸다. 어떤 국가들은 다른 국가들보다 훨씬 더 큰 성공을 거뒀고 공평함을 더 추구했다. 찬드라 모한티Chandra Mohanty가 세계 인구의 대다수가 거주하는 "3분의 2의 세계"라고 언급한 지역에서도 자본주의는 확연히 다른 양상을 띠며 나타났다.[4] 식민 지배를 회피하거나 최소화한 국가는 다른 국가보다 더 빠르고 쉽게 번영을 누렸다. 일부 아시아 국가들은 자본주의나 사회주의에 대한 표준적 정의를 거스르는, 국가가 경영하지만 시장이 주도하는 경제를 발전시켰다.

어떤 명칭을 붙이든 대부분의 경제체제는 집단에 따라 협상력의 차이가 엄청나다는 특징이 있으며, 협상력이 가장 약한 집단의 구성원은 보통 가장 저렴한 유급 노동과 무급 노동에 종사하게 된다. 임금 소득자는 보통 공동 소유주나 공동 관리자보다 훨씬 적은 급여를 받지만, 노동에서 제외된 사람들보다는 급여를 더 많이 받는다. 실업의 위협으로 일자리 경쟁이 치열해지자 노동자들은 돈을 벌기 위해 잠재적 동료 노동자를 배제하려 했다. 유럽과 미국에서 초기 임금노동자들이 늘어날 때 백인 남성은 다른 집단보다 임금을 더 많이 받았다.

전통 마르크스주의 이론은 산업예비군이 노동계급의 협상력을 감소시켜 힘을 약화시킨다고 본다. 1987년에 론다 윌리엄스Rhonda Williams가 개괄한 보다 교차적인 접근 방식은 계급적 차이가 아닌 다른 차이들이 산업예비군 효과를 복잡하게 만든다고 주장하면서 현대 계층화 경제학의 서막을 열었다.[5] 고용주가 자신을 착취한다고 믿는 노동자라도 더 낮은 임금을 받고 일할 의사가 있는 다른 노동자를 배제하는 것이 전략적으로 유리하다. 노동력이 부족하지 않다면 고용주는 노동자를 계층화하는 분할 정복 전략으로 단기적으로는 잃을 것이 거의 없고 장기적으로는 얻을 것이 많다. 노동자들 사이의 교차 갈등은 노동자를 분할 정복하는 데 이해관계를 같이 하는 고용주와 관리자의 교차 보완성으로 복잡해지며, 오히려 젠더와 인종/민족, 시민권 영역에서 더 동질적인 집단을 형성하게 한다.

중첩

자본주의는 이윤 추구와 생산수단의 사적 소유, 시장 교환, 임금노동에 기반한 체제 등 여러 방식으로 정의될 수 있고 그렇게 줄곧 정의되었다.**6** 어떤 정의를 선택하느냐에 따라 자본주의 이행을 이끈 것으로 추정되는 사건의 연대기가 달라진다. '탐욕은 좋은 것이다'라는 식의 동기에 기반하는 가장 광범위한 첫 번째 정의를 사용하면 자본주의가 도래한 가장 이른 날짜를 찾아낼 수 있다. 자본주의는 접촉하는 모든 것을 감염시키는 문화 바이러스처럼 퍼진다. 작업을 조직화하는 특정 방식에 기반을 둔 체제라는 자본주의의 마지막 정의는 훨씬 더 늦은 시기에 자본주의가 출현했음을 시사한다. 또한 선진국에서도 자본주의로의 이행은 불완전한 상태에 있으며 임금노동자의 증가 추세가 정체되면서 대부분의 세계에서 비틀거리는 징후를 나타내고 있다.

정의와 시기, 둘 다 중요하다. 개인과 집단의 확대를 목표로 하는 모든 행동을 자본주의로 정의한다면, 자본가는 분명히 모든 형태의 착취에 책임을 져야 한다. 그러나 앞 장에서 지적한 대로 전쟁에 의한 집단적 강탈은 인류 역사를 한참 거슬러 올라간다. 마르크스주의 학자들이 원시축적으로 묘사한 약탈은 자본주의 이행 직전에 일어나지 않았으며, 그런 이행이 완료되었다고 추정되는 시점 이후에도 계속해서 일어났다.**7** 초기 가부장제 사회와 노예 소유 사회는 이른바 이윤을 극대화하지 않았을 수도 있지만, 특권층에게 유리한 잉여의 흐름을 가져다주었다.

탈식민지주의는 제국주의 지배의 혼란스러운 효과를 강조하면서 자본주의 이행에 대한 전통적인 마르크스주의적 설명을 넘어선다. 그러나 이조차도 자본주의와 함께 착취가 일어났다고 인정하는 듯하다.[8] 이와 비슷하게 "가부장제와 인종차별, 식민화, 제국주의"를 자신들의 서사에 삽입하는 일부 마르크스주의 페미니스트는 자본주의가 이 모든 것을 포함하는 더 큰 범주라고 설명한다.[9] 그들은 자본주의 범주를 가장 폭넓게 획정하면서 자본주의가 이 가운데 가장 중요한 표적임을 암시한다. 티티 바타차리아Tithi Bhattacharya는 사회적 재생산 이론이 "체제로서의 자본주의의 유기적 전체성"을 보여준다고 웅변적으로 주장한다.[10] 그렇다. 자본주의는 유기적 총체성을 띠지만, 이 안에서 자본주의보다 앞서 등장했던 제도들이 제각각 부분적인 자율성을 누리고 있다.

대조적으로 교차정치경제학은 자본주의적 착취를 다층적인 집단권력 구조 내에서 모순된 효과를 낳으며 등장하는 강력한 형태의 부의 축적 양태로 취급한다. 금융자본의 축적으로 이어지는 이윤 극대화는 강력한 힘이지만 유일하게 작동하는 역사적 힘은 아니다. 사실 이윤 극대화는 권력을 획득하고 유지할 수 있는 상대적 특권 집단들이 동맹을 맺어 제도적 권위를 자신들 수중에 집중시킬 수 있느냐에 달려 있다. 프랙탈 형태의 불평등은 힘없는 집단들이 각자의 차이를 극복하고 권위주의적 착취에 도전하기 어렵게 만든다.

임금노동자의 증가라는 프롤레타리아트화의 역사적 과정을 다시 생각해보면 이런 관점에 신빙성이 있음을 알 수 있다. 현재 부유한 자본주의 국가에서도 이 과정은 느리고 불균등하게 진행되었다. 군인과 가사도우미, 농장 노동자와 같은 일부 예외를 제외하고 영국에서 임금노동자는 16세기까지 상대적으로 찾아보기 어려웠다. 다른 유럽 지역에서 임금노동자는 19세기에만 급증하기 시작했다. 그래도 가족에 기반한 농업과 장인에 의한 생산은 특히 프랑스에서 여전히 중요하게 남아 있었다.[11]

프롤레타리아화가 정점에 달하는 기간에 영국과 미국의 생활수준에 대한 논쟁은 거의 전적으로 실질임금의 추세에 초점을 맞추었다. 그러나 상세한 역사적 연구에 따르면 여성의 비임금노동이나 비시장 노동이 가족의 소비에 중요한 기여를 했다.[12] 예나 지금이나 정치경제학자들은 개념적 용어를 사용할 때 임금노동의 우위를 과장했다. 인구 조사 담당자와 통계학자는 주부와 어머니의 비시장 노동을 비생산적이라고 보도록 권유받으며 주부와 어머니의 경제적 기여에 관심을 두지 않았다. 심지어 주부와 어머니의 경제적 종속을 정당화했다.[13]

공식적으로 '노동력' 제공자로 지정되는 사람은 가족과 친구에게 무급 서비스를 제공하는 인력에서 제외된다. 프롤레타리아화의 양적 규모를 추정하는 방법은 보통 유급 노동자 가운데 영세자영업자 대비 임금노동자의 비중을 따지는 것이다. 전체 생산가능인구에서 임금노동자의 비율이 더 적절한 척도가 될 수 있지만 공식적으로 계산된 적이 없었다. 남성에게만 국한된 경우에도 임금노동자 비중은 성숙한 자본주의라고 불리는 시대에 놀라운 경향을 드러낸다. 미국에서 18~64세 남성 임금노동자의 비율은 1970년에 75퍼센트로 정점을 찍었고 2013년에는 64퍼센트로 감소했는데, 원인은 교육 확대와 조기 퇴직, 실질임금의 하락이다.[14]

유급 노동 영역으로 이동하는 여성은, 마치 이전에 아무 일도 하지 않은 것처럼 오랫동안 신출내기 노동자로 묘사되었다. 여성의 유급 노동 영역으로의 이동은, 계산되지 않는 일에서 계산되는 일로 시간을 재분배함으로써 국내총생산GDP을 인위적으로 높이는 데 기여했다. 19세기 이후 미국에서 여성의 비시장 노동의 시장가치를 추정한 바에 따르면 총산출량의 증가율은 '계산된counted' 산출량의 증가율보다 훨씬 낮았다.[15] 20세기 후반 임금노동에 뛰어든 기혼 여성이 국내총생산 증가로 측정되는 성장을 견인했고 이로써 미국 자본주의의 황금기는 실제보다 더 휘황찬란해 보였다. 이런 급성장은 1990년대에 둔화되었고 생산가능인구 여성의 약 60퍼센트가 임금노동자가 된 2000년에 최고조에 달했다.[16] GDP 성장률도 그 무렵에 둔화되었는데 이는 우연이 아니다.

프롤레타리아화 자체보다는 그것의 다양한 형태와 결과가 더 중요하다는 점은 남반구 국가들의 경험이 확인해준다. 공식 부문에 종사하는 노동자가 증가했는데 이는 세계화와 무역뿐만 아니라 특정한 상황이 많은 영향을 끼쳐 불균등하게 진행되었다.[17] 많은 노동자가 도시의 비공식 부문에서 불안정한 생계를 이어 가거나 자가 소비를 위한 농업 생산에 종사하면서 어려움을 겪고 있다. 저소득 국가에 사는 대다수 비공식 부문 자영업자는 자신과 가족을 부양할 다른 방법을 찾기 힘들었다.[18] 일자리 창출이 속도가 느리거나 심지어 아예 안 됐기 때문에 경제성장의 결과 여성들이 세력화할 것이라는 낙관적 견해가 흔들렸다. 예를 들어 인도에서는 교육받은 여성이 늘고 1인당 GDP가 상대적으로 빠르게 성장했음에도 불구하고 1980년대 이후 도시 지역 여성의 유급 노동 참여율은 약 18퍼센트를 유지하고 있다.[19] 중국 기혼 여성의 유급 노동 참여율은 1990년대 초반 이후 감소했다.[20]

마르크스주의 학자는 자본주의적 축적이 여성의 무급 노동을 요구하고 모든 비자본주의적 공간에서 잉여를 끌어낼 수 있다고 주장했다.[21] 그러나 전 세계적인 노동력 과잉은 노동자의 협상력을 감소시키면서 노동력 수요를 떨어뜨렸다. 무급 노동의 수요도 말할 필요 없이 감소했다. 자본주의는 예상한 만큼 성공하거나 패권을 장악하지도 못했고, 자본주의적 규칙에 따르는 대가로 약속했던 생산 영역에서 이득을 창출하기 어려워졌음이 입증됐다. 임금노동자는 고소득 국가에서 공식 부문 노동자의 86퍼센트를 차지하지만 전 지구적 규모에서는 54퍼센트에 불과하다. 나머지는 고용주 3퍼센트, 자영업자 32퍼센트, 무급 가족 노동 종사자 10퍼센트로 구성된다.[22] 실업과 불완전 고용은 15~24세 청소년에서 특히 심각한 전 세계적인 문제이다.[23]

오늘날에도 코로나19 팬데믹으로 어쩔 수 없이 돌봄이 가정의 일이 되면서 무급 노동의 중요한 역할이 극적으로 드러났다. 사람들이 집에서 밥을 더 많이 먹고 덜 이동하면서 식당 서비스와 휘발유에 대한 시장 수요가 엄청나게 감소했다. 팬데믹이 닥치기 전에도 많은 선진국에서 추정한 바에 따르면 비시장 노동 혹은 마르크스의 용어로 사용가치 생산에 할애된 총노동시간은 시장 노동시간과 거의 같거나 약간 더 길다.[24] 실제로 1인당 소득이 증가해도 총노동에서 무급 노동이 차지하는 비중은 감소하지 않는다. 가난한 국가에서는 충분한 식량을 재배하거나 생계 유지에 필요한 소득을 올리는 것이 아

돌봄과 연대의 경제학

동을 돌보는 무급 노동보다 우선시된다.[25]

생산과 재생산의 단위로서 가구는 놀라울 정도로 끈질기게 제역할을 수행했는데 이는 왜 많은 지역에서 토지와 주택에 대한 가부장적 재산권이 계속 중요한 영향을 행사하는지를 설명한다. 법률 개혁으로 여성의 상속권과 공동 소유권이 개선된 남아시아 국가에서도 남성이 여성보다 토지에 대한 사실상의 통제권을 훨씬 더 많이 누리고 있다.[26] 남미 여성들이 이론이 아닌 실제 소유권을 행사하고 확장하는 일에는 많은 어려움이 있으며, 토지 소유권과 통제의 젠더화된 양상은 아프리카 농촌 지역의 특징이다.[27]

오늘날 임금 소득자는 중요한 인적 자본이나 금융자본에 접근할 수 없을 때 선택지가 별로 없고, 착취에 노출되는 경제체제에 살고 있다. 그러나 임금노동자는 규모의 경제와 범위의 경제에서 이익을 얻는 경우가 많은데, 임금노동자가 자신이 기여한 가치보다 적은 급여를 받는 경우에도 다른 부문의 노동자보다 경제적으로 더 유리하다. 임금 소득자는 보통 인종/민족이나 시민권으로 불이익을 받는 집단의 구성원인 가사도우미를 고용하고, 받은 임금을 필요한 서비스로 바꾸는 과정에서 타인의 무급 노동에 크게 의존한다. 이렇게 얽힌 사회관계는 다양한 형태의 연대와 상호 원조와 더불어 다양한 형태의 착취가 공존할 수 있으며 실제로 공존하고 있음을 시사한다.

수렴하는 계급과 젠더 이해관계

봉건제에서 자본주의로의 이행을 다루는 고전 문헌에 등장하는 일화 하나를 들여다보면 계급과 젠더 이해관계를 효과적으로 이해할 수 있다. 경제사학자는 18세기 후반과 19세기 초반 영국의 경험을 자세히 설명했다. 공장 생산이 처음 도래했을 때 임금과 노동조건을 둘러싸고 사용자와 노동자 사이에 격렬한 갈등이 불거졌다. 그러나 남성 고용주와 남성 노동자는 이미 잘 자리 잡은 가부장제에서 비롯된 이해관계를 공유했다.[28] 초기 개수제는 기혼 여성에게 계속 가사를 책임지면서 남성 가장의 권위를 위협하지 않는 수준의 소득을 창출할 기회를 제공했다. 처음 고용된 노동자는 수입의 대부분을 부모에게 넘겨준 젊은이였고, 부모의 생계비 부담을 덜어주었다.[29]

공유지에 접근할 길이 막히고 가내 생산의 가능성이 감소하면서 성인 남성은 점차 공장 노동을 강요받았고 임금노동에 의존하게 되었는데 이에 따른 어려움이 심화되었다. 공공 정책과 기술 변화로 임금노동자 계급의 협상력을 약화시키는 대규모 산업예비군이 발생하게 되었다. 공장 노동은 여성이 생산 노동과 재생산 노동을 효과적으로 결합하기 어렵게 만들었다. 아이는 자라서 태어난 집과 지역사회를 떠날 가능성이 더 높아졌다. 노동 현장의 작업 속도 증가와 아동노동 제한, 의무교육 도입으로 아동이 가족 수입에 기여하기 어려워졌다. 많은 노동계급 가족은 적응하기 위해 고군분투했고 여성은 간접적으로 영향을 받았다. 그럼에도 남성은 미혼이든 기혼이든 숙련직 일자리를 더 쉽게 얻을 수 있었고 여성보다 더 많은 임금을 받았다.[30]

자본주의적 고용주는 전통적으로 남성이 차지했던 일자리에 여성을 고용할 수 있었다. 이 경우 전통적으로 여성에게 주었던 임금보다 약간 더 많이 주면 되었다. 하지만 그렇게 하는 대신 남성만 고용한 데는 몇 가지 이유가 있었다. 남성으로서 고용주는 자신의 가족과 지역사회 내에서 남성에게 특권을 부여하는 가부장제에 개인적인 이해관계가 있었다. 고용주이자 시민으로서 그들은 아내와 어머니가 기여하는 국가의 미래 노동력의 양과 질을 높이는 데 관심이 있었다. 일부 고용주는 아동노동을 제한하는 법과 공교육의 잠재적인 이점을 알아채기도 했다.[31] 그들은 남성 노동자를 여성 노동자로 대체하려 할 경우 남성들이 분개하리라 예상했고 차라리 노동자를 분열시키는 편이 낫다고 생각했다.

다른 교차적 동기는 직종 분리와 임금 차별을 강화했다. 남성 중심의 노동조합은 가부장적 권위를 강화하는 데 도움이 되는 가족 임금(여성이 임금노동에 종사하지 않아도 가족 부양이 될 정도의 남성 임금—옮긴이)이라는 개념을 중심으로 조직되었다.[32] 대다수 남성은 가족 임금을 받을 수 없었지만, 가족 임금이라는 개념은 온전히 실현되지 못한 노동계급 가족생활의 이상을 떠올리게 하여 자본주의 착취에 영웅적으로 저항하는 동력이 되었다.[33] 집에 남아 밥하고 빨래하는 자매와 아내, 딸들이 그런 협상 전략으로 인해 불이익을 받을 수 있다는 생각은 그야말로 낯설기 짝이 없었다. 노골적인 차별은 여성이 달성할 수 있는 경제적 독립을 제한했다. 절박한 경제적 어려움 때문에 결혼한 뒤에도 임금노동을 그만두지 않으려고 했던 여성에게 도덕적 분노와 문화적 공포가 일었다. 엥겔스는 『영국 노동계급의 상황』이라는 책에서 아동 사망률이 증가하고 가족생활이 파괴되고 돈 버는 아내가 실직한 남편의 "남자다움을 제거할" 것이라고 경고했다.[34] 신고전파 경제학 패러다임의 창시자인 윌리엄 스탠리 제번스William Stanley Jevons와 마셜도 이와 비슷한 우려를 생생히 표현했다.[35]

자본가와 가부장의 이해관계도 재생산을 둘러싼 다툼에서 중첩된 목소리를 냈다. 인구 증가 속도를 늦추기 위해 결혼을 늦춰야 한다는 주장에도 불구하고 맬서스는 질 스펀지와 같은 피임 기구의 사용을 "부적절한 기술"이라고 생각했다. 프랜시스 플레이스Francis Place와 같이 이에 비판적인 사람은 피임 기술이 산업예비군의 규모를 줄이고 임금을 인상할 수 있다고 믿었지만, 초기 노동조합주의자들은 이후 마르크스주의자처럼 이 경우 계급투쟁의 길에서 많이 벗어날 수도 있다고 경고했다. 20세기 후반 페미니스트들이 성매매 여성에 대한 의료 검사가 여성의 권리를 침해하고 성 상품화를 조장한다고 이의를 제기했을 때 노동계급 남성은 그다지 지지하지 않았다.[36]

국가마다 경험은 분명히 다르지만 거의 모든 국가에서 고용주는 노동시장을 남성과 여성 시장으로 분리했다. 수요에 비해 노동력이 충분히 공급되는 국가에서 여성과 취약 계층 구성원은 공식 부문 노동에 참여하기 어려웠고 이런 상태가 지속되었다. 동아시아에서는 수출 지향적인 경제 발전으로 많은 여성이 제조업에 종사하게 되었지만, 상대적으로 임금이 낮고 경쟁이 치열한 산업에 집중되어 있었다. 고용주와 국가 경제 모두 여성에게 적은 임금을 지급함으로써 이익을 얻었다.[37]

원인과 결과를 구별하기 어렵다. 가부장적 규범은, 여성을 차별하고 상대적으로 고임금을 받는 남성을 채용해 고용주의 이윤이 감소할 때조차도 차별을 선호하도록 강요했을까, 아니면 그런 규범이 적어도 일부 고용주에게 경제적으로 유리했던 걸까? 그런 규범이 집단으로서 남성에게 상당한 이익을 가져다주었을까? 이런 질문에 대답하기는 어렵지만 상호 배타적이지 않은 몇 가지 가능성을 제시할 수 있다.

수렴하는 계급과 다른 이해관계

계급과 국가, 인종/민족에 기반을 둔 이해관계가 수렴하면 다양한 방식으로 자본주의 제도를 조건 짓는다. 데이비드 리카도와 마르크스는 모두 영국 자본가와 지주가 갈등을 빚고 있다고 확신했다. 특히 옥수수 수입을 제한하는 곡물법을 둘러싸고 갈등이 불거졌다고 확신했는데, 곡물 가격이 높을 때 혜택을 받는 지주와 그렇지 않은 자본가의 이해관계가 달랐기 때문이다. 그러나 다른 측면에서는 지주와 자본가의 이해관계가 일치했다. 재산을 상속받은 가족은 투자할 돈이 있었고 이윤은 사회경제적 지위에 반영될 수 있었다. 뛰어난 혈통을 자랑하는 가족과 신흥 부유층 가족의 결혼은 19세기 영문학의 중심 주제이다.

유럽의 제국주의 프로젝트에 내재된 인종주의와 민족주의는 계급 간 동맹을 장려했다. 인종차별주의는 서유럽의 초기 단계 봉건사회에 침투했다. 지배자 민족이라는 독일식 개념인 헤렌폴크 Herrenvolk는 히틀러가 이 개념을 적용하기 오래전부터 있었다.[38] 야만인과 이교도, 유대인, 슬라브인을 향한 공통의 적대감은 서유럽의 국내외 갈등을 완벽하게 진정시킬 수는 없었지만 어느 정도 달랠 수는 있었다. 왕과 왕비처럼 자본가는 인종차별에 기반한 결속이라는 강력한 무기를 이용해 자신의 경제적 권위를 정당화할 수 있었다. 지주와 자본가의 다툼은 영국 동인도회사나 규모가 더 큰 식민지 기업의 확장을 결코 저해하지 않았다. "브리타니아를 지배하라. 파도를 지배하라. 영국인은 결코 노예가 되지 않을 것이다."**39** 앞서 언급한 바대로 마르크스 자신은 영국 노동자들이 매수당하기 쉽다고 시사한 바 있다.

미국에서는 대륙을 차지하려는 백인의 운명에 대한 믿음이 영토 확장 과정을 주도했고, 이는 군대가 아메리카 원주민을 몰아내고 강제로 이주시키지 않았다면 달성될 수 없는 일이었다.**40** 북부의 급속하게 성장하는 산업 경제와 남부의 노예 기반 농장 체제의 긴장이 끔찍한 남북전쟁을 일으켰지만, 전쟁이 일단 끝나자 두 지역의 재산 소유자들은 서로 화해했다. 노예해방은 다른 형태의 부를 재분배하지 않았다. 해방된 노예들에게 "40에이커와 노새"를 주겠다는 북부 연합군의 약속과 달리 토지 소유권은 주로 백인의 손에 남아 여러 세대에 걸쳐 원주민은 불이익을 겪었다.**41**

미국 노동시장의 인종차별을 둘러싼 논쟁은 다음과 같은 질문을 던진다. 고용주가 이런 식으로 노동자를 분열시켜 지배하려 한 것일까, 아니면 미국 태생의 백인 노동자가 저임금 일자리를 둘러싼 경쟁을 제한하여 이득을 얻으려 한 것일까?**42** 두 설명 모두 틀리지 않으며, 집단의 이해관계에서 계급 이해관계만이 작동했던 것은 아니다. 산업예비군의 저수지를 깊고 넓게 유지할 수만 있다면, 백인 남성 노동자와 대부분이 백인 남성이었던 고용주 모두에게 저임금노동자의 경쟁을 제한하는 제도적 조치가 유리했다. 저임금노동자들의 경쟁을 막은 이주 제한 조치는 20세기 중반을 훨씬 넘어서까지 존재했다.**43**

백인 고용주와 백인 노동자의 이해관계 수렴은 자본주의적 작업장 밖에서 분명히 나타났다. 1950년 이전 미국 남부에서는 고용된 아

돌봄과 연대의 경제학

프리카계 미국인 여성이 백인 가정에서 식사를 준비하고 집을 청소하고 아이들을 돌봤다.[44] 소득 수준이 낮은 백인 가정도 가사와 육아, 정원 가꾸기 등 노동 부담을 줄이기 위해 상대적으로 저렴하게 공급된 흑인과 라틴계 가사도우미를 고용해서 혜택을 누렸다.[45] 국가 정책은 막대한 영향력을 행사했다. 교육기관의 조직과 재정 마련 방식은 인종/민족 불평등을 재생산하면서, 눈에 잘 띄지 않지만 그럼에도 영향력 있는 계급 불평등에서 다른 문제로 주의를 분산시켰다.[46]

미국에서 산업 투자가 경제 확장의 원동력이 되었을 때도 토지는 중요한 자산으로 남아 있었고 토지를 취득하거나 상속받은 사람에게 상당한 임대료를 가져다주었다. 농지로 사용하든 투기적 도시 개발에 사용하든지 간에, 헨리 조지(19세기 후반에 활동한 미국의 정치경제학자로서 『진보와 빈곤』에서 토지공개념을 주창함—옮긴이)의 유명한 주장대로 토지 소유권은 번영과 빈곤을 좌우할 수 있다. 농부와 부동산 개발업자 모두 챙기는 이익과 집단 이해관계 면에서는 산업 자본가와 달랐지만, 주로 백인이었던 그들은 재산을 소유한 광범위한 계급의 구성원이기도 했다.

자산가는 노동자와 마찬가지로 하나의 파벌이 되었지만 더 작고 동질적인 집단으로 남게 되었다. 잠재적 수혜자들을 서로 싸우게 만드는 재분배 정책에 노동자의 관심을 모으기보다는 가능한 한 세금을 적게 내려는 자산가의 공통된 관심을 모으기가 더 쉬운 일이었다. 실제로 자산가 집단이 내부 차이를 해소하여 집단적 힘을 강화할 때 자본주의적 산업화는 빠르게 진행되는 듯했다. 식민 지배나 제국의 지배에 신음하고 있는 나라에서는 자산가끼리 뜻이 맞지 않았다. 외

국 자본에 빌붙는 부자들은 다른 부자보다 국가 경제 발전에 투자를 꺼리지 않았다.[47]

특정 계급 지형과 제도 질서는 판매를 위해 생산된 재화와 서비스의 성장 궤도에 영향을 미쳤다.[48] 한국에서는 자본가에게 강력한 정치적 지위를 주고 산업 투자를 조율하게 만든 토지 개혁을 통해 산업화를 촉진했다.[49] 반대편의 극단적 사례를 들자면 광물 자원이 풍부한 국가는 더 많이 생산하려고 하기보다는 단순히 땅에서 국부를 추출했다. 이러한 추출 전략은 기업가적 전략보다 가부장적 권력을 훨씬 더 효과적으로 강화했다. 중동의 석유 기반 경제에서 여성의 협상력은 매우 약한데 이는 이슬람교 탓이라기보다 일자리 확대가 지지부진한 탓일지도 모른다.[50] 사우디아라비아와 아랍에미리트연합국은 세계 자본주의 거래에서 중심적인 역할을 하고 있는지 모르지만 가부장제 체제가 지배적인 국가이다.

집단적 경제적 이해관계는 밑에서보다 꼭대기에서 더 강하게 수렴되는 경향이 있다. 같은 인종/민족과 국적을 가진 힘 있는 남성은 여성을 지배하는 일과 마찬가지로 모든 형태의 상속된 특권을 강화하기 위한 집단적 노력을 모아낼 수 있다. 반면에 훨씬 더 크고 이질적인 집단의 구성원은 더 복잡한 전략적 선택에 직면해 있다. 여성은 젠더 이해관계의 추구가 형제와 남편, 아버지, 아들에게 잠재적 혜택을 제공하는 연대를 약화시키는 위협이 될 때 특히 모순된 입장에 놓이게 된다. 어떤 집단에 헌신하는 것이 우선 사항인지 말하기 어려운 경우가 많다.

이주

위계적 체제는 사회를 안정화하는 시너지를 창출하지만 내부 긴장과
외부 충격에 취약하다. 처음에는 백인 남성에게만 해당되던 자유주
의적 개인주의 원칙을 다른 사람들도 끈질기게 요구했다. 적어도 어
떤 국가에서는 민주적 권리가 점차 확대되어 노동자의 협상력을 높
이고 힘없는 이들의 동맹의 결실을 늘려주었다. 노동력이 상대적으
로 부족하여 노동자를 고용하려는 경쟁이 치열할 때 자본주의적 팽
창은 최소한 어떤 측면의 집단권력 구조를 침식시키는 데 기여했다.

19세기와 20세기 초반에 대부분의 영어권 국가와 서유럽에서 그
런 침식이 일어났음이 분명하다. 기술 변화와 국제 이주 기회, 임금
노동 증가, 출산율 감소는 집단이 가지는 대안들을 변화시켰다. 노예
제 반대 운동과 페미니스트 운동이 발판을 마련했다. 참정권의 확대
는 고통스러울 정도로 지연되었지만 간접적이나마 긍정적인 영향을
미쳤다. 그러나 자본주의적 성장이 필연적으로 여성을 해방시키는
효과를 낳으리라는 기대와 희망은 완전히 무산되었다.

앵글로-유럽의 경험

선진국이 경험한 19세기 경제성장은 독특한 조건하에서 이루어
졌다. 이런 조건의 하나로, 획득 가능한 자원이 풍부한 지역으로
사람들을 강제 이주시킨 일을 들 수 있다. 이는 마치 제국주의적
인 방식으로 강요되었다. 유럽과 미국 동부에서 사람들이 대거 빠
져나가자 세대 간 유대와 젠더화된 제약이 약화되었다. 초기 산업화
를 이끈 사람들은 글로벌 원자재와 신흥 시장에 접근할 수 있는 엄청

난 이점을 누렸고 남성과 여성을 임금노동으로 끌어들였다. 상품 생산의 확대는 한때 가정에서 생산되었던 상품과 서비스를 대체하는 값싼 상품을 생산하고 가족 규모를 제한하는 노력을 장려했다.

가부장제나 봉건제는 노동자 이동을 막았지만 자본주의 제도는 이동과 경쟁을 선호했다. 공장 노동의 증가는 가족에 기반한 생산의 대안이 되었으며, 이는 먹고살 만한 소출을 안겨주는 농장이나 상속받을 가업이 없는 젊은 세대에게 특히 매력적이었다. 집안 허드렛일을 하면서 쥐꼬리만 한 돈을 받는 많은 가사 노동자가 증명한 것처럼 단순히 임금을 받았다고 해서 족쇄에서 해방되지는 않았다. 하지만 노동력 부족과 결합된 유급 노동의 생산성 증가로 노동자들은 자신이 창출하는 데 기여한 잉여의 일부를 되돌려받을 수 있었다.

가족경제 밖에서 지속가능한 일을 할 기회가 모든 여성에게 제공되지는 않았지만 가족 내에서 창조적 파괴가 아니라 창조적 재협상이라는 유연한 대안을 부추겼다. 1820년대에 시작된 국제 이민은 큰 제약 없이 급증해 제1차 세계대전 때까지 계속되었다.[51] 땅이 풍부한 지역으로 대규모 인구가 재배치되면서 성인 자녀는 부모와 분리되었고, 성비는 기울어졌으며, 결혼율은 낮아졌고, 남아 있는 인구 집단의 노인 비중은 증가했다. 그러나 이런 혼란은 여성에게 고통스러우면서도 새로운 역할을 맡을 수 있는 공간을 만들어주었다.[52]

큰 나라 안에서의 내부 이동도 유사한 효과를 낳을 수 있다. 미국 북부에서 젊은 남성이 서부로 이주하자 결혼 기회가 많이 줄어들고 향후 전망도 불투명한 여성이 유급 노동에 참여하게 되었다. 수전 앤서니Susan B. Anthony와 같이 당당한 독신자는 초기 페미니스트 운동에 활력을 불어넣었다. 여성을 더 많이 서부로 끌어들이려고 고안한 1862년 농가법은 여성이 남성과 동일한 조건으로 토지를 받을 수 있도록 허용했다. 서부 지역에서는 여성이 결혼과 경제적 독립의 기회를 더 많이 누리게 되면서 정치적 협상력도 높아졌다. 최초로 여성 참정권을 제정한 주는 서부 지역에 있었다.[53]

상품 생산의 급속한 확장은 상당한 이익을 낳았는데 이는 불균등하고 예측 불가능하게 분배되었다. 경기 변동은 통제는커녕 이해하기도 어려운 시장의 힘에 많은 가족을 굴복시켰고, 사회주의 정당과 사회민주당의 출현은 사람들이 계급 동학을 더 자각하게 되었음을 입증했다. 20세기 초 소련과 중국의 사회주의혁명은 보다 평등한 경제체제를 약속하면서 새로운 이데올로기적 압력을 가했다. 그러나 제국주의적 권력과 인종적/민족적 갈등, 성차별은 계급 연대를 약화시켰다. 유럽과 일본, 미국이 가담한 대전쟁은 사람들의 애국적 충성을 강화하여 일시적으로 서로 다른 형태의 분배를 둘러싼 긴장을 완화시켰다.

1930년대 대공황은 자본주의 제도에 대한 믿음을 흔들었지만 제2차 세계대전의 발발은 동맹 논리를 바꾸어놓았다. 미국은 전쟁을 계속 수행하기 위해 최상위 부자에게 새로운 재정적 요구를 했다. 미국의 소득세율은 역사적으로 전무후무할 정도로 급격히 누진적 성격을 띠었다.[54] 전쟁터에 나간 남성을 대체하기 위해 공장에 들어간 여성은 보육 서비스 이용 혜택을 누리면서 성 역할과 정책의 역할을 새로이 인식했다. 군대에 흑인을 동원한 것은 엄격한 인종 분리 관행을 약화시키는 데는 직접적인 도움이 되지 않았지만 적어도 동료 시민에 대한 새로운 존중의 기회를 제공했다. 새로운 문화적 서사에 요즘 유행하는 말로 '공동 번영'이라고 하는 내용이 포함됐다.[55] 유럽에서 는 전쟁으로 수많은 남성이 사망하여 성비가 기울어졌다. 이는 여성 의 임금노동 참여를 장려했고 국가 보건 복지에 대한 관심이 높아져 다음 장에서 설명할 복지국가 정책 수립에 동기를 부여했다.

군사적 동원과 유럽 재건의 여파는 세계경제를 불황에서 탈출시 키는 데 도움을 주었다. 전쟁이 끝난 후 바로 시작된, 미국 자본주의 의 황금기로도 간주되는 비교적 지속적인 경제 확장은 어느 정도 분 배의 균등화 효과를 가져왔다. 고용주는 이전에 충분히 활용하지 않 은 새로운 노동력 풀을 이용할 수밖에 없었다.[56] 실질임금은 한동안 꾸준히 증가했으며, 인종/민족과 젠더에 기반한 차별을 반대하는 도 전이 탄력을 받아 1964년에 민권법이 통과되었고 교육과 직업 이동 의 새로운 길을 터주었다. 경제성장 자체보다는 노동자와 여성, 소수 인종/민족의 상대적인 협상력의 변화가 더 큰 촉매 역할을 했다.

그러나 호황의 정점에도 그림자가 드리워져 있었다. 1970년 지 구의 날이 선언되었는데 이는 수질과 대기 오염에 대한 우려가 높아 지는 가운데 환경 운동의 분수령이 된 사건이었다. 처음에는 부유한 나라만 살 수 있는 일종의 사치품으로 폄하되었지만, 환경 보호는 점 차 경제적 지속가능성의 문제로 대두되었다. 경제학자는 성공의 척 도로서의 GDP 개념에 도전하고 무급 노동의 감소와 자연 자산의 가 치 하락을 고려하는 대안적 지표를 개발하기 시작했다. 예를 들어 참 진보지수GPI, Genuine Progress Indicator는 미국 경제성장의 황금기가 1978년에 시작되었다는, 마치 연금술을 연상시키는 반전을 암시한

돌봄과 연대의 경제학

다.[57] 참진보지수의 창안은 총생산의 척도로서 GDP가 허구일 뿐이라는 불편한 진실을 일찌감치 보여주었다.

불균등한 세계 발전

대영제국과 미국 이외 지역의 자본주의 궤적을 간단히 살펴보더라도 다양한 집단이 이해관계를 두고 다투었지만 이런 양상이 고르게 나타나지 않았다는 사실이 드러난다. 탈식민지 페미니스트 학자는 유럽 침략자를 원주민 아버지와 남편의 억압에서 여성을 구출하는 근대화 운동가로 규정하는 시도에 도전한다. 식민화 자체는 보통 가부장 표상 뒤에 자신의 본모습을 감추었는데, 원주민을 확고한 아버지의 권위와 기사도적 보호가 필요한 어린아이로 묘사한다. 식민지 개척자들은 가부장제 관행을 불법화하거나 불법화하려고 시도했을 때에도 다른 가부장제 관행과 공모하고 그런 관행을 강화했다.[58]

대부분의 여성은 다양한 형태의 불이익을 경험했다.[59] 인도의 사례가 보여주듯이 식민화 이전에 자생적인 페미니스트 운동이 존재했든 안 했든지 간에 페미니스트 운동가는 민족 해방을 우선시했다. 심지어 민족주의가 "남성다움을 다시 획득하기" 같이 가부장적 용어로 표현될 때도 민족 해방을 우선시했다."[60] 계급과 카스트의 불평등은 젠더와 얽혀 있으며, 다른 계급이나 카스트 출신과 결혼하거나 첩을 두는 일은 금지되었다. 남반구의 페미니즘이 본질적으로 교차적이라는 사실은 놀랍지 않으며, 젠더 정의라는 개념을 신자유주의 이데올로기에 끼워 넣었다.[61]

식민 지배를 받는 국가에서처럼 노동 공급이 수요를 훨씬 초과하는 사회에서 고용주가 가부장적 규범을 위반하고자 하는 동기는 약할 수밖에 없다. 1948년 인도 독립 이후 많은 사람들은 경제성장이 전통적인 카스트 제도와 젠더 불평등을 약화시킬 것이라고 믿었지만 이런 기대는 충족되지 않았다.[62] 남미 국가에서 인종/민족 불평등도 1인당 GDP 증가에 상대적으로 영향을 받지 않는 것으로 나타났는데, 특히 브라질에서 명백히 확인되었다.[63]

일자리와 시장을 둘러싼 치열한 경쟁은 어떤 형태로든 기존 불평등을 심화시킬 수 있다. 필리핀과 인도네시아, 미얀마, 태국, 라오스, 말레이시아, 남아프리카공화국과 같이 상대적으로 소수민족이 경제를 지배하는 국가에서는 민족과 계급 갈등이 병합된다.[64] 인종 갈등은 1990년대 보스니아의 세르비아인과 크로아티아인, 르완다의 투치족과 후투족 사이의 극심한 폭력을 촉발했다. 미국과 이스라엘의 막강한 경제력과 군사력에 대한 반발은 중동의 많은 지역에서 이슬람 정체성과 성전聖戰의 확산을 조장했다.

국제적 비교에 따르면 경제성장이 더 높은 생활수준을 제공하고 인종/민족과 계급 차이가 상대적으로 덜한 지역에서 페미니스트 운동이 가장 성공적인 것으로 나타났다. 이런 조건에서 강력한 사회민주주의 동맹은 북유럽 국가에서와 같이 공공 정책에 가족 지원과 젠더 평등, 공동 번영의 요소를 장착할 수 있었다. 하지만 북유럽과 서유럽 지역에서 글로벌 경쟁의 심화로 새로운 위협이 대두하고 저소득 국가에서 경제적, 정치적 난민이 유입되자 반발이 일어나면서 이런 동맹은 약화되었다.[65] 페미니즘 정책을 막기보다 되돌리기가 더 어렵지만 앞으로 어떻게 전개될지 불투명하다.

경제성장과 인종적 동질성의 결합이 반드시 여성 세력화라는 결과를 낳는 것은 아니다. 일본에서는 1940년대의 패전으로 인한 침체에서 회복하려는 결의가 가부장제와 민족주의 제도를 지탱하는 힘이 되었다. 그들은 노동력의 국외 유출과 국내 유입을 모두 엄격하게 제한했다. 농촌에서 도시로의 인구 이동은 광범위했지만 사람들은 비교적 가까운 도시로 향했다. 효도는 여전히 강력한 의무로 남았고 고용주의 차별과 결합된 공공 정책은 노골적으로 기혼 여성의 유급 노동 참여를 지연시켰다. 출산율 감소가 국가와 문화의 인구학적 미래를 위협하기 시작할 때까지 일본의 페미니스트 운동은 답보 상태에 머물렀다.[66]

인구학적 충격과 전환

점진적이든 갑작스럽든 간에 인구학적 변화는 경제적 궤적과 정치적 성향에 영향을 미친다. 사망률은 무엇보다 커다란 영향을 미쳤다. 14세기 유럽의 흑사병은 농업 노동력의 규모를 줄이고 봉건제와 가부장제를 불안정하게 만들었다. 유럽인이 아메리카로 옮겨온 전염병은 식민화의 길을 열어주었다. 20세기에 일어난 두 번의 큰 전쟁은 일할 수 있는 유럽 남성 인구를 잔인하게 휩쓸어버렸다. 전례 없이 전 세계적으로 확산된 코로나19의 궁극적인 영향은 여전히 불확실하지만 엄청날 것으로 보인다.

출산율은 사망률보다 더 느리게 오르내리지만 장기적으로 강력한 영향을 초래할 수 있다. 플레이스가 19세기 초에 관찰한 대로 가족 규모를 제한하려는 노력은 미래 노동자의 수를 줄여서 알게 모르게 노동계급 가족에게 혜택을 줄 수 있다. 일부 페미니스트 활동가들은 이와 비슷한 추론을 통해 자본주의적 이해관계가 미국에서 재생산권을 박탈하려는 노력을 주도했다고 주장했다.[67] 하지만 그럴 가능성은 없어 보인다. 마르크스는 실업자 수를 결정하는 것은 인구 증가보다는 기술 변화와 공공 정책이라고 설득력 있게 주장했다.

21세기에 걸쳐 세계경제는 노동력의 수요 부족보다 공급 과잉으로 더 큰 고통을 겪었다. 국가주의의 부활과 전염병으로 국경이 폐쇄되면 상황은 바뀔 수 있다. 현재의 정치적 경향에 관계없이 역사적 기록은 자본주의적 팽창이 출산율 감소를 부추겼다는 사실을 보여준다. 임금노동의 증가와 시장 판매를 목적으로 하는 가족에 기반한 생산의 감소는 상대적인 양육비를 증가시켰다. 저출산으로 향하는 인구학적 변화는 인적 자본과 금융자본에 대한 투자를 장려했다. 19세기 유럽과 영어권 국가에서 공중 보건의 혁신과 일부 지역의 임금 수준 향상으로 기대수명이 늘어났는데 이는 재생산 노동의 생산성을 높였다.[68]

대부분의 서구권 국가에서 여성 1인당 평균 출생아는 1900년에서 2000년 사이에 상당히 감소했다. 개인 수준에서는 미덥지 못했지만 전체적으로 상당한 영향을 미쳤던 다양한 출산 감소 전략의 결과였다.[69] 20세기 초에는 고무 콘돔과 다이어프램을 포함한 신기술의 발달로 피임이 더 쉬워졌다. 이후 외과적 불임 시술과 경구 피임약, 자궁 내 장치와 임신중절 수술이 발달하면서 여성은 동반자의 협력이나 지식 없이도 임신을 피할 수 있게 되었다.

출산을 제한할 수 있는 여성의 능력은 여러 차원의 단체협상에서 유리한 결과를 안겨줄 수 있다는 인식이 확산되었다. 1913년에 독일 사회민주당은 산업예비군을 줄이기 위해 출산 파업을 요구했다. 로자 룩셈부르크를 비롯한 일부 마르크스주의자들은 이 전략을 강력하게 반대했다.[70] 1938년에 〈북아메리카 리뷰〉에 실린 기사는 미국의 부모들이 "불만족스러운 출산 환경"에 항의하는 연좌 농성에 참여했다고 알렸다.[71] 우생학 수사학에서 분명히 나타난 (백인종을 의미하는) '인종'의 미래에 큰 목소리로 우려를 표했다. 법적 제한과 경제적 제약, 문화적 규범으로 처음에는 피임법이 널리 이용되지 않았지만, 이에 대한 논쟁이 진행되면서 사용률이 점차 증가했다. 미국에서 1960년 이후 피임 정책은 주마다 달랐는데 이런 차이는 연구자에게 자연 실험적 상황을 제공했다. 피임법 효과를 평가했던 한 통계 분석에 따르면 법적으로 피임이 허용되자 여성들은 더 많은 교육과 노동 기회를 얻었고 장기적으로는 가족 소득과 자녀의 대학 졸업률도 향상되었다.[72]

대부분의 기술 혁신과 마찬가지로 피임 기술도 쉽게 오용됐다. 기술의 안전과 신뢰성은 과장되기 일쑤였고 불임 수술은 가난하거나 취약한 여성과 남성에게 강제로 시행되기도 했다. 일부 국가에서는 초음파 기술이 여아 임신중절을 촉진하여 남성 대비 여성의 출생 비율을 크게 감소시켰다. 국가적 이해관계도 작동했다. 남반구의 급속한 인구 증가에 대한 맬서스식 두려움은 대부분의 국가가 가족계획에 역량을 투자하도록 동기를 부여했다.[73]

그러나 출산율 감소는 빠르게 진행되어 스스로 추진력을 갖게 되었다. 제국주의적 부를 누리고 있는 나라에 국한되지 않고 일본과

한국 등 20세기 중반 이후 급속하게 산업화한 나라에서도 급속히 진행되었다. 중국은 1969년 두 자녀 제도, 1979년 한 자녀 제도 등 강압적인 정책을 시행했다. 그러나 출산율 저하는 이런 정책 개입에 앞서 이미 진행되고 있었고, 국가가 개입을 철회했는데도 출산율이 반등될 낌새는 없다.[74] 가족 규모가 상대적으로 크게 유지되는 한 지역을 꼽자면 가족 기반 농업 생산이 여전히 지배적인 사하라 사막 이남의 아프리카이다.

시장에서 소득을 얻는 생산자 대비 가족 구성원의 비율 감소는 1인당 GDP를 최대화하는 일반적인 목표를 달성하는 데 유리하다. 그러나 낮은 인구 증가율이 가져오는 생태학적 이점은 더 크다. 선진국의 높은 1인당 화석연료 소비 수준이 팬데믹 경제 충격의 여파에도 불구하고 계속된다면 가난한 국가의 인구 증가보다 지구 환경에 훨씬 더 큰 즉각적인 위협이 될 것이다. 하지만 세계 인구의 규모도 중요하다. 특히 만연한 빈곤과 궁핍을 줄여야 한다고 생각하는 사람이 보기에는 더욱 그렇다.

출산율 감소는 특히 여성에게 강한 제도적 영향을 미친다. 모성은 육체적으로 힘들고, 경제적 의존도를 높이며, 상대적으로 협상력을 거의 주지 않는 노동에 특화하도록 부추긴다. 출산율 감소는 가부장제를 약화시키는 방향으로 젠더 동학을 변화시킨다. 자녀 수가 적어지는 추세는 어머니가 자녀의 신체적 돌봄보다 사회화와 교육에 중점을 두도록 권장한다. 출산에 대한 인식과 강요된 이성애 규범이 배우자를 구하려고 벌이는 여성의 경쟁에 미치는 영향력은 감소했다.

가족계획이라는 개념 자체가 여성에게 더 많은 선택 의지와 의사 결정 권한을 부여했다. 효과적인 피임법은 생물학적 재생산과 이성애 성교를 분리함으로써 성적 친밀감의 의미를 변화시켰고 이 과정에서 동성애 혐오 규범을 약화시켰다. 반면 자녀의 경제적 중요성 감소로 아버지의 경제적 부양 동기는 약화되었다. 여성이 임신을 선택할 수 있는 새로운 권리를 얻었을 때 남성은 아버지가 되는 책임을 회피할 수 있는 새로운 방법을 얻었다.[75]

가부장적 협상에 대한 압력

자본주의적 발전은 가부장적 협상을 약화시킬 수 있다. 하지만 약화의 정도는 자본주의적 발전이 얼마나 빨리 일어나고 잠재적 이익이 어떻게 분배되는지에 달려 있다. 한때 아내와 어머니가 제공했던 재화와 서비스에 대한 수요 증가로 상품 생산이 급속도로 확대되면서, 빵 굽기나 옷 만들기, 직접 요리하기처럼 역사적으로 중요했던 일부 가계 생산은 경제적으로 쓸모가 없어졌다. 아이들을 돌보고 감독하는 일은 다른 형태의 가사 노동으로 보완되기 어려웠기에 비용이 더 많이 드는 일이 되었다. 마찬가지로 집에서 돌보아야 할 자녀가 적으면 여성이 가사노동 생산에 특화할 경우 경제적 효율성이 떨어진다. 돈을 버는 데 시간을 쓰는 것이 더 나을 것이다.

아내가 전통적인 성역할에서 벗어나 임금노동자로 변신하고 가구 소득에 더 많은 기여를 할 수 있게 되면 남편도 혜택을 볼 수 있다. 반면에 여성은 자신만의 소득을 갖게 되어 협상력을 획득한다. 남편은 더 큰 파이의 더 적은 몫을 받을 가능성에 직면하게 되었고 상대적 비용과 편익이 항상 분명하지는 않다. 가계 생산의 잉여에 대한 협상력을 유지하려는 가장은 변화에 저항하려 할 수 있다. 남성은 가장으로서 협상력을 잃지 않고자 잠재적 가구 소득을 일부 희생하더라도 여성의 임금노동 참여를 반대할 수 있다.

가부장은 제도적 이점을 누리는 여느 집단과 마찬가지로 효율성과 권력이 서로 충돌하는 상황에 직면한다. 총노동시간이 일정하고 시간당 시장 소득이 가사 노동 가치보다 크다면 아내의 시장 소득은 총가족의 총수입을 증가시킬 것이다. 반면에 아내의 협상력이 높아지면 가계소득이나 여가 시간에서 차지하는 남편의 몫이 줄어들 수 있다. 아내의 시장 소득이 남편에게 미치는 경제적 영향은 총소득 증가와 가계의 총소비에서 남편이 차지하는 비중이 얼마나 감소하느냐에 달려 있다.[76]

미국에서 여성의 재산권 강화는 자본주의적 발전의 지표와 상관관계가 있었다.[77] 일부 경제학자는 남성의 경제적 동기가 변해서 자발적으로 제도적 권력을 포기하게 되었다고 주장한다.[78] 어떤 남성은 확실히 그랬다. 그러나 극소수 남성만이 페미니스트가 요구하는 개혁을 거리낌 없이 옹호했다. 경제적 기회도 중요하다. 그러나 결국 변화의 이점을 강조해 남성을 설득한 요인은 여성의 개인적, 정치적 협상이었다.

여성의 세력화에는 집단행동이 필요하다. 집단행동의 가능성은 여성의 정치력을 높이고 문화적 담론에 영향을 미치며 경제적 자원을 획득할 기회를 얻을 수 있느냐에 달렸다. 성인이 갖는 1인 1표에 기반한 정치적 민주주의는 그런 기회를 보여주는 거친 대리 지표이지만, 비교 연구에 따르면 여성의 세력화에는 긍정적인 영향을 미친

돌봄과 연대의 경제학

다.[79] 70개국을 대상으로 여성에 대한 폭력을 근절하기 위한 조치를 연구한 한 논문은 페미니스트 운동이 좌파 정당과 여성 의원의 수, 국민소득보다 더 중요한 변수임을 밝혀냈다.[80] 초국가적인 수준에서 페미니스트 운동이 얼마나 활발한지를 측정하기가 더 어렵지만, 확실히 중요한 영향을 미친다. 젠더 정의의 이상을 고양시키며 이를 달성하기 위해 필요한 정책 처방이 무엇인지 널리 알리기 때문이다.

재구성

교차하는 위계 구조에 의해 형성된 여성의 세력화로 향한 길에는 많은 우여곡절이 있다. 여성의 세력화를 위한 새로운 기회의 장은 긴 우회로와 막다른 골목으로 가득하다. 새로운 경제적 기회를 활용하려는 여성의 능력은 가족 돌봄에 대한 깊은 규범적 헌신, 높아진 자녀 양육 표준, 제도적 관성의 제약을 받았다. 노동시장 내에서 직종 분리는 여성다움에 대한 가부장적 이상과 일치하는 역할에 여성을 몰아넣었다. 여성의 협상력이 남성에 비해 높아짐에 따라 계급과 인종/민족의 동학의 차이가 심화되어 하나의 집단으로서 여성의 결집력은 약화되었다. 국제 사회주의 운동은 여성해방이라는 명분을 수용했지만 권위주의적 중앙계획경제에 기반한 체제는 가부장적 성향을 드러냈다.

직종 분리

직종 분리는 원인과 결과가 순환하면서 지속된다. 어떤 집단이 인적 자본이나 금융자본에 접근할 수 있는 능력을 명백히 제한함으로써 그들을 노동시장의 최하위 계층으로 강등시키고, 그들 자녀의 경제적 미래에 대한 투자 능력도 제한한다. 이런 제한을 정당화하는 이데올로기적 고정관념은 내면화되기 때문에 명시적인 규칙보다 바꾸기가 더 어렵다. 법적 규칙이 개인의 선택을 제한하는 유일한 사회제도라는 일반적인 가정은, 사람들에게는 '선택의 자유'가 있기 때문에 더 이상의 이데올로기적 고정관념의 변화가 필요하지 않음을 함축한다. 이런 가정 자체가 이데올로기적 구성물이다.

젠더에 기반한 직종 분리는 여성을 일자리의 특정 구역에 몰아넣고 임금을 낮추고 가정에서의 협상력을 제한하고 가족 돌봄에 특화하도록 만든다.[81] 역사적으로 유급 노동에서 여성 참여가 증가하는 패턴은 젠더화된 의무에 영향을 받았다. 즉 여성은 결혼하거나 어머니가 되기 전에 입사하여 첫 아이가 태어날 때 퇴직했다가 자녀가 다 자란 후에 직장에 복귀했다. 수십 년 전까지만 해도 선진국에서 어린 자녀를 둔 어머니들이 임금노동과 가사 노동을 병행할 가능성은 낮았다. 가족 돌봄을 계속 수행해야 했기 때문에 그들은 시간제 노동이나 간헐적 노동에 종사했는데, 이는 시간적으로나 감정적으로 가족 돌봄을 보완하는 일자리였다.

선진 자본주의 국가의 역사를 보면 고임금 일자리에 여성의 취업을 제한하려는 노골적인 노력을 명백히 확인할 수 있다.[82] 이런 노력은 경쟁에서 남성을 보호하고 가족 돌봄을 저렴한 비용으로 공급하고 고용주가 인건비를 억제하는 데 기여했다. 처음에 여성은 자신이 돌보는 사람들에 대한 책임 때문에 차별에 맞서 싸울 개인적이거나 집단적인 힘을 거의 갖지 못했다. 혼자서 아이를 키우는 어머니는 아무 일이나 해야 했다.

고소득자와 결혼한 여성은 편안한 생활을 누렸지만 실내 장식과 고급 식사, 만찬 파티 등 문화적으로 적절하다고 여겨지는 일만 할 수 있었다. 아이들의 교육 성과를 더욱 강조하게 되면서 숙제와 스포츠, 사교 행사와 같이 아동 발달에 기여하는 어머니의 활동에 대한 기대 표준이 높아졌다. 이전 시대에 확립된 제도적 경직성은 변화를 거부했다. 고용주가 제시한 근무 일정표는 보통 공립학교의 일정표와 충돌했지만, 이런 일정표를 짜는 남성에게는 큰 관심의 대상이 아니었다. 전문직과 관리직에 대한 경쟁이 심화되면서 성공을 측정하기 위한 새롭고도 뚜렷한 남성 편향적인 기준이 등장했다. 저녁과 주말 할 것 없이 오래 일하고 갑작스러운 출장 통보도 받아들일 것을 요구했다.

여성에 대한 규범적 압력은 여전히 강력하여 여성다움의 이상에 부합하는 직업으로 여성을 몰아넣는 경우가 많았다. 미국에서, 그리고 아마도 다른 곳에서도 20세기 동안 서비스 부문은 가사 서비스 공급이 가족에서 시장으로 이동한 결과로 성장했다.[83] 여성은 타인을 돌보는 직업을 선호하는 성향과 선행을 베풀려는 욕망을 드러냈다. 여성다움이 부족하다는 인상을 주면 배우자를 찾을 기회가 줄어들 수 있기 때문이었다. 여성은 그런 선호로 얼마나 큰 비용을 치르게 되는지, 그리고 이타적 헌신이 이기적 기업에 얼마나 도움이 되는지 알아차리지 못했다. 타인을 돌보는 여성적 가치를 구현한 여성들이 돌봄 일자리에 있었기에 돌봄 상품화가 돌봄을 이용하는 사람에게 미치는 부정적 영향은 완화될 수 있었다. 여성은 경제적 자율성과 협상력의 감소로 상당한 대가를 치르기도 했다.

오늘날 여성 임금노동자는 전 세계적으로 전통적 여성 직종에 집중되어 있으며 공공 부문 일자리에서 집중도는 더 높다.[84] 이런 양상으로 인해 여성이 전통적인 젠더 규범이나 젠더 본질주의에 계속 충성하는 존재로 묘사될 때가 있다.[85] 어떤 사람들은 그런 충성이 타고난 성향을 반영한다고 주장한다.[86] 타인을 돌보는 성향이 생물학의 영향을 받든 그렇지 않든, 타인을 돌보는 성향이 가져오는 경제적 불이익은 제도적으로 결정된다. 젠더 본질주의는 여성에게 큰 대가를 치르게 하면서 자본주의 발전을 이롭게 한다. 모든 여성이 갑자기 남성적 우선순위를 채택한다면 사회적 재생산의 세계적 과정은 훨씬 더 많은 비용을 치러야 할 것이다.

계급의 중요성 증가

계급에 기반을 둔 일련의 과정은 다양한 차원의 집단 불평등을 효과적으로 강화하고 심지어 통합할 수도 있다. 금융자본과 인적 자본의 세대 간 이동은 취약 계층을 더 불리한 출발선에 서게 만든다. 자본주의 제도는 투자할 자본이 있는 사람에게 풍부하게 보상하고 그들의 협상력을 강화하여 금융자본과 숙련을 축적할 수 있도록 도와준다. 부와 소득, 시장 지배력의 집중은 많은 국가에서 21세기 자본주의 발전의 두드러진 특징이 되었다.[87] 어떤 사람은 피라미드 미로의 바닥에서 꼭대기까지 올라갈 수 있다. 그들의 성공은 하위 계층 사람들이 상향 이동할 가능성이 매우 적다는 현실을 가린다.[88]

돌봄과 연대의 경제학

고용 기회를 주겠다는 약속이 실현되지 않는 경우가 늘어나면서 교차 동맹에 엄청난 결과를 가져왔다. 소수 인종 차별을 법으로 금지한다 해도 경제적 자산과 안전한 동네, 양질의 교육에 대한 접근에 있어서 불평등을 재생산하는 착취의 유산이나 분리 패턴이 쉽게 사라지지 않는다.[89] 지난 수십 년 동안 미국에서 고용 기회가 확대되어 흑인과 히스패닉 중산층이 얼마간 출현했음에도 불구하고, 빈곤은 특히 여성 가장이 홀로 아동을 양육하는 가정에서 지속되는 것으로 나타났다. 윌리엄 J. 윌슨William J. Wilson이 말한 인종의 중요성 감소는 계급의 중요성 증가라고 바꾸어 말하는 것이 더 적절할 것이다.[90]

심화된 계급 불평등은 인종적/민족적 적대감을 심화시킬 수 있다. 미국 남부에서는 1960년대와 1970년대의 경제 성장으로 흑인과 백인 노동자의 소득이 증가하여 1964년 민권법이 제정된 이후 두 집단 모두 관련 혜택을 누릴 수 있었다.[91] 그러나 1990년대까지 대학 교육을 받지 못한 노동자들은 제조업 노동력이 필요한 지역에서 일했다. 저임금 일자리를 놓고 경쟁하는 이민자들의 꾸준한 유입으로 경제적 어려움을 겪게 된 분노하는 저학력 노동자는 백인우월주의를 부활시키게 된다.

미국 경제는 다양한 궤적을 그리며 여성을 분열시켰고, 일부 사회과학자는 윌슨의 말을 인용하여 젠더의 중요성이 감소했다고 지적했다.[92] 1970~90년 남성과 여성의 소득 격차가 감소했고 그후 쭉 변동이 없다.[93] 교육직과 전문 관리직 진출을 가로막는 제도적 장벽이 무너지며 소수의 여성만 손에 넣을 수 있는 기회도 증가했다. 어떤 여성은 회사의 사다리를 타고 올라 유리천장을 깨기까지 했지만,

소외된 계층과 인종적/민족적 지위를 갖고 태어난 대부분의 여성은 주변부에 남게 되었다. 최근 몇 년 동안 고졸자와 대졸자의 중위소득 격차는 남성뿐만 아니라 여성 사이에서도 벌어졌다.[94]

다양한 집단 정체성과 집단행동이 번갈아 등장하는 가운데 페미니스트 운동은 부침을 겪었다. 페미니스트 운동은 처음에는 계급과 인종/민족의 차이가 표면화되지 않은 지역에서 가장 강력했지만 운동이 거둔 성공으로 약화되기도 했다. 여성과 유색인의 하위 집단 가운데 성공한 소수는 쉽게 위계 제도에 포섭되었다. 즉 하위 집단 내의 계급 차이는 젠더와 인종/민족에 기반한 위계 제도에 도전할 수 있는 집단적 능력을 약화시켰다. 그러나 교차가 중첩되면 더 광범위한 동맹을 부추길 수도 있다. 이는 사회적 분열을 어떻게 인식하고 해석하고 행동하느냐에 따라 크게 달라진다.

가부장적 사회주의

상품의 생산수단을 정치적으로 통제하려는 시도의 정점인 혁명은 자본가와 노동자 사이의 갈등이 아니라 봉건적이거나 식민적, 제국적 통제에 대한 저항으로 촉발된 경우가 많았다. 구소련과 중화인민공화국 같은 체제는 처음에는 여성에게 새로운 권리를 제공했지만 건강과 교육, 사회서비스에 더 많이 공공 투자를 하면서도 나름의 방식으로 젠더 불평등을 제도화했다. 민주적 지배구조에 대한 저항은 페미니스트 운동을 심각하게 방해했다.

젠더 평등에 대한 약속은 실질적 변화를 가져오기보다는 이념적 선언에 그쳤다. 러시아의 사례는 특히 교육에 있어서 시사점을 제시한다. 1917년에 소비에트 정부를 인수한 볼셰비키 혁명가들은 전통 가족법을 개정하여 이혼과 임신중절을 허용하고 사생아라는 법적 범주를 제거했다. 그러나 이 과정에서 어머니가 아버지의 재정적 지원을 요구할 수 있는 권리가 약화되어 많은 여성과 어린이가 경제적으로 취약해졌다. 이 문제를 해결하기 위해 고안된 1926년의 법 개정은 위자료나 부양비 형태로 가장의 책임을 규정했지만 이는 제대로 시행되지 않았다.

1936년에는 출산율 감소를 두려워해 여성의 임신중절 권리를 박탈했고 이혼을 막는 새로운 법적 규제를 도입했다. 스탈린 통치하에서 강압적 출산 장려책이 강화되었다. 가족 수당과 조세 정책, 모성 훈장 같은 메달은 높은 출산율을 장려하기 위해 설계된 제도이다.[95] 보육시설 수용 인원 확대와 주거 수당 등 실질적인 지원 규모는 불투명했다. 그럼에도 러시아를 비롯한 슬라브 국가 출산율은 서유럽과 유사하게 하락세를 보였으나 중앙아시아의 여러 공화국에서는 상대적으로 높은 수준을 유지했다.

1920년대부터 여성의 유급 노동 참여를 늘리려는 명시적인 노력은 해방의 수사학을 수반했다. 정책 입안자들은 어린이집과 충분한 출산휴가가 부모의 양육 부담을 덜어줄 것이라고 보는 것 같았으나 현실은 이와 달랐다. 아이들은 다른 가족과 마찬가지로 공장과 어린이집이 문을 닫은 후에도 돌봄이 필요하다. 이런 돌봄은 어머니와 할머니가 도맡았다. 식량 부족으로 인해 주로 여성이었던 소비자는 긴 시간 동안 줄을 서야 했으며 냉장고와 식기세척기, 진공청소기는 너무 비싸서 많은 사람들이 구매할 수 없었다.[96] 경제적 산출에 대한 편협하고 독단적인 정의에 기초해 있었던 소비에트 중앙계획경제는 모든 가족, 특히 여성이 혜택을 받을 수 있는 투자를 방해했다.

결과적으로 여성의 시간 사용을 제약했기 때문에 공공 보육 서비스 제공과 유급 노동 참여로 생겨난 여성 세력화 효과는 일부 무력해졌다. 여성에 대한 차별도 만연했다. 혁명 이후 이상주의가 강렬하게 남아 있던 1920년대에도 숙련 일자리를 두고 여성과 경쟁해야 했던 남성들은 이런 흐름에 저항했다. 그리하여 일자리가 부족한 상황에서 한 가족당 한 명의 임금노동자만 필요하다는 주장을 앞세우며 기혼 여성의 노동 참여를 좌절시키는 법을 제정했다. 나중에 도래한 미국의 정책을 섬뜩하게 예고한 조치였다.[97] 훨씬 높은 수준의 교육을 받고 과학과 기술 관련 직업을 가지고 있었음에도 소비에트 여성은 산업계나 정부에서 고위 관리직에 도달하지 못했다. 게일 라피두스Gail Lapidus가 1976년에 상당한 선견지명을 가지고 썼듯이, 직종 분리를 종식시키려면 "여성을 남성 역할에 부분적으로 동화시켜야 할 뿐만 아니라 남녀의 역할을 서로 재정의"해야 했다.[98]

소수의 큰손에 정치권력이 집중됨으로써, 1990년대에 시작된 민영화 과정을 거치며, 사적인 부가 전례 없이 소수의 손에 집중되었다. 이런 변화는 자본주의로의 (재)이행으로 설명되었지만, 이와 더불어 가부장제가 공개적으로 받아들여지기도 했다. 최근 몇 년 동안 러시아 정부의 고위층은 러시아 정교회와 그 수장인 총대주교의 지원을 요청했다.[99] 2012년 페미니스트 단체 푸시 라이엇Pussy Riot 회원 다섯 명이 블라디미르 푸틴에 대한 정교회 지원을 반대하는 시위를 벌였다. 그들은 "종교적 증오에서 비롯한 폭동"을 벌인 죄로 2년

돌봄과 연대의 경제학

징역형을 선고받았다.[100]

러시아에서는 동유럽의 다른 지역과 마찬가지로 급속한 대규모 민영화와 공공서비스 축소 조치로 경제적 불안과 곤궁이 증가하여 사망률이 급격히 증가했다.[101] 남성보다 여성은 알코올 중독과 "절망으로 자살"할 가능성이 낮았다. 그러나 공공서비스가 축소되어 여성의 경제생활은 더 악화되었다. 소비에트 역사에서 여성이 임금노동에 많이 참여했다는 사실은 여성의 상대적 소득을 개선하는 데 거의 도움이 되지 않았다. 러시아 남녀 임금격차는 다른 선진국과 비교할 때 여전히 상당히 높다.[102] 러시아의 빈곤과 불평등에 대한 자료는 드물지만 유럽연합 국가 가운데 사회주의가 와해되며 연금과 가족 지출이 감소한 국가에서 젠더 빈곤 격차가 특히 크다는 사실이 밝혀졌다.[103]

일본 제국주의 침략에 대항한 농촌의 농민운동이 추동한 중국의 사회주의혁명은 소비에트연방에서 나타난 것만큼 광범위한 변화나 극단적인 반전을 수반하는 가족법 개정을 도모하지 않았다. 주디스 스테이시Judith Stacey가 말했듯이 가부장제는 새 정권에 "굴복"했지만 여전히 영향력을 미쳤다. 정치 지도자 가운데 여성은 좀처럼 눈에 띄지 않았다.[104] 중매결혼과 전족은 불법이었지만 유교적 전통과 남아선호는 처음부터 경제정책에 영향을 미쳤다.[105] 초기 농업 집단화는 자녀에게 영향을 미치는 남성 가장의 경제력을 약화시키고 여성 노동력을 동원했다. 그러나 1980년대에 중국은 명목상의 국가 소유권을 유지하면서 개별 가구의 사용권과 안정된 점유권을 보장하는 '가계 책임제'를 도입했다. 사용권과 점유권이 제한적으로 보장되고 실행되었기 때문에 여성에게 일부 법적 권리가 있다 해도 성 평등 기준

에는 훨씬 못 미쳤다.[106]

생활수준을 개선하고 사망률을 줄이려는 중국 공산당 정책은 초기에 성공을 거두었다. 이는 급격한 인구 증가로 이어졌고, 이어 인구 폭증에 대한 두려움을 불러일으켰다. 마오쩌둥이 사망한 이후 당은 일본, 한국과 같은 이웃 자본주의 국가의 성공을 따라잡기 위해 시장 지향적인 발전 정책을 도입했다. 사회주의적 야망은 일상생활을 침해하는 통제를 정당화하기 위해 권위주의적 계획경제를 통한 생활수준 향상을 약속했다.[107]

1인당 GDP 성장을 촉진하려는 열망에서 중국 지도부는 1979년 엄격한 한 자녀 정책을 시행했다. 이 강압적인 정책은 정치적 분노를 불러일으켰다. 또한 장기적 경제 재생산을 희생시키면서 단기적 경제 생산을 촉진했다. 태아의 성별을 선택하여 임신중절을 하게 만들어 성비가 심하게 기울었고 미래의 가족 형성을 위협했다. 또한 가족 안전망에 구멍을 내기도 했는데 노인들을 돌볼 사람이 부족해졌던 것이다.[108]

급격한 출산율 감소가 야기하는 문제에 대한 인식이 높아짐에 따라 2013년 한 자녀 정책이 완화되었고 최근에는 한 가족당 두 자녀 출산 정책이 승인되었다. 노인에 대한 공적 부양 비용 증가에 직면한 중국 통치자들은 부모에 대한 성인 자녀의 책임을 규정하는 새로운 법률을 통과시켜 정부와 기업의 연금 지급 책임을 최소화했다.[109]

여성은 세대 간 총격전에 말려들기 쉽다. 남자 형제가 없는 딸은 특히나 부모를 경제적으로 지원하리라는 기대를 받는다. 하지만 딸은 직접 돌봄을 제공하는 경우가 많으므로 유급 노동에 참여할 가능

돌봄과 연대의 경제학

성이 제한돼 있다.[110] 노후를 자녀와 손주에게 의존하는 전통은 아이를 낳지 않으려는 비순응주의자들에 대한 낙인찍기를 조장한다.[111]

중국인은 도시 이주를 엄격하게 통제했는데 농업 생산 비용뿐만 아니라 가족 돌봄 비용을 상대적으로 낮게 유지하기 위해서였다. 남아프리카공화국 역시 이와 비슷한 이동 통제를 실시했다. 농촌 지역에 과대 집중된 여성과 어린이, 노인은 자본축적과 도시의 높은 생활수준을 보조하는 저렴한 서비스를 제공했다.[112] 동시에 도시에서 일하는 어머니는 가족 기반 서비스나 공적 보육 서비스에 상대적으로 의존하기 어려웠기 때문에 성차별이 난무하는 노동시장에서 남성과 경쟁하기가 어려웠다.[113]

중국의 정책 입안자들은 가족에 대한 책임을 강제하기 위해 수립한 법적 정책이 그런 책임에 대가를 치르게 하는 경제정책과 상충된다는 사실을 깨닫지 못하는 것 같다. 정책의 도입으로 중국의 출산율이 반등할지, 부모에 대한 효심이 다시 살아날지 귀추가 주목된다. 그러나 구소련의 경험과 마찬가지로 중국의 경험은 재생산 비용의 불평등한 분배가 순전히 자본주의 체제에서만 나타나는 것이 아님을 보여준다. 30년 전 도입된 시장 개혁으로 여성의 소득이 남성에 비해 크게 감소했으며, 시진핑 주석은 최근 여성에게 "노인과 어린이를 돌보고 자녀를 교육하는 책임을 져야 한다"고 촉구했다.[114] 중국식 "발전 국가"는 여성보다 남성의 발전을 향상시키기 위해 훨씬 더 열심히 노력하고 있다.

상황이 복잡해지다

사유재산을 통제하는 경제적 독재자와 국가 권위를 통제하는 정치적 독재자는 많은 공통점을 가진다. 바로 협력을 통해 얻은 이익을 부당하게 분배하는 권한을 가진다는 것이다. 그들은 개인적이고 집단적인 힘을 키우는 전략을 추구하여 정치를 재구성할 여지를 가끔 만들어낸다. 노동자와 농민, 남성과 여성, 국가나 인종/민족 정체성 등의 공통 이해관계로 정의된 집단은 모두 경제적 파이의 크기를 늘리기를 희망하면서도 더 큰 몫을 가지기 위해 협상한다.

기술과 환경 변화는 여러 가지 상황에서 형성된 제도적 질서를 덜컥거리게 만들기도 한다. 일부 경제학자는 기술 발전이 자동적으로 인적 자본 축적을 장려하고 여성에게 권한을 부어하는 피드백의 고리를 형성하여 경제성장을 더욱 촉진한다고 주장한다.[115] 이것이 사실이라면 역사적 기록은 우리가 성 평등과 더 나은 생활수준을 향해 꾸준히 발전해 왔음을 보여줄 것이다. 그러나 우리는 불균등한 진보와 심각한 환경 파괴 위협, 인종/민족과 국가 갈등 심화, 목표를 향해 나아가는 페미니스트 운동에 대한 상당한 반발을 목격하고 있다. 이른바 '창조적 파괴' 과정은 갈수록 더 파괴적 성격을 띠는 것 같다.

20세기 초에 룩셈부르크는 자본주의 팽창이 자본주의 이전의 생산방식에 의존했다고 주장한 것으로 유명하다.[116] 그녀의 주장은 오늘날에도 울림이 있다. 가격이 매겨지지 않은 자원과 재생산 노동이 계속해서 자본축적을 보조하기 때문이다. 그러나 룩셈부르크의 주장은 충분하지 않았다. 자본주의 발전은 계급 연대의 강화를 억제하는 전자본주의적이고 비자본주의적인 제도적 위계에 의존하기도 한다.

역사 기록에 따르면 계급에 기초한 집단 갈등의 초기 형태는 기존 불평등이 만들어 놓은 통로를 지나갔다.[117] 일부 위계질서의 유산을 약화시킨 집단 재편 역시 동일한 과정을 거쳤는데 이는 위계질서의 유산에 각인된 계급 차이를 심화시키기도 했다. 계급과 젠더 이외의 다양한 차원의 집단 정체성에 기반한 불평등은 여전히 뚜렷이 존재하며, 불평등의 장기 궤적은 보다 평등하고 지속가능한 제도적 지배구조를 효과적으로 옹호할 수 있는 동맹의 생명력에 달려 있다.

8장

복지국가 ―― 긴장

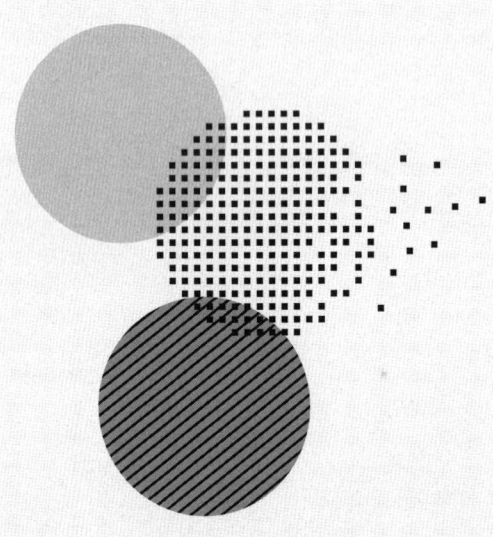

오늘날 선진국 자본주의 발전에 나타난 가장 큰 아이러니는 사유재산 축적의 성공이 공적 지출 확대로 이어졌다는 사실이다. 이런 추세는 사회 갈등의 완화를 바람직하다고 보는 인식이 확산하고 시장 실패를 해결해야 할 필요성이 증가한 결과 나타났다. 그러나 가족과 경제의 관계가 변화했다는 사실도 크게 작용했다. 복지국가를 둘러싼 논쟁은 항상 재생산과 관련된 언설을 포함했다. 국익에 대한 호소는 조국fatherland과 모국어mother tongue를 들먹이며 가족의 충성심을 끌어내려 했다. 미국과 영국의 보수주의자들은 '보모 국가'를 폄훼했고, 페미니스트는 '아빠 국가', 즉 학문적인 용어로 '공적 가부장제'를 비난했다.[1] 정치적 우선순위와 사회 지출에 대한 협상은 가정에서 이루어지는 협상과 평행을 이루었다. 두 경우 모두 변화된 대안 지위는 다양한 형태의 단체협상이 진행되는 공간을 변화시켰다.

자본주의적 팽창은 생산과 재생산을 분리했다. 이런 분리는 현대 복지국가가 구현한 사회적 재생산 전략, 즉 기업 이윤과 노동자의 임금에 세금을 부과해 교육과 연금, 공공 의료를 위한 재정을 조달하는 전략의 성격을 설명해준다. 사회민주주의로 묘사되는 정치체제는 가부장적 가족경제 안에서 작동했던 세대 간 이전을 사회화한 체제로 이해하면 좋을 듯하다.

20세기에 걸쳐서 선진국의 보건과 교육, 연금, 사회 안전망에 대한 공공 지출은 급격히 증가했지만 코로나19 팬데믹이 전 세계를 강타하기 전 최근 수십 년 동안 계속 둔화되었다.[2] 복지국가 정책은 국가마다 다른 형태를 취했지만, 일찍이 가부장제에 기반한 가족을 약화시켰던 이들과 유사한 세력에 의해 추진력이 약화되었고 어떤 경우에는 흐름이 역전되었다. 증가된 자본 이동성은 경쟁의 미덕을 모든 형태의 사회적 의무보다 앞장세워 선전해대는 신자유주의 서사에 활력을 불어넣었다. 세금과 임금이 너무 높고 규제가 너무 심한가요? 그렇다면 다른 곳에 투자하세요. 가부장적 어조는 "복지 의존 엄마"의 무임승차 위협을 과장하면서 과대 보상을 받는 임원진이 꼭대기 승차에 성공한 것을 축하한다.

부와 소득의 편중이 심화되고 불안정 노동과 국제 이주로 그러한 글로벌 효과가 증폭되면서, 한때 선진국에서 복지국가 정책을 효과적으로 추진했던 정치 동맹이 흔들리기 시작했다. 세계경제의 파이에서 차지하는 몫이 감소하자 이에 좌절한 일부 집단은 시민권과 인종/민족, 젠더에 기반한 이점을 방어하는 데 집착했다. 글로벌 기업의 힘에 도전하기보다 기득권 방어가 더 익숙하고 쉽게 달성할 수 있는 목표였다.[3]

재편된 공화당이 입장을 바꾸어 재정적 보수주의라는 초기 슬로건을 폐기하고 연방 적자와 총수요를 늘리며 실업률을 낮추려고 감세를 시행했듯이, 한때 미국에서 포퓰리즘 전략의 성과는 높았던 것 같다. 자본 소유자를 대상으로 한 감세는 이미 극도로 양극화된 부와 소득의 분배를 악화시킬 수 있기 때문에 포퓰리즘 전략이 분배 성과의 불평등을 초래하리란 사실은 처음부터 명백했다.

하지만 그동안 거둔 성과는 코로나19 팬데믹으로 인해 모두 빠져나갔다. 실업률이 치솟고 주식시장이 곤두박질치고 공공부조를 거세게 요구하는 정치적 움직임이 나타났다. 가족과 지역사회, 시장에 관계없이 전염병은 상호 의존과 원조의 필요성을 부각시켰다.

돌봄과 연대의 경제학

왜 복지국가인가?

복지국가의 미래가 우리 눈앞에서 변하고 있으므로 과거를 이해하는 것이 무엇보다 중요해졌다. 신자유주의 수사학은 사회 지출로 경제가 침체된다고 계속 비난하면서 인간 역량의 생산과 유지를 공공이 아닌 민간 프로젝트로 취급한다. 공공 사회 지출의 삭감은 비용을 납세자에게서 여성과 가족에게 이전한다.[4] 공공 사회 지출을 삭감해야 한다고 설득하기는 쉬웠다. 분열된 유권자로 하여금 사회 지출을 모든 사람에게 혜택을 주는 투자가 아니라 '타인'을 위한 사치품으로 생각하도록 설득했기 때문이다.

국민소득계정은 공공 지출을 소비 지출로 지정하고 실제 지출한 금액만을 가지고 의료와 교육 같은 돌봄 산업 서비스의 가치를 평가한다. 인적 역량에 대한 민간과 공공의 지출은 모두 막대한 편익을 창출하지만, 이 편익은 화폐가치로 환산하기 어렵기 때문에 국민소득계정에 들어가지 않는다. 복지국가가 공공 지출의 가치를 평가절하하는데 이는 가정에서 여성이 수행하는 무급 돌봄을 평가절하하는 관행을 되풀이하는 셈이다.

사회 임금 대 시장 실패

신고전파 전통은 오랫동안 공공 사회 지출을 시장 실패에 대한 대응이나 특정 이익집단이 지대를 추구한 결과로 취급해 왔다.[5] 두 가지 방식의 설명 모두 충분하지 않다. 가족과 마찬가지로 국가는 시장이 애초에 제공할 수 없는 국방과 연금 같은 서비스를 제공한다. 지대 추구는 결코 공공 부문에 국한되지 않는다. 마르크스주의 전통은 사회 지출을 둘러싼 집단 갈등을 계급투쟁의 한 형태로 취급한다. 즉 사회 지출에 대한 노동자의 요구는 사회 임금, 즉 노동자가 받는 보상의 총액을 인상시키려는 노력이나 다름없다.[6] 이 역시 부분적으로만 옳다. 왜냐하면 공공 사회 지출에는 다양한 형태의 집단 몸싸움이 영향을 미치기 때문이다.

복지국가의 미래에 대한 전통적인 처방 역시 실망스럽다. 대부분의 이른바 사회주의 국가는 자본주의 국가보다 더 평등한 사회적 재생산 체제를 개발했으며, 구소련의 경우 자본주의 제도를 되살리자마자 공중 보건이 커다란 타격을 받기도 했다.[7] 그러나 앞서 지적한 바와 같이 사회주의 정책도 여성을 돌봄 제공자로 정의해 착취했다. 구체적 내용이 부족했던 사회주의 계획의 청사진에는 여성의 유급 노동을 늘리는 수단을 제외하고는 가족이나 국가의 돌봄 제공에 딱히 관심을 기울이지 않았다.[8] 이런 문제는 오늘날에도 여전히 두드러진다. 시장 사회주의(시장경제의 틀 속에서 생산수단의 공공·협동 또는 사회적 소유권이 포함된, 민간 기업과 노동자 소유, 국유 및 개인 소유 기업이 혼합 작동하는 경제체제―옮긴이)를 제안하는 사람들은 영리 기업의 조정 문제에 초점을 맞추면서 보건과 교육 분야에 고용된 노동자의 미래에 대해서는 설명하지 않는다. 가정에서 무급 노동을 하는 사람들에 대해서는 말할 것도 없다.[9]

국가 계획을 반대하는 보수주의자는 자애로운 독재자가 다스리고 이타적인 여성이 돌보는 가족이 경쟁 시장의 균형을 잡아주어 공공서비스와 공공 관리감독이 불필요해지는 사회를 갈망한다. 그들의 전망은 정부 지출 1달러가 증가하면 개인 지출이 1달러 감소할 것이

돌봄과 연대의 경제학

라는, 모든 편익을 무효화하는 구축 효과가 일어날 것이라는 믿음에 크게 의존한다. 그들의 가정에 따르면, 공적 노인연금은 성인 자녀가 부모를 부양하지 않게 유도하고, 공립학교 급식 제도는 부모가 취학 연령 자녀에게 아침밥을 먹이지 않도록 유도한다.[10]

반케인스주의적 주장에도 같은 논리가 내재되어 있다. 부모는 자녀가 성장해서 정부 부채를 갚기 위해 더 많은 세금을 납부하리라고 보아, 자녀를 대신해 저축을 더 많이 하기 위해 자기 소비를 줄일 거라는 것이다.[11] 가족이 현재와 미래 구성원 사이의 완벽한 소비 균형을 추구한다는 생각, 즉 부모와 자녀를 하나로 묶어 소비와 지출을 계산하고 행복을 최적화할 수 있는 충분한 정보를 가진다는 생각은 말도 안 되는 소리이다. 우리 중 누구도 우리가 얼마나 오래 살지, 어떤 재난에 맞닥뜨릴지 정확히 알지 못한다. 바로 그런 이유로 사회보험을 통한 위험 분산이 엄청난 이점을 제공하는 것이다.[12]

구축 효과 가정이 원칙적으로 적용될 수 있다 하더라도 가족 내 이전에 적용되는 경우는 거의 없다. 자유지상주의 경제학자 제임스 뷰캐넌James Buchanan은 『사마리아인의 딜레마』라는 글에서 공적 이전과 마찬가지로 사적 자선 활동이 인간의 경제적 자립을 저해할 수 있다고 지적하면서도 부모가 자녀를 망칠 수 있다는 사실은 고려하지 않았다.[13] 5장에서 논의한 베커의 망나니 자식 정리는 자녀에게 일종의 뇌물을 먹여 착한 행동을 하도록 만들 때 발생할 수 있는 왜곡된 결과는 무시한다. 망나니 자식 정리의 논리적 결론에 따르면, 이 구축 효과는 성인 자녀는 돌봄 서비스를 구매할 수 있을 정도로 부유한 부자인 부모를 돌보기 거부할 테고 할머니의 도움은 엄마의 도움을 대체할 것임을 함축한다. 공적 이전이 일하려는 의지를 꺾을 수 있다면 상속받은 부와 특권도 마찬가지이다.

긍정적인 이전과 부정적인 이전 모두 의도하지 않은 결과를 초래할 수 있다. 그러나 존 스튜어트 밀이 100여 년 전에 『정치경제학 원리』라는 저서에서 관찰한 대로 "에너지와 자립은 도움의 과잉뿐만 아니라 도움의 부족으로도 손상되기 쉽다."[14] 많은 연구는 보상이 제공되거나 처벌이 집행되는 사회적 맥락이 보상의 효과를 결정한다고 밝히고 있다.[15] 이타적인 이전은 호혜성을 낳고 사회적 의무와 법적 의무 모두 개인 간 애착을 강화할 수 있다. 오로지 이윤에만 매달리는 고용주라도 직원에게 선물을 제공하면 생산성이 향상될 수 있다는 사실을 우리는 잘 안다.[16]

가족도 복지국가도 이상화되어서는 안 된다. 대부분의 기록된 역사에서 가족은 국가 권위가 부여한 가부장적 권력 구조에 의해 다스려졌다. 특히 개인의 경쟁을 조장하는 경제체제에서 타인을 돌보는 헌신은 전적으로 자발적이지 않다.[17] 상호 부양에 대한 배우자의 책임과 자식을 양육하지 않는 부모의 경제적 의무를 정의하는 성 중립적 규칙조차도 강제력을 띤다. 그러나 가족과 국가는 민주적으로 구성되고 공정하게 적용되는 조정 형태를 띨 수 있다.

사회적 투자 국가

경제학자와 마찬가지로 사회학자는 복지국가의 동학을 순전히 재분배 과정으로 그리는 경향이 있다. 예를 들어 널리 사용되는 '탈상품화' 개념은 사회 지출이 유급 노동에 대한 노동자의 의존도를 감소시

킨다는 뜻이다.[18] 그러나 대부분의 사회 지출은 처음부터 단가로 지불하는 상품화 형태를 취한 적이 없었던 가족의 헌신을 대체하거나 보완한다.[19] 반면 복지국가의 동학을 딱히 '탈가족화'라고 부를 수도 없다.[20] 보육이나 노인 돌봄 서비스를 제공하는 프로그램은 가정 내 무급 돌봄을 부분적으로 대체하지만, 가족 돌봄에 보조금을 지급하는 전반적인 효과가 있다.

가족과 국가의 돌봄 서비스는 함께 간다. 구매한 보육 서비스는 보통 하루치 서비스의 일부에만 해당되고, 교사가 잘 가르치려면 부모의 도움이 필요하며, 병원이 환자를 치료할 때도 가족에게 의존한다. 복지국가 정책은 재생산의 총비용 중 비교적 적은 부분을 사회화하고, 국가 지원의 상당 부분은 조세 지출과 보건 의료, 교육, 사회보험 형태로 가족에게 직접 전달된다.

기본적인 경제학 교과서는 흔히 정부 지출을 경제성장의 걸림돌로 설명하며 세금을 기업이 남에게 전가한 생산 비용을 정부에 지불한 것이 아니라 효율성에 대한 위협으로 규정한다. 신자유주의적 수사학은 시장에서 올린 성과를 강조하는 언술을 정당화하고, 출산 비용을 가족과 그들을 돌보는 여성에게 전가하는 정책을 장려한다.[21] 그러나 건강과 교육, 가족 지원에 대한 사회적 투자는 지속가능한 경제 발전을 촉진한다. 역사적 자료를 분석한 결과 사회 지출과 국내총생산 성장 사이에 강한 양의 상관관계가 있음이 드러났다.[22] 앞에서 논의한 참진보지수GPI와 같은 지표와 사회 지출 사이에는 더 강한 양의 상관관계가 있을 것이다.

시장에 기반한 산출량 측정은 인간개발지수Human Development

Index 같은 인간 역량 측정과 크게 다르며 경제적 효능에 대한 국제 비교라는 면에서 큰 의미가 있다.[23] 미국의 영아 사망률은 많은 빈곤 국가보다 훨씬 높으며 기대수명은 다소 낮다.[24] 사회투자의 산출물인 문맹 퇴치와 기대수명 연장에 얼마나 지불할 의향이 있는지를 묻고 그것의 시장가치를 계산한다면, 쿠바 경제는 기존의 측정치가 나타내는 것보다 훨씬 더 규모가 크고 성공한 경제로 보일 것이다.

시장 지표는 사회적 투자에 대한 수익률의 근사치를 제공할 수 있지만 기껏해야 하한 추정치에 불과하다. 어릴 때부터 좋은 교육 환경에서 자라면 평생 소득이 증가하고 범죄 예방과 공적 부조 같은 방어적 사회 지출이 줄어든다.[25] 기대수명의 향상과 질병에 걸릴 확률 감소는 노동생산성을 향상시킨다.[26] 기타 파급 효과를 측정하기는 어렵다. 교육 성과가 좋으면 임금 소득자뿐만 아니라 미래의 부모와 시민의 생산성도 향상된다. 조기 아동교육은 소외 계층의 노력을 약화시키는 기회의 불평등을 줄인다.[27]

흔히 투자라는 말이 은유하는 바는 너무 편협하게 적용돼서 다른 사람들보다 아동을 우선시하고 성인의 역량을 유지하고 향상시키는 일의 가치를 무시한다.[28] 향상된 건강의 가치는 시장 소득이라는 성과로 환원될 수 없다. 고통 없이 1년을 더 살 수 있다면 그들이 얼마를 지불할지 물어보라.[29] 대답은 전적으로 쓸 수 있는 돈이 얼마나 되는지에 달려 있다. 코로나19 팬데믹은 건강과 일자리, 생명과 생계 중 무엇이 더 중요한지를 놓고 토론을 촉발했지만 이런 추상적인 상충 관계는 근본 질문을 감추고 있다. 누구의 건강과 누구의 재산을 이야기하는 걸까? 누구의 목숨과 누구의 생계를 이야기 하는 걸까?

극심한 경제적 불평등이 육체적 정신적 복지에 부정적인 영향을 미친다는 연구들이 많다.[30] 코로나19 팬데믹은 훨씬 더 어두운 단점을 부각시킨다. 불평등으로 인한 분노와 좌절은 경쟁보다 협동이 필요한 문제에서 해결책을 찾기 어렵게 만든다. 인간 역량의 (단순한 도구적 가치가 아니라) 본질적인 가치에 대한 헌신은 상호 원조의 규범을 강화할 수 있다. 그러나 사람들이 협동하기를 꺼릴 것이라는 두려움에 휩싸인 개인은 "다른 사람을 도운다고 나한테 뭐라도 생기나?"라고 묻게 된다.

사회적 지출의 경제적 가치는 왜 복지국가 자체가 자본과 노동의 긴장을 훨씬 넘어서는 분배 갈등의 현장이 되었는지 설명해준다. 많은 집단이 건강과 교육, 사회보험 혜택을 통해 순편익을 더 많이 누리기 위해 경쟁한다. 이 혜택은 급여가 높은 일자리를 얻을 기회와 더불어 선진국의 시민권을 귀중한 자산으로 만든다. 이런 투자는 최소한 어느 정도 민주적 통제를 받기 때문에 소수 개인이 꽉 틀어쥔 금융자본의 소유권보다 다툼이 일어나기 쉽다. 그러나 이런 다툼은 집단에 파편화 효과를 가져와 부의 재분배와 투자 재편에 필요한 동맹을 형성하기 어렵게 만든다.

가부장적 권력 구조는 늘 사적 권력을 강화하기 위해 공적 규칙에 의존해 왔다. 이런 의미에서 공적 가부장제는 새로운 것이 아니다. 변화했고, 계속해서 변하고 있는 것은 재생산 투자의 편익을 촉진하고 수집하는 국가의 역할이다. 생산가능인구에 과세해서 재생산 노동의 편익을 부분적으로 회수하는 방법은 정부가 인적 역량에 투자할 동기를 제공하지만, 또한 부모, 특히 어머니의 헌신에 무임승차할 수 있는 기회도 창출한다. 코로나19 전염병 같은 보건 위기에서 돌봄 제공자의 도덕적 용기에 의존하는 경향이 두드러졌다. 2020년 4월 미국에서 의료의 최전선에서 일한 노동자는 대부분 여성이었다.[31]

돌봄 노동의 비용과 위험을 보다 공평하게 분배하려면 더 많은 사회적 지원이 필요하다. 그러나 법적 결혼이나 생물학적 혈연관계 가 아닌 개인 간 연결과 상호 헌신의 단위로 정의되는 가족은 계속해 서 중요한 역할을 할 것이다. 탈가족화 대신 보다 다양한 평등주의적 가족 형태가 발전해야 한다. 돌봄 책임은 가족과 조직에서 보다 평등 하게 분배되어야 한다. 이는 탈가족화가 아니라 '탈젠더화'로 묘사할 수 있는 우리의 목표이다.[32] 오늘날 부유한 자본주의 경제에서 나타 나는 가족과 국가의 상호작용의 최근 역사는 이 두 멋진 단어가 서로 다른 의미를 가진다는 사실을 잘 보여준다.

자본주의적 발전과 가족의 변화

자본주의적 발전은 가족을 한 방향으로 몰아가지 않지만, 임금노동 은 탈가족화 효과를 낳는 경향이 있다. 즉 쉽게 돈을 벌어들일 수 있 는 개인의 노력을 보상하고 부모에 대한 장성한 자녀의 경제적 의존 도를 줄이고 지리적 이동성을 장려한다. 후기 자본주의 발전 단계에 이르면 국가가 인적 자본축적에 보상하지만 타인의 인적 자본에 투 자하는 사람에게 직접적으로 보상하지 않는다. 결과적으로 여성에게 는 모순된 영향을 미치며, 가족 돌봄에 특화하는 사람 앞에 놓인 여 러 선택지를 늘릴 때조차도 당사자에게는 새로운 위험이 초래된다.

파괴

초기 자본주의 발전을 연구한 비평가들은 가족 부양에 필요한 수준 이하로 임금이 하락하면서 부양 가족이 많은 노동자들은 혈혈단신인 사람들과 노동시장에서 경쟁해야 했다고 지적했다. 고용주는 이 문제를 해결할 수 있는 가족 임금을 지불하기 꺼렸지만 이를 요구하는 정치적 압력에 직면했다. 적어도 어떤 고용주는 건강하고 유능한 노동력을 공급하는 데 정부의 투자가 장기적인 이점을 가져올 가능성이 있음을 알아챘다. 19세기 초 영국에서 로버트 오언은 이런 견해를 특히 유려하게 표현하여 아동의 공장 노동을 제한하는 법안의 통과를 촉구했다.[33]

19세기 유럽과 캐나다, 호주, 미국에서 임금노동과 이민의 확산으로 가족 내 평등이 향상되었지만 가족의 경제적 응집력은 감소했다. 가족 경제 이외의 영역에서 잡을 수 있는 기회가 늘어나면서 특히 젊은이의 협상력이 높아졌다. 임금이 아주 적은 경우에도, 가난한 시골에서 재산 없는 부모가 자녀에게 제공할 수 있는 경제적 지원보다 더 나은 미래를 추구할 수 있었다. 식민 세력이 장악한 신대륙으로 이주할 수 있는 기회는 이민자에게 새로운 위험과 함께 자유를 제공했다. 이민자가 떠난 지역에서 노동 공급은 감소했고, 그들이 떠나지 않았다면 저임금노동을 강요받았을 사람들의 협상력은 강화되었을 것이다.

가부장제 아래에서 남성보다 여성은 개인의 이동성 범위 확대의 이점을 누리기가 더 어려웠다. 실제로 여성은 그야말로 뒤에 남겨지는 경우가 많았고, 원래 이주민이 살았던 지역의 인구 구조는 여성과 노인의 비중이 높아지는 양상을 보였다. 보통 남성, 특히 아버지는 가족을 돌보는 책임과 의무를 쉽게 내팽개쳤다. 어느 정도 자급자족하는 생산 단위로 잘 기능하는 가부장적 가족은 착취적일 수 있지만, 가족의 생계 요구를 충족시키고 자녀를 양육하는 부모에게 약간의 보상을 제공할 수도 있다. 식민주의나 다른 형태의 약탈이 없을 때에도, 자본주의 발전의 결과인 경제적 자원의 불균등한 집중은 새로운 형태의 착취를 창출한다. 예를 들어 18세기 말과 19세기 초 영국의 인클로저(18세기 산업혁명 당시 영국에서 시작된, 소규모 토지를 대규모 농장에 합병하는 법률적 절차를 의미하는데, 농업과 목축업의 자본주의화를 위해 농지에 울타리를 둘러놓고 경작지를 몰수하자 농사를 지었던 농민들은 도시의 공장으로 내몰리게 되었다—옮긴이)로 인해 여성은 가족에게 식량과 연료를 제공하기 더 어려워졌고 가족 역시 생계를 유지하기 더 힘들어졌다.[34]

영국의 초기 비평가들은 임금노동이 가부장적 권위와 가족 경제 모두에 파괴적인 영향을 미친다고 한탄했다.[35] 노동 이동성은 국민소득 증가에 기여했지만 이로 인해 가족이 서로 떨어져 살게 되었고 소득 공유, 가구의 규모의 경제, 상호 부조 역시 감소했다. 전통적인 가부장제에서 재산을 소유한 노인 남성은 여성과 젊은 세대에게 경제적 영향력을 행사하여 노후에 경제적 안정을 도모할 수 있었다.[36] 18세기 후반 북반구의 출산율은 느리고 오르락내리락하기도 했지만 확연히 감소하기 시작하여 오늘날까지 지속되고 있다. 세대 간 소득 흐름의 방향과 규모의 변화는 가족 규모의 상당한 변화의 원인이자 결과였다.[37]

서유럽과 옛 식민지에서 출산율 감소를 초래한 경제적 압력은 노인들의 경제적 불안을 증가시키기도 했다. 농장이나 수공업 작업장 같은, 가계를 기반으로 한 일터에서 일했던 남성과 여성은 능력에 따라 노동 기간과 강도를 조정할 수 있었지만 자본주의 체제의 고용주는 그런 유연성을 제공하지 않았다. 실업과 강제 퇴직, 건강 악화, 낮은 임금이라는 위험으로 노동자는 퇴직하기에 충분한 돈을 저축할 수 없었다. 자원 통제를 기반으로 하여 세대 간에 영향을 미칠 수 있는 능력은, 지참금이나 효에 대한 보상으로 부의 상속을 약속할 수 있는 부유한 가족에게 점차 한정되었다.

부유한 가족은 자녀의 역량에 투자하기에 더 좋은 위치에 있었다. 이런 계급 차이도 재산이 없는 가족이나 다른 사람의 재산이었던 가족의 기능을 망가뜨리지는 못했다. 이타주의와 연대, 상호 원조의 힘이 충만할 때, 이런 힘은 경제적 이기심에 기반한 친족 관계가 아니라 건강하고 정서적인 보상을 주는 친족 관계 형성을 고무했다. 반면 노예제나 부채, 차별, 혹은 순전한 불운 탓에 자산 분포 끄트머리에 위치한 가족이 빈곤에서 탈출하기란 정말 어려웠다.

앞 장에서 살펴본 대로 초기 자본주의 발전을 촉진한 노예제와 식민주의는 하위 집단의 가족을 바로 해체하는 관행을 부추겼다. 아직도 남아 있는 그런 관행은 남의 자식의 복지는 무시하도록 조장하는 분리 패턴으로 강화되었다. 계급과 인종/민족, 시민권에 기반한 경제적 불평등은 성 서비스 시장의 성장을 부추겼다. 성 서비스는 구매자와 판매자가 동등한 입장에 있을 때 번창하는 산업이 아니다. 매매춘은 다시 가족에 기반한 헌신과 가족을 지원하는 공동 노력을 약화시켰다.

20세기 초 출산율 하락은 도덕적 공황을 야기했다. 한 국가의 군대 규모가 군사적 성공 가능성에 큰 영향을 미치던 시대에 인구 규모는 공공재로 인식되었다. 미국 대통령 시어도어 루스벨트는 인류의 자살 행위를 경고하면서 아이를 낳지 않는 상류층 여성을 지목했다.[38] 장성한 자녀들은 연로한 부모를 충분히 돌보지 않거나 심지어 연락을 취하지 않는다고 비난받았고, 남편들은 아내와 아이들을 버렸다고 비난받았다.

출산율 하락은 보통 도덕관념이나 문화적 타락에 기인했다. 그러나 경제 변화로 인한 부작용도 원인의 하나임을 부정할 수 없었다. 보수주의자는 여성이 집안의 천사처럼 자본주의적 개인주의의 영향을 완충할 수 있고 완충해야 한다고 주장했다. 정치적 참정권과 더 나은 급여를 받는 일자리를 얻으려는 페미니스트의 노력을 방해하는 사람들은 가족 생활이 파괴될 수도 있다고 주장했다. 실제로 여성은 사회적 의무와 개인의 자유라는 상충하는 두 세계 사이에서 일종의 다리 역할을 하여 남성이 다리를 쉽게 걸을 수 있게 했다.

가족 임금

선진국의 공공 정책에 영향을 미친 '가족 임금'에 대한 논쟁은 가족 기반 고용에서 개인 고용으로의 이행에서 나타나는 어려움을 압축적으로 보여준다. 미혼 노동자가 많이 공급되면 자녀를 둔 기혼 아버지에게 필요한 수준 이하로 임금이 떨어질 것이라는 걱정은 근거가 있다.[39] 그러나 여성이 아닌 남성이 가족 임금을 요구했다는 사실은 젠더에 따른 집단적 이해관계를 반영한 것이었다.[40] 고용주가 미래 노

돌봄과 연대의 경제학

동력 창출에 대한 비용을 지원해야 한다는 주장은 노동의 자본주의적 원칙을 어기는 것이었다. 양육이 경제적으로 생산적인 활동이라는 개념도 마찬가지로 자본주의적 원칙을 어기는 것이었다.

그럼에도 20세기 초 일부 국가, 특히 프랑스의 고용주들은 출산율을 높이려는 정부와 종교 당국의 압력에 굴복하여 가족을 둔 노동자에게 임금을 더 주는 데 동의했다.[41] 일단 대다수 기업이 임금 프리미엄 지급에 동의하면 개별 기업이 경험하는 경쟁상의 불이익은 아마도 적었을 것이다. 그러나 처음부터 명백히 드러났지만 이런 정책은 고용주에게 가족이 딸리지 않은 노동자를 고용할 유인을 제공했다.

이런 역방향의 동기에 주목하면서 영국의 페이비언 사회주의자(영국 지식인들이 주도한 점진적 사회주의 단체로 혁명적 방법보다는 계몽과 개혁을 통해 자신들의 이념을 실천하려 했으며 이후 영국 노동당의 기초를 다지게 된다—옮긴이)들은 국가 가족 수당이 문제를 해결하는 더 나은 방법이라고 주장했다.[42] 제1차 세계대전 중 영국군은 군인에게 가족 규모와 계급에 따라 급여를 달리 지급했는데, 이는 노동계급의 생활수준을 극적으로 개선하고 아동 사망률을 낮추었다.[43] 실제로 군인에게 식량과 주택, 의료, 가족 혜택을 제공하여 충분한 병사를 확보하는 일이 최근까지 군사적 우선순위였다.[44] 1924년 영국의 페미니스트 엘리너 라스본Eleanor Rathbone은 임금 프리미엄을 받는 남성이 반드시 남편이나 아버지인 것은 아니며 많은 여성이 가계 소득에 중요한 기여를 한다는 점을 관찰하면서 국가 가족 수당 지급의 타당성을 구체적으로 설득력 있게 주장했다.[45]

영국을 비롯한 많은 유럽 국가가 아동 복지에 관심이 많았고 인구 증가를 열망했기 때문에 가족 수당 정책을 결국 채택했다. 높은 수준의 전쟁 사망률과 출산율 감소에 대한 우려와 여성의 임금노동 참여 증가는 가족 정책 혁신을 주도했고, 역사적 상황에 따라 정책은 구체적으로 크게 달랐다. 북유럽 국가들이 앞서갔고 남유럽 국가들은 뒤처졌다. 이로 인한 젠더 효과는 다양했으며 페미니스트 운동의 힘이 젠더 효과에 영향을 미치기도 했다.[46]

미국은 예외적인 국가로 남아 있었다. 한 가지 이유는 인종/민족으로 분열된 여론이 보편적 혜택 제공에 반대했기 때문이다. 가족 수당이라는 이름의 제도는 실현되지 않았다. 그럼에도 암묵적인 형태의 가족 기반 보조금은 여러 공공 정책에 포함되었다.[47] 예를 들어 1935년에 통과된 미국 사회보장법의 은퇴 조항은 가족 임금 원칙에 기초하여 만들어졌으며 노동 이력이 같을 경우 독신 노동자보다 기혼 노동자에게 이전 소득을 더 많이 제공했다. 배우자가 있는 남성은 소득 이력이 동일한 미혼 남성보다 혜택을 50퍼센트 더 많이 받았다. 비시장 노동을 간접적으로 인정하는 배우자 혜택은 가족 돌봄 비용을 적어도 부분적으로 인정해준 것이었다. 사회보장 프로그램의 젠더 비대칭성이 많이 수정되었지만 가사를 전담하는 배우자를 둔 노동자, 주로 남성인 이런 유형의 노동자는 계속해서 혜택을 더 많이 누리고 있다. 미국 조세 제도는 결혼 제도를 보조하는 지원을 오랫동안 뒷받침했다는 특징이 있는데, 특히 일하는 미혼모에게 불리했다.[48]

미국에서 초기 최저임금법 논쟁은 가족 임금 논리, 특히 전일제 노동 임금 소득자는 가족의 생활수준을 최소한 빈곤선 이상으로 유지하기 위해 충분한 수입을 확보해야 한다는 개념에 근거했다. 많은 여성이 임금노동에 종사하기 시작하자, 어떤 사람들은 여성의 임금이 남편보다 적지만 가족 부양에 기여하므로 남성의 최저임금을 낮추어도 괜찮지 않느냐고 말했다. 이 주장은 한때 전업 주부가 수행했던 무급 노동이 감소했고 그것이 가계의 생활수준 향상에 기여했다는 사실을 간과하는 것이다. 오늘날에도 미국의 빈곤선은 자녀 수가 같다고 할 때 두 명의 취업 부모 가정(예를 들어 성인 두 명, 소득 2만 5000달러)과 전업 주부나 돌봄 제공자가 있는 가정(예를 들어 5만 달러를 버는 성인 한 명)이나 할 것 없이 똑같다. 그러나 첫 번째 가족은 양육비와 외식비, 기타 유급 노동 관련 비용을 훨씬 더 많이 부담해야 한다.[49]

시간이 지나 여성이 유급 노동시장에 진입함에 따라 남성을 위한 가족 임금 개념은 천천히 뒤로 물러나게 되었으며 이는 가족을 위한 '생활임금'으로 개칭되었다. 미국에서는 20세기 말에 많은 주와 지방자치단체에서 지역 고용주에게 최저임금 이상의 임금을 지불하도록 요구하는 정치 캠페인이 펼쳐졌다. 1990년대까지 최저임금 수준은 배우자와 자녀를 부양하는 1인 소득자의 경제적 필요에 따라 정해지는 경우가 많았으나 점차 다양한 가족 유형과 가구 구조를 고려하여 수정되었다.[50] 오늘날에는 보통 두 자녀를 둔 전일제 노동자 부모가 양질의 보육 서비스 비용이 포함된 기본 비용을 충당할 수 있는 임금으로 정의된다.[51] 이 정의에 따르면 미국의 연방 최저임금은 여전히 생계를 영위하기에 매우 불충분한 수준이다. 보통 임금 소득자가 두 명 있는 가정은 이 기준에 도달하기 위해 부모가 도합 네 개의 최저임금 일자리에서 각각 일흔다섯 시간씩 일해야 한다.[52]

생활임금 지급을 옹호하는 정치 캠페인은 개인 임금과 가족의 경제적 필요의 격차를 강조하면서 전 세계적으로 확산되었다.[53] 적정 생활임금 수준을 계산하기 위해 개발된 방법론은 가구 규모와 구성을 고려한다.[54] 생활임금은 전 세계 고용주에게 도덕적, 정치적 압박을 가하기도 하지만, 많은 중남미 국가에서 채택한 조건부 현금 이전(브라질의 볼사 파밀리아Bolsa Familia나 멕시코의 오포르투니다데스 Oportunidades 프로그램처럼 자녀의 교육과 건강에 지출한다는 조건을 부과하여 현금을 지급하는 정책—옮긴이)처럼 자녀가 있는 가족만 대상으로 하는 국가 정책보다 실행하기가 훨씬 더 어려운 듯하다.[55] 반면 고용주의 자산에 세금을 부과하지 않고 빈민에게 현금을 이전하는 것은 노동자에게 암묵적인 보조금을 제공하는 결과를 낳아 고용주가 더 낮은 임금을 지불할 수 있게 만든다.

소득 보장과 사회적 투자

아동 양육에 대한 공적 지원은 복지국가 발전의 원동력 중 하나에 불과했고, 다른 세 가지 우선순위에 양적으로 압도되었다. 가부장적 규범은 남성 임금 소득자에게 유리한 연금 제도를 선호하는 반면, 숙련되고 훈련된 노동력이 필요한 고용주는 공교육 확대를 선호했다. 인적 자본이라고도 알려진 노동력 생산 비용을 낮출 수 있는 의료 서비스의 개선은 효율적인 보험 체제의 개발이 필요했다. 이것은 여성과 가족 혼자서는 할 수 없는 국가적 재생산 투자였다.

1881년 독일 수상 오토 비스마르크는 최초로 국가가 재정을 지원하는 노령연금 제도를 발표하면서 연금 제도는 노인에 대한 집단적 헌신을 강제하는 방법이라고 명시적으로 설명했다.[56] 독일은

1889년 육체노동자에게 공적 연금을 제공했고 다른 유럽 국가들도 점차 뒤를 따랐다.[57] 미국에서 공적 연금 제도를 도입하기 위한 첫 단계는 남북전쟁의 여파로 나타났다. 당시 의회는 북부 주에서 남성 인구의 상당 부분을 차지하는 연방군 참전용사에게 노후 보장을 약속했다. 20세기 초반에 일부 고용주가 개인적으로 연금을 제공하기 시작했으며 일부 주에서는 1935년에 제정된 국가사회보장법안의 선구가 되었던 정책을 실험하기도 했다.[58]

고용주는 비용을 부분적으로만 부담했는데, 낮은 임금을 지불함으로써 세금 지출을 상쇄할 수 있었다. 대부분의 연금 제도는 세금 수입을 임금 소득자에게서 은퇴자에게로 (연령에 기반하여) 재분배하는 사전 부과 방식pay-as-you-go에 의존했다. 이런 제도는 생산연령인구가 공교육에 투자한 금액을 상환한 것으로 해석될 수 있다. 공교육 투자는 일종의 보조금 제도로서 생산연령인구의 생산성과 소득을 향상시키고, 그들이 낸 세금은 다시 공교육 투자의 원천이 된다.[59] 연금 제도는 기혼 노인 여성과 남편을 잃은 여성이 남성 통제하에 있는 소득을 통해서만 간접적으로 혜택을 누릴 수 있었던 전통적인 가부장적 노후 보장 시스템을 본질적으로 사회화했다.

사적 이전과 공적 이전의 유사성은 일부 국가와 미국 내 일부 주에서 성인 자녀에게 빈곤한 부모를 부양할 책임을 지운 법률에 잘 묘사되어 있다.[60] 어떤 법률안은 더 나아간 것도 있다. 한 미국 경제학자는 근로 연령대 성인은 소득의 약 15퍼센트를 (사회보장제도에 기여하지 않고) 부모에게 직접 지불하는 방안을 제안한다.[61] 이와 비슷하지만 보다 덜 명확하게 규정된 의무가 현재 세계에서 가장 큰 국가에서 시행되고 있다. 중국은 공적 지출을 최소화하기 위해 의무적인 가족 부양 규칙에 의존하는 정책을 시행 중이다.[62]

다른 극단의 방식도 있다. 개인은 저축과 투자를 통해 자기 책임 하에 노년기에 필요한 소득을 확보하고, 부모를 부양하는 세대 간 이전은 순전히 자발성에 맡겨두는 것이다. 다음 세대를 키우는 데 시간이나 자원을 할애하지 않은 개인은 대체로 몫돈을 만들기에 훨씬 유리하다. 어느 개인퇴직계좌IRA, Individual Retirement Account 광고는 "당신의 IRA는 자녀와 같습니다"라고 홍보한다. 실제로 개인퇴직계좌는 훨씬 더 안정된 수익률을 가져다준다.

많은 국가에서 채택된 연금 제도는 개인과 가족 기반 이전, 그리고 사회화된 세대 간 이전을 특이하게 결합하는데, 이러한 결합이 장기적으로 어떤 결과를 낳을지 이해하지 못한다. 미국과 마찬가지로 유럽에서도 은퇴자에게 주는 이전은 사전 부과 방식의 재정에 크게 의존한다.[63] 개발도상국에서 연금 보장 대상은 공직자를 포함한 공식 부문 노동자로 제한되어 불평등하다. 동아시아와 중남미 경제는 여전히 가족 기반 경제에 의존하는 사하라 사막 이남 아프리카보다 훨씬 더 많은 사람에게 연금을 제공한다.[64] 중국은 가족부양법을 넘어서는 몇 가지 정책을 채택했지만 대부분 도시 인구에 국한된다.[65]

교육에 대한 국가 투자는 사회화된 세대 간 계약의 나머지 절반을 차지한다. 공교육이 아동노동을 대체해야 한다고 주장했을 때, 오언은 신고전파 경제학자 베커가 나중에 제기한 시장 실패를 미리 진단했다. 많은 부모들은 자녀 교육에 투자할 가치가 있음을 알았음에도 불구하고 충분한 재산이 없었기에 교육에 적정한 투자를 하지 못

돌봄과 연대의 경제학

한다는 것이다.[66] 국가나 지역 노동력에 크게 의존하는 고용주는 교육 투자에 들어가는 비용을 가능한 한 적게 내려고 했지만, 교육에 국가 투자가 필요하다는 이런 사고방식을 지지했다. 미국에서 공립학교는 주로 가장 보편적인 가족 자산 형태인 주택 소유에 세금을 부과하여 운영 자금을 조달했다.

대부분 눈에 띄는 결과가 나타났다. 공교육은 19세기 후반과 20세기 초반에 미국과 유럽에서 높은 경제성장을 촉진했다.[67] 문해력과 수리력의 전반적인 수준을 높였을 뿐 아니라 학교는 직장에서도 시행되는 새로운 형태의 일상적 훈육을 통해 아이들을 사회화하는 역할을 했다.[68] 고등교육의 확대는 소유주와 노동자 사이에 일종의 완충 장치를 제공하는 새로운 계급인 전문직과 관리자를 양성했다. 공교롭게도 대부분의 혜택은 부유한 백인 가족이 누렸지만 공교육은 적어도 약간의 계층 상승 이동 가능성을 제공했다.

가치 있는 새로운 의료 기술 사용으로 예상치 않게 발생한 비용을 보조할 필요가 있다고 인식하게 된 시민들의 요구가 의료보험 제도의 발전을 주도했다. 노동계급 조직과 유권자는 의료 서비스의 직접 제공이든 보험 보조금 형태이든 세계적인 공적 의료 지출의 증가 추세를 이끈 상당한 공로를 인정받을 자격이 있다. 대체로 인종/민족과 계급별로 분열이 심하지 않았을 때 그들의 노력은 더 성공을 거두었다. 제이컵 해커Jacob Hacker가 영국, 캐나다, 미국 정책의 경험을 요약하며 설명했듯이 "격렬하고 치열한 정치적 싸움 없이 국민건강보험 제도를 도입한 나라는 없다."[69]

복지국가 확장의 초기 단계에서 자본가 고용주는 의료에 대한 사회적 지출을 더 많이 요구하는 사회주의와 좌익 정당의 정치적 위협을 누그러뜨리려 했다. 그러나 복지국가 초창기에는 의료가 엄청난 이윤 추구의 기회가 되지 못했기 때문에, 기업이 사회적 지출 확대에 항상 확고하게 반대한 것은 아니었다. 또한 잠재적인 노동자이자 소비자인 동료 시민에게 크게 의존했던 고용주는 공적 의료 지원이 직원의 건강과 관련한 기업의 재정적 책임을 줄여주는 상당한 혜택을 가져올 것이라고 기대했다.

비교적 일찌감치 강력한 공공 의료 투자를 유치한 국가들은 그 후에도 가장 견고하고 성공적인 프로그램을 개발해냈다. 독일은 1883년, 영국은 1911년, 일본은 1927년에 공공 의료보험 제도를 확립했고 프랑스는 1930년에 이런 제도를 개발하기 시작했다.[70] 소련은 1920년대에 보편 의료를 도입했고, 제2차 세계대전 이후 대부분의 소비에트 블록 국가들이 유사한 제도를 개발했다. 한국은 1970년대에, 중국은 2000년에 대상 범위를 확대하기 시작했다. 이런 프로그램은 일단 확립되면 지지층이 형성되어 폐지되기 어렵다.

그러나 처음에 공적 지원이 미흡했던 많은 국가에서 시간이 지나면서 공적 지원에 대한 저항이 증가하는 것처럼 보였다. 미국은 1965~66년에 노인 대상 메디케어와 빈곤층 대상 메디케이드를 도입하면서 공적 보험을 제공하기 위한 큰 발걸음을 내디뎠다. 그러나 이런 프로그램을 확장하려는 노력은 성장률 지체와 급증하는 비용에 대한 우려로 완강한 반대에 부딪혔다. 많은 개발도상국에서 보건 의료에 대한 사회적 지출도 약세를 보였다. 칠레, 코스타리카, 태국, 르완다 같은 국가는 개발도상국 인구의 많은 부분을 차지한다.[71] 그러

돌봄과 연대의 경제학

나 대부분의 경우 위험과 기여를 사회화하는 공공 의료보험은 실제로 구현되지 않은 채 한낱 열망으로 남아 있다.[72] 세계은행과 세계보건기구의 최근 보고서에 따르면 세계 인구의 최소 절반이 필수 의료 서비스를 제공받지 못한다.[73]

2019년 말경에 이르러 20세기 후반 복지국가 정책이 누렸던 전 세계적인 추진력은 대부분 소멸되었다. 민주주의 정부가 경제성장의 열매를 관대하게 분배할 수 있을 것이라는 낙관적인 기대는 잘못된 것으로 판명되었다. 많은 유권자가 "인간의 얼굴을 한 자본주의"를 선호했을 테지만, 이는 달성은커녕 상상하기도 점점 더 어려워진다는 사실을 알게 되었다. 교차하는 권력 집단의 상대적인 협상 위치의 변화는 구조적 재편성을 초래하여 계급 불평등을 심화하고 계급과 무관한 고질적인 분열을 악화시켰다. 코로나19의 세계적 팬데믹이 이런 추세를 역전시킬지는 아직 불분명하다.

복지가 벽에 부딪히다

1953년 드와이트 아이젠하워 대통령이 제너럴 모터스의 최고경영자인 찰리 윌슨Charlie Wilson을 요직인 국방부장관에 지명했을 때, 그는 "국가에 좋은 것은 제너럴 모터스에도 좋고 그 반대도 마찬가지이다"라는 유명해진 어구로 자신의 신념을 설명했다.[74] 그 반대도 마찬가지라는 부분도 널리 인용되었지만, 앞부분에 훨씬 더 많은 진실이 있었다. 19세기 후반부터 21세기 초반까지 자본주의 선진국 고용주의 이해관계는 인종과 국가의 이해관계와 충분히 일치하여 인적 역량을 창출하고 개발하는 데 드는 비용의 일부를 사회화하는 공공 정책의 개발을 촉진했다. 그러나 이런 일치는 일시적이었던 것으로 판명되었다.

일부 국가에서는 복지국가 정책의 확대가 바로 복지국가의 진전을 가로막는 요인이 되었다. 공공 사회 지출이 증가하면서 지출의 분배는 더욱 중요한 결과를 가져왔으며 인종차별주의와 민족주의, 젠더에 따른 충성을 강화했다. 사회 프로그램에 대한 민주주의적 지지는 지출 삭감을 막았지만, 이익을 내는 기업과 엄청나게 부유한 자들에 대한 과세의 어려움이 커지면서 재정 압박에 시달린 복지국가는 더 이상 지출을 확대할 수 없었다. 자본 이동성이 증가하고 역외 탈세가 쉬워졌으며 이런 위협으로 인해 과세 부담은 소득이 정체된 노동자에게 전가되었다. 복지국가에 대한 또 다른 압박은 끈질긴 가부장적 편향에서 비롯했다. 국가가 아이를 양육하는 비용을 양육자에게 별로 지원하지 않으면서 그 아이가 내는 세금으로 양육자 이외의 사람들에게도 혜택을 주고 있기 때문에, 출산율은 대체 수준 이하로 떨어졌고 세대 간 이전의 지속가능성은 위태로워졌다.

누구의 복지인가?

인간 역량의 생산을 당연시하는 습관은 집단 갈등의 중요한 차원을 보지 못하게 한다. 복지국가 정책은 사회적 재생산 수단을 이용하는 데 영향을 미친다. 복지국가 정책의 상대적 규모가 커질수록, 특히 경제적으로 가장 강력한 수혜자인 다국적 고용주가 자원을 고갈시킬 때 복지국가는 지출 배분을 둘러싼 갈등에 더 취약해진다.

이런 분배 투쟁은 때때로 재생산 경제에서 유리한 결과를 가져왔다. 예를 들어 20세기 초 미국 여성 단체는 여성이 연방 참정권을 얻기 전에도, 사별하거나 버림받은 어머니가 국가 차원의 지원을 받게 하는 투쟁에서 성공을 거두었다.[75] 일단 투표권이 보장된 여성은 아동 사망률을 현저히 감소시킨 공중 보건 지출을 늘리는 정책을 뒷받침하기 위해 힘을 썼다.[76]

그러나 20세기 초 미국의 공공 정책은 여성이 시장 노동에 참여할 기회를 제한했다. 대부분의 주와 지역에서는 교사가 결혼하거나 임신한 경우 사직하도록 하는 규칙을 시행했다.[77] 대공황 기간에 실업 사태가 악화되자 루스벨트 행정부는 연방 공무원 가운데 배우자가 정부에서 일하고 있는 노동자를 해고하도록 지시했으며 해고된 대다수 노동자는 여성이었다. 이는 가부장제 규범을 강화하는 수많은 방식을 표현하는 하나의 사례에 불과했다.[78]

같은 시기 인종차별에 기반한 우선순위는 공공 지출에 영향을 미쳤다. 연방 정부와 공모한 남부의 주 정부에서는 시민권 제한과 같은 분리주의 정책을 도입할 수 있었다. 분리주의를 지지하는 남부의 정치적 압박에 직면한 뉴딜의 설계자는 "백인을 위한 적극적 조치"로 묘사된 구호 정책을 시행했다.[79] 1935년의 사회보장법과 1937년의 전국노동관계법을 포함한 대표적인 법안은 가사 노동과 농장 노동 같은 대부분 흑인이 종사하는 직종을 법 적용 대상과 보호에서 제외했다.[80] 거주지 분리와 교육의 지방세 의존, 명백한 인종차별이 결합되어 흑인 학생들은 재정 상태가 어려운 학교에 몰리게 되었다.[81]

1950년대에 형성되기 시작한 시민권 운동은 여성과 유색인종의 정치적, 경제적 세력화에 기여했으며 복지국가 정책의 진화에 눈에 띌 만한 영향을 미쳤다. 1964년의 민권법같이 권리 보장이라는 면에서 두드러지는 법안은 많은 변화를 이끌어냈는데, 그동안 보호받지 못했던 노동자에게 사회보장을 확대 적용하기도 했다. 메디케어와 메디케이드 프로그램은 노인과 극빈자에게 공공 의료 서비스를 확대했다.

미국 사회 정책의 역사는 인종/민족 동맹으로 빈곤 퇴치 노력이 더 큰 정치적 견인력을 얻기가 어려워졌음을 분명히 보여준다.[82] 인종에 대한 고정관념은 오랫동안 고질적이었다. 미디어는 공공 지원을 받는 가족을 주로 아프리카계 미국인, 특히 여성으로 표현했다.[83] 그러나 공공 사회 지출이 확대되었을 때 가장 큰 혜택을 입은 집단은 백인 남성이었다. 특히 중산층과 고소득층을 지원하는 세금 정책처럼 숨겨진 복지국가 정책들까지 고려하면 백인 남성의 혜택은 다른 집단보다 컸다.[84]

그럼에도 1960~70년대에 시행된 적극적 우대 조치affirmative action(인종/민족이나 성별 등 과거부터 이어진 구조적 차별의 불평등한 결과를 시정하기 위해 차별당해 온 집단을 입학이나 채용, 승진 등에서 우대하는 정책을 의미한다. 특히 미국에서는 대학 입학에서 교육의 다양성을 위해 소수인종을 우대한다—옮긴이), 차별금지법과 더불어 사회 지출 확대는 젠더와 인종/민족에 기반한 이점을 위협했고 복지국가 자체에 대한 정치적 반발을 불러일으켰다. 사람들이 느끼는 이런 위협은 합법과 불법 이주가 꾸준히 증가하면서 더욱 강화되었다. 이민자가 경제적으로 큰 부담이 되지 않는다는 증거가 있음에도 불구하고, 비시민권자가 공적 부

돌봄과 연대의 경제학

조에 무임승차한다는 두려움은 반이민 운동에 만연해 있다.[85] 비시민권자에게 공적 부조를 제한하는 조치는 1996년에 시행된 자산조사에 기반한 공공부조 정책 변화의 중요한 내용이었고 트럼프 행정부는 이 전략을 더 단호하게 밀어붙였다.

미국의 사회 지출 구조는 갈등의 불길을 부채질했다. 부유한 가족이 의료와 교육 지출로 혜택을 보는 세금 감면은 유권자에게 보이지 않는 반면, 식량 쿠폰과 메디케이드 같은 자산조사 프로그램은 공개적으로 실행된다. 공적 지출에 대한 더 강력한 지지층을 구축하는 보편적인 혜택은 주로 백인 노인 인구에 집중되었다.[86] 공적 혜택이 자산조사에 기반을 둘 때, 소득이 자격 수준을 약간 상회하는 가족은 억울함을 느끼게 된다. 소득이 증가함에 따라 혜택이 감소하는 경우 혜택 감소율은 암묵적 세율 증가를 의미한다.[87]

미국에서 정치권력의 계급적 차이는 분명히 심화되었다. 정치 활동에 지출하는 자금에 대한 규제 완화와 지역구 재설정, 인구 이동은 부유층에게 이미 쏠려 있는 영향력이 정치적 결과에 미칠 수 있는 힘을 증폭시켰다. 미국에서 가장 부유한 가족이 자금을 댄 정치적 투자는 민주적 절차를 약화시키도록 교묘하게 고안되었다.[88] 선출된 대표자는 사회 지출 문제에 대한 대다수 미국인들의 견해를 정확히 대변하지 않는다.[89]

유사한 경향이 다른 국가들에서도 나타났다. 개방된 유럽연합 국경을 통해 난민과 여러 이민자의 유입이 증가했고 이는 특히 프랑스, 독일, 헝가리, 영국에서 상당한 정치적 재편을 초래했다. 많은 것이 정치적 맥락에 달려 있지만 인종적 민족적 이질성은 선진국과 개발도상국 모두에서 정부의 공공재 공급에 대한 지지를 약화시키는 듯하다.[90] 정부의 관대한 공적 지원은 자유무역과 일자리 상실의 영향을 확실히 완충할 수 있지만, 무제한 이주로 이런 효과가 희석될 수 있다는 내국민의 두려움을 부추길 수도 있다.

이 교차 매트릭스 내에서 젠더 갈등은 흔적을 남겼다. 남성과 여성의 투표 선호도의 큰 격차는 20세기에 미국과 많은 유럽 국가에서 명백해졌으며 여성, 특히 남성과 소득을 공유하지 않는 여성은 공공 지출을 더 지지했다.[91] 흔히 미국에서 민주당은 '엄마 정당'으로, 공화당은 '아빠 정당'으로 묘사되었다. 생물학적 성에 근거한 차이보다 여성다움과 남성다움이라는 전통 규범에 대한 태도 차이가 더 중요했다.[92] 남성과 여성이 다투는 전쟁터에서는 공공 정책의 가장 작은 세부 사항까지 다루어졌다. 미국에서 재생산 보건 의료 서비스를 제공하는 가장 큰 비영리단체인 부모계획Planned Parenthood을 해체하려고 노력하던 일부 공화당원들은 남성의 세금이 산전 관리와 유방조영술 비용을 지불하는 데 쓰이고 있다며 분노를 표출했다.[93]

국가 간 비교는 여성의 정치적 대표성이 공공 지출 패턴을 변화시켰음을 보여준다. 1995~2012년 국가 간의 정치 개혁을 비교한 결과를 보면 여성 의원 수를 크게 증가시킨 여성할당제는 공중 보건에 대한 지출을 늘리고 군사비 지출을 상대적으로 줄이는 것으로 나타났다.[94] 마을위원회 위원의 여성할당제 효과를 조사한 인도의 무작위 정책 실험에 따르면 여성에게 이익이 되는 공공재에 대한 지출이 증가했고 어린 소녀들은 더 큰 열망을 품고 교육에서 눈에 띄는 성공을 거두었다.[95] 그러나 반발이 곧 나타났다. 전통적인 젠더 규범을 강화하고 재생산 권리를 제한하며 레즈비언과 게이, 양성애자나 성전 환자에 대한 보호를 거부하는 이들이 조직적인 운동에 돌입했다. 이 운동의 옹호자들은 자신들을 국가가 야기하는 불안정화를 막아내기 위해 노력하는 "가족의 친구"로 묘사했다.[96]

    존재할 수 있는 다른 가족 형태는 없음을 필사적으로 증명하려 는 "가부장적 가족의 친구"라는 표현이 더 적절할지도 모르겠다. 젠 더와 연령, 성적 지향에 기반한 집단권력 구조는 인종/민족과 시민 권, 계급에 기반한 집단권력 구조를 상호 보완하며 회생할 힘을 얻는 다. 그 반대도 마찬가지이다. 사회 분열이 심화되면 복지국가 제도는 새로운 원천의 경제적 위험에 적응하기 어려워진다. 유례없이 전염 성이 높으며 공포스러운 코로나바이러스에 전 세계가 충격적일 정도 로 취약할 수밖에 없었던 이유도 심화된 사회 분열 때문이다.

누구의 노동인가?

최근 몇 년 동안 전 세계적으로 부의 불평등이 확산되면서 계급 갈등 이 복지국가에 미치는 구체적인 영향이 점점 더 명백해지고 있다. 소 작농이 생산량을 늘리면 더 높은 임대료를 부과할 수 있는 지주, 즉 가난한 희생자보다 부유한 희생자에게서 더 많은 공물을 취할 수 있 는 정주하는 도적처럼, 자본주의 체제의 고용주는 노동자의 생산성 증가로부터 이익을 얻을 수 있다. 이처럼 부분적으로 일치하는 양측 의 이해관계는 고용주와 노동자의 이동성 증가와 살아 있는 인간에 게 체화된 숙련의 가치를 떨어뜨리는 기술 변화로 약화될 수 있다.

    운송과 통신 기술의 꾸준한 개선으로 돈을 벌고자 하는 사람들이 더 수월하게 국경을 넘을 수 있게 됐다. 고용주는 세계 각지에서 노동자를 채용하기가 더 쉬워졌고 민주 정부는 이윤에 세금을 부과하거나 자본 흐름을 통제할 수 있는 능력이 줄었다. 고용주는 일자리를 재배치하거나 자동화하겠다는 위협만으로도 임금과 재분배적 사회 지출 수준을 낮출 수 있었다. 사회적 투자를 지원하거나 자금을 조달하는 데 도움을 주는 고용주의 경제적 동기는 감소했으며, 이는 탈가족화 효과뿐 아니라 탈국가 효과도 가져왔다.

증가된 자본 이동성은 복지국가의 지속가능성에 위협을 가하고, 어디에 살고 있든 상관없이 임금 소득자의 생활수준에 위협을 가하고 있다.[97] 일부 경제학자는 그런 이동이 유익한 훈육 효과를 가져와 일국의 정부가 보다 효율적으로 작동하고 비생산적인 사회 지출을 줄이도록 압박을 가할 수 있다고 주장한다.[98] 이 주장에 사용된 용어 자체가 진실을 호도하는 근거에 기반한 주장임을 드러낸다. 사회 지출은 공공 투자의 한 형태이며 공공 투자는 비생산적이지 않다. 힘 있는 위치에 있는 사람들이 지불하고 싶어 하지 않는 것은 바로 지속가능한 개발에 필수적인 사업에 들어가는 비용이다.

경제적 제약이 아니라 정치적 동맹이 복지국가의 정책 공간을 정의한다. 일부 유럽 국가에서는 국제 경쟁이 심화하면서 무료 공립 고등교육과 폭넓은 직업훈련도 확대되었다. 일부 국가는 기업이 다른 나라로 사업장을 옮겨 일자리를 없애겠다는 위협을 하지 못하도록 여러 정책을 도입하여 국경의 경제적 의미가 과거보다 줄어든 상황에 성공적으로 적응했다.[99] 영국과 미국과 같이 긴축 조치가 시행된 나라에서도 전체 사회적 지출은 여전히 공공 예산의 상당 부분을

돌봄과 연대의 경제학

계속 차지한다.

그러나 증가하는 세계화는 국가 이해관계와 대규모 고용주의 이해관계 (그리고 대규모 고용주에게 투자한 사람들의 이해관계) 사이에 쐐기를 박았다. 유럽의 사민주의 국가에서도 코로나19 팬데믹이 닥칠 때까지 복지국가의 발전은 정체됐다.[100] 개선이나 확장, 혁신을 위한 노력은 예산 긴축으로 인해 차단되었다. 국가의 인적 역량을 강화하기 위해 시민이 기꺼이 부응하여 세금을 내고자 하는 나라에서도 기업 이윤에 세금을 부과할 수 있는 시민의 능력은 감소하여 사회적 투자 의제는 무력화되었다.

가난한 국가는 정치적 부패로 악화된 자본 도피에 오래전부터 친숙하다.[101] 이는 특히 사하라 사막 이남 아프리카 지역의 경제 발전을 심각하게 저해했다. 조세 피난처 자체는 새롭지 않다. 그러나 새로운 회계 부정 조사 방법과 유출 문건을 통해 알려진 사실은 놀라울 정도로 많은 자산이 국경을 넘어 이전되고 있다는 것이다.[102] 조세회피라는 위협 자체가 최근 미국에서 법인세율 인하를 정당화하는데 사용되었다.

생산 시설의 역외외주off-shoring(저비용 이점을 활용하기 위해 경영 활동의 일부를 국내 기업에 맡기는 아웃소싱의 범위를 해외로 확대하는 것을 의미한다-옮긴이)를 통한 자본의 해외 이전은 노동자와 규제 기관, 국세청에 대한 기업의 협상력을 증가시켰다.[103] 미국의 여러 주와 지역사회는 일자리를 창출해주면 세금을 면제하고 리베이트를 보장하겠다고 약속하면서 기업 투자를 유치하기 위한 입찰 전쟁을 벌인다.[104] 애플같이 기술혁신과 브랜드 충성도를 바탕으로 안정된 이윤을 남기고 있는 다국적기업들도 세금과 인건비를 최소화하기 위해 국제적 전략을 적극 활용했다.

20세기 후반까지 미국은 한때 시민들을 위한 공립 고등교육 부문에서 국제적으로 앞서갔지만 지금은 뒤처지기 시작했다.[105] 많은 개발도상국은 국제 자본 이동의 이면을 보면서 외국 자본을 유치하기 위해 교육 지출을 늘렸다. 1970년에 미국은 전 세계 인구의 6퍼센트, 전 세계 대학생의 29퍼센트를 차지했지만 2005~06년에는 전 세계 대학생의 12퍼센트를 차지하는 데 그쳤다. 21세기 초까지 전 세계 고등교육 기관에 진학하는 학생의 거의 75퍼센트가 중국과 인도, 멕시코를 포함한 개발도상국 학생이었다.[106]

이는 글로벌 생산성에는 좋은 징조를 가져오는 놀라운 성과이지만 선진국에서는 대졸 노동자의 협상력이 감소된다. 대기업이 다른 주나 국가의 투자에서 이득을 볼 수 있는데 자국의 공립 고등교육을 지원하기 위해 세금을 낼 이유가 있을까?[107] 저소득 국가에서 고소득 국가로 이주하는 사람들은 이중으로 저렴한 노동력을 제공한다. 고소득 국가 납세자는 이주자들이 성인이 될 때까지 돌봄이나 교육에 돈을 쓰지 않았고, 많은 이주자들은 미혼이거나 가족과 별거 중이다. 불균등한 경제 발전은 삶의 질 향상을 추구하도록 엄청난 압박을 가해, 많은 이민자들이 자신과 자녀의 생명을 위험에 빠뜨리는 위험을 무릅쓰고 고소득 국가로 이주하게 되었다.

국가 정책은 이주민의 협상력을 노골적으로 약화시키고, 이주민은 고용주뿐만 아니라 소비자에게 저렴한 노동력 제공자가 된다. 카타르와 아랍에미리트연합국에서 이민자들은 사실상 보장받을 수 있

돌봄과 연대의 경제학

는 권리가 없으며 일자리를 잃거나 노동 능력을 상실하면 바로 추방된다.[108] 미국에서 불법체류하는 많은 중남미 노동자들도 거의 같은 상황에 처해 있다.[109] 이주민 가사도우미와 돌봄 노동자는 세계에서 경제적으로 가장 취약한 노동자 중 하나이다.[110]

가부장이 가족 기업의 쇠퇴를 견뎌낸 것처럼 민족국가도 민족 기업의 쇠퇴에 분노하며 이런 흐름을 역전시키려 한다. 민족주의는 자본주의 제도가 평가절하하는 집단적 헌신을 불러일으키는 측면이 있어 부활한다. 긍정적인 선례가 있다. 많은 가부장적 가족은 경제적으로 득을 보기가 점점 더 어려워진다는 것을 알면서도 아들과 딸의 복지에 전념한다. 대조적으로, 동료 시민에게 가져올 영향에 상관없이 비용 절감에 열중하는 자본주의 기업은 자녀 양육비 지급을 회피하려는 부재자 아버지와 같다.

누구의 아이들인가?

자녀를 양육하는 비용의 분배 차이가 더 심해졌다는 것은 현세대와 미래 세대의 긴장을 가장 확실히 보여준다. 초기 복지국가는 자녀 양육의 비용을 부모에게 보상하기보다 양육으로 발생한 편익을 모든 시민에게 나누어주었다.[111] 이런 정책은 처음에는 경제성장에 대한 잠재적인 부양책으로 여겨졌지만, 예상보다 훨씬 더 빠르게 출산율 감소를 가속화했다. 일부 국가에서는 꾸준한 인구 감소를 야기할 수 있는 대체율 미만의 출산율 수준에 도달했다.

부모는 분명히 자신이 얻을 금전적 이익 혹은 다른 사람에게 주는 금전적 이득을 계산하는 행위로 환원될 수 없는, 자신만의 이유를 가지고 자녀를 양육한다. 그럼에도 불구하고 오늘날 많은 국가의 아동은 노동자로 성장하여 세금을 내고, 젊은 세대를 키우는 데 시간이나 노력을 거의 들이지 않는 노인을 돌보게 된다.[112] 나이 든 부모가 질병과 장애에 대처하는 데 있어 자녀에게 상당한 도움을 받지만, 가족 내의 세대 간 이전의 방향은 노인 세대에서 젊은 세대로 향하고, 공적 영역에서는 청년 세대에서 노인 세대로 향한다.[113] 이런 패턴을 분명히 인정한 독일 헌법재판소는 2001년에 자녀를 둔 부모는 그렇지 않은 사람보다 공적 장기요양보험료를 더 적게 내는 정책 설계를 권고했다.[114] 순이전의 젠더화된 측면은 관심을 받지 못했다. 보통 어머니는, 특히 한부모 어머니는 미래 시민을 생산하는 비용과 미래 시민이 창출할 세수에 상당히 많이 기여한다.

세대 간 이전의 크기는 인구학적 추세의 영향을 크게 받는다. 출산율이 높아 빠르게 인구가 증가하는 사회에서는 젊은 세대 인구가 많고 생산가능인구는 더 적으며 노인 인구는 더욱더 적기 때문에 사전 부과 방식 연금 제도를 뒷받침하는 자금을 효율적으로 조달할 수 있다. 그러나 기대수명이 연장되면서 생산가능인구의 조세 부담도 증가한다. 이런 증가는 불가피한 것이 아니다. 노인 부양 자금은 원칙적으로 재산이나 이윤에 세금을 부과하여 조달할 수 있지만 이 선택지는 뿌리 깊은 이해관계의 차이와 제도적 관성으로 가로막혀 있다. 그 결과 공적 연금은 이전의 가부장제 협상과 유사한 세대 간 이전 방식을 계속 취하고 있다.[115]

출산율이 하락세를 타긴 했지만 비교적 높은 수준일 때 도입된 대부분의 공적 연금 제도는 자금 조달이 상대적으로 쉬웠다. 인구학

돌봄과 연대의 경제학

적 변화와 더불어 선진국에서 실질임금과 고용이 느리게 성장하며 노인에 비해 젊은 세대의 생활수준은 낮아졌다. 당연히 생산가능인구가 1인당 갚아야 할 세금은 증가하고 있고 앞으로도 증가할 것으로 보이는데 이런 현실은 분배 긴장을 악화시켰다. 세대 간 정의 문제에 공개적으로 직면하거나 협상하기를 꺼렸기 때문이다.

출산율 감소와 수명 연장, 값비싼 의료 신기술이 재정 부담을 증가시켰다고 해서 노인 세대를 비난할 수는 없다. 그러나 민주주의 국가에서 노인은 투표권이 있는 반면 18세가 안 된 국민은 투표권이 없다는 단순한 사실로 보건대, 노인의 정치적 영향력은 그들의 집단권력을 강화한다. 미국에서는 아동에게 할당된 연방 예산 비중이 감소했는데도 노인에게 할당된 연방 예산의 비중이 시간이 지남에 따라 급격히 증가했다.[116] 국민이전계정 프로젝트 예산을 비교적 관점에서 분석한 결과 다른 많은 국가에서도 유사한 결과를 낳았음이 밝혀졌다.[117]

미국에서는 이민, 그리고 이민자와 본토 태생 미국인의 출생률 차이로 공적 영역의 세대 간 이전에서 인종/민족 차원의 특징이 나타났다. 히스패닉이 아닌 백인 아동은 현재 미국 전체 신생아의 50퍼센트를 밑돈다. 2020년까지 18세 미만 아동의 절반 이상이 소수 인종이나 소수 민족 집단의 구성원이 될 것이다. 대조적으로 노인 인구는 주로 백인과 비히스패닉으로 남게 될 것이다.[118] 당연하게도 노인 유권자들은 다른 사람들보다 젊은 세대를 위한 지출을 지지할 가능성이 적다.[119]

연금 제도의 민영화는 이 문제에 대한 쉬운 해결책이 아니다. 은

퇴와 건강관리를 위해 돈을 더 많이 저축해야 하는 노동연령대 집단은 자녀에게 쓸 돈이 훨씬 적어졌다. 실제로 '재가족화'는 문제를 더 악화시킬 것이다. 현재의 부모는 과거의 부모보다 미래에 자녀가 노동시장에서 성공하지 못할지도 모른다는 큰 두려움에 직면할 것이다. 노후 소득 보장과 돌봄을 두고 걱정하는 성인들은 자녀 양육의 순편익과 필요한 돌봄을 구매할 수 있는 저축의 순편익을 저울질하게 될 것이다. 이 역시 양육 의욕을 꺾는다.

젠더 평등을 촉진하지 않고 가족 헌신에 대한 공적 지원을 별로 제공하지 않는 국가들에서 이제 급격히 인구가 감소하고 있다. 러시아와 이탈리아, 스페인, 그리스, 일본, 한국이 모두 이런 국가 목록의 상위권을 차지한다.[120] 개발도상국 중에서는 중국이 두드러지는데, 특히 도시 지역의 출산율이 낮다.[121] 다른 국가들도 곧 인구가 감소할 것으로 예상되는 국가군 범주에 들어갈 수 있다. 2016년에 미국 출산율은 여성 1인당 출생아 2.1명이라는 대체 수준을 약간 밑도는, 기록적인 최저치를 기록했다.[122] 순이민이 감소하기 시작하면 미국 전체 인구도 감소할 것이다.

대조적으로 유급 가족 휴가와 보편적 보육같이 일하는 어머니에게 상대적으로 관대한 지원을 제공하는 북유럽과 서유럽 국가들의 출산율은 대체 수준 근처에서 안정화되었고, 향후 인구 감소는 점진적으로 진행될 것으로 보인다. 그들은 사회적 투자와 환경 정책 수립을 통해 인구 감소를 보상하는 데 도움이 될 미래 세대의 생산성 증가를 기대한다. 이런 복지국가들도 아직 젠더 평등을 달성하지 못했지만, 최소한 탈산업 경제를 위한 새로운 사회적 토대를 마련하는 재

돌봄과 연대의 경제학

생산 노동을 인정하고 보상했다.[123]

　현재 세계 거의 모든 지역에서 진행 중인 출산율 감소 과정은 복지국가를 포함하여 가족 부양 비용의 분배를 통제하는 사회제도를 두고 재협상을 해야 한다는 압력을 강화한다. '출산 파업'이라는 용어는 정확하지 않을 수 있지만 여성의 단체협상력이 증가했음을 증언한다.[124] 또한 정치적 저항과 반발이 여전히 격렬한 이유를 설명하는 데 도움을 준다. 많은 국가에서 여성은 여전히 기본적인 재생산 권리가 부족하다.[125] 미국에서는 법적으로 임신중절을 금지하고 피임을 제한하려는 노력이 엄청난 수준에 이르렀다.

　출산율 감소는 그로 인한 경제적 고충을 완충하는 제도 변화를 수반한다면 엄청난 편익을 제공할지도 모른다. 인적 역량 투자의 초점이 양에서 질로 전환되면 여성과 노동자 모두의 생산성과 협상력을 향상시킬 것이다. 가까운 장래에 세계 인구의 안정화나 감소는 환경 악화와 기후변화를 줄이는 데 도움이 될 수 있다. 정치적으로 지속가능한 수준의 이주를 통한 세계 인구의 재분배는 빈곤과 불평등을 극적으로 줄일 수 있다.

　그러나 대체 수준 이하의 출산율로 급격히 이행하는 현실은 노인 세대의 부양 가능성을 위협하는 단기적 비용을 초래할 수 있음을 인정해야 한다. 연금과 의료 제도 역시 보다 창의적인 장기 계획과 제도 개혁을 요구한다. 새로운 경제 상황과 새로운 바이러스 위협에 대한 적응을 방해하는 복잡한 분배 갈등은, 타인을 돌보는 일을 인정하고 보상하고 재분배할 필요성에 기반한 연대의 형태로 전환되어야 한다.[126]

서사 바꾸기

가족과 복지국가는 인구학적 추세에 크게 영향을 받도록 공진화했다. 가부장제와 자본주의 제도의 갈등과 상보성은 젠더 차이를 훨씬 뛰어넘어 다른 차원의 집단 정체성을 포괄한다. 인간의 역량을 생산하고 개발하고 유지하는 데 드는 비용은 남성과 여성뿐만 아니라 연령과 성적 지향, 인종/민족, 시민권, 계급에 기반한 집단 등 다른 사회적 소속 집단에도 불평등하게 분배된다. 코로나19 팬데믹으로 인한 사망률같이 건강 영역에서 나타나는 극심한 불평등은 사회적 재생산의 동학이 얼마나 복잡한지를 입증한다.

공공재의 가치를 과소평가하는 국민소득계정은 사회적 투자의 생산성을 은폐하는데, 여성의 무급 노동이 실제로는 노동이 아니라는 남성 중심적 가정이 영향을 미치기 때문이다. 무급 재생산 노동을 당연시하는 거짓된 이야기는 가족과 친구, 지역사회에 대한 헌신을 사치품 구입과 유사한 재량 지출로 묘사했다. 사회 지출이 필연적으로 가족 내 이전을 박탈하고 가족 유대를 약화시킨다는 잘못된 주장은 공공부조와 사회보험의 재정 삭감을 정당화하는 데 사용되었다.

사적이고 사회적인 부를 창출하는 데 여성의 무급 노동은 매우 중요한 기여를 한다. 자연 자산과 생태 서비스의 편익을 개인이 회수하고 자본화하기 어려운 것처럼 무급 노동 기여의 대가를 개인이 회수하고 자본화하기도 어렵다. 이런 어려움은 자본주의 제도에 지나치게 의존하는 경제체제의 한계를 극적으로 보여준다. 본질적으로 공공재에 대한 기여를 둘러싼 민주적 협상은 어려운 일이지만 절대적으로 필요하다. 민주적 협상의 성공은 재생산 노동의 사적 비용과

사회적 편익의 간극을 메울 필요성을 얼마나 설득력 있게 설명하는
가에 달려 있다.

9장

젠더와 ─ 돌봄 비용

여성에게 불공평한 출산 비용 부담을 전가하는 집단권력 구조의 수혜자는 남성만이 아니다. 그럼에도 타인을 돌보는 비용의 불평등한 분배는 분명히 젠더에 있어서 어떤 의미가 있다. 노동경제학자는 돌봄 제공의 특화 비용을 돌봄이 제공하는 내재적 만족에 지불되는 가격이라고 가정한다. 이 가정은 선호에 영향을 미칠 뿐만 아니라 제공한 돌봄 서비스 가치를 회수하는 여성의 능력을 감소시키는, 경제적, 정치적, 이념적 제도를 간과한다. 자본주의적 팽창이 여성에게 전통적인 남성적 특권을 추구할 수 있는 공간을 더 제공한다 해도, 사적 이익이 없는 헌신의 상대적 비용은 증가한다.

어떤 페미니스트 이론가는 돌봄 비용을 일종의 재생산 세금으로 설명했다. 노동경제학자가 자식을 양육하지 않는 이혼 부모의 자녀 양육비 지급 의무를 설명하는 데 사용하는 세금 비유를 적용한 것이다.[1] 교과서적 경제 이론은 세금이 사중손실死重損失로 알려진 비효율을 초래한다고 주장한다. 따라서 자녀 양육비 지급 의무에 세금 비유를 적용한 것은, 자녀 양육비를 안 내는 아버지가 이를 지불할지 말지를 선택할 수 있어야 한다는 의미를 함축한다. 이것은 곧 여성이 은유적인 재생산세를 낸다고 볼 수 있는 이유를 설명해준다. 다시 말해 여성의 돌봄 제공 특화는 전적으로 자발적이지 않으며 그 편익은 돌봄 수혜자뿐만 아니라 사회 전체에 환원된다는 것이다. 돌봄 제공자가 안게 되는 경제적 불이익은 법적으로 규정되거나 공식적으로 측정되지 않고, 널리 인정받지도 못하지만 중요하다. 여성이 경제적 불이익을 감수하는 현실은 젠더 불평등의 지속성을 설명해준다.

타인에 대한 투자는 규범적 압력과 감정적 헌신으로 강화되어 양질의 돌봄을 보장하지만 돌봄 제공자의 협상력을 약화시킨다. 전략적 딜레마는 치킨 게임과 유사하다. 이 게임에서 두 선수는 다른 선수가 굴복하기를 바라면서, 다른 차를 정면으로 박아버리거나 아기의 더러워진 기저귀를 내버려두거나 아무튼 뭐든 하겠다고 위협할 것이다. 아기를 가장 걱정하는 사람이 더러워진 기저귀를 내버려두겠다고 말할 때, 그 위협은 가장 위협적이지 않다. 결국 더러운 일을 도맡아 하는 사람은 아이를 가장 걱정하는 사람이다.[2]

이런 젠더 비대칭이 미치는 결과는 코로나19와 같은 공중 보건 충격으로 증폭된다. 여성이 바이러스 감염 위험이 높은 일을 남성보다 많이 한다고 해서, 모든 여성이 똑같은 돌봄 부담을 진다거나 많은 남성이 돌봄 제공에 대가를 지불하지 않는다는 의미는 아니다. 그러나 젠더와 돌봄, 경제적 불이익 사이에 연관성이 있음이 드러났다.

가족 돌봄의 비용

자녀 양육 비용이 증가하면 출산율 감소가 가속화되고 비용 분담을 둘러싼 어머니와 아버지의 갈등이 심화될 수도 있다. 누가 아이를 돌보기 위해 여가 시간이나 고용 기회를 희생해야 할까? 생애 주기에 걸쳐 부모와 자녀 사이의 순이전은 경제적 부담을 야기하는 방식으로 변화할 수도 있다. 부모가 고등교육과 대학원 학비나 주택 구입 비용을 전액 부담하는 게 맞나? 성인 자녀는 연로한 부모에게 받은 경제적 지원의 일부만 돌려줄 수도 있고 안 돌려줄 수도 있다. 연로한 부모에게 줄 돈을 자기 자식을 키우는 데 쓸 수도 있고 안 쓸 수도 있다. 앞선 세대가 소중히 여기는 규범적 의무를 이행하지 않는 일은 드문 일이 아니다. 최근 가족과 가구 구조가 변화하면서 많은 여성이 가족을 돌보고 경제적으로 부양하는 책임을 남성보다 더 많이 지고 있다.

결혼 관계 내부에서

한 지붕 아래에 사는 가족 구성원은 생활공간과 공과금과 같은 가정의 공공재를 함께 사용하기 때문에 보통 비슷한 생활수준을 누린다. 남성은 보통 여성보다 돈을 더 벌고 여성은 보통 무급 가족 돌봄 노동을 더 많이 수행한다. 그럼에도 불구하고 남편과 아내는 시장 수입을 합산하고, 그것을 어디에 어떻게 사용할지를 두고 함께 결정하고, 가족을 돌보는 일을 분담할 수 있다. 그러나 부부관계가 안정된 가정에서도 아내는 남편보다 경제적 협상력이 낮고 주요 소비 결정에 대한 통제력이 낮으며 자유로운 여가 시간이 적다.[3]

　　가족 돌봄 제공자는 급여를 따로 받지 않으며 그들이 원하는 감정적 보상은 가변적이고 예측할 수 없다. 일단 가족을 돌보겠다 하고 이에 헌신하면 그만두겠다는 위협을 하기가 어렵다.[4] 돌봄 제공 특화는 개인에 대한 애착을 강화하고 다른 곳에서 사용하기가 용이하지 않은, 어떤 개인에게만 쓸모가 있는 숙련을 양성한다. 가족의 생활수준과 역량을 향상시키는 생산적인 기여는 가족의 울타리를 벗어나면 아무런 쓸모가 없으며 시장성 있는 숙련과 연금으로 보상받는 노동 경력과 다르다.[5] 유급 노동 경험의 감소는 여성의 미래 소득을 낮추고 가구 내 협상에서 유리한 결과를 가져올 수 있는 대안 지위를 약화시킨다.

가족 돌봄이 개인 소득에 미치는 영향은 출산 연기와 출산율 저하로 인해 여성의 출산 여부에 상당한 변동이 발생한 국가에서 가장 분명히 나타난다. 어린 자녀에 대한 책임은 보통 노동시간과 장소, 직업 유형과 산업에 관한 선택을 제한한다. 이런 요인들을 고려한 통계적 분석에서도 특히 생애 주기에 걸쳐 자녀는 어머니의 소득을 낮추는 반면 아버지의 소득은 증가시키는 경향이 있음을 보여준다.[6] 어머니는 특히 자녀가 건강 관련 장애가 있는 경우 노동시간을 단축할 가능성이 높다.[7] 모성으로 인한 불이익은 장시간 노동과 고용의 연속성을 중시하는 경력 개발 사다리에 들어간 고학력 여성에게 특히 크다.[8]

선진국에서는 아프거나 장애가 있거나 허약한 가족을 돌봐야 하는 책임이 남성보다 여성 고용에 영향을 더 크게 미친다.[9] 미국 여성은 연로한 부모에게 남성보다 돌봄을 훨씬 더 많이 제공해야 하는 의무를 더 느끼며 실제로 그렇게 한다는 보고가 있다.[10] 딸은 아들보다 부모를 더 돌보고, 여자 형제를 둔 아들은 여자 형제가 없는 아들보다 부모를 돌보지 않는 경향이 있다.[11]

부부가 평생 동안 소득을 합산하는 가족에서는 돌봄의 경제적 비용이 균등한 방식으로 재분배된다. 그러나 재산이나 수입을 자유롭게 사용할 수 없는 아내는 배우자의 이타심이나 애정이 감소하면 경제적으로 어려운 상황에 처하게 된다. 이는 특히 신체적 학대로도 이어질 수 있다. 미국 캘리포니아주의 자료를 분석한 결과, 가정 폭력 수준은 여성의 임금이 남성보다 높은 지역에서 더 낮다.[12] 영국 자료 분석 결과에 따르면 여성의 일자리는 여성을 보호하는 효과가 있는데, 남성 실업이 증가하면 배우자 폭력이 감소하지만 여성 실업이 증가하면 그 반대의 결과가 나타났다.[13] 한편, 여성의 경제력이 높아지면 남성의 반발을 불러일으키는 경우가 많다. 멕시코에서 도입된 오포르투니다데스(기회) 프로그램을 통해 현금 지원을 받은 어머니와 가족에 관한 연구에 따르면 가정 폭력 발생률은 현저히 감소했지만 협박 발생률은 더 높았다.[14]

기혼 부부가 가족 소득과 소비를 배분하는 방식에 관한 연구는 (극적이지는 않지만) 가구 간 큰 차이를 드러내 부부 이외의 다른 가족 구성원에게도 중대한 의미가 있음을 보여주었다.[15] 어머니가 통제하는 소득은 아버지가 통제하는 소득보다 자녀, 특히 딸에게 지출될 가능성이 더 크다.[16] 대표성 있는 시간사용조사는 가족 내 불평등의 또 다른 차원, 즉 개인이 수면 시간을 포함한 자기 관리와 여가에 할애하는 시간에 차이가 있음을 보여준다. 그러나 대부분의 조사는 돌봄 제공자가 집 근처에 있게 만드는 감독이나 호출 대기로 인한 시간 제약에 거의 주의를 기울이지 않고 명시적인 돌봄 활동에만 초점을 맞춘다. 결과적으로 돌봄 책임의 영향은 과소평가된다.[17] 그럼에도 불구하고 시장 노동시간과 비시장 노동시간의 합으로 계산되는 총노동시간에서 확인할 수 있는 젠더 불평등은 부모 역할과 밀접한 관련이 있다. 국가 간 연구는 무급 가족 돌봄에 여성이 특화할수록 남성에 비해 여성의 총노동시간이 더 길어진다는 것을 밝혔다.[18]

유급 노동에 참여하면 가구 내 협상에서 여성의 대안 지위가 강화되지만 효과는 미미한 것 같다. 젠더 규범은 젠더 분업에 강력하고 독립적인 영향을 미치며 여성은 특히 대안이 없는 경우 가족 돌봄을 줄이기보다 여가 시간을 희생하는 경우가 많다. 미국과 인도, 에콰도르 등 다양한 국가에서 실시한 시간사용조사를 분석한 결과, 유급 노동을 한 시간 더 할 때 여성의 무급 노동은 한 시간 미만으로 감소해 사실상 하루의 총노동시간은 증가하는 것으로 나타났다.[19] 인도 시골 가정에서 성인 여성의 하루 노동시간을 감소시키는 몇 안 되는 요인 중 하나는 돌봄 부담의 일부를 떠맡는 며느리의 존재였다.[20] 이런 양적 결과는 질적 증거로 뒷받침된다. 많은 국가의 여성이 '이중 노동double day'의 스트레스를 받고 있다고 증언한다.[21]

그럼에도 여성의 경제적 협상력은 강화되고 있으며 가시적인 결과를 낳고 있다. 미국과 호주와 같은 선진국에서 실시한 경험적 연구에 따르면 여성의 소득이 높을수록 여성이 수행하는 가사 노동의 몫이 감소한다. 아내는 남편을 설득해 가사일을 더 맡게 하거나 자신의 일을 줄이는 상품과 서비스를 구매한다.[22] 이런 협상 효과는 아내의 수입이 전체 수입의 상당 부분을 차지하는 가구에서 특히 강력하다. 그러나 소득 면에서 아내가 남편보다 더 많이 기여하는 가정에서는 그 효과가 사라진다. 아내의 소득이 절반을 넘어서면 여성은 마치 전통적인 젠더 규범 위반을 보상하려는 듯이 가사 노동에 대한 상대적 기여도를 높인다.[23]

가구 수준의 자료를 통계적으로 분석할 때 가족 내에서 일어나는 협상의 복잡성을 완전히 포착해내기는 어렵다는 결론에 이른다. 시장 수입만이 협상력에 영향을 미치는 것은 아니며, 상대가 협동을 거부할 경우 가할 수 있는 유일한 위협은 이혼만이 아니다. 가족법에서부터 어린이집과 경찰 관행과 같이 지역사회 수준의 요인에 이르

돌봄과 연대의 경제학

기까지 다양한 사회제도가 서로 다른 효과를 낳는다. 규범 자체가 대안 지위를 구성한다. 아내와 남편은 명시적인 의사 결정을 하기보다 단순히 '분리된 영역separate spheres'에 특화해야 한다는 문화적 기대에 순응할 수 있다.[24] 그러나 규범은 비순응 효과가 누적되면 변화하고 문화적 협상은 여성다움과 남성다움의 의미를 바꿀 수 있다.

결혼 관계 외부에서

한때 많은 나라에서 보편적이었던 가부장제 규칙은 남편에게 아내를 직접 통제할 수 있는 권위를 부여했다. 그런 규칙을 둘러싼 분쟁의 결과 분명히 여성은 이득을 얻었지만 결혼 제도 자체의 쇠락은 모호한 효과를 가져왔다. 다른 한편, 결혼하지 않은 커플의 성 역할 특화 수준은 낮은 경향이 있어 여성에게 자율성과 유연성을 더 많이 제공한다. 그러나 그런 관계에 있는 여성은 자녀의 아버지로부터 장기적인 경제적 지원을 받을 가능성이 적다. 자녀를 양육하는 일에 대한 존중이나 보상의 부족은 전체 사회나 아버지가 여성의 일에 무임승차하는 것과 같으며 여성을 가부장적인 꼭대기 승차의 희생자로 만들 뿐 아니라 착취에도 취약하게 만들 수 있다.

1980년대 중반, 경제학자 빅터 푸크스Victor Fuchs는 남성과 여성이 소득을 공유하는 가구가 줄었고, 이는 1959~83년 미국에서 남성 대비 여성의 개인 소득 증가의 긍정적 영향을 상쇄했다고 주장했다.[25] 이런 주장은 기혼 부부가 소득을 공유한다는 강한 가정에 근거를 두지만, 노동시장에서 소득을 올릴 기회가 많지 않은 어머니에게나 적용될 만한 주장이다. 이 기간 동안 미국에서는 무과실 이혼 조항이 채택되어 이혼율이 증가했으며 여성은 가구 소득 감소라는 큰 대가를 지불했다.[26] 이런 부정적인 영향은 1980년대에 감소하기 시작했는데, 주로 여성 고용이 증가했기 때문이다. 그러나 오늘날에도 이혼은 남편보다 아내의 총수입을 훨씬 더 많이 감소시킨다.[27] 유사한 결과가 영국과 캐나다, 독일 부부에서도 발견되었다.[28]

최근 몇 년 동안 많은 선진국에서 혼외 동거가 크게 증가했다. 미국에서는 결혼을 하지 않은 부부 사이에서 공평한 공동 양육을 달성하기가 특히 어려운 것 같다.[29] 동거 부부가 소득을 합산하고 가족 부양 책임을 분담하는 정도는 여전히 확실하지 않지만 이혼과 마찬가지로 동거 관계의 해소는 여성에게 더 큰 비용을 치르게 만든다.[30] 남성은 아버지로서의 직접적 경험과 재정 부담에서 점점 더 벗어나고 있다.[31] 1960년에 미국 아동의 11퍼센트가 친아버지, 양아버지 또는 계부가 없는 가정에서 살고 있었다면 2017년에는 약 27퍼센트가 그러했다.[32] 다른 국가와 완벽하게 비교할 수 있는 통계를 얻기는 어렵지만 영국에서는 자녀와 함께 사는 26~30세 남성 비중이 1940~49년 출생 남성의 경우 58퍼센트였지만 1980~89년 출생 남성의 경우 28퍼센트로 확연히 감소했다.[33]

자녀를 공동으로 양육하는 데 아버지가 반드시 한집에 살 필요는 없다. 그러나 같이 살지 않으면 최소한의 돈과 시간으로만 기여하게 된다. 부실한 양육비 지불 규정과 집행은 아이를 직접 키우는 부모, 주로 어머니의 금전 지출을 증가시키고 아동을 빈곤에 취약하게 만든다. 미국의 실태에 대한 가장 최근의 추정에 따르면 아이와 함께 살지 않는 아버지의 54퍼센트가 자녀 양육비를 전혀 지불하지 않앉다.[34] 이들 가운데 약 40퍼센트만이 법정 자녀 양육비 지급 명령을 받았고 20퍼센트만이 자녀 양육비를 모두 지급했다.[35] 이혼한 어머니는 미혼모보다 자녀 양육비를 지급받을 가능성이 훨씬 더 높다.

부모가 자녀에게 바치는 시간의 경제적 가치는, 대체 돌봄 제공자를 고용하는 비용의 하한 추정치를 기준으로 하더라도, 주거와 음식, 의복에 대한 직접 지출을 훨씬 초과한다.[36] 가구 구조는 아동과의 직접적인 상호작용에 할애된 총시간에 현저한 영향을 미쳤다. 미국에서 가족 돌봄 시간을 분석한 최근 연구에 따르면, 아이와 함께 살지 않는 아버지와, 계부나 양아버지처럼 생물학적 유대나 법적 책임이 없는 남성은 같이 살더라도 자녀에게 관심을 기울이지 않는다고 밝히고 있다.[37] 대조적으로 함께 거주하는 조부모는 상당한 양의 돌봄을 제공하는 경향이 있다.

미국에서 양부모나 확대가족 가정은 보통 가구 소득이 더 높은데 이 경우 아동은 더 많은 돌봄 시간의 혜택을 받을 수 있고, 이것은 아동이 더 질 좋은 교육을 받고 미래 수입을 얻는 데 도움을 준다.[38] 일본과 호주, 유럽연합, 미국에서 대학 학위를 소지한 어머니는 노동시장과 결혼 시장 모두에서 더 많은 협상력을 가진다. 고학력 어머니는 다른 어머니보다 상대적으로 고소득 남성과 자원을 공유하게 될 가능성이 크다.[39]

소득과 시간의 가족 내 이전은 순전히 사적인 문제로 간주되지만 엄청난 영향을 미친다. 최근 몇 년 동안 미국과 유럽, 중남미를 포함한 세계 여러 지역에서 여성 혼자 부양하는 가족의 비중이 크게 증가했다.[40] 이 지역에서 가족과 가구 구조의 변화는 노동시장에서의 상대적 소득 격차만큼이나 가처분소득의 젠더 불평등에 영향을 미쳤다.[41] 시장 소득의 비교를 넘어 아동과 기타 가족의 돌봄과 경제적 지원에 대한 남성의 상대적 기여도 변화를 평가한다면 여성의 세력화를 나타내는 측정 지표는 매우 다른 모습을 보일 것이다.[42]

모성의 빈곤화

빈곤은 보통 가족 소득으로 측정되며, 미국과 기타 여러 국가에서 빈곤 아동이 있는 가족은 여성 혼자 부양하는 경우가 상당히 많다.[43] 빈곤의 여성화에 대한 증거는 모성의 빈곤화에 대한 증거보다 적다. 왜냐하면 빈곤층에 여성이 과도하게 집중되어 있는 정도는 18세 미만 아동의 어머니가 빈곤층에 과도하게 집중되어 있는 정도보다 별로 크지 않기 때문이다.[44] 전통적으로 성인 남성이 없는 가구로 정의되는 여성 가장 가구의 빈곤을 조사하는 연구자들은 이 구분을 간과한다.[45] 여성 가장 가구에는 평균 소득을 끌어올리는 더 큰 범주의 두 집단이 있다. 하나는 전일제로 일하는 독신 여성이고 다른 하나는 남편에게 재산과 연금을 상속받은 과부이다. 이 가구에 아동이 반드시 함께 사는 것은 아니다.[46]

아이를 혼자 키우는 엄마들은 육아와 유급 노동을 병행해야 하는 어려움에 직면해 있다. 돈을 벌 수 있는 기회가 대부분 집 밖에 있고 보조 양육자 역할을 할 다른 가족이 없고 공적 보육 서비스 제공이 불충분한 국가에서 특히 이 일은 스트레스를 유발한다. 자녀를 먹이고 입히고 교육하는 데 지출할 수 있는 소득을 포함해 이런 모든 요인이 가족의 생활수준에 영향을 미친다.

빈곤선은 보통 가구 규모와 구성의 차이에 따라 조정된 시장 소득을 기반으로 결정된다. 동등화지수(한 가구를 기준으로 삼아 다른 가구의 특성을 고려하여 이들의 소득이나 지출을 표준화할 때 사용하는 지수—옮긴이)는 규모의 경제와 성인 대비 아동의 소비 필요를 가정하여 이를 기반으로 시장 소득을 조정한다. 대부분의 동등화지수는 아동 양육 비용을 상당히 과소평가한다. 1950년대에 실시된 가계 조사에 따르면 아동 식비 지출은 성인 평균 식비의 절반 수준이었다. 결과적으로 대다수 동등화지수는 다른 가족 구성원에 비해 아동의 필요를 50퍼센트 낮추어 잡는다. 그러나 오늘날 많은 국가에서 식품에 대한 지출은 아동 양육과 교육 비용에 비하면 매우 적으며 아동에 대한 총지출의 매우 작은 부분을 차지한다.[47] 그동안 아동에 대한 지출이 상대적으로 얼마나 증가했는지 정확히 추정할 수 있다면 어머니 혼자 부양하는 가족의 빈곤선은 거의 확실히 올라갈 것이며 빈곤율의 추정치는 증가할 것이다.[48]

가족 내 소득 흐름의 변화에 관심을 둔다고 해서 전 지구적 자본주의 동학이 중요하지 않다는 것은 아니다. 7장에서 강조한 바대로 많은 개발도상국의 공식 부문 고용은 남성과 여성 모두에게 고통스러울 정도로 느리게 성장했다. 그로 인한 경제적 고충과 강제 이주로 가족 간 재정 지원의 변동성과 예측 불가능성이 커졌다. 성공한 이민자들은 고국에 있는 자녀와 연로한 부모에게 돈을 많이 송금하기도 하지만, 일자리를 찾지 못하는 이민자도 있고 가족과 연락이 끊어지는 경우도 있다. 일자리를 찾기 위해 국경을 넘는 가난한 나라의 여성은 가족과 지역사회와 이별하면서 큰 대가를 치러야 한다.[49] 삼림

벌채와 남획, 탄소 배출에서 보듯이 글로벌 돌봄 사슬은 장기적 지속 가능성을 희생시키면서 단기적 이익을 제공한다.

이런 교차 동학은 현대 경제 발전의 모순된 영향을 보여준다. 자본주의는 개인의 이기심과 경제적 이동성을 찬양하여 규제 완화 과정에 기여했다. 그 결과 가부장의 협상력은 약화되었지만 돌봄 제공자도 취약해졌다. 많은 여성은 근대화가 치켜세우는 이점을 약간 회의적인 시선으로 바라본다. 왜냐하면 가족 헌신에 대한 지원도 별로 없고 안정된 고용 기회도 제한된 두 세계에서 최악의 상황에 직면해 있기 때문이다.

유급 노동의 돌봄 불이익

여성과 남성이 가족 돌봄에 할애하는 시간의 불평등은 생애 주기에 걸쳐 상대적 수입에 막대한 영향을 미친다.[50] 심지어 정규직 여성이 남성보다 시장 노동에 시간을 더 적게 할애하는 것은 미국과 같은 선진 자본주의 국가에서도 남녀의 임금격차가 지속되는 원인이다.[51] 비록 오늘날 미국에서 모성 불이익의 크기가 줄어들고 있는 것처럼 보이지만 성별 임금 격차는 가족 헌신의 차이를 계속해서 반영한다.[52]

어머니가 되든 안 되든, 여성은 노동자로서 협상력이 거의 없는, 전통적으로 여성이 종사해온 직업과 산업에 진출한다. 높은 수준의 교육이 필요한 직업을 포함하여 선진국에서 확장되고 있는 서비스 부문의 대다수 직업은 건강과 교육, 사회서비스의 돌봄 제공과 관련된다. 이런 직업은 가족 돌봄과 마찬가지로 저평가되기 십상이며 상품화하기 어려운 편익을 창출하는 개인 맞춤 상호작용을 수반하는 경우가 많다. 의료계 내에서도 가정의학과나 소아과 전문의가 선택 진료 전문의보다 돈을 훨씬 적게 벌고 있다. 이는 코로나19 팬데믹이 선택 진료를 몰아내자 미국 병원이 막대한 재정 압박에 시달리게 된 이유이기도 하다.[53]

모성 불이익

남성은 가족과 친구를 돌보는 일에서 타인에게 쉽게 의존할 수 있기 때문에 여성보다 유급 노동에 시간을 더 할애할 수 있다. 많은 회사는 장시간 일하고 저녁과 주말에도 근무하고 갑작스러운 통보에도 출장을 갈 수 있는 최고 전문직에나 걸맞을 노동자를 고용하고 싶어 한다. 고용주는 이에 적합한 구직자를 식별할 수 없기 때문에 통계적으로 '이상적인 노동자'가 될 가능성이 없다고 생각하는 사람들, 즉 여성을 차별하는 경향이 있다.[54]

무의식적일 수조차 있는 은밀한 편견은 고용 성과에 분명히 영향을 미친다. 지금은 유명해진 한 실험에서 사회학자는 한 가지를 제외하고 모든 면에서 거의 일치하는 가상의 구직 지원서를 미국 고용주에게 보냈다. 일부 지원서에는 부모-교사 조직에 참여한 활동 경력을 적어내 지원자가 어린 자녀를 둔 어머니라는 신호가 포함되어 있다.[55] 이런 신호는 구직자가 서류 전형 단계를 통과할 가능성을 줄였다. 인종 차이를 드러내는 신호에 초점을 맞춘 다른 실험과 마찬가지로 이 실험은 미묘한 형태의 차별이 경제적으로 미치는 영향을 확인해준다.[56]

고용주는 어머니와 아버지를 다르게 대한다.[57] 2007년 미국 기회균등고용위원회Equal Opportunities Employment Commission가 언급한 바대로,

> 돌봄을 책임진 여성은 돌봄 책임이 실제로 업무에 어떤 영향을 미치는지에 상관없이 일이 아니라 돌봄에 더 헌신하고 다른 노동자보다 유능하지 못한 노동자로 인식될 수 있다. 남성 돌봄 제공자는 남성이 돌봄에 적합하지 않다는 정반대의 고정관념에 직면할 수 있다. 그 결과 남성에게는 육아휴직이나 여성에게 일상적으로 제공되는 혜택이 거부될 수 있다.[58]

가족 돌봄 책임에 남녀 차별을 두는 것은 "남성은 전통적으로 생계를 책임지는 역할로 한정하고, 여성은 그런 역할에서 제외하는" 성차별의 한 형태이다.[59]

어떤 직업은 다른 직업보다 본질적으로 더 유연한 듯하다. 예를 들어 약국에서는 남성과 여성 모두 근로시간이 매우 다양하지만 거의 동일한 수입을 얻는다.[60] 그러나 고용주가 이상적 노동자라는 고정관념에 사로잡혀 남성 노동자에게 지불하는 임금 프리미엄은 노동자의 생산성이나 부가가치의 차이로 완전히 설명될 수 없다.[61] 이 밖에도 다른 요인들이 작용한다. 남성이 여성을 상사로 두기를 불편해하는 것이나 순수한 제도적 관성, 개인과 가족의 삶을 희생하도록 장시간 노동을 강제하여 비용을 절감하는 능력 등이다.[62]

노동자 협상력의 감소는 임금 상승을 더디게 할 뿐만 아니라 근무 일정에 대한 통제력을 약화시킨다. 미국에서 관리자와 전문직의 총노동시간이 증가했던 시기에도 고용주는 시간제 노동자에 대한 의

존도를 높였고 인건비를 절감하기 위해 적기just-in-time 생산방식을 활용했다. 어떤 사람에게 초과 노동 의무가 문제가 되는 것만큼 일하는 어머니나 아버지에게는 예측 불가능하고 불충분한 근무 시간이 문제가 된다.[63]

노동력 부족에 직면하지 않는 한, 고용주는 가족 친화적인 방식으로 노동을 조직하려 들지 않는다. 경제적 이득이 거의 없기 때문이다. 미국에서는 고위 전문직과 관리직에 종사하는 여성은 근무시간 조정과 유급 가족 휴가 같은 혜택을 받을 수 있는 충분한 협상력을 가진다.[64] 여성 산부인과 의사와 수의사가 증가하자 당직과 야간 진료를 돌아가면서 맡을 수 있는 집단 기반 진료 체제가 개발되었다. 이에 반해 저임금 직장 여성은 자녀를 돌보는 데 문제가 생기거나 자녀나 부모가 병에 걸리면 직장을 그만둬야 하는 경우가 많아 경제적 취약성이 가중된다.

많은 국가의 노동자들이 보육 비용과 방과 후 돌봄, 방학으로 인해 육아와 장시간 노동을 함께 해내기가 어렵다. 미국에서 일하는 부모들은 자녀를 돌보기 위해 부부가 함께 보낼 시간을 희생하면서 시간대를 나누어 번갈아 일을 한다.[65] 근무 일정 조정 문제는 선진국뿐만 아니라 개발도상국에서도 도처에 존재한다. 그러나 근무 일정 조정을 효과적으로 해결할 수 있다. 콜롬비아의 화훼 산업에 대한 한 연구에 따르면 꽃이 신선할 때 일과를 일찍 시작하고 끝내는 업계 관행은 아이들이 학교에서 집에 돌아오기 전에 퇴근이 가능한 어머니가 일자리를 얻을 수 있는 기회를 창출했다.[66]

불행히도 노동력이 부족하지 않고 노동조합이 강력히 요구하지 않는 상황에서 고용주는 가족 친화적인 관행을 도입할 유인이 거의 없으며 국가 차원에서 이를 도입하는 국가는 상대적으로 적다. 일부 공공 기관에서도 무급 가족 돌봄에 크게 의존한다. 수년 동안 독일 학교는 어머니가 준비한 따뜻한 점심을 먹도록 한낮에 아이들을 집으로 보냈다. 마찬가지로 개발도상국의 많은 병원에서는 가족이 환자에게 식사를 제공할 것으로 기대한다. 이익을 최대화하거나 비용을 최소화해야 한다는 압력을 받기 때문에 고용주나 관리자의 순이익을 높이지 않는 사회적 성과에는 관심을 기울이지 않는다.

직종 분리와 분류

고용주는 여성이 남성보다 낮은 임금을 받고 일하는 경우가 많다는 사실을 알고 더 낮은 임금을 제시해 기존의 젠더 불평등을 재현한다. 이런 임금 하방 압력은 여성이 이전에 남성이 지배했던 직종에 들어갈 때 왜 남성이 위협을 느끼는지, 왜 여성의 비중이 특정 임곗값을 초과하면 남성은 떠나버리는지를 설명해준다.[67] 현재와 미래 소득에 과거 소득이 상당한 영향을 미치기 때문에 미국의 일부 도시와 주에서는 고용주가 구직자의 소득 이력을 묻지 못하도록 금지했다.[68]

그러나 여성 자신이 내린 결정과 같이 중요한 공급 측 요인은 직종 분리를 설명하는 데 도움이 된다. 여성의 노동시간에 대한 상충되는 요구가 여성이 일할 수 있는 시간에 영향을 미치는 것처럼, 상충되는 문화적 압력은 여성이 진입하는 직종 유형에 영향을 미친다. 전 세계적으로 전통적인 여성 직업과 산업에서 나타나는 성차별 패턴은 고용주의 직접적인 차별로 완전히 설명할 수 없다.[69] 남성 동료에 의한 성희롱 위협은 여성이 전통적인 남성 직업을 갖지 못하는 이유이기도 하다.[70] 평균 보상 수준이 낮음에도 불구하고 특정 직업과 산업에서 일하고 싶어 하는 여성 자신의 선호도 영향을 미친다.

신고전학파 경제학자는 여성이 일종의 심리적 소득으로서 직업 선택에서 주관적 만족을 얻게 되며 이것이 낮은 임금을 충분히 보상한다고 주장한다. 다른 학자는 여성이 단순히 여성의 일에 끌린다고 생각한다.[71] 그러나 여성의 선택에 제도적 제약이 있음을 간과하지 않아야 여성의 행위성을 인정할 수 있다. 젠더 규범으로 인해 여성은 노동시장에서 얻는 이득이 데이트나 결혼 시장에서 보는 손실로 상쇄될 수 있는 모순된 위치에 놓이게 된다. 고임금 직종 남성은 배우자로서 자부심을 가질 수 있지만 고임금 직종 여성은, 특히 전통적인 남성 직종을 가질 때는 배우자로서 자부심을 가질 수 없다.[72]

남성은 자신의 영역에서 경쟁하는 여성에게 위협을 느낀다. 예를 들어 하버드 경영학 석사 과정에 있는 여성의 행동에 대해 연구한 최근 논문에 따르면 여성은 결혼 상대자가 될 만한 동급생을 발견하지 못했을 때 자신의 직업적 성공에 대한 확고한 의지를 표현할 가능성이 더 높다.[73] 미국에서 동성애자 여성은 비슷한 특성을 가진 이성애자 여성보다 노동시장에서 더 나은 성과를 낸다. 한 가지 이유는 동성애자 여성이 비전통적인 직업에 들어갈 가능성이 더 높다는 점이다.[74] 반면에 공개적으로 동성애자인 남성은 유사한 특성을 가진 이성애 남성에 비해 임금에서 불이익을 경험한다.

여성의 직종 선택을 제약하는 요인들은 사회적 승인에 대한 바람으로 환원될 수 없다. 자녀와 기타 가족에 대한 도덕적 헌신도 그들의 결정에 영향을 미친다. 미국과 같은 선진국에서 여성은 건강과 교육, 사회서비스 같은 산업과, 진정으로 사람들의 복지에 관심을 갖고 만나서 직접 도움을 주거나 친밀한 상호작용을 제공하는 직종에 집중되어 있다.[75] 그들은 타인을 돕고 싶어서 그런 직업을 선택했다고 스스로 이야기한다.[76]

여성이 남성보다 타인에 대해 관심을 더 갖는 타고난 성향이 있는지 아니면 사회적으로 조건화되었는지를 따지는 것보다 그로 인한 경제적 불이익이 있다는 사실이 더 중요하다. 장기적으로 돌봄 불이익이 커질수록 자발적으로 제공하는 돌봄은 줄어들 것이다. 선한 행위를 벌하면 결국 선한 행위는 줄어든다. 이전 장에서 설명한 다수준 선택의 진화론적 이론은 왜 이타적 행동에 제도적 강제가 필요한지를 설명한다. 여성에게 이타적 행동을 강제할 것이 아니라면 타인에 대한 돌봄에 가치를 부여하고 보상하는 새로운 형태의 집단적 헌신을 강제할 제도가 필요하다.

돌봄 임금

그런 보상은 단순한 시장의 힘에 근거할 수 없다. 임금을 받든 받지 않든, 타인에 대한 헌신을 쉽게 대체할 수 있는 표준화된 상품은 나올 수가 없다.[77] 4장에서 언급한 대로 인간 역량의 유지와 개발에 대한 개인의 기여 가치를 측정하고 회수하는 일은 불가능하지는 않지만 어렵다. 미국과 영국의 연구에 따르면 돌봄 직업과 산업 분야의 일자리는 다양한 개인과 직장 변수를 통제하더라도 다른 직업에 비해 여성과 남성 모두의 소득을 낮춘다.[78]

돌봄과 연대의 경제학

이 돌봄 임금 불이익은 누가 일을 하는가가 아니라 일자리의 특성을 반영한다. 동일가치노동 동일임금에 관한 기존 연구가 다루었던 주제이기도 하다. 예를 들어 미국의 주차장 관리인은 어린이집 교사보다 중위 임금이 더 높다는 사실이 오랫동안 관찰되었다.[79] 남성과 여성이 절대 다수를 차지하는 직종의 동일가치노동 여부를 판단하는 기존 주장은 교육 수준과 책임 정도, 스트레스 수준, 근로 조건과 같은 소위 보상 가능한 요소에 초점을 맞추었다.[80] 이런 요소에 대한 관심은 이제 타인과의 정서적 애착이나 팀 협업과 같은 다른 측면의 노동 과정과, 어떤 상품과 서비스는 표준화하기 어렵고 파급 효과가 있다는 특징에 대한 관심으로 보완되었다.

많은 돌봄 제공자들이 자신의 직업에서 큰 만족을 찾는다. 만족을 느낀다고 해서 돌봄 제공자가 제공하는 서비스의 사회적 가치에 비해서 낮은 수준의 급여를 받아도 된다고 할 수는 없다. 돌봄 임금 불이익은 소득 불평등의 전반적인 수준을 형성하는 특정 노동시장 제도에 영향을 크게 받기 때문에 국가마다 상당히 다르다.[81] 시장의 힘의 논리에 의존할 경우 낮은 평가를 받을 수밖에 없다.

미국과 영국에서 아동과 노인 돌봄 직종은 임금이 낮아 종사자의 이직률이 상대적으로 높고, 종사자를 정서적으로 힘들게 해 서비스의 질을 저하시키는 결과를 낳는다.[82] 시장 논리는 극단적으로 말하면 임금이 낮아야 이타적 동기 없이 돈만을 보고 이 직업을 선택할 사람을 배제할 수 있으므로 "저임금을 받는 간호사가 좋은 간호사다"라고 주장하기까지 한다.[83] 고용주나 의사는 그렇게 하지 않으면서 간호사만 이타적 선호를 가진 사람을 채용해야 한다는 개념은 심각한 젠더 편견을 반영한다. 돌봄 제공자도 자신과 가족을 부양하기에 충분한 임금이 필요하다는 현실을 무시한다. 또한 가격이 책정되지 않은 다른 자원과 마찬가지로 이타적 선호가 고갈되지 않을 것이라고 가정한다.

임금노동자가 겪는 돌봄 불이익은 계급과 인종, 시민권에 따른 협상력의 차이에 커다란 영향을 받는다. 부유층은 항상 비교적 값싼 가사도우미를 고용할 수 있다. 가격이 저렴한 서비스 부문의 노동자는 유색 인종을 고용함으로써 고용주가 자신을 고용해 얻는 효과를 복제한다. 미국에서는 저임금 이민자 여성이 많기 때문에 보육과 노인 돌봄 서비스 비용과 외식 비용이 상대적으로 저렴하다. 미국에서 나고 자란 고학력 고소득 여성이 많은 혜택을 누리고 있다.

글로벌 돌봄 사슬은 본인이 직접 부담하거나 비과세 현금 지불로 고용할 수 있는, 가정의 어린이와 노인에게 필요한 비공식 재가 돌봄 노동자를 충분히 공급할 수 있게 만든다. 이런 돌봄 노동자는 돈이 절실히 필요하기 때문에 자기 자녀나 부모를 다른 여성의 손에 맡기고 떠난다. 낮은 임금을 받음에도 불구하고 남성 이민자보다 수입을 더 많이 집으로 송금한다.[84] 교차 지위에서 안게 되는 불이익을 이보다 더 많이 경험하는 집단은 상상하기 어렵다.

경험적 연구에 따르면 미국 주요 도시의 저임금 이민자 수가 증가하면서 고학력 여성의 노동시장 참여와 출산율이 모두 높아졌다.[85] 스페인과 이탈리아, 홍콩에서도 유사한 효과가 발견되었다.[86] 단기적으로 저임금 여성은 고용 기회가 많아지는 혜택을 받고 고임금 여성은 시장 노동과 가족 돌봄을 병행하기가 쉬워진다. 그러나 장기적으로 계급 불평등은 돌봄 불이익을 재분배하는 효과가 있다. 고임금 여성은 공공 돌봄 제도와 지원을 지지하려는 동기가 줄어들기 때문이다.[87] 국제 이주가 줄어든다면 무슨 일이 일어날까?

일부 경제학자는 여성이 타인을 돌보는 직업을 점령하고 있는 상황이 여성에게 행운이라고 생각한다. 남성이 주로 종사하는 제조업보다 자동화하거나 아웃소싱하기가 더 어렵기 때문이다.[88] 이 논리라면 기적적인 수요와 공급의 힘은 남성을 전통적 여성 분야에 진입하도록 장려함으로써 젠더 불평등을 감소시킬 것이다. 이 유쾌한 서사는 소득이 주로 단체협상력이나 창출된 가치를 회수하는 일의 어려움에 영향을 받지 않고 수행된 일의 양과 질로만 전적으로 결정된다고 가정해야 가능하다. 이 가정은 여성이 제공하든 남성이 제공하든 상관없이 늘상 저평가에 내몰리는 돌봄 노동의 독특한 특성을 간과한다. 또한 전 세계적인 유행병이 닥쳤을 때 특히 의료 종사자들이 견뎌야 했던 엄청난 위험과 스트레스를 간과한다.

공공 정책과 돌봄 불이익

미국의 여러 주 정부 정책은 잠재적으로 젠더 평등 효과가 있음에도 젠더화되어 있다. 즉 돌봄 필요를 충족시키기 위해 여성에게 과도하게 책임을 할당한다. 남성에게 가족을 돌볼 책임을 강제하기를 꺼리고 여성의 생식권을 제약하는 정책은, 최후의 수단으로 돌봄 제공자가 되려고 마음먹은 여성을 "여성적 자기희생의 예비군"으로 이용한다.[89] 부양가족이 있는 가정의 빈곤 수준이 다양하듯이 무급 돌봄 노동에 대한 공적 지원 수준은 국가마다 크게 다르지만, 가장 관대한 유럽 사회민주주의 국가에서도 여성에게 대가를 초래하는 젠더 노동 분업을 강화한다.

다른 집단의 여성은 분명히 다른 방식으로 영향을 받는다. 주된 양육자의 경제적 협상력은 그들이 돌보는 사람들의 후생에 큰 영향을 미친다. 아동 빈곤율은 한부모 가정에서 가장 높다. 미국에서 가족 보조금은 오랫동안 결혼 상태에 따라 지급되어 이성애 규범을 위반한 사람들은 상당한 희생을 치렀다.[90] 성적 지향이나 성 정체성에 따른 고용 차별은 여전히 문제로 남아 있다.

많은 국가에서 출산율 감소로 자녀 양육에 대한 공적 지원이 증가했지만, 공적 보조금은 자녀 양육 비용과 위험의 작은 부분만을 보상하며 전통적인 젠더 분업을 강화한다. 많은 선진국들은 이제 장애인과 노인에게 최소한의 공적 지원이나 서비스를 제공하지만, 주로 여성인 가족 돌봄 제공자가 계속해서 상당한 부담을 지고 있다. 마찬가지로 많은 공적 연금 제도는 주로 시장 노동 소득을 기반으로 급여를 제공하기 때문에 여성은 노년기에 경제적으로 취약한 상황에 처하게 된다.

재생산 권리와 책임

많은 국가에서 피임과 의학적으로 안전한 임신중절, 가정폭력 예방과 피해자 보호가 미흡하다는 것은 여성에게 심각한 건강 위험이 있음을 의미한다.[91] 피임과 조기 임신중절에 대한 제한은 자신의 신체를 통제할 여성의 권리를 침해하고 어머니가 신생아에게 느끼는 강렬한 애착심을 이용한다. 돌이킬 수 없는 헌신으로 이어질 가능성이 높기에 어머니는 아이를 낳을지, 낳는다면 언제 낳아야 좋을지를 두고 고심해야 한다.

취약성은 교차적이다. 다른 많은 국가와 마찬가지로 미국에서는 의도하지 않은 임신이 저학력, 저소득, 유색인종 여성에게 집중되어 있다. 경제적 어려움은 임신중절 사유로 가장 많이 언급되며 임신중절은 보통 경기 침체와 같이 경제적으로 어려운 시기에 증가한다.[92] 최근 미국에서 실시된 한 연구에 따르면 원치 않는 임신을 끝까지 유지하여 출산하면 산모와 아이가 빈곤선 이하로 떨어지게 될 확률이 네 배 증가하는 것으로 나타났다.[93]

재생산에 있어서 여성의 권리를 부정하는 국가는 아이와 함께 살지 않는 아버지의 자녀 양육 책임을 엄격하게 규정하지 않는다. 여러 이슬람 법에서 아버지는 별거나 이혼 후 자녀를 부양할 법적 책임을 지고 있지만 강제 수단은 거의 없다. 사하라 사막 이남의 아프리카에서는 공식법이 아니라 관습법으로 양육권과 부양에 관한 내용을 규정하며 때로는 모성권을 완전히 무시한다. 예를 들어, 나이지리아 동부에서는 남편이 신붓값을 지불하지 않으면 자녀에 대한 양육권이 어머니의 아버지, 즉 외할아버지에게 귀속된다.[94] 한부모 여성 가족의 비중에 대한 기본 통계를 수집하는 개발도상국은 거의 없다. 몇 안 되는 예외 중 하나가 페루인데 이 나라에서는 2012년에 한부모 여성의 약 35퍼센트만이 자녀 양육비를 지급받았다고 한다.[95]

대부분의 선진국에서 자녀 양육비 지급 집행 정책을 도입했지만 통계 부족으로 국가 간 비교가 어렵다. 2010년 최신 경제협력개발기구OECD 자료는 양육에 참여하지 않는 부모로부터의 사적 이전과 공적 이전을 합한 수치를 제공하는데, 자녀 양육비를 받는 한 부모가 얼마나 되는지 알 수 있는 자료가 없는 국가가 2014년 기준 21개국 가운데 14개국이었다. 미국과 영국, 호주에서는 40퍼센트 미만이었고, 대조적으로 덴마크와 스웨덴에서는 양육비 지원을 받는 한 부모 비중이 98퍼센트 이상이었다.[96]

미국과 영국에서는 자녀를 양육하지 않는 아버지의 양육비 지급액이 적은 수준임이 밝혀졌고, 먹고 살기에 충분한 수입이 없는 남성에게 양육비 지급을 강제하기가 어렵다는 점이 부각되었다. 흑인과 라틴계 남성의 경제적 취약성은 미국에서 도입된 징벌 정책에 고스란히 투영되어 흑인과 라틴계 남성은 다른 집단 남성보다 더 빈번하게 투옥된다. 자녀 양육비를 강제로 지급하게 하려고 '돈 떼먹는 아빠들deadbeat dads'을 두들겨 패는 노력은 성공을 거두지 못한 것으로 판명되었다.[97] 그러나 아버지보다 경제적으로 훨씬 더 어려운 어머니는 아이를 직접 돌볼 뿐만 아니라 금전 지원도 해낸다. 어머니는 자녀가 아버지와 지속적인 관계를 맺지 않거나 학대에서 벗어나는 대가로 아버지에게 받는 정기적인 재정 지원을 기꺼이 거절하기도 한다.[98]

양육비 집행 문제는 영미권에서만 발생하는 것이 아니다. 러시아에서는 자녀 양육비에 대한 법 조항은 있으나 거의 효과가 없으며 아버지가 양육에 기여하리라는 사회적 기대가 매우 낮다.[99] 일본에서는 이혼율이 증가함에도 불구하고 한 부모에 대한 법적 보호가 약하고 공적 지원이 미미하다.[100] 국제 이주의 증가로 현재 수백만 명의 부모가 자녀와 멀리 떨어져 살고 있어 상황은 더욱 복잡하다. 가족 부양 책임을 국경을 넘어 강제할 수 있는 법 규칙 제정은 아직 진전을 보이고 있지 않다.[101]

스칸디나비아를 비롯한 북서유럽 국가에서는 최소한의 가족 소득을 보장하는 자녀 양육 지원 공적 보험을 제공하여 어머니와 자녀의 빈곤율을 크게 낮추었다.[102] 스칸디나비아 국가의 정책은 공동 양육권 부여와 양육 분담을 장려함으로써 전통적인 돌봄 제공자/생계 부양자 모델에 도전한다. 이런 예는 효과적인 공공 지배구조와 아버지의 참여 규범을 강화하려는 노력의 조합이 아버지와 어머니의 협력을 향상시킬 수 있음을 시사한다.[103]

양육에 대한 공적 지원

정부는 여러 정책을 통해 양육을 지원한다. 의료와 보육, 교육에 정부가 보조금을 지급하는 정책이 대표적인 예이다. 보다 협소하게 부모를 대상으로 하는 유급 가족 휴가와 가족 수당과 같은 특정 유형의 제도는 대부분의 선진국에서 표준이 되었다. 이 경우 지출은 납세자로부터 부모와 자녀에게 향하는 상당한 수준의 소득 이전인데, 어머니가 아버지보다 양육 책임을 지는 경우가 더 많기 때문에 정확히 말하면 납세자에게서 어머니에게로 향하는 소득 이전이라고 할 수 있다. 이런 제도는 여성에게 다소 모순된 의미를 가진다. 한편으로는 가족 돌봄에 대한 보상을 제공하지만, 다른 한편으로는 여성의 돌봄 제공 특화를 장려하여 여성의 취약성을 높이기 때문이다.

세계적으로 양육에 더 많은 지원을 해야 한다는 인식이 높아졌는데 이는 여성의 정치적 세력화와 사회적 투자의 이득에 대한 인식 증가, 사회 지출의 세대 간 지속가능성에 대한 우려 등 다양한 요인이 주도했다. 그러나 가장 중요한 요인은 대체 수준 이하로 하락한 출산율이 인구를 감소시킬지도 모른다는 두려움일 것이다. 젠더 평등을 목표로 하는 스칸디나비아 국가의 가족 지원 정책은 출산율을 대체 수준에 가깝게 안정시켰는데, 이는 현재 스페인, 이탈리아, 그리스, 일본, 한국에서 볼 수 있는 극도로 낮은 출산율과 극명한 대조를 이루고 있다.[104]

그리하여 일부 인구학자와 정책 입안자들은 이제 젠더 평등 수준을 높이는 것이 안정된 인구 수준의 유지라는 목표 달성의 핵심이라고 주장한다.[105] 인구 유지라는 목표에 동의하지 않아도 이 주장이 가지는 힘을 알 수 있다. 하지만 이런 주장은 정서적으로 애착하는 사람을 돌보지 않겠다고 발을 뺄 수 없는 여성이, 그런 애착을 선제적으로 최소화하여 상당한 협상력을 행사할 수 있다는 점을 시사한다. 역설적이게도 많은 여성이 출산을 미루거나 기피하거나 아이를 적게 낳을수록 어머니는 더 큰 협상력을 가지게 된다.

교차 집단 협상은 분명히 양육에 대한 공적 지원에 영향을 미친다. 유럽연합은 유급 가족 휴가와 노동시간 단축권, 가족 수당 등을 지급하는 방식으로 부모에게 혜택을 제공하도록 강력하게 권장했다. 이런 혜택 지급은 수준보다 방식이 훨씬 더 중요하다. 자산조사에 기초를 두지 않고 보편적으로 혜택을 제공할 때 광범위한 대중의 지지를 받는 경향이 있다. 유급 휴가를 남성보다 여성이 주로 사용하거나 유급 출산 휴가가 너무 길면, 시장 노동 참여 의지가 줄어들어 평생 수입이 감소하는 경향이 있다. 경험적 연구에 따르면 6개월을 초과하는 휴가는 이런 부정적인 영향을 미칠 가능성이 높아서 공적으로 지원되는 양질의 보육 서비스가 필수적 보완재이다.[106]

북유럽 국가들은 가족 휴가에 상대적으로 높은 소득 대비 휴가 급여를 제공하며 '사용하지 않으면 잃는' 휴가를 아버지에게 제공하는 조항을 마련하여 아버지가 가족 휴가를 더 많이 사용할 수 있도록 장려한다. 아버지의 가족 휴가 사용률은 시간이 지남에 따라 크게 증가했지만 전체 휴가 기간은 어머니보다 훨씬 짧다.[107] 초기 단계의 양육에 아버지의 참여가 증가하면 아이들이 성장하는 동안에도 아버지가 양육에 더 많이 참여하게 된다는 연구도 있다. 덴마크의 최근 연구에 따르면 부성 휴가는 어머니가 직장으로 복귀하고 전체 가족 수입을 늘리는 데 도움이 된다.[108]

그러나 북유럽 국가에서도 부모의 휴가 평등은 이루어지지 않고 있다. 이들 국가에서도 정부는 많은 공공 정책을 통해 계속해서 여성이 돌봄에 특화하도록 장려한다.[109] 어머니는 임금노동에 시간을 더 적게 투입하고 상대적으로 저임금 공공 부문 일자리에 집중되어 있다.[110] 유럽 21개 국가에서 실시한, 국가가 남성의 행동에 미치는 영향에 대한 최근 분석에 따르면 아이슬란드의 부모 휴가 정책은 가장 평등주의적이지만 "어머니와 아버지 각각에게 평등하고 양도 불가능하며 충분한 휴가 급여를 제공하는 국가는 없다."[111]

다른 부유한 자본주의 국가의 가족 정책은 젠더 분업을 강화하는 유사한 경향을 보여준다.[112] 개발도상국에서는 양상이 더욱 복잡하다. 공공 정책에 대해 전통적으로 '모성주의적'으로 접근하는 중남미 방식은 현재 논쟁의 대상이 되고 있다.[113] 아시아에서는 유교 규범의 유산으로 특히 성 역할 변화에 저항하는 사람들이 많다. 국내총생산 성장에 초점을 맞춘 중국의 통치자들은 돌봄 서비스를 축소하여 여성의 임금노동 참여 능력을 감소시켰다.[114] 이와 대조적으로 한국과 일본에서는 사회투자에 대한 관심이 높아지면서 여성운동 단체의 영향을 받아 고용과 복지 정책에서 상당한 변화가 일어났다.[115]

유급 휴가와 달리 가족 수당과 자녀 관련 조세 지출은 시장 노동에 참여하지 않아도 실행된다. 가족 수당과 자녀 관련 조세 지출은 어머니를 포함한 부모에게 선택권을 더 많이 주지만, 자신과 자녀의 장기적 경제적 안정이라는 측면에서 훨씬 더 위험한 결정을 내리도록 유도하기도 한다. 더욱이 대부분의 가족 수당은 부모가 돌봄에 들이는 시간을 고려할 때 전체 아동 지출에서 상대적으로 적은 부분을 차지한다.[116] 보편적 기본소득 제안에도 이와 비슷한 우려가 제기된다.

이렇게 수당 지급에 기반한 접근 방식이 출산율을 유지하는 데 도움이 될지는 두고 봐야 한다. 특히 수당 지급이 일관성이 없고 가변적일 때 자녀 수보다 출산 시기에 더 큰 영향을 미친다. 최근 러시아 정부가 실시한 정책은 장기적인 영향을 무시한 정책이 어떠한 결과를 낳는지 잘 보여준다. 구소련에서는 보육과 교육 서비스가 광범위하게 제공되었고 가족 수당 역시 보편적으로 지급되었다. 체제 전환 후 러시아는 처음에 이런 정책을 지속했지만 2001년에 이를 축소하여 소득이 최저 생활수준 이하인 가족으로 지급 대상을 제한했다. 그러다가 2006년 푸틴 대통령은 출산율을 높여야 한다는 결정을 내리게 되었고, 두 자녀 이상을 출산한 어머니에게 가족 보조금을 확대하여 '출산 자본'이라는 거액의 일시금을 지급했다.[117] 하지만 이 정책은 현재까지 출산율에 미미한 영향을 미쳤을 뿐인데, 아마도 미래에 지원이 계속될지를 두고 불신이 생긴 탓인 것 같다.[118]

부유한 자본주의 국가들 사이에서 미국은 상당히 예외적인 국가로 남아 있다. 소수의 주와 도시에서만 보편적인 보육 서비스나 유급 가족 휴가를 도입했다.[119] 부양가족이 있는 많은 미국 가족은 유럽 가족보다 세금을 적게 내는데, 자녀 양육과 건강보험, 교육과 노인 돌봄에 대한 본인 부담금을 제하고 나면 유럽 가족보다 가처분소득이 더 적을 것이다.

미국은 아동과 보육 비용에 대한 세금 감면이 복잡하고 형평성이 떨어지며 이해하기도 어렵기 때문에 유권자가 분열되어 있다.[120] 자산조사를 기반으로 현금 혜택과 보육 지원 수혜 자격을 판단하는 제도는 주로 시장 노동에 참여하는 사람을 대상으로 한다. 현재 실직 상태인 저소득 부모들은 미취학 자녀를 스스로 돌보는 대신 서로 바꿔서 돌봐주고 급여를 받는 방식으로 노동 참여 조건을 충족시킬 수 있고 근로장려금을 지급받을 수 있을 것이다.[121] 쥐꼬리만 한 공적 지원금은 아동 빈곤율을 높이며 인간 역량 개발을 저해하고 계급과 인종/민족 불평등을 심화시킨다.[122] 미국 출산율이 최근 대체 수준 이하로 떨어진 것은 놀라운 일이 아니다.[123]

어머니와 아버지가 일자리에서 쉽게 벗어나 시간을 낼 수 있게 하는 정책은 가족 일과 시장 일 사이에 빚어지는 긴장을 최소한 부분적으로 감소시킨다. 관대한 공적 지원을 받는 스웨덴 같은 국가에서는 대부분의 여성이 적어도 한 명의 자녀를 낳는다. 미국에서는 점점 더 많은 여성이 자녀를 낳지 않는다.[124] 이 결과 스웨덴에서 소득의 젠더 격차는 전문직과 고위 관리직에서 특히 크다.[125] 이런 실패가 한탄스럽기는 하나 여성의 성공은 상대적인 노동시장 소득으로만 측정되어서는 안 된다. 부모가 될 수 있는 경제적 기회도 소중하다.

노인과 장애인에 대한 공적 지원과 이전

연금과 의료 서비스를 제공하는 많은 공공 정책은 드러나지 않는 돌봄 불이익을 성인에게 부과한다. 가족을 돌보기 위해 잠시 노동시장을 떠났던 사람들은 연금 자격과 납부 기간에서 손해를 보게 되어 노후 빈곤에 취약해진다. 영국과 프랑스, 독일, 스웨덴 등은 가족 돌봄 제공자에게 소득 공제를 제공하지만 공제 수준은 상대적으로 낮게 설정된다.[126] 미국 정책은 훨씬 더 나쁘다. 이전 장에서 언급한 바대로 미국 사회보장제도는 시장 노동을 하지 않는 기혼 배우자에게 특별 지원을 제공하며 수당은 고용된 배우자 소득의 일정 비중으로 설정된다. 그러나 한부모는 이중으로 불이익을 당한다. 한부모의 비시장 노동은 보상을 받지 못하고, 간헐적으로 저임금 일자리에 종사하게 되어 사회보장 혜택 자격을 따질 때 피해를 본다. 결과적으로 그들은 노후 연금 재정을 조달하는 데 기여하는 미래 납세자를 키우는 일에 시간이나 노력을 거의 들이지 않은 남성보다 국가로부터 훨씬 적은 연금을 받게 된다.

유급 가족 휴가와 마찬가지로 노인 돌봄을 가족이 제공하도록 지원하는 공공 정책은 전통적인 성 역할을 강화할 수 있다. 반면 시장의 돌봄 제공자에게 적절한 급여와 혜택을 제공하는 공공 정책과

돌봄과 연대의 경제학

결합하면 가족 구성원에게 더 많은 유연성을 제공하여 가족 소득 향상에 기여할 수 있다.[127] 실제로 공적으로 지원되는, 이용자 기반의 재가 돌봄 정책은 가족이 장애인이나 노인을 위한 온종일 유급 돌봄 서비스를 구매할 수 있는 경제적 여력을 제공한다.[128] 유급 가족 휴가는 일시적으로 휴가를 사용한 뒤 계속 일하고 싶은 사람들에게 고용 안정성을 보장하여 유연성을 높일 수도 있다.[129]

여기서도 미국은 예외적이다. 일부 주에서는 이런 여성과 가족 친화 정책을 채택했지만 연방노인건강보험은 치매같이 만성적인 불치병으로 고통받는 사람에게 필요한 요양원 비용이나 가정 방문 돌봄 비용에 대해서는 급여 혜택을 주지 않는다.[130] 남성은 자신보다 기대수명이 더 긴 연하의 여성과 결혼하기 때문에 배우자 돌봄에 의존하는 경우가 많지만 여성 노인은 그렇게 할 수 없는 경우가 많다. 여성 노인은 남성 노인보다 요양원에 갈 가능성이 훨씬 더 높은데도, 빈곤층으로 분류될 때까지 자산조사를 거친 공적 지원은 받지 못한다.

자산조사에 기반한 메디케이드 프로그램을 통해 가정과 지역사회에 토대를 둔 돌봄을 공적으로 지원하는 제도는 친족에게 불이익을 부과한다. 많은 주에서 이 프로그램 참여자 가운데 딸이나 아들의 서비스 비용을 지불하는 부모는 기금을 지원받을 수 있지만 돌볼 가능성이 가장 높은 배우자는 기금을 지원받을 수 없다. 이혼한 배우자는 지원받을 자격이 있기 때문에 이혼에 대한 경제적 동기를 제공한다.[131] 재가 돌봄 제공자에 대한 설문 조사에 따르면 고용된 가족은 직업소개소를 통해 고용된 돌봄 제공자보다 급여를 훨씬 적게 받고 받은 돈에 비해 더 많은 시간을 돌본다.[132]

일부 어머니와 아버지는 성인 자녀로부터 노후 봉양이라는 형태로 부분적인 보상을 받는다. 유산을 남겨주겠다는 약속은 노후 봉양을 부추기기도 한다. 부유한 나라든 가난한 나라든 증거에 따르면 부모는 그동안 쌓아온 부를 전략적으로 사용하는데, 성인 자녀가 제공하는 돌봄 서비스를 보상하기도 하지만 자녀의 경제적 상황에 맞추어 대응하기도 한다.[133] 8장에서 언급한 바와 같이 이 가족 안전망은 경제적이면서 사회적인 가치가 있다.[134] 미국에서 자녀가 없는 성인은 자녀를 둔 성인보다 공적 지원을 더 많이 받는다. 부모로서 관계의 수준도 중요하다. 결혼하지 않은 노인이나 이혼한 아버지는 다른 사람보다 자녀의 도움을 받을 가능성이 적다.[135] 그러나 가족 내에서 노인에게서 젊은이로 향하는 세대 간 이전은 반대 방향으로의 이전을 훨씬 능가한다.[136]

저출산 고령 사회에서 이민자는 아동 돌봄보다 노인 돌봄에서 훨씬 더 큰 역할을 한다.[137] 미국의 행정명령은 오랫동안 재가 돌봄 노동자의 대다수를 차지하는 흑인, 라틴계와 기타 이민 노동자에게 최저임금을 포함한 근로기준법Fair Labor Standards Act이 보장하는 기본적인 노동권을 인정하지 않았다. 인종적 혐오는 왜 미국 남부의 주들이 메디케이드 기금을 가정과 지역사회 기반 돌봄이 아니라 주로 요양원에서 쓰도록 하는지를 설명한다. 요양원은 1인당 기준 비용으로 훨씬 더 비싸지만, 환경이 너무 열악하여 입소 자격이 있는 사람들이 신청하지 않는다. 그래서 요양원 이용에 소요되는 총비용은 낮게 유지된다. 정책 입안자는 가정과 지역사회 기반 돌봄 확대로 너무 많은 비용이 지출될 수 있다고 우려한다. 왜냐하면 잠재적 수혜자가

지원을 신청하기 위해 "난데없이 나타날" 수 있기 때문이다.[138]

어떤 지표로 판단해도, 가용한 자료가 있는 사실상 거의 모든 국가에서 여성 노인은 남성 노인보다 빈곤에 더 취약하다.[139] 이 결과는 우연이 아니며, 전적으로 자발적인 선택의 결과로 볼 수도 없다. 이는 평생에 걸쳐서 주로 여성인 돌봄 제공자를 착취하게 만드는 집단권력 구조가 반영된 것이다. 일부 여성은 이런 결과를 실질적으로 상쇄할 수 있는 충분한 협상력을 가지지만 대부분의 여성은 그렇지 않다. 이런 현실은 다른 차원의 불평등을 심화시키며 전반적인 돌봄의 질에 손상을 입힌다. 미국에서 코로나19 팬데믹은 다른 집단에 비해 유색인종과 근로 빈곤층에 더 부정적인 영향을 미쳤는데 이는 교차 취약성의 신랄한 증거이다.[140]

돌봄의 미래

돌봄이 일종의 재생산적 세금이라면, 이 세금을 적게 내는 사람들은 일종의 가부장적 배당금을 받는 효과를 누린다.[141] 이와 같은 부기는 회계장부의 수입과 지출 양쪽에 있는 항목을 보여주는데, 젠더가 상당히 영향을 미치지만 완전히 결정하지는 않는다. 또한 돌봄에 대한 필요가 공급을 훨씬 능가하는 돌봄 부족의 위협이 증가하고 있음을 나타낸다. '필요'라는 단어는 경제학자가 단순한 구매력을 설명하기 위해 제한적으로 사용하는 '수요'라는 단어보다 이 맥락에서 더 적절하다. 신뢰할 수 있는 양질의 돌봄은 공감과 관계, 헌신이 필요하기 때문에 손쉽게 구매할 수가 없다.

분명히 미래는 불투명하다. 생물학적 이유든 문화적인 이유든, 여성은 남성보다 타인을 돌보는 데 더 큰 선호를 보일 수 있다. 그러나 이런 선호의 대가는 대부분 다툼에 취약한 집단권력 구조가 결정한다. 더욱이 돌봄 선호는 바뀌고 있다. 젠더 고정관념에서 벗어난 새로운 가족 형태의 중요성이 부각되고 전통적인 이성애 가족에서 구성원의 역할이 특화되어 있지 않다.[142] 젠더 이분법에 기반한 사회적 소속 집단의 개념 자체가 흐트러지고 있다. 젠더화되어 있든 아니든, 돌봄 제공에 있어서 극단적인 특화는 재생산 비용이 보다 공평한 방식으로 분배되지 않는 한 계속해서 특정 집단의 경제적 취약성을 초래할 것이다.

돌봄 헌신의 비용을 관리하는 제도가 인식되고 해석되고 도전받는 방식에 따라 많은 것이 달라진다. 이런 복잡성 때문에 젠더 불평등을 줄이기에 지나치게 단순해 보이는 제안은 거부된다. 특히 연령과 성적 지향, 인종/민족, 시민권, 계급과 맞물려 있는 불평등을 인정하지 않는 제안은 더욱 강하게 거부당한다. 신자유주의 정책은 가정 내 돌봄 노동을 당연시했다. 가부장제적 경로를 통해 오랫동안 역사적으로 공급되어 왔기 때문에 안심했을 것이다. 그러나 경로는 좁아지고 다른 불평등이 확대됨에 따라 시장의 힘이 돌봄 부족을 심화시킬 가능성이 있다.

사회 정의에 대한 지속가능한 비전은, 돌봄을 받을 권리의 평등과 이를 제공할 상호 의무를 모두 명시하는 것이다. 여성이 경제적 안정과 정치적 발언권을 얻는 활동에 에너지와 노력을 더 많이 기울이면서 남성도 전통적으로 여성에게 할당된 역할에 더 많은 책임을 지라는 압력을 받는다. 글로벌 조직인 프로문도Promundo는 이렇게 말한다. "유해한 젠더 규범과 불평등한 권력 관계를 변화시키기 위해 여성, 남성, 청소년이 함께 일하는 것은 젠더 평등 달성의 중요한 해결책이다."[143] 수년 전에 페미니스트 학자들이 설명했던 맞벌이/맞돌봄 모델이 주목받고 있다.[144] 불행히도 노동 비용과 세금을 최소화하려는 고용주의 동기로 이 모델은 더 진전을 보지 못하고 있다.[145]

돌봄 경제를 강화하기 위한 여성과 남성의 더 강력한 동맹이 중요하지만, 범주로서의 젠더 자체를 폐지한다고 해서 더 큰 문제가 해결되지는 않는다. 여성에 대한 차별은 "아버지가 자녀와 가정을 어머니만큼 돌봐야 한다는 인식이 일반화"된다면 분명히 줄어들 것이다.[146] 그러나 돌봄 불이익은 계속 남아 있다. 돌봄 노동을 적절히 지원하지 못하는 경쟁적 시장 경제는 젠더에 관계없이 돌봄 제공자에게 불이익을 준다. 시장 노동에서 '아빠의 직업 경로'는 엄마의 직업 경로만큼 경력 개발과 고용 안정성에서 잠재적으로 해를 입을 수 있다. 남성과 여성 모두 개인의 수입보다 사회적 혜택을 더 많이 창출하는 일자리에서 돈을 더 적게 받는다.

돌봄을 수입하는 것으로도 문제를 해결할 수 없다. 선진국에서 돌봄을 제공하기 위해 '저렴한 이민자'를 수입하는 해결책은 전 지구적 기후변화에 대한 대응으로 석탄 대신 값싼 천연가스를 수입하는 해결책과 마찬가지이다. 다시 말해 더 진지한 대안 모색을 미루는 대증요법일 뿐이다. 글로벌 돌봄 사슬에 의존하면 돌봄 부족을 타인에게 전가하여 힘이 없는 집단과 저소득 국가에 부정적인 결과를 초래한다.[147] 세계화의 하인들은 더 나은 권리, 더 나은 노동 조건, 더 나은

급여를 받을 자격이 있다.[148]

돌봄 서비스의 양과 질이 장기적으로 악화될 수 있다는 우려는 기후변화의 위협처럼 이질적인 유권자를 통합할 수 있다. 공중 보건을 보호하고 기후변화에 대응하기 위해서는 더 많은 국제 협력이 필요하며, 돌봄 제공을 지원하기 위한 더 강력한 집단적 노력이 없다면 세계경제는 더 큰 어려움을 겪을 것이다. 시인 토니 호글런드Tony Hoagland는 "미래의 외침에 귀를 기울여야 할 때/ 나는 과거의 외침에 귀를 기울이고 있었다"라고 설명하는 현대의 마르크스를 상상한다.[149] 가부장적 제약은 이제 더 이상 여성을 재생산 영역에 가둘 수 없으며 자본주의 투자자는 쉽게 통제하고 회수할 수 있는 수익을 요구한다. 인간의 역량을 창출하고 유지하는 데 드는 비용을 덜어내야 한다는 경쟁 시장 압력은 기후변화와 생태계 파괴와 같은 딜레마를 낳는다. 이 딜레마는 타인의 복지에 대한 헌신을 장려해야만 해결될 수 있다.

10장

분열과 ── 동맹

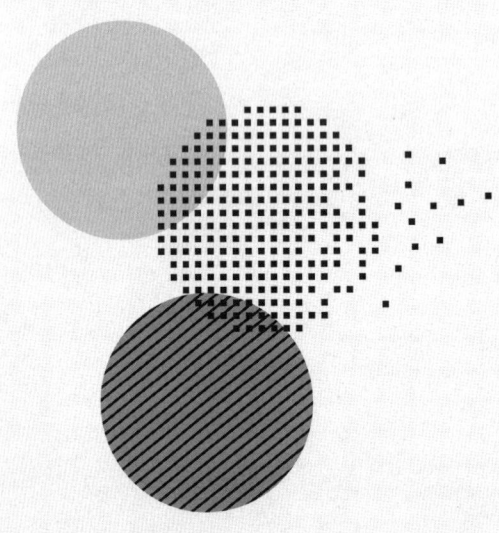

옛날 옛적 아리아드네는 위험한 야수 미노타우로스가 갇힌 어두운 미로를 탐험하기로 결정했다. 돌아오는 길을 찾을 수 있도록 입구에 빨간 실을 묶은 뒤 앞으로 나아감에 따라 실이 풀리게 했다. 마침내 찾은 야수에게 조용히 따라오면 포박을 풀어주겠노라고 부드럽게 약속했다. 그러나 아리아드네는 오랜 감금 생활에 미친 야수가 공격할지도 모른다고 생각했기에 칼도 지니고 있었다. 이후 아리아드네와 야수에게 무슨 일이 일어났는지 우리는 지금도 모른다. 자신만만한 젊은 영웅이나 잔인한 살해, 탈출, 배신으로 널리 알려진 이야기는 가짜라는 것만 알 뿐이다.(그리스 신화에 나오는 여인 아리아드네가 첫눈에 반한 남자 테세우스를 도와서 미노타우로스를 죽이고 크레타섬을 탈출했다는 이야기인데, 미노타우로스를 죽이고 나서 아리아드네가 테세우스와 함께 행복하게 살았는지 아닌지에 관해서는 서로 다른 이야기가 존재한다─옮긴이)

우리는 경제적으로 성공할 가능성에 중대한 영향을 미치는 제도 구조로 꽉 찬, 우리 자신이 만든 피라미드 미로에 살고 있다. 이 책에 요약된 이론적 주장과 역사적 서사는 이렇게 연결된 구조의 원인이자 결과인 사회 분열을 폭로한다. 구조를 확실히 변화시킬 수 있는 방법을 아직 알지 못하지만 논리학자들이 아리아드네의 실이라고 부르는 과정, 즉 가능한 모든 경로를 주의 깊게 조사하는 과정을 따라가 볼 수 있다. 이를 위해 우리가 어디에 있었고 어떤 막다른 길을 만났는지 명확히 기록해야 한다. 또한 미로의 벽을 허물어야 할지도 모를 가능성도 고려해야 한다.

경제학자는 조작해서는 안 되거나 수정할 수 없는 경제 조직을 묘사하는 모형을 자주 들먹인다. 어떤 경제학자는 집단적 헌신의 가치를 무시하고 개인의 선택에 간섭하지 말라고 경고한다. 다른 경제학자는 자본주의가 순전히 계급 갈등에 기초한 헤게모니 체제이며 계급 갈등이 제거되기만 하면 집단적 헌신이 쉽게 번성할 수 있다고 주장한다. 두 패러다임 모두 지나치게 단순하다. 어떤 경제체제도 자발적 교환이나 단일 지배계급에 의한 잉여 추출만으로 조직된 적이 없다. 여성의 권리를 박탈한 제도 구조에 대한 페미니스트의 비판은 다양한 형태의 협동과 갈등, 선택과 제약에 관심을 두는 교차정치경제학에 힘을 실어준다. 제도 권력이 다양한 형태로 구체화될 수 있음을 보여주는 이런 개념화는 여성을 포함하여 사회적 약자가 더 강력한 동맹을 구축할 수 있도록 돕는다.

판도 뒤집기

게임은 단순히 재미와 신체 활동만을 추구하는 것은 아니다. 어떤 게임은 치명적이고 어떤 게임은 착취적이며 어떤 게임은 자기 파괴적이기도 하다. 사람들이 하는 대부분의 게임은 노력과 운, 팀워크가 조합돼 있으며 강제성 있는 규칙이 지배한다. 이런 규칙이 없으면 신뢰 부족을 낳아 모든 사람에게 더 나쁜 결과를 가져오는 행동을 부추길 수 있다. 죄수의 딜레마나 치킨 게임, 사슴 사냥과 같이 정형화된 게임은 이런 조정 문제를 은유적으로 보여준다. 집단권력의 제도 구조는 이런 문제를 해결하고 협동을 강화하는 데 기여할 수 있다. 그러나 이 과정에서 큰 대가를 초래하는 갈등과 착취가 발생한다. 게임을 설계하는 것 자체가 게임이다. 우리는 게임을 변화시킬 방법을 생

돌봄과 연대의 경제학

각해낼 때까지 이전 승자가 자신의 유리한 지위를 영속시키도록 설계한 규칙에 따라 생활한다. 단순히 기울어진 경기장을 평평하게 하는 것만으로는 충분하지 않다.

행위자와 구조를 다시 보기

행위자와 구조가 서로를 구성하는 동학은 선수와 생존 게임의 동학과 평행을 이룬다. 선수는 피라미드형 미로에서 자기가 처한 위치를 개선하고 이 과정에서 구조를 자신에게 유리하게 재구성하기를 희망한다. 선수는 다양한 팀과 하위 팀에 배정되지만 어느 팀에 헌신할지를 두고 약간의 선택권을 행사한다. 한 선수의 이득이 필연적으로 다른 선수의 손실을 낳지는 않는다. 협동의 이득은 불평등하게 분배될 수 있지만 선수가 누릴 수 있는 잠재적 총보상을 증가시킬지도 모른다.

이런 게임은 적자생존으로 환원될 수 없다. 승자는 책정된 보상을 챙기기 위해 패자에 의존해야만 하고 항상 승자가 모든 것을 독식할 수 없기 때문이다. 선수는 어떻게 해서 앞지를지 아니면 적어도 어떻게 생존할지에 몰두하고 있으며 소속 집단 구성원 자격의 획득 여부는 성공 가능성에 큰 영향을 미친다. 선수는 자신이 경험하는 보상과 처벌의 영향을 받으며 어떤 의미에서는 경기하는 바로 그 게임의 산물이 된다. 게임의 설계를 두고 벌이는 논쟁은 특히 편안하게 앞서가는 사람들 입장에서는 주의를 산만하게 만드는 요인처럼 보일 수 있다. 그러나 게임은 항상 변화하며 걸려 있는 보상은 크다. 참여자는 삶과 죽음, 자유와 복종, 번영과 빈곤이라는 쌍에서 하나를 갖게 된다.

교차적 불평등은 복잡한 성격을 띠는데 매수와 이를 상쇄하는 집단 갈등을 통해 대규모 위계 구조를 안정화한다. 다른 한편 다소 예측 불가능하고 통제하기 어려운 사회환경을 조성하기도 한다. 변화하는 동맹 관계는 전복 효과를 낳아 갑작스러운 정치적 재편을 초래할 수 있다. 과도한 갈등은 내부로부터 피라미드형 구조 전체를 약화시킬 수 있다. 어떤 게임들은 제로섬 효과를 낳는다. 이 경우 모든 이익은 다른 사람의 손실을 대가로 발생한다. 어떤 게임에서는 참여자가 서로를 확실히 파괴하며 모두가 패자가 된다.

외부 충격과 압력은 내부 동학과 마찬가지로 연결된 구조를 불안정하게 만들 수 있다. 피라미드형 미로는 우리가 종으로 출현하기 훨씬 이전에 출현하고 진화한 자연환경에서 인간이 추진한 프로젝트이다. 우리는 이 환경에서 에너지와 자원을 추출하고 점점 더 많은 양의 쓰레기를 버리고 기저귀를 더럽히고 우리 자신의 둥지를 더럽히는 데 갈수록 능숙해졌다. 꼭대기에 있는 사람들은 악취가 안 나는 상층에 있을 수 있지만 맨 아래에 있는 사람들은 이미 숨쉬기가 어렵다. 피라미드 자체가 쓰레기 더미에 묻힐 수 있다.

가부장제 규칙

여성은 오랫동안 미래 세대의 양육에 있어서 가장 큰 책임을 져 왔다. 남성이 이런 책임을 소홀히 하는 경향이 있다면, 그것은 잠시 동안 그럴 수 있었기 때문이다. 지금은 쓸모가 없어진 많은 가부장 제도가, 남녀의 차이를 심화시키는 방식으로 남성과 여성을 따로 묶어 이분법적 역할과 분리된 영역에 가두었다. 이런 제도는 남성에 비해 여성의 협상력을 감소시켰지만 가족과 돌봄 제공자인 여성을 경제적으로 부양하는 동기를 제공했다. 적어도 멸종이나 몰수, 노예화, 다른 형태의 직접 강압을 피한 집단 내에서는 그러했다. 하위 집단을 규율하는 제도 권력은 가족의 결속과 친족 네트워크를 약화시키려고 노골적으로 설계된 것처럼 보이기도 했다. 동시에, 하위 집단을 착취하는 행위는 권력 집단에 속한 여성에게 더 높은 생활수준이라는 보상을 제공할 수 있었고 실제로 제공했다.

자본주의 동학은 집단권력의 형태에 따라 여성에게 복합적인 결과를 가져왔다. 서유럽과 미국을 포함한 세계의 일부 지역에서는 기술 혁신과 임금노동의 확대가 봉건적 불평등 체제를 뒤흔들고 가부장제의 지배를 느슨하게 했다. 자본주의적 팽창은 일시적으로나마 해방의 동력을 만들어내기도 했다. 이는 또한 인종/민족, 시민권, 계급에 기반해 이미 존재했던 불평등이 극심했던 시기와 지역에서 특히 강도 높은 새로운 형태의 착취를 발생시켰다.

인구학적 결과는 변화를 초래할 수 있다. 가족 생계에 대한 어린 자녀의 기여도가 감소하고 장성한 자녀가 경제적으로 독립하면서 부모가 감당하는 자녀 양육 비용은 증가했다. 이는 출산율 감소를 조장했고 가족 돌봄에 여성이 특화되는 경향은 약화되었다. 그러나 가족 밖에서 새로운 고용 기회를 얻은 여성은 임금노동과 재생산 노동을 결합하는 데 어려움을 겪으며 고용 기회를 실제로 누릴 수 있는 자유는 제한받았다. 시장 교환에 대한 의존도가 높아짐에 따라 시장 논리에 부합하지 않는 활동의 상대적 비용이 증가했다. 전통적인 경제적 이점을 유지할 수 없을 경우 남성은 가족 부양을 거부하고 싶은 유혹에 빠졌다.

여성은 여성 간의 차이를 결코 완전히 극복할 수 없었지만 차이를 넘어 서로 화해하기도 했고, 남녀 소득 불평등을 넘어 돌봄 비용의 분배와 복지국가의 출현을 포괄하는 젠더 게임의 변화를 요구했다. 집단으로서 여성의 성공은 동맹의 가능성과 이 가능성을 장악하는 데 필요한 전략적 통찰력에 따라 엇갈렸고 중대한 결과를 낳았다.

자유주의와 신자유주의 페미니즘

19세기와 20세기 초 영국과 미국에서 상대적으로 급속했던 자본주의 발전과 백인 인구의 생활수준 향상은 개인의 권리를 강조하는 자유주의 페미니즘을 조장했다. 아버지의 권위에 도전할 때 남성이 들먹였던 원칙은 여성이 남성 전체, 특히 남편의 권위를 부정하는 데 이용될 수 있었다. 많은 여성의 이익은, 개인의 이기심 추구를 향한 자유를 확장할 때 충족되는 계급 이익과 동일한 양상을 보였다. 이런 점에서 자유주의 페미니즘은 도덕적 실패, 즉 자본주의 현재 상태에 기회주의적으로 적응하는 것으로 볼 수 있다.[1]

반면에 권리에 기반한 전략은 영향력 있는 남성의 저항을 줄였을 뿐만 아니라 민주적 지배구조의 범위를 확대했기 때문에 괄목할 만한 성공을 거두었다. 정치적 민주주의처럼, 권리 기반 전략은 처음에는 불완전하고 일관성이 없으며 심지어 위선적인 형태를 취했지만, 그럼에도 불구하고 나중에 반대자를 납득시킬 수 있었고 이런 흐름에 강력한 쐐기를 박았다. 시간이 지남에 따라 정치적 권리에 대한 담론은 경제적 권리를 포함하여 전복적인 방식으로 확장되었다.[2] 페

미니스트는 이런 권리 중 "돌봄을 주고 돌봄을 받을 권리"가 있다고 주장한다.[3]

자유주의 페미니스트 의제의 이런 변화 경로는 집단권력의 모든 구조를 주어진 것으로 간주하고 여성에게 정상에 오르기 위해 더 열심히 노력할 것을 촉구하는 신자유주의 페미니즘과 생생히 대조된다. 전 페이스북 경영자 셰릴 샌드버그Sheryl Sandberg의 2013년 저서 『린 인』은 이런 전략을 잘 보여준다. 한 비평가가 말한대로, 이 책은 "터보 자본주의, 나에게 득이 되는 세상"에 대한 자립 지침을 제공했다.[4] 여성에게 "결혼하고 싶은 바로 그 남자 같은 사람이 되세요"라고 조언하는 한 블로그 포스트는 "이기적으로 행동하면 주변의 모든 사람을 끊임없이 돌보는 일에 매달릴 때보다 인생에서 훨씬 더 많이 얻을 수 있을 것입니다"라고 설명한다.[5] 아인 랜드Ayn Rand의 자유지상주의 철학을 재활용한 이 문구는 삶이 경쟁적인 상류층 노동시장으로 환원되는 경우에만 정당화될 수 있다.

이 협소한 세계에서 여성의 성공은 전통적으로 남성이 특권을 누린 공식 부문 노동에 대한 참여와 전문직과 관리직 직무 수행, 정치적 지도력 획득으로 측정된다. 돈으로 모든 것을 살 수 있다. 가족 돌봄은 그저 간편한 위임이나 빈틈없는 체크리스트, 강심장으로 해결할 수 있는 또 하나의 경영 문제가 돼버린다. 대부분의 여성은 이와는 매우 다른 장소에 살고 있다. 그곳은 가족을 책임지는 일이 자신과 자녀에게 상당한 빈곤 위험을 안기고 남성이 주는 약간의 도움도 고마운 세상이다.

신자유주의 페미니즘은 이전의 자유주의 페미니즘보다 집단을 휠씬 더 잘게 나눈다. 신자유주의적 의제는 점점 소수가 되고 있는 경제적 소수 집단인 부유층 옷자락 끝에 매달려 있다. 교차적 전략으로서 신자유주의 페미니즘이 성공할 가능성은 낮다. 자본주의 발전은 더 이상 광범위한 상향 이동의 기회를 제공하지 못하고, 경제학자가 오랫동안 인정했지만 주변부로 격하된 '외부성', 즉 외부 충격에 점점 더 취약해지기 때문이다. 위험한 신종 병원체와 전 지구적 기후 변화의 위협, 심화되는 사회적 갈등은 경쟁이 아닌 협동을 통해서만 해결할 수 있는 수많은 문제 중 가장 눈에 띄는 문제이다. 당연히도 페미니스트 이론의 또 다른 지류가 다시 전면에 떠오르고 있다.

사회주의 페미니즘

1825년 아일랜드 사회주의 페미니스트 윌리엄 톰슨과 안나 휠러는 개인 경쟁에 기반한 경제체제는 타인을 돌보는 책임을 지는 사람들에게 불리하게 작용할 것이라고 주장했다.[6] 당시에는 거의 인정되지 않았던 그들의 주장은 이전 장에서 설명한 돌봄 불이익에 대한 연구의 결과를 미리 보여주었고, 인간 역량을 개발하고 유지하는 데 드는 비용의 일부라도 사회화하기 위해 설계된 복지국가 정책이 왜 출현했는지 설명해준다. 정치적 동맹의 변화에 취약한 그런 정책은 뒤집힐 수도 있다. 그런 정책은, 4장에서 발전시킨 용어를 사용하자면, 무임승차와 꼭대기 승차를 모두 억제하는 사회제도가 없다면 유지되거나 확장될 수 없다.

사회주의 페미니스트는 보통 목표 달성 수단보다 목표 자체에 더 강하게 초점을 맞춘다. 돌봄 노동을 인정하고 보상하고 분배할 필요가 있다고 강조하는 페미니스트들은 돌봄 경제에 속한 건강과 교육, 사회서비스 영리화가 초래하는 위험을 강조한다. 사회민주주의로 분류되는 정책 의제는 '돌봄 사회주의'라고 불릴 수도 있다.[7] 돌봄을 주고 돌봄을 받을 권리를 보장하려면 최소한 사회적으로 구성된 불평등을 줄일 수 있는 재생산 협상을 새롭게 벌일 필요가 있다. 어떤 페미니스트 경제학자는 이를 '플랜 F'라고 부른다.[8]

적어도 그런 방대한 계획의 몇몇 조각의 결과는 이미 명백하다. 북유럽 국가에서는 돌봄 불이익을 줄이는 구체적인 공적 재정 지원 정책들을 제공하지만, 다른 많은 국가에서도 최근 이런 방향으로 움직였다. 유엔여성기구의 최근 보고서 『변화하는 세계의 가족』은 다양한 형태의 가족을 지원하고 여성의 권리를 보호하기 위한 가족 친화적인 사회이전 지출과 서비스 정책의 비용이 대부분의 국가에서 GDP의 5퍼센트 미만을 차지해 부담이 크지 않다고 추정한다.[9] 이런 지출이 진정한 경제 발전에 기여하는 효과는 비용을 훨씬 초과할 것이다.

국제노동기구ILO는 무급과 유급 돌봄에서 발생하는 위기를 동시에 해결하기 위한 노력을 촉구한다. 유급 돌봄 노동의 '고진로High-road' 전략은 노동자와 소비자의 동맹 가능성을 제공해 보상은 높이고 이직률은 줄인다.[10] 최근 사례로는 캘리포니아의 유급 재가 돌봄 노동자의 노조 결성 성공, 2018년 임금 인상을 요구하는 미국의 교사 파업에 대한 폭넓은 대중의 지지, 2017년 뉴질랜드에서 실행된 돌봄 시설 노동자와 재가 돌봄 노동자의 동일가치노동 동일임금 조정이 있다. 실로 역사적 사건이다.[11]

공공서비스는 가족과 친구, 사회와 개인 참여의 필요성을 대체하지 않는다. 시간제 노동에 대한 불이익 감소와 돌봄 휴가의 유급화는 건강한 돌봄 경제에 핵심적인 도덕적, 정서적 헌신을 강화할 수 있다. 강요된 이성애에 대한 도전은 성적 자기표현을 위한 안전한 공간을 만들고 새로운 형태의 가족 출현을 장려할 수도 있다. 오늘날 많은 기혼 부부는 가족 돌봄에 대한 공동 책임을 포함하여 평등주의 원칙을 수용한다.[12] 미국에서는 대다수 젊은 여성과 남성이 일과 가족에 대한 책임을 동등하게 분담하기를 선호한다고 말한다.[13] 게이와 레즈비언 커플은 결혼을 자기 나름의 방식으로 정의할 권리를 쟁취하고자 오랫동안 열심히 싸워 왔다.[14]

재생산에 대한 협상은 필연적으로 생산에 대한 협상을 수반한다. 소득과 부에 부과하는 누진세는 일자리 공급을 억제한다고 오랫동안 비판받았지만, 사람들이 시간을 재분배하여 가족과 친구, 이웃을 보상 없이 돌보는 데 에너지와 노력을 더 많이 쓰도록 독려한다. 생활 수준은 1인당 GDP보다 더 넓은 의미에서 재정의되어야 한다. 세계 경제는 성장을 멈출 필요가 없다. 그러나 더 나은 방향으로 성장해야 한다. 환경에 유해한 영향을 미치는 생산방식을 단계적으로 철폐하는 조치는 돌봄 서비스의 확장과 인간 역량의 향상을 위한 여지를 만들 수 있다.

협동을 통해 얻은 이익을 분배하는 현재 방식을 변화시키려면 단순히 도덕적 권고와 장기적 효율성을 높이자는 호소만으로는 부족하다. 이렇게 부가 편중된 세상에서 부자들은 "세금을 부과하면 다른 곳으로 부를 옮길 것이다"라는 위협으로 민주적 협상을 방해한다. 각

돌봄과 연대의 경제학

집단의 이익이 복잡하게 얽혀 있기 때문에 많은 사람들이 현재 상태를 변화시키기를 꺼린다. 그러므로 집단권력의 연결된 구조가 어떠한지를 명확히 보여주는 그림을 가져야 한다.

자본주의?

단일 체제로서의 자본주의라는 기존 개념은 자본주의 제도의 의미와 성공을 과장한다. 자본주의 제도는 다른 위계 구조 없이는 존재하지 않았고 존재할 수도 없다. 칼 폴라니Karl Polanyi는 시장이 의존할 수밖에 없는, 자신이 뿌리를 두고 있는 사회관계를 붕괴시키는 경향이 있다고 지적하면서 몇 년 전 비슷한 주장을 했다.[15] 그러나 이런 사회관계에 대한 폴라니의 견해는 낭만적으로 젠더 문제를 간과했고, 자본주의 제도의 발전보다 앞서 등장해 그것의 진화를 추동한 가부장적 권력 구조를 간과했다.

마르크스주의 이론은 이 역사적 드라마에 대한 예리한 통찰력을 제공하지만, 모든 착취의 원천으로 지목한 헤게모니적 생산양식에 대한 그의 비전은 불완전하고 낡았다. 사유재산도 자본주의도 가부장제도 모든 악의 뿌리가 아니다. 악은 땅에서 자연스럽게 자라는 나무가 아니라 우리가 이제 막 이해하기 시작한 청사진을 가진 더 복잡한 건축물이기 때문이다. '경제'는 잉여가치의 추출과 동일시될 수 없으며, 화폐가치로 표시된 시장과도 동일시될 수 없다.

아무리 경제적 부가 중요하다 할지라도 그 가치는 다른 형태의 자본, 즉 인간에게 체현된 역량과 태양 생태계의 자연 자산, 물려받은 지식과 기술이라는 사회적 자산, 함께 일할 수 있는 우리의 능력에 비하면 왜소하다. 우리 인간의 협동으로 이룰 미래의 성공은 이 대규모 자산을 성공적으로 관리하는 데 달려 있으며 자본주의 제도는 이 일에 적합하지 않다. 금융자산의 편중된 사적 소유는 지금도 민주적 지배구조와 공중 보건과 환경의 지속가능성에 필요한 제도의 발전을 방해한다.

착취를 확장하기

고용주는 조달 방법과 상관없이 금융자본 통제로 더 강력한 대안 지위를 가지기 때문에 노동자에게 생산 가치보다 적은 급여를 지급할 수 있다. 사회적으로 구성된 다른 많은 집단은 비슷한 형태의 집단권력을 향유하는데, 권력은 전유와 생산, 재생산, 집단 자체의 사회적 재생산 영역에서 작동한다. 물리적 폭력의 위협은 경제적 권력으로 바뀌고 가족을 돌보는 헌신은 경제적 취약성으로 바뀐다. 이익을 빠르고 쉽게 얻을 수 있는 재화나 서비스의 생산은 미래 세대에 필요한 재화나 서비스의 생산보다 더 많은 이득을 가져다준다.

　사회적 분열에 대한 이처럼 폭넓은 접근 방식은 임금노동자를 '착취당한 자'라는 고유한 범주에서 끌어내리면서 어떻게 착취가 시간이 지남에 따라 재생산되고 강화되었는지 설명한다. 현대 글로벌 경제에서 사회적 소속 집단 내부에서 이루어지는 금융, 인적, 사회적 자본의 대물림은 경제적 성공 기회에 큰 영향을 미친다. 과거에는 상속세를 포함하여 누진세가 평준화 효과가 있었다. 지난 수십 년 동안 부유층의 정치적 협상력이 높아짐에 따라 그런 평준화 효과는 뒤집

했다.[16]

경제적 부의 편중에 관한 연구로 유명한 토마 피케티Thomas Piketty가 몇 년 전 우리 대학을 방문했을 때 한 대학원생이 그에게 왜 계급투쟁보다 조세 제도를 강조하는지 물었다. 그는 조세가 계급투쟁의 한 형태라고 조용히 대답했다. 그렇다. 하지만 과세는 여성과 유색인종, 가난한 사람들, 가난한 국가에 사는 사람과 미래 세대의 상대적 복지를 잠재적으로 향상시킬 수 있는 공적 투자에 지출되는, 비용의 분배를 둘러싼 투쟁의 한 형태이기도 하다. 그러나 교차하는 집단 갈등의 드라마를 얼버무리고 넘어가는 경제 이론들은 이런 투쟁을 대체로 감추어버린다.

비금전적 자원의 세대 간 이전과 현대적 기술을 이용할 기회는 현재 상위 1퍼센트에 집중되어 있는 경제적 부보다 훨씬 더 광범위한 범위의 인구에게 특권을 준다.[17] 부모의 지출과 교육의 차이, 더 넓게는 사는 동네와 사회관계망의 차이는 인종/민족과 계층에 기반한 거주지 분리를 특징으로 하는 미국과 같은 국가에서 상당한 영향력을 갖는다.[18] 노르웨이와 같이 상대적으로 평등한 국가에서도 성인 자녀에 대한 증여나 유산 상속 같은 대규모 일시불 이전이 미치는 영향이 최근 몇 년 동안 증가한 것으로 보인다.[19] 대물림된 불평등은 세계적 차원에서는 훨씬 더 크게 나타나며, 선진국에서 거주할 수 있는 권리는 매우 귀중한 자원이다.[20] 특히 남반구의 많은 지역이 기후변화로 인한 경제적 어려움을 겪고 있기 때문에 극도로 빈곤한 국가에서 편안하게 번영하는 국가로 이주할 기회는 점점 더 중요해질 것이다.[21]

종말론적 가능성에 대한 직관적인 이해는 자본주의적 신자유주의적 의제와 일치하지 않지만, 그런 의제가 채택하는 민족주의적 정치 운동의 부활을 설명하는 데 확실히 도움이 된다. 자본 이동성과 디지털 아웃소싱의 시대에 보호주의 정책은 일부 기업에만 영향을 미치므로 대기업은 불편을 겪지만 피해를 입지는 않는다. 결과적으로 그런 정책은 부유한 남성으로 구성된 소수의 글로벌 엘리트에게 자신들이 구매할 수 있는 것보다 훨씬 더 많은 정치적 영향력을 안겨주는 동맹을 연장해준다. 봉건 영주가 자기 부하들을 외부 침략자로부터 보호하겠다고 약속하는 것처럼, 힘이 없는 사람들에 대한 강화된 착취를 정당화할 수 있다.

이 정치적 딜레마에 대한 구체적인 해결책은 명확하지 않다. 좌파 정치경제학의 전통적인 패러다임이 경시해 온 계급과 비계급 동학의 상호작용을 반영하고 있기 때문이다. 선진국에서 이민의 영향에 대한 논쟁은, 과거에 이민이 노동자에게 피해를 입혔는가 또는 도움을 주었는가에 주로 초점을 맞춘다. 현재의 이민 추세를 고려할 경우 경제적 계산이 어떻게 바뀔지는 고려하지 않는다. 이를 둘러싸고 논쟁하는 이들은 형평성을 추구하면서도 정치적으로 지속가능한 방식으로 이민의 편익을 분배하는 공공 정책을 어떻게 재해석하고 재구성해야 할지를 고민해야 하는데, 이런 장기적 딜레마보다 단기 정책에 계속 초점을 맞추고 있다.

재생산 위기

단기적 편익과 장기적 편익의 괴리가 인구학적 추세를 특징짓는다. 극도로 가부장적인 체제에서 가족과 지역사회는 인구 팽창이 낳는

돌봄과 연대의 경제학

부작용을 우려하기도 했지만 높은 출산율 덕을 보기도 했다. 제도 변화와 기술 변화의 조합은 높은 출산율의 부정적인 결과를 완화했지만 정반대 문제를 야기했다. 세계 여러 지역에서 출산율이 대체 수준 이하로 떨어졌는데 이런 양상은 장기적으로는 지구 생태계에 도움이 되지만 혼란스러운 경제적, 정치적 결과를 가져올 것이다. 정말 장기적으로는 출산율은 대체 수준까지는 회복해야 한다. 그래야 인류의 멸종을 막을 수 있다.

미래 경제에는 아이의 머릿수보다는 그들이 발전시키는 역량의 질과 이런 역량을 생산적으로 사용할 수 있는 기회가 더 중요하다. 인적 자본과 사회적 자본이야말로 진정한 미래 자산이지만 관련 투자에 대한 제도적 동기는 약하다.[22] 전 세계적으로 높은 아동 빈곤율과 여러 국가의 낮은 교육 수준은 GDP 수준이나 성장 요인으로 간주되지 않는, 값을 매길 수 없는 인적 자원이 막대하게 낭비되고 있음을 보여주고 있다.[23]

인간 능력에 대한 과소 투자의 희생자는 어린이뿐만이 아니다. 실업과 불완전 고용, 빈곤, 소득 불평등은 모두 사회환경에 해로운 결과를 낳는다. 가난한 국가뿐만 아니라 선진국에서도 자살과 약물 중독, 사망률은 절대적이고 상대적인 경제적 스트레스 수준과 관련이 있다.[24] 더 나은 사회보험과 경제적 기회에 투자하면 신체적, 정신적 건강을 개선할 수 있다. 이는 높은 사회적 수익을 제공하지만 개인 투자자가 쉽게 수익을 회수할 수 있는 투자는 아니다.

자본주의 동학이 고도화하는 부의 편중은 사실상 봉건적 결과를 초래한다. 글로벌 엘리트의 구성원은 악화되는 자연환경과 사회환경을 피해 스스로 격리할 수 있으며, 지구온난화의 불편함을 최소화하기 위해 산꼭대기 휴양지로 도피하고, 불편한 환경에 노출되지 않기 위해 폐쇄된 커뮤니티와 컨트리클럽, 사립학교에 의존할 수 있다. 부와 소득의 불평등은 권력 집단으로 하여금 공공재를 과소평가하고 이를 보호하는 데 필요한 정책 실현을 가로막게 한다.[25] '자본주의'라는 용어가 자연 자본과 인적 자본, 사회적 자본을 파괴하는 시스템에 적용된다는 것은 얼마나 역설적인가?

교차적 위계질서

사회적 재생산 비용의 분배를 둘러싼 집단 갈등은 젠더뿐만 아니라 인종/민족과 시민권에 기반한 동맹의 지속성을 설명하는 데 도움을 준다. 이런 차원의 집단 구성원과 다른 집단 구성원의 상호작용은 단순히 자본주의의 다양성으로 설명될 수 없다. 여러 층의 집단 갈등으로 이에 작용하는 "힘의 어두운 면"이 두드러져 보이기도 하지만, 이는 글로벌 자본주의를 도저히 저항할 수 없는 거대한 힘이라고 보는 견해와 모순된다.[26] 자본은 두려운 게 없을지 모르지만 혼자 힘으로 살 수는 없다.

완전히 상품화될 수 없는 돌봄 경제는 여전히 사회적 재생산의 핵심이다. 현대 자본주의의 전형으로 널리 알려진 미국에서도 매일 수행되는 노동의 절반 이상이 자신이나 타인을 위한 재화와 서비스를 제공하는 무급 노동이다. 고용주가 많은 혜택을 누리는 동안 여성을 비롯한 많은 사람들도 혜택을 받는다. 가족과 친구, 이웃은 계속해서 상호부조와 비공식적 안전망을 두고 협상할 것이다. 지속되는 무급 노동은 소위 시장의 규율이나 고임금 관리자의 감독 없이도 중요한 일을 수행하는 사람들의 기여와 능력을 드러낸다.

앞 장에서 개괄한 역사적 서술은 개인의 이기심과 타인을 돌보는 책임의 수행 사이에 빚어진 긴장이, 한때 문화적으로 규정되고 법적으로 강제된 남성과 여성의 분업으로 부분적으로 해소되었음을 시사한다. 남자들은 부를 추구하고자 경쟁적인 시장에 뛰어들었다. 여성은 어떤 대가를 치르더라도 가정과 가족을 위해 헌신했다. 이런 분업이 약화되면서 타인을 돌보는 일을 평가하는 문제는 해결되지 못한 채 남게 되었고, 가족의 삶을 훨씬 뛰어넘는 의미를 띠게 되었다.

특히 미국의 코로나19 팬데믹은 돌봄 문제를 전면에 내세웠다. 의무적이든 자발적이든 반복되는 장기 격리로 많은 가족이 몇 달 동안 집에 머물면서 어린 자녀를 돌보거나 학사 일정 변경으로 학교에 가지 못했던 자녀를 위해 홈스쿨링을 하게 되었다. 요양원에 있든 먼 도시에 있든 집에서 멀리 떨어져 사는 가족을 방문하거나 돌봄을 잘 받는지 확인할 수가 없었다. 대부분의 조부모는 손자를 돌보기는커녕 만날 수도 없었다. 처음에는 30퍼센트도 안 되는 노동자만 재택근무를 할 수 있었고 그들 대부분이 대졸자들이었다. 그것도 자신과 타인을 부양해야 하는 책임이 더 무거워진 상황에서 일을 할 수 있을 경우에만 가능했다.[27]

체계적인 시간 사용 자료는 아직 나오지 않았지만, 예전 행동 방식과 습관은 여전히 위력을 발휘해 많은 여성이 새로운 사태에 대처할 때 더 많은 몫을 떠안았음을 시사한다. 격리로 많은 남성이 집에 머물 수밖에 없었고, 가족 돌봄에 대한 인식과 의존도가 높아져 가족 돌봄을 감사하는 마음이 커졌을 가능성이 있다. 계속 운영이 허용된 공기업과 민간 기업의 '필수 노동자' 중 여성의 비율이 높았는데 이 역시 분업을 변화시켰을 수 있다.[28] 한편 전염병으로 인한 격리는 가족 간의 긴장을 고조시키고 가정 폭력의 잠재적인 희생자에게 탈출구를 막아버리는 것이기도 했다.

75퍼센트 이상이 여성인 의료 종사자가 코로나19 감염에 특히 취약하다는 사실이 바로 명백해졌다.[29] 적절한 보호 장비 없이도 일을 할 수밖에 없는 상황에서 의료 인력과 노인과 장애인을 돌보는 돌봄 노동자의 건강은 위험에 빠졌다. 의료 종사자들 중 가장 초기에 확진된 이들은 상대적으로 젊은 여성이었다. 사망률은 남성보다 여성이 현저히 낮았지만, 병은 두려움을 불러일으키고 심신을 약화시켰다.[30] 마트 점원과 버스 운전사, 배달원처럼 돌봄과 관련이 없는 비교적 저임금 직종의 필수 노동자도 감염으로부터 보호받지 못했고 위험수당을 받지 못했다.

코로나19 관련 사망률은 전염병에 노출된 기간과 빈도뿐만 아니라 고혈압과 당뇨병, 심장병과 같은 기저질환의 영향을 받는데, 특히 의료 서비스를 받기 어려운 미국의 저소득 유색인종 가정에 기저질환자들이 많았다. 전염병의 진원지인 뉴욕시에서는 흑인과 라틴계의 사망률이 백인의 사망률보다 두 배나 높았다.[31] 고용주가 제공하는 건강보험에 과도하게 의존하고 있었으므로 코로나19 팬데믹으로 실직한 수백만 명의 사람들은 의료보험 혜택도 상실했음을 알 수 있다.

기본적인 보호 장비와 검사 키트 제공을 민간 부문과 주 정부에 맡겼기 때문에 많은 대가와 트라우마를 가져온 격리 기간이 길어졌다. 많은 사람들이 "왜 이런 종류의 병원체에 대한 백신이 개발되지 않았나요?"라고 질문한다. 보통 미국은 다른 많은 국가와 마찬가지로 공중 보건에 너무 적게 투자했다. 백신 개발은 대기업 제약 회사에게 수익성 있는 투자가 아니다. 적어도 늦게 경주에 뛰어든 승자에게 글로벌 위기가 명성과 돈을 안겨주기 전까지는 그랬다.[32]

5장에서 설명한 협동적 갈등의 논리에 따르면 집단은 협동에서 얻는 이익의 몫이 불평등해도 그들이 인지하는 차선책보다 더 낫다고 생각하면 받아들이기도 한다. 코로나19로 인한 건강 위기와 그에 따른 경제적 충격은 글로벌 불평등의 주요 단층면을 드러낸다. 인류 역사 초기에 나타난 가부장적 권력 구조와 마찬가지로 현재의 자본주의적 권력 구조도 당연하고 불가피한 귀결로 보이지만 난공불락은 아니다. 자본주의 편익이 일부에게만 쏠리고 건강과 환경 비용이 누적된다면 이 체제도 구부러지고 흔들리기 시작할 것이다. 자본주의는 민주화될 수 있고 그래야만 한다.

동맹 전략

가부장제를 이해하기 위한 명시적인 교차 접근 방식은 여성이 이해상충 집단에 동시에 속하게 되는 주관적인 경험에서 비롯되었으며 '타자'로 정의되는 경험에 중점을 둔다. 처음부터 교차성은 제도 변화를 위한 자신의 캠페인을 단일화하고 강화하기 위해 고군분투하는 집단에게는 절망을 안기는 전략적 결과를 가져왔다. 다름을 인정하는 것 자체가 분열적으로 보일 수 있다. 좌파의 '정체성 정치'를 광범위한 대중이 경멸하는 현실은 젠더와 인종/민족, 시민권, 성적 취향에 따른 불평등이 계급에 기반한 불평등보다 더 주관적이고 덜 중요하다는 가정에서 비롯됐다. 그러나 모든 형태의 집단적 불평등은 경제적 제도뿐 아니라 문화적 제도로부터 구성된다. 정체성과 이해관계는 함께 얽혀 있다.

계급은 어떻게 정의하든 간에 다른 차원의 불평등의 예시로 오랫동안 사용되어 왔다. 1989년 동료 음악가 피트 시거Pete Seeger와 오랜 대화를 나눈 후 빌리 브래그Billy Bragg는 사회주의자들의 애국가인 〈인터내셔널가〉의 원래 버전에 생긴 작지만 중요한 변화를 환영하면서 "형제자매 여러분, 자, 인종차별적 무지를 끝내라. 일어서라, 모든 압제의 희생자들이여"라고 덧붙였다.[33] 분열을 인정하는 것은 대중 전선에서 좌파가 취하는 전략과 같이 정치적 동맹을 발전시키기 위한 첫 번째 단계였다. 다음 단계에서는 이런 분열을 극복하기 위해 함께 노력해야 한다.

불안과 연대

전략적 교차 분석은 실현하기 쉬운 정치적 처방으로 이어지지는 않지만 정치적 현실을 설명하는 데 도움을 준다. 보수 정당이 개발한 정책 꾸러미는 젠더와 인종, 시민권, 계급을 기반으로 한 동맹을 반영하며, 보통 부자들의 독재를 묵인하는 대가로 넉넉한 보상을 약속하거나 최소한 현상을 유지하겠다고 약속한다. 과거에 부자들은 이 약속을 지킬 수 있었다. 그러나 앞에서 설명한 이유로 향후에도 그렇게 할 수 있을 것 같지는 않다.

돌봄과 연대의 경제학

최근 보수 정당의 성공은 여성과 소수 인종, 소수민족, 이민자의 정치적, 문화적 영향력 확대에 대한 반발을 포함하여 많은 우발적 요인이 반영된 것이다. 특히 미국에서 보수주의자들이 선거에서 우위를 점한 것은 민주당 주류 세력이 생활수준이 하락한, 대학을 나오지 않은 노동자와 그 가족의 삶을 개선하긴커녕 인정조차 하지 않았기 때문이다. 이런 점에서 정체성 정치에 대한 비판은 진실의 고리를 가진다. 도덕적 분노는 세계화와 자동화가 야기한 취약성보다 공공연한 차별과 학대를 직격했다.

2016년 도널드 트럼프는 미국 유권자 상당수에게 대자본가가 아니라 독신 여성, 이민자, 유색인종 노동자와 다른 국가의 시민이 더 큰 경제적 위협을 가한다고 주장했고 이를 확신시켰다. 또한 대도시 지역의 고학력 관리자와 전문가 사이에 널리 퍼져 있는 분노를 이용했다. 승리를 거둔 트럼프뿐만 아니라 많은 국가의 보수 동맹이 유사한 수사학을 전개했다. 그럼에도 트럼프의 언어는 일반화된 자본주의 논리를 효과적으로 보여주었다. 군중의 환호를 불러일으킨 한 캠페인 연설에서 그는 이렇게 말했다. "저는 탐욕스러운 사람이었습니다. 사업가예요. 이제 나는 미국을 위해 탐욕을 부릴 것입니다."[34]

성차별과 인종차별, 외국인 혐오는 단순한 태도가 아니며 상당한 정도로 분배에 영향을 미치는 정책 꾸러미에 내장되어 있다.[35] 이런 결과는 단순히 기존 불평등을 강화하기 때문에 계급에 기반한 재분배 약속보다 더 믿을 만해 보이는 것 같다. 보수주의자는 세계경제로 확장되는 평등주의 원칙이 미국인에게 해를 끼칠 것이라고 주장한다. 보수 경제학자 그레고리 맨큐Gregory Mankiw가 말한 대로 "평균적인 미국인의 소득에 33퍼센트에 이르는 세금을 부과하고 세수 전액을 전 세계의 가난한 국가에 이전하는 선거 캠페인을 벌이는 대통령 후보를 상상해보십시오. 이 후보를 지지하시겠습니까?"**36** 그는 모든 사람을 더 잘살게 할 수 있는 경제적 기회와 보상을 주는 구조 개혁보다는 임의적인 수준의 의무적 자선이 낫다고 교묘하게 이야기한다.

그러나 맨큐의 발언은, 평균 납세자나 평균 남자나 평균 백인이 아니라 매우 부유한 사람들의 부와 권력을 재분배하는 구조 변화를 도모하는 계획을 고안하기도 전에 분배를 둘러싼 불안이 좌파 동맹을 서서히 무너뜨릴 수 있음을 잘 보여준다. 부유한 나라의 국익은 국제 연대의 이상과 단기적으로는 충돌하는 것처럼 보이지만 장기적으로는 수렴한다. 지속가능한 경제 발전에는 글로벌 협동이 필요하며 그 반대의 경우도 마찬가지이다.

한때 폄하되었던 다수준선택에 기반한 진화 동학 이론은 이 역설이 사실임을 증명한다. 자연은 치열한 경쟁의 장일 수 있지만 시간이 지남에 따라 협동하는 종은 다른 종을 능가했다. "우리는 모두 신의 자녀"라는 종교적 언어나 "나뉠 수 없는 하나의 국가 안에 사는 모든 사람을 위한 자유와 정의"라는 충성의 서약 혹은 외계인 침략자로부터 지구를 지키려는 맹렬한 열망이 나라를 하나로 모으고 인종적 반감을 극복하고 여성에게 힘을 실어서 승리를 가져온다는 내용의 〈인디펜던스 데이〉 같은 SF 영화의 비유에서 알 수 있듯 분열을 극복하려는 욕망은 우리 역사에 내재되어 있다.

내부 위협은 외계의 공격보다 식별하기가 더 어렵기 때문에 이에 대비하여 움직이기도 어렵다. 그러나 사람들이 각자의 이익을 추구해야 한다는 관념은 전체 돌봄 제공자, 특히 여성에게 도움이 되지 않았으며, 전염병과 생태계 황폐화, 경제적 착취, 사회의 기능 장애라는 누적된 위험에 성공적으로 대처할 수 있다는 희망을 제공하지 않는다. 사적 이윤 추구에 기반을 둔 경제 제도는 공공재에 투자할 유인을 거의 제공하지 않는다. 여성은 보통 남성보다 공공재에 더 많은 관심과 노력을 기울이기 때문에 관련 투자를 발전시키는 데 특히 큰 이해관계가 있다.

교훈

어떤 경우 집단권력의 구조는 점진적인 변화조차 허용하지 않을 정도로 맞물려 있지만 때로는 도미노처럼 서로를 넘어뜨리기도 한다. 조립식 체제는 적어도 단단한 화강암 벽돌보다는 변형하기 수월하다. 사회학자 라이트는 비개혁주의적 개혁, 즉 진정한 유토피아를 향한 발걸음이라고 부를 만한 많은 사례를 제시한다.[37] 전통적인 성별 분업을 넘어 가족 돌봄에 대한 공적 지원을 더 많이 제공하자는 제안은 이 의제에 딱 들어맞는다.[38] 경제학자 줄리 매타이Julie Matthaei가 설명한 대로, 여성도 '연대 경제'에 기반을 둔 협동조합 기업을 발전시켜 얻을 수 있는 것이 많다.[39]

민주주의는 기존 민주주의 제도를 옹호하고 개선하고 이 안에서 효과적으로 목소리를 내려고 노력하는 사람들이 목적을 달성하지 못하면 확장될 수 없다. 탄력적인 진보 동맹의 발전보다 더 중요한 것은 없으며, 페미니스트는 이 과업에 의지해야 한다. 이 책에서 발전시킨 이론적 나침반은 "99퍼센트를 위한 페미니즘"을 향한다.[40] 유엔의 지속가능한 개발 목표UN Sustainable Development Goals는 보편적인 건강과 교육, 세계경제를 위한 사회 안전망 건설이라는 대담한 목표를 설정하면서 인간 역량에 대한 장기 투자를 강조하는 하나의 강력한 사례이다.[41]

사회주의 제도는 권위주의적 통치로 가는 위험한 비탈길이라는 조롱을 받기도 한다. 그러나 역사적으로 자본주의로 분류된 체제는 사회주의로 분류된 체제만큼이나 민주주의를 전복시키기 쉬운 것으로 판명되었다. 국가 규제를 회피할 수 있는 지구적 부의 편중보다 민주주의를 더 크게 위협하는 것은 상상하기 어렵다. 지속가능한 경제 발전을 추구함에 있어서 자연적, 사회적, 인적 자산을 희생시키면서 사적 이윤을 보상하는 제도적 장치보다 더 큰 위협은 없다.

교차정치경제학은 조정 문제와 게임이론, 외부 효과, 협상 같은 신고전파 전통에서 나온 몇 가지 개념을 활용한다. 동시에 마르크스가 강조한 위계 구조 체제의 복잡성과 자기 파괴적 동학을 긍정하면서 새로운 정치적 동맹의 필요성을 설명한다. 우리는 토머스 홉스가 "만인에 대한 만인의 투쟁"이라고 부르고 미국 흑인 시인 랭스턴 휴스Langston Hughes가 "개를 잡아먹고 강자가 약자를 짓밟는 오래도록 변하지 않은 어리석은 계획"이라고 묘사한 현실을 바로잡을 민주적인 균형추가 필요하다.[42]

분열되었지만 정복되지 않은

일찍이 어느 독재자가 처음으로 "divide et impera"(분열시켜라, 그리고 정복하라)라는 문구를 사용했고, 이는 오랫동안 영토 정복의 표어가 되었다. 이 문구는 때로는 명시적인 전략을 드러내지만 더 미묘한 형태를 취할 수도 있다. 제3자는 그냥 뒷짐 지고 서서 양 진영 사이에 이미 존재하는 분열과 의견 불일치가 곪아 터지도록 내버려 둘 수 있다. 분열을 이용해 이득을 본다는 말을 라틴어 격언으로 바꾸면 "Tertius gaudens"("제3자가 기뻐한다")이다. 위계 구조 안에서 기뻐하는 이 집단은 권력을 차지할 가능성이 높다. 구성원들이 상대적으로 동질적이고 쉽게 동맹을 맺으며 보상을 전략적으로 분배함으로써 동맹을 강제하는 데 능숙하기 때문이다.

그러나 사회적 분열이 항상 집단적 헌신을 방해하지는 않는다. 분열되기 쉬웠던 페미니스트 운동은 인종차별주의나 제국주의 수사를 수용하거나 기업의 유혹에 굴복하면서 다른 집단을 분열시키기도 했다. 그럼에도 젠더 평등에 대한 요구는 보다 광범위한 현재의 질서를 전복하는 성격을 띤 것으로 판명되었다. 정치적 시위에 나선 많은 페미니스트들은 개인의 권리와 민주적 지배구조, 미래에 대한 보장을 요구했다. 경제적 시위에서 그들은 시장의 척도에 도전하면서 노동자들이 마땅히 받아야 할 것을 받지 못한다고 주장했다.

가부장제에 반대하는 수백 년에 걸친 캠페인은 아직 끝나지 않았지만 일정한 성공을 거두었고, 이는 예상치 못한 상황에 즉각 대처하고 적응하는 방법을 학습한, 같은 계층과 같은 인종, 같은 젠더의 국제적 동맹의 잠재력을 입증한다.[43] 이런 동맹은 흔들리기도 했지만 때로는 지속되었다. 간간이 정치적 성공의 물결이 밀려왔지만 이는 더 오래 지속되는 퇴보와 후퇴라는 깊은 골과 충돌했다. 일정 시기에 나타난 상대적인 통합도 분파적 분열로 깨졌다. 페미니즘은 처음에는 부도덕하다고, 그러고 나서는 부자연스럽다고 조롱당했다. 나중에는 비실용적이고 유토피아적이라는 꼬리표가 붙여졌다. 오늘날 비평가들은 페미니즘이 너무 큰 성공을 거두었다고 불평한다.

다양성은 약점인 동시에 강점의 원천이 될 수 있다. 미국 헌법을 기초한 사람 중 하나인 제임스 매디슨James Madison은 잘 조율된 힘의 균형만이 폭정을 피할 수 있다고 주장했다.[44] 약자들이 서로 동맹하기가 아무리 어렵더라도 사회적 분열을 더 잘 이해하면 동맹의 구축 과정을 강화할 수 있다. 페미니스트들은 교차 분석을 받아들여 동맹을 격려하게 되었으며, 최근 동향은 새로운 정치적 동맹의 발판을 마련한다. 세계의 경제적 부는 이제 극소수의 손에 집중되어 있기 때문에 민주주의적 분배 요구로 얻을 수 있는 잠재적 이익이 커졌다. 동일한 패권에 맞서 있는, 입장이 비슷한 집단은 다양한 각개전투를 벌이는 집단보다 동맹을 구성할 가능성이 더 크다.

어떤 경우에 필요는 동맹의 어머니이다. 어떤 경우에 은유적 보상 매트릭스가 모든 선수에게 보여주는 가장 좋은 선택지는 협동이다. 협동하지 않으면 죽는다는 것이다. 하지만 그런 상황은 드물다. 대부분의 경우 동맹은 다른 형태의 집단적 정체성을 덮어쓰지만 대체하지는 않는, 함께 공유할 수 있는 헌신을 끌어내려는 분명한 노력에서 비롯된다. 사람들이 집단적 투쟁에 참여할 가능성은 불만의 역사와 성공의 전망에 영향을 받는다.[45] 광범위한 연대는 단순히 하늘에서 떨어지거나 땅에서 솟아나지 않는다. 개인의 노력과 소규모 실험, 집단적 조직화 노력, 일관된 공공 정책으로 만들어지고 키워지고 발전된다.

돌봄과 연대의 경제학

부분적 승리

보수주의자들은 "권력을 가져보고 그것이 무엇을 위협하는가를 본다음 상실한 것을 되찾으려고 행동하는 경험"을 공유한다.[46] 가부장제는 계속 쇠락하지 않을지도 모른다. 민족주의와 백인우월주의로 촉발된 신자유주의적 세계화에 대한 반발은 가부장제를 강화하고 회복시킬 수 있다. 자신 외에는 누구에게도 충성하지 않는 거대 재벌이 새로운 봉건주의 지배자로 군림하는 것처럼 새로운 종류의 하이브리드 체제가 나타날 수 있다. 우주에서 온 거대한 곤충이 우리를 정복하거나 우리 스스로 지구를 파괴할 수 있다. 약탈적 공격에서 살아남을 수 있을 만큼 강건한, 보다 협동적인 사회제도의 씨앗을 우리들 자신이 뿌릴 수도 있다. 적어도 우리는 변화에 요구되는 어떤 능력을 가졌는지 예전보다 더 많이 알고 있다. 실패와 성공 모두에서 무언가를 배워야 한다.

일부 소수가 아니라 많은 사람이 착취적인 사회제도의 혜택을 받는다. 강력한 경쟁 압력은 승자와 패자가 자리를 바꿨다 하더라도 비슷한 결과를 낳았을 것이다. 우리는 상상할 수 있는 가장 좋은 세상에서 살고 있다는 안일한 주장을 일축할 수 있지만 소수 악당이 책임져야 마땅하다는 비난은 거부한다. 우리는 무의식적으로 혜택을 받은 모든 사람을 비난하지 않으면서 집단권력과 불공정한 혜택의 구조를 바꿀 수 있다.

우리는 성공을 거두었다. 많은 여성과 남성이 경제 발전과 민주주의의 확장, 인간 지식의 개화, 가부장제의 약화 과정에서 혜택을 받았다. 가부장제 체제의 부상과 쇠락뿐 아니라 아직 확정되지 않은 그 미래는 정치적 권리에는 경제적 권리뿐 아니라 서로를 돌보고 다음 세대를 돌보아야 할 의무가 수반되어야 함을 보여준다. 시인 캐롤린 포르셰Carolyn Forché가 말한 대로 "우리 시대의 역사는 상투적인 이야기 전개나 성공적인 결말을 약속하지 않는다."[47] 그럼에도 부분적인 승리를 인정하고 새로운 가능성들을 포착해야 한다는 결의를 불러일으킨다.

주

1부 이론적 도구

1장 교차정치경제학

1   Heidi Hartmann, "The Unhappy Marriage of Marxism and Feminism: Toward a More Progressive Union," *Capital and Class* 3: 2, 1979, 1-33.

2   Nancy Folbre, "Gender Bargaining in the Labor Market," Working Paper. Washington, DC: Economic Policy Institute, forthcoming.

3   Anne Marie Goetz, "The Politics of Preserving Gender Inequality: De-institutionalisation and Re-privatisation," *Oxford Development Studies* 48: 1, 2019, 2-17.

4   Sarah Ashwin and Jennifer Utrata, "Revenge of the Lost Men: From Putin's Russia to Trump's America," *Contexts*, 2019, in press.

5   Oxfam Briefing Paper, "An Economy for the 99%," January 2017, oxfam.org; Gerry Mullany, "World's 8 Richest Have as Much Wealth as Bottom Half, Oxfam Says," *New York Times*, January 16, 2017, nytimes. com.

6   Liam Stackmarch, "'Fearless Girl' Statue to Stay in Financial District (for Now)," *New York Times*, March 27, 2017, nytimes.com.

7   See the Online Etymological Dictionary at etymonline.com.

8   Roxane Gay, *Bad Feminist*, New York: Harper Perennial, 2014, 17.

9   Audre Lorde, "The Master's Tools Will Never Dismantle the Master's House," in *Sister Outsider: Essays and Speeches*, 110-14, Berkeley, CA: Crossing Press, 1984, collectiveliberation.org.

10   Kate Pickett and Richard G. Wilkinson, *The Spirit Level: Why Greater Equality Makes Societies Stronger*, London: Bloomsbury, 2009.

11   Nancy Folbre, "Children as Public Goods," *American Economic Review* 84: 2, 1994, 86-90.

12   Ellen Gabler, Zach Montague, and Grace Ashford, "During a Pandemic, an Unanticipated Problem: Out-of-Work Health Workers," *New York Times*, April 3, 2020, nytimes.com.

2장 가부장제 정의하기

1   Bina Agarwal, " 'Bargaining' and Gender Relations: Within and Beyond the Household," *Feminist Economics* 3: 1, 1997, 1.

2   Deniz Kandiyoti, "Bargaining with Patriarchy," *Gender and Society* 2: 3, 1988, 274.

3   Nancy Folbre, *Greed, Lust and Gender: A History of Economic Ideas*, New York: Oxford University Press, 2009.

4   예를 들어, 거다 러너는 '가부장제'를 "가정 내에서 여성과 어린이에 대한 남성 지배의 표명과 제도화, 그리고 전체 여성에 대한 남성 지배의 확장"으로 정의한다. Gerda Lerner, *The Creation of Patriarchy*, New York: Oxford University Press, 1986, 239. 거다 러너의 가부장제 체제의 기원에 관한 연구는 6장에서 소개한다.

5   Douglass North, "Institutions," *Journal of Economic Perspectives* 5: 1, 1991, 92.

6   Nancy Folbre, *Who Pays for the Kids? Gender and the Structures of Constraint*, New York: Routledge, 1994.

7   Larry Neal and Jeffrey G. Williamson, eds., *The Cambridge History of Capitalism*, New York: Cambridge University Press, 2014.

8   Sylvia Walby, *Theorizing Patriarchy*, New York: Blackwell, 1990, 20; Göran Therborn, *Between Sex and Power*, New York: Routledge, 2007.

9   Nancy Folbre, "The Political Economy of Human Capital," *Review of Radical Political Economics* 44: 3, 2012, 281-92.

10 Therborn, *Between Sex and Power*.

11 Mala Htun and S. Laurel Weldon, "The Civic Origins of Progressive Policy Change: Combating Violence Against Women in Global Perspective, 1975-2005," *American Political Science Review* 106: 3, 2012, 548-69.

12 Timothy Besley and Maitreesh Ghatak, "Property Rights and Economic Development," in *The Handbook of Development Economics*, Vol. 5, Dani Rodrik and Mark Rosenzweig, eds., Amsterdam: Elsevier, 2009, 4525-96.

13 Steven N.S. Cheung, "The Enforcement of Property Rights in Children and the Marriage Contract," *Economic Journal* 82: 326, 1972, 641-57.

14 David Brion Davis, *The Problem of Slavery in Western Culture*, Ithaca, NY: Cornell University Press, 1966, 35.

15 Orlando Patterson, *Slavery and Social Death*, Cambridge, MA: Harvard University Press, 1982.

16 August Bebel, *Woman Under Socialism*, translated from the original German of the 33rd edition by Daniel De Leon, New York: Schocken Books, 1971, 216.

17 See, for instance, Thomas A. McGinn, T*he Economy of Prostitution in the Roman*

World*, Ann Arbor: University of Michigan Press, 2004.

18 Therborn, *Between Sex and Power*, 25.

19 A. Sachs and J. H. Wilson, *Sexism and the Law*, Oxford: Martin Robinson, 1978, 149.

20 Siwan Anderson, "The Economics of Dowry and Brideprice," *Journal of Economic Perspectives* 21: 4, 2007, 151-74.

21 Sheetal Sekhri and Adam Storeygard, "Dowry Deaths: Response to Weather Variability in India," *Journal of Development Economics* 111, 2014, 212-23.

22 Francesca Bettio and Tushar K. Nandi, "Evidence on Women Trafficked for Sexual Exploitation: A Rights Based Analysis," *European Journal of Law and Economics* 29: 1, 2010, 15-42.

23 World Health Organization, "Global and Regional Estimates of Domestic Violence Against Women: Prevalence and Health Effects of Intimate Partner Violence and Non-partner Sexual Violence," Geneva: Author, Department of Reproductive Health and Research, 2013, who.int.

24 Elaine McCrate, "Trade, Merger and Employment: Economic Theory on Marriage," *Review of Radical Political Economics* 19: 1, 1987, 73-89.

25 Elissa Braunstein, and Nancy Folbre, "To Honor or Obey: The Patriarch as Residual Claimant," *Feminist Economics* 7: 1, 2001, 25-54.

26 Katherine Silbaugh, "Turning Labor into Love: Housework and the Law," *Northwestern University Law Review* 91: 1, 1996-97, 3-86.

27 Elizabeth Cady Stanton, Susan B. Anthony, and Matilda Jocelyn Gage, *History of Woman Suffrage*, Vols. 1-3, New York: Fowler & Wells, 1882; Reva B. Siegel, "Home as Work: The First Woman's Rights Claims Concerning Wives' Household Labor, 1850-1880," *Yale Law Journal* 103: 5, 1994, 1073-217.

28 Therborn, *Between Sex and Power*, 66.

29 Betsey Stevenson and Justin Wolfers, "Bargaining in the Shadow of the Law: Divorce Laws and Family Distress," *Quarterly Journal of Economics* 121: 1, 2006, 267-88.

30 Jeffrey Gettleman, Kai Schultz, and Suhasini Raj, "India Gay Sex Ban Is Struck Down. 'Indefensible,' Court Says," *New York Times*, September 6, 2018, nytimes.com.

31 "Women Caned in Malaysia for Attempting to Have Lesbian Sex," *The Guardian*, September 3, 2018, theguardian.com.

32 동성애 행위에 대해서는 관대하지만 동성애 정체성에 대한 개념이 거의 없었던 고대 가부장제 문명의 역사적 중요성은 주목할 가치가 있다. 고대 그리스가 대표적인 예이다. 정체성과 행위의 구분에 관해서는 다음을 참조하라. John D'Emilio, "Capitalism and Gay Identity," in *The Gender/Sexuality Reader*, Roger N. Lancaster and Micaela Di Leonardo, eds., New York: Psychology Press, 1999, 169-78; Julie

Matthaei, "The Sexual Division of Labor, Sexuality, and Lesbian/Gay Liberation," *Review of Radical Political Economy* 27: 2, 1995, 1-37.

33 Alexandra Rosenberg, Amanda Gates, Kate Richmond, and Stefanie Sinno, "It's Not a Joke: Masculinity Ideology and Homophobic Language," *Psychology of Men and Masculinity* 18: 4, 2017, 293-300; J. D. Wellman and S. K. McCoy, "Walking the Straight and Narrow: Examining the Role of Traditional Gender Norms in Sexual Prejudice," *Psychology of Men and Masculinity* 15: 2, 2014, 181-90.

34 Andrew Byrnes and Marsha Freeman, "The Impact of the CEDAW Convention: Paths to Equality," Gender Equality and Development Background Paper for the World Development Report, Washington, DC: World Bank, 2012, siteresources.worldbank.org.

35 Christian Morrisson and Johannes P. Jütting, "Women's Discrimination in Developing Countries: A New Data Set for Better Policies," *World Development* 33: 7, 2005, 1065-81; Johannes P. Jütting, Christian Morrisson, Jeff Dayton-Johnson, and Denis Drechsler, "Measuring Gender (In)Equality: The OECD Gender, Institutions and Development Data Base," *Journal of Human Development* 9: 1, 2008, 65-86.

36 Boris Branisa, Stephan Klasen, Maria Ziegler, Denis Drechsler, and Johannes Jütting, "The Institutional Basis of Gender Inequality: The Social Institutions and Gender Index (SIGI)," *Feminist Economics* 20: 2, 2014, 29-64.

37 Stefan Klasen, "Gender, Institutions, and Economic Development: Findings and Open Research and Policy Issues," Courant Research Centre: Poverty, Equity and Growth, Discussion Paper No. 211, 2016.

38 Stephan Klasen and Dana Schüler, "Reforming the Gender-Related Development Index and the Gender Empowerment Measure: Implementing Some Specific Proposals," *Feminist Economics* 17: 1, 2011, 1-30.

39 George A. Akerlof, J. L. Yellen, and M. L. Katz, "An Analysis of Out-of-Wedlock Childbearing in the United States," *Quarterly Journal of Economics* 108: 447, 1996, 278-317.

40 Nancy Folbre, *Who Pays for the Kids?* New York: Routledge, 1994, Chapter 6.

41 Julia Twigg and Alain Grand, "Contrasting Legal Conceptions of Family Obligation and Financial Reciprocity in the Support of Older People: France and England," *Ageing and Society* 18: 2, 1998, 131-46.

42 Katherine C. Pearson, "Filial Support Laws in the Modern Era: Domestic and International Comparison of Enforcement Practices for Laws Requiring Adult Children to Support Indigent Parents," *Elder Law Journal* 20, 2012, 269-92.

43 Mead Cain, "The Consequences of Reproductive Failure: Dependence, Mobility, and Mortality Among the Elderly of Rural South Asia," *Population Studies* 40: 3, 1986,

돌봄과 연대의 경제학

375-88; Monica Das Gupta, Jiang Zhenghua, Li Bohua, Xie Zhenming, Woojin Chung, and Bae Hwa-Ok, "Why Is Son Preference so Persistent in East and South Asia? A Cross-country Study of China, India and the Republic of Korea," *Journal of Development Studies* 40: 2, 2003, 153-87.

44 Ray Serrano, Richard Saltman, and Min-Jui Yeh, "Laws on Filial Support in Four Asian Countries," *Bulletin of the World Health Organization* 95: 11, 2017, 788-90.

45 Peter Whiteford and Willem Adema, *What Works Best in Reducing Child Poverty: A Benefit or Work Strategy?* Paris: OECD, 2007.

46 Sylvia Chant, "Exploring the 'Feminisation of Poverty' in Relation to Women's Work and Home-Based Enterprise in Slums of the Global South," *International Journal of Gender and Entrepreneurship* 6: 3, 2014, 296-316.

47 Nancy Folbre, *Valuing Children*, Cambridge, MA: Harvard University Press, 2008.

48 Nancy Folbre, "The Political Economy of Human Capital," *Review of Radical Political Economics* 44: 3, 2012, 281-92.

49 Tom W. Smith, Jaesok Son, and Jibum Kim, "Public Attitudes Toward Homosexuality and Gay Rights Across Time and Countries," Working Paper, Williams Institute, School of Law, University of California at Los Angeles, 2014, https://escholarship.org/uc/item/4p93w90c

50 Paula England, "The Gender Revolution: Uneven and Stalled," *Gender and Society* 24: 2, 2010, 149-66.

51 For a classic description, see Pierre Bourdieu, *Outline of a Theory of Practice*, New York: Cambridge University Press, 1977.

52 Edward Ross, *Social Control: A Survey of the Foundations of Order*, New York: Macmillan, 1901.

53 Edna Ullmann-Margalit, *The Emergence of Norms*, Oxford: Clarendon Press, 1977, 189.

54 For a historical account, see John Boswell, *Christianity, Social Tolerance, and Homosexuality*, Chicago: University of Chicago Press, 2015.

55 '공정한 세상 가설'의 전통적인 공식화는 다음을 보라. Melvin Lerner의 *Belief in a Just World: A Fundamental Illusion*, New York: Plenum, 1980. 예를 들어, 한 실험에서 참가자들은 복권에 당첨된 학생이 탈락한 사람보다 더 열심히 일했다고 부정확하게 보고했다. 또 다른 사례에서는 무작위로 (가짜 감전 충격으로) 벌을 받은 사람들이 경멸당했다. 특히 벌을 피할 방법이 없을 경우에는 더욱 그랬다.

56 William Ryan, *Blaming the Victim*, New York: Pantheon, 1971; Timur Kuran, "Social Mechanisms of Dissonance Reduction," in *Social Mechanisms*: An Analytical Approach to Social Theory, Peter Hedström and Richard Swedberg, eds., New York: Cambridge University Press, 1998; Daniel Kahneman, *Thinking, Fast and Slow*,

New York: MacMillan, 2011.

57   Herbert A. Simon, "A Mechanism for Social Selection and Successful Altruism,"
     Science 250: 4988, Dec. 21, 1990, 1665-68.

58   경제적 패자에 책임을 돌리는 전통적 묘사 방식은 다음을 참조하라. Richard
     Sennett and Jonathan Cobb, *The Hidden Injuries of Class*, New York: Norton, 1993.

59   Arthur T. Denzau and Douglass C. North, "Shared Mental Models: Ideologies and
     Institutions," *Kyklos* 47: 1, 1994), 3-31.

60   Susan Pinker, *The Sexual Paradox: Men, Women and the Real Gender Gap*, New
     York: Scribner, 2009.

61   Irene Browne and Paula England, "Oppression from Within and Without in
     Sociological Theories: An Application to Gender," *Current Perspectives in Social
     Theory* 17, 1997, 77-104.

62   Candace West and Don H. Zimmerman, "Doing Gender," *Gender and Society* 1: 2,
     1987, 125-51.

63   Hilary Land and Hilary Rose, "Compulsory Altruism for Some or an Altruistic
     Society for All?" in *In Defence of Welfare*, P. Bean, J. Ferris. and D. Whynes, eds.,
     London: Tavistock, 1985; Nancy Folbre, "Should Women Care Less? Intrinsic
     Motivation and Gender Inequality," *British Journal of Industrial Relations* 50: 4,
     2012, 597-619.

64   Folbre, *Greed, Lust and Gender*.

65   *International Herald Tribune*, June 11, 1998, 1.

66   Nancy Chodorow, *The Reproduction of Mothering*, Berkeley: University of
     California Press, 1978.

67   UNICEF, *Harnessing the Power of Global Data for Girls*, New York: Author, 2018.

68   Claire Cain Miller, "A 'Generationally Perpetuated' Pattern: Daughters Do More
     Chores," *New York Times*, August 8, 2018, nytimes.com.

69   West and Zimmerman, "Doing Gender."

70   Kingsley Browne, *Divided Labours*, New Haven, CT: Yale University Press, 1998;
     W. Farrell, *The Myth of Male Power*, New York: Simon & Schuster, 1993; George
     Gilder, *Sexual Suicide*, New York: Quadrangle, 1973.

71   Mandy Boehnke, "Gender Role Attitudes Around the Globe: Egalitarian vs.
     Traditional Views," *Asian Journal of Social Science* 39, 2011, 57-74.

72   Kristin Donnelly, Jean M. Twenge, Malissa A. Clark, Samia K. Shaikh, Angela
     Beiler-May, and Nathan T. Carter, "Attitudes Toward Women's Work and Family
     Roles in the United States, 1976-2013," *Psychology of Women Quarterly* 40: 1,
     2015, 1-14; David Cotter, Joan M. Hermsen, and Reeve Vanneman, "The End of

the Gender Revolution? Gender Role Attitudes from 1977 to 2008," *American Journal of Sociology* 116: 4, 2011, 259-89; David A. Cotter, Joan M. Hermsen, and Reeve Vanneman, "Back on Track? The Stall and Rebound in Support for Women's New Roles in Work and Politics, 1977-2012," research brief for the Council on Contemporary Families, 2016, https://contemporaryfamilies.org/ gender-revolution-rebound-brief-back-on-track/.

73 Carol Corrado, Charles Hulten, and Daniel Sichel, "Measuring Capital and Technology: An Expanded Framework," in *Measuring Capital in the New Economy*, C. Corrado, J. Haltiwanger, and D. Sichel, eds., Studies in Income and Wealth, Vol. 65, Chicago: University of Chicago Press, 2005.

74 Mary Murray, *The Law of the Father: Patriarchy in the Transition from Feudalism to Capitalism*, New York: Routledge, 2005.

75 Colin D. Harbury and David Hitchens, "Women, Wealth and Inheritance," *The Economic Journal* 87: 345, 1977, 124-31.

76 Carole Shammas, "Re-assessing the Married Women's Property Acts," *Journal of Women's History* 6: 1, 1994, 9-30; Lee Holcomb, Wives & Property: Reform of the Married Women's Property Law in Nineteenth-Century England, Toronto: University of Toronto Press, 1983.

77 Carole Shammas, "A New Look at Long-Term Trends in Wealth Inequality in the United States," *The American Historical Review* 98: 2, 1993, 427.

78 Carmen Diana Deere and Magdalena Leon De Leal, *Empowering Women: Land and Property Rights in Latin America*, Pittsburgh: University of Pittsburgh Press, 2014.

79 Ruth S. Meinzen-Dick, Lynn R. Brown, Hilary Sims Feldstein, and Agnes R. Quisumbing, "Gender, Property Rights, and Natural Resources," *World Development* 25: 8, 1997, 1303-15; Susan Lastarria-Cornhiel, "Impact of Privatization on Gender and Property Rights in Africa," *World Development* 25: 8, 1997, 1317-33.

80 Bina Agarwal, *A Field of One's Own: Gender and Land Rights in South Asia*, New York: Cambridge University Press, 1994.

81 Mariko Lin Chang, *Shortchanged: Why Women Have Less Wealth and What Can Be Done About It*, New York: Oxford University Press, 2010.

82 Carmen Diana Deere and Cheryl R. Doss, "The Gender Asset Gap: What Do We Know and Why Does it Matter?" *Feminist Economics* 12: 1-2, 2006, 1-50.

83 Shing-Yi Wang, "Property Rights and Intra-Household Bargaining," *Journal of Development Economics* 107, 2014, 192-201.

84 Nancy Folbre, "The Political Economy of Human Capital," *Review of Radical Political Economics* 44: 3, 2012, 281-92.

85　Jérôme Pelenc and Jérôme Ballet, "Strong Sustainability, Critical Natural Capital and the Capability Approach," *Ecological Economics* 112, 2015, 36-44.

86　Robert Trivers, "Parental Investment and Sexual Selection" in *Sexual Selection and the Descent of Man*, B. Campbell, ed., New York: Aldine, 1972, 136-79.

87　Bobbi Low, *Why Sex Matters*, Princeton: Princeton University Press, 2000.

88　Mukesh Eswaran and Ashok Kotwal, "A Theory of Gender Differences in Parental Altruism," *Canadian Journal of Economics/Revue Canadienne D'économique* 37: 4, 2004, 918-50.

89　Carol Tavris, *The Mismeasure of Woman*, New York: Simon and Schuster, 1992.

90　Frans de Waal, "Evolutionary Psychology: The Wheat and the Chaff ," *Current Directions in Psychological Science* 11: 6, 2002, 187-90.

91　Jane B. Lancaster, "A Feminist and Evolutionary Biologist Looks at Women," *Yearbook of Physical Anthropology* 34, 1991, 1-11; Barbara Smuts, "Male Aggression Against Women: An Evolutionary Perspective," *Human Nature* 3, 1992, 1-44; "The Evolutionary Origins of Patriarchy," *Human Nature* 6: 1, 1995, 1-32; Patricia Gowaty, ed., *Feminism and Evolutionary Biology*, New York: Springer, 1997.

92　Robert Putnam, *Bowling Alone: The Collapse and Revival of American Community*, New York: Simon and Schuster, 2000.

93　Stephen Knack and Philip Keefer, "Does Social Capital Have an Economic Payoff? A Cross-Country Investigation," *Quarterly Journal of Economics* 112: 4, 1997, 1251-88.

94　Charles Tilly, *Durable Inequalities*, Berkeley: University of California Press 1999.

95　James S. Coleman, "Social Capital in the Creation of Human Capital," *American Journal of Sociology* 94, 1988, S95-S120.

96　George Borjas, "Ethnicity, Neighborhoods, and Human-Capital Externalities," *American Economic Review* 85, 1995, 365-90; Shelly J. Lundberg and Richard Startz, "Inequality and Race: Models and Policy," in *Meritocracy and Economic Inequality*, Kenneth Arrow, Samuel Bowles, and Steven Durlauf, eds., Princeton: Princeton University Press, 2000.

97　James M. Buchanan, "An Economic Theory of Clubs," *Economica* 32: 125, 1965, 1-14.

98　Steve McDonald, "What's in the "Old Boys" Network? Accessing Social Capital in Gendered and Racialized Networks," *Social Networks* 33: 4, 2011, 317-30.

3장 젠더와 구조, 집단 행위성

1　인용문 전체를 맥락 속에서 읽어보려면 margaretthatcher.org를 참조하라..

2	Ashe Schow, "A Yearly Reminder that the Gender Wage Gap Is Due to Choice, Not Discrimination," *Washington Examiner*, April 14, 2015, washingtonexaminer. com. For other discussions of the view that women choose to earn less than men, see Lindsay Olson, "Do Some Women Choose to Make Less Th an Men?" *US News and World Report*, February 12, 2015, money.usnews.com, and Mike Burns, "Fox Attempts to Revive Myth About Personal Choice and Gender Pay Gap," Media Matters, August 6, 2013, mediamatters.org.

3	마르크스와 엥겔스는 『공산당 선언』에서 '가부장적'이라는 용어를 사용했지만 그 구체적인 의미를 탐구한 적은 없다. 페미니스트 사상과의 관계에 대한 논의에 대해서는 다음을 참조하라. Nancy Folbre, *Greed, Lust, and Gender: A History of Economic Ideas*, New York: Oxford University Press, 2010.

4	John T. Jost, "Negative Illusions: Conceptual Clarifi cation and Psychological Evidence Concerning False Consciousness," *Political Psychology* 16, 1995, 400.

5	August Bebel, *Woman Under Socialism*, trans. from the original German of the 33rd edition by Daniel De Leon, New York: Schocken Books, 1971. 엥겔스와 베벨의 관계에 대한 더 구체적인 논의를 보려면 다음을 참조하라. Folbre, *Greed, Lust and Gender*.

6	Mariarosa Dallacosta and Selma James, *The Power of Women and the Subversion of the Community*, London: Falling Wall Press, 1972.

7	See, for instance, Lise Vogel, *Marxism and the Oppression of Women*, Rutgers, NJ: Rutgers University Press, 1987.

8	Christopher Middleton, "The Sexual Division of Labour in Feudal England," *New Left Review* 113, 1979, 147-68; Wally Seccombe, *A Millennium of Family Change*, London: Verso, 1995.

9	Perry Anderson, *In the Tracks of Historical Materialism*, New York: Verso, 1988; Ira Katznelson, "Working Class Formation: Constructing Cases and Comparisons," in *Working–Class Formation*, Ira Katznelson and Aristide R. Zolberg, eds., Princeton, NJ: Princeton University Press, 1986, 4-42.

10	See, for instance, Alice Clark, *Working Life of Women in the Seventeenth Century*, New York: Augustus Kelley, 1967. (Original work published 1919).

11	Immanuel Wallerstein, *The Modern World-System I: Capitalist Agriculture and the Origins of the European World-Economy in the Sixteenth Century*, New York: Academic Press, 1974, and *Historical Capitalism*, London: Verso, 1983.

12	Theda Skocpol, "Wallerstein's World Capitalist System: A Theoretical and Historical Critique," *American Journal of Sociology* 82: 5, 1977, 1075-90.

13	Silvia Federici, *Caliban and the Witch: Women, The Body, and Primitive Accumulation*, New York: Autonomedia, 2004.

14 Jason W. Moore, *Capitalism in the Web of Life*, London: Verso, 2015.

15 Herbert Simon, "Rational Choice and the Structure of the Environment," in *Models of Man*, New York: John Wiley and Sons, 1957, Chapter 15. 사이먼은 자서전에서 "오랫동안 인간의 선택을 이해하는 과학적 연구를 한 사람이 미로의 은유를 거부하기는 힘들다"고 쓰고 있다.: *Models of My Life*, New York: Basic Book, 1991, xvii.

16 Gary Becker, *The Economics of Discrimination*, Chicago: University of Chicago Press, 1957.

17 Victor Fuchs, *Women's Quest for Economic Equality*, Cambridge, MA: Harvard University Press, 1988; Catherine Hakim, *Work–Lifestyle Choices in the 21st Century: Preference Theory*, New York: Oxford, 2000.

18 Gary Becker, A Treatise on the Family, Cambridge, MA: Harvard University Press, 1981. See also Robert Evenson, "On the New Household Economics," *Journal of Agricultural Economics and Development* 6, 1976, 87-103.

19 Nancy Folbre, "Hearts and Spades: Paradigms of Household Economics," *World Development* 14: 2, 1986, 245-55.

20 Gary Becker, *Accounting for Tastes*, Cambridge, MA: Harvard University Press, 1996, 128, 50.

21 Claudia Goldin, *Understanding the Gender Gap: An Economic History of American Women*, New York: Oxford University Press, 1990.

22 Rick Geddes and Dean Lueck, "The Gains from Self-Ownership and the Expansion of Women's Rights," *American Economic Review* 92: 4, 2002, 1079-92.

23 Jeremy Greenwood, Ananth Seshadri, and Mehmet Yorukoglu, "Engines of Liberation," *Review of Economic Studies* 72: 1, 2005, 109-33.

24 Martha J. Bailey, Brad Hershbein, and Amalia R. Miller, "The Opt-In Revolution? Contraception and the Gender Gap in Wages," *American Economic Journal: Applied Economics* 4: 3, 2012, 225-54.

25 Anthony Giddens, *The Constitution of Society*, New York: John Wiley and Sons, 2013. Geoffrey Hodgson, "Reconstitutive Downward Causation: Social Structure and the Development of Individual Agency," in *Intersubjectivity in Economics: Agents and Structures*, Edward Fullbrook, ed., New York: Routledge, 2003, 159-80; Geoffrey M. Hodgson, "Hayek, Evolution, and Spontaneous Order," in *Natural Images in Economic Thought*, Philip Mirowski, ed., New York: Cambridge University Press, 1994, 408-47.

26 Alec Nove, *The Economics of Feasible Socialism*, New York: Taylor and Francis, 1983.

27 Adam Przeworski, *Capitalism and Social Democracy*, New York: Cambridge University Press, 1985; Vivek Chibber and Rosie Warren, eds., *The Debate on*

Postcolonial Theory and the Specter of Capital, New York: Verso, 2016.

28 Peter A. Hall and David Soskice, *Varieties of Capitalism: Th e Institutional Foundations of Comparative Advantage*, New York: Oxford University Press, 2001.

29 Hadas Mandel and Michael Shalev, "Gender, Class, and Varieties of Capitalism," *Social Politics* 16: 2, 2009, 161-81; Nancy Folbre, "Varieties of Patriarchal Capitalism," *Social Politics* 16: 2, 2009, 204-9.

30 David M. Kotz, Terrence McDonough, and Michael Reich, eds., *Social Structures of Accumulation*, New York: Cambridge University Press, 1994.

31 Robert Pollin, *Contours of Descent*, New York: Verso, 2005; David M. Kotz, *The Rise and Fall of Neoliberal Capitalism*, Cambridge, MA: Harvard University Press, 2015.

32 David Kotz, "Household Labor, Wage Labor, and the Transformation of the Family," *Review of Radical Political Economics* 26: 2, 1994, 24-56.

33 Erik Olin Wright, *Classes*, New York: Verso, 1997.

34 Erik Olin Wright, *Envisioning Real Utopias*, New York: Verso, 2010.

35 Harold Wolpe, ed., *The Articulation of Modes of Production*, Boston; Routledge & Kegan Paul, 1980.

36 Bruce J. Berman, "The Concept of 'Articulation' and the Political Economy of Colonialism," *Canadian Journal of African Studies* 18: 2, 1984, 407-14; see also John Haldon, *The State and the Tributary Mode of Production*, New York: Verso, 2017.

37 Antonella Picchio, *Social Reproduction*, New York: Cambridge University Press, 1992, 7, 116.

38 Meg Luxton, "Feminist Political Economy in Canada and the Politics of Social Reproduction," in *Social Reproduction*, Kate Bezanson and Meg Luxton, eds., Montreal: McGill-Queen's University Press, 2006, 11-44.

39 Heidi Hartmann, "The Unhappy Marriage of Marxism and Feminism: Toward a More Progressive Union," *Capital and Class* 3: 2, 1979, 1-33; Ann Ferguson and Nancy Folbre, "The Unhappy Marriage of Capitalism and Patriarchy," in *Women and Revolution*, Lydia Sargent, ed., Boston: South End Press, 1981, 313-38.

40 Wally Seccombe, *A Millennium of Family Change*, New York: Verso, 1992; *Weathering the Storm*, New York: Verso, 1993.

41 Cedric Robinson, *Black Marxism*, Chapel Hill: University of North Carolina Press, 2000.

42 David McNally, "Intersection and Dialectics: Critical Reconstructions in Social Reproduction Th eory," in *Social Reproduction Theory*, Tithi Bhattacharya, ed., London: Pluto, 2017, 94-111.

43 Gary S. Becker, "Altruism in the Family and Selfishness in the Market Place," *Economica* 48: 189, 1981, 1-15.

주   *365*

44 David Sloane Wilson, *Does Altruism Exist? Culture, Genes, and the Welfare of Others*, New Haven, CT: Yale University Press, 2015.

45 경제학자가 집단선택 문제를 다루는 방식을 전반적으로 조망하기 위해서는 다음을 참조하라. Jeroen C. J. M. van den Bergh and John M. Gowdy, "A Group Selection Perspective on Economic Behavior, Institutions, and Organizations," *Journal of Economic Behavior and Organization* 72, 2009, 1-20.

46 Herbert Gintis, Samuel Bowles, and Ernst Fehr, "Explaining Altruistic Behavior in Humans," *Evolution in Human Behavior* 24: 3, 2003, 153-72.

47 Robert Trivers, "Parental Investment and Sexual Selection," in *Sexual Selection and the Descent of Man*, B. Campbell, ed., New York: Aldine, 1972, 136-79; Robert Trivers, "Parent-Off spring Conflict," *Integrative and Comparative Biology* 14: 1, 1974, 249-64.

48 Marjorie B. McElroy and Mary Jean Horney, "Nash-Bargained Household Decisions: Toward a Generalization of the Theory of Demand,"*International Economic Review*, 1981, 333-49; Shelly Lundberg and Robert A. Pollak, "Bargaining and Distribution in Marriage," *Journal of Economic Perspectives* 10: 4, 1996, 139-58.

49 Nancy Folbre, "Gender Coalitions: Extrafamily Influences on Intrafamily Inequality," in *Intrahousehold Resource Allocation in Developing Countries: Methods, Models and Policy*, Lawrence Haddad, John Hoddinott, and Harold Alderman, eds., Baltimore: Johns Hopkins University Press, 1998.

50 George Loewenstein, "Out of Control: Visceral Influences on Behavior," *Organizational Behavior and Human Decision Processes* 65: 3, 1996, 272-92; Colin F. Camerer, George Loewenstein, and Matthew Rabin, eds., *Advances in Behavioral Economics*, Princeton, NJ: Princeton University Press, 2011.

51 Karla Hoff and Priyanka Pandey, "Discrimination, Social Identity, and *Durable Inequalities*," *American Economic Review* 96: 2, 2006, 206-11; A. Mani, S. Mullainathan, E. Shafir, and H. Zhao, "Poverty Impedes Cognitive Function," *Science* 341: 6149, August 30, 2013, 976-80.

52 Robert J. Shiller, *Irrational Exuberance*, Princeton, NJ: Princeton University Press, 2001.

53 B. S. Frey and S. Meier, "Selfish and Indoctrinated Economists?" *European Journal of Law and Economics* 19: 2, 2005, 165-71.

54 Robert J. Leonard, "War as a 'Simple Economic Problem': The Rise of an Economics of Defense," in *Economics and National Security: A History of Their Interaction*, Craufurd D. W. Goodwin, ed., Chapel Hill, NC: Duke University Press, 1991.

55 Jack Hirshleifer, *The Dark Side of the Force: Economic Foundations of Confl ict Theory*, New York: Cambridge, 2001; Michelle Garfinkel and Stergios Skarperdas,

돌봄과 연대의 경제학

"Contract or War?" *American Economist* 441: 1, 2000, 5-16; Michelle R. Grossman and Minseong Kim, "Swords or Ploughshares?" *Journal of Political Economy* 103: 6, 1995, 1275-88.

56 Robert Costanza, Rudolf de Groot, Paul Sutton, Sander van der Ploeg, Sharolyn J. Anderson, Ida Kubiszewski, Stephen Farber, and R. Kerry Turner, "Changes in the Global Value of Ecosystem Services," *Global Environmental Change* 26, 2014, 152-58.

57 James J. Heckman, "Skill Formation and the Economics of Investing in Disadvantaged Children," Science 312, June 30, 2006, 1900-2; Mark R. Rank, "The Cost of Keeping Children Poor," *New York Times*, April 15, 2018, nytimes.com.

58 Mukesh Eswaran, *Why Gender Matters in Economics*, Princeton, NJ: Princeton University Press, 2014.

59 Nathan Nunn, Alberto F. Alesina, and Paola Giuliano, "On the Origins of Gender Roles: Women and the Plough," *Quarterly Journal of Economics* 128: 2, 2013, 469-530. 그들의 주장은 보스럽의 앞선 분석에 바탕을 두고 있다. Ester Boserup, *Women's Role in Economic Development*, London: George Allen and Unwin, 1970.

60 이와 대조되는 관점으로는 다음을 참조하라. Russell Hardin, *All for One: The Logic of Group Conflict*, Princeton, NJ: Princeton University Press, 1995, and Benedict Anderson, *Imagined Communities: Reflections on the Origin and Spread of Nationalism*, New York: Verso, 1983. Richard Jenkins, Social Identity, and in Wendy Bottero, *Stratification: Social Division and Inequality*, New York: Routledge, 2005, 249.

61 M. Sherif, O. J. Harvey, B. J. White, W. Hood, and C. W. Sherif, *Intergroup Conflict and Cooperation: The Robbers Cave Experiment*, Norman, OK: The University Book Exchange, 1961.

62 Ta-Nehisi Coates, *Between the World and Me*, New York: Spiegel and Grau, 2015, 7. See also Karen E. Fields and Barbara J. Fields, *Racecraft*, New York: Verso, 2012.

63 David Harvey, *Seventeen Contradictions and the End of Capitalism*, New York: Oxford University Press, 2014.

64 Lise Vogel, "Foreword," in *Social Reproduction Theory*, Tithi Bhattacharya, ed., London: Pluto, 2017, xi.

65 Nancy Fraser, "From Redistribution to Recognition? Dilemmas of Justice in a Post-Socialist Age," *New Left Review* 212, 1995, 68-68; Nancy Fraser and Axel Honneth, *Redistribution or Recognition?* New York: Verso, 2003.

66 Karl Marx, Letter to Meyer and Vogt, cited in Jon Elster, *Making Sense of Marx*, New York: Cambridge University Press, 1985, 21.

67 Vladimir Lenin, *Imperialism: The Highest Stage of Capitalism*, New York:

Resistance Books, 1999. (Original work published 1917)

68 Andre Gunder Frank, *The Development of Underdevelopment*, Boston: Free Press, 1966; Arghiri Emmanuel, Unequal Exchange, London: New Left Books, 1972.

69 Naila Kabeer, "Globalization, Labor Standards, and Women's Rights: Dilemmas of Collective (In)action in an Interdependent World," *Feminist Economics* 10: 1, 2004, 3-35.

70 W. E. B. DuBois, *The Souls of Black Folk*, Chicago: A. C. McGlurg, 1907 (Original work published 1903); *Black Reconstruction*, New York: Atheneum, 1969. (Original work published 1935)

71 B. R. Ambedkar, *Annihilation of Caste*, New York: Verso, 2004. Original work published 1936

72 Charles W. Mills, *The Racial Contract*, Ithaca, NY: Cornell University Press, 1999.

73 William A. Darity, Jr., "Forty Acres and a Mule in the 21st Century," *Social Science Quarterly* 89: 3, 2008, 656-64; William A. Darity Jr., Patrick L. Mason, and James B. Stewart, "The Economics of Identity: The Origin and Persistence of Racial Identity Norms," *Journal of Economic Behavior & Organization* 60, 2006, 283-305.

74 Angela Davis, *Women, Race, and Class*, New York: Vintage, 1983.

75 Kimberlé Williams Crenshaw, "Demarginalizing the Intersection of Race and Sex: A Black Feminist Critique of Antidiscrimination Doctrine, Feminist Theory and Antiracist Politics," *University of Chicago Legal Forum*, 1989, 139-67; "Mapping the Margins: Intersectionality, Identity Politics, and Violence against Women of Color," Stanford Law Review 43: 6, 1991, 1241-99; Patricia Hill Collins, *Black Feminist Thought*, New York: Routledge, 1991.

76 William Darity, "Stratification Economics: The Role of Intergroup Inequality," *Journal of Economics and Finance* 29: 2, 2005, 144-53; William A. Darity Jr., Darrick Hamilton, and James B. Stewart, "A Tour de Force in Understanding Intergroup Inequality: An Introduction to Stratifi cation Economics," *Review of Black Political Economy* 42, 2015, 1-6.

77 Vrushali Patil, "From Patriarchy to Intersectionality: A Transnational Feminist Assessment of How Far We've Really Come," *Signs* 38: 4, 2013, 847-67.

78 Mary Romero, "Crossing the Immigration and Race Border: A Critical Race Theory Approach to Immigration Studies." *Contemporary Justice Review* 11, 2008, 23-37.

79 William M. Dugger, ed., *Inequality: Radical Institutionalist Views on Race, Gender, Class, and Nation*, Westport, CT: Greenwood, 1996; Charles Tilly, *Durable Inequalities*, Berkeley: University of California Press, 1999.

80 Mancur Olson, *The Logic of Collective Action*, Cambridge, MA: Harvard University

Press, 1965.

81 John R. Commons, "Institutional Economics," *American Economic Review* 21, 1931, 648-57; Geoffrey Hodgson, *Economics and Institutions*, New York: Wiley, 1991.

82 George A. Akerlof and Rachel E. Kranton, "Economics and Identity," *Quarterly Journal of Economics* 115: 3, 2000, 715-53.

83 Marianne Bertrand, Dolly Chugh, and Sendhil Mullainathan, "Implicit Discrimination," *American Economic Review* 95: 2, 2005, 94-98.

84 Marcus Rediker, *Pirates of All Nations*, Boston: Beacon, 2005.

85 Michelle Garfinkel, "Stable Alliance Formation in Distributional Conflict," *European Journal of Political Economy* 20, 2004, 829-52.

86 Robert P. Gilles, *The Cooperative Game Theory of Networks and Hierarchies*, New York: Springer, 2010.

87 Michael Suk-Young Chwe, "Farsighted Coalitional Stability," *Journal of Economic Theory* 63, 1994, 299-325.

88 Henry Hanssman, "When Does Worker Ownership Work?" *The Yale Law Journal* 99: 8, 1990, 1749-815.

89 Alberto Alesina, Reza Baqir, and William Easterly, "Public Goods and Ethnic Divisions," *The Quarterly Journal of Economics* 114: 4, 1999, 1243- 84; Brian An, Morris Levy, and Rodney Hero, "It's Not Just Welfare: Racial Inequality and the Local Provision of Public Goods in the United States," *Urban Affairs Review* 54: 5, 2018, 833-65.

90 Lara Cushing, Rachel Morello-Frosch, Madeline Wander, and Manuel Pastor, "The Haves, the Have-nots, and the Health of Everyone: The Relationship Between Social Inequality and Environmental Quality," *Annual Review of Public Health* 36, 2015, 193-209.

91 J. R. Lott and L. W. Kenny, "Did Woman's Suffrage Change the Size and Scope of Government? *Journal of Political Economy* 107, 1999, 1163-98; T. S. Aidt, J. Dutta, and E. Loukoianova, "Democracy Comes to Europe: Franchise Extension and Fiscal Outcomes, 1830-1938," *European Economic Review* 50, 2006, 249-83.

92 Pew Research Center, "Wide Gender Gap, Growing Educational Divide in Voters' Party Identification," March 20, 2018, people-press.org.

93 Amin Maalouf, *In the Name of Identity*, New York: Arcade, 2012, 4.

94 Kimberlé Williams Crenshaw, "Demarginalizing the Intersection of Race and Sex: A Black Feminist Critique of Antidiscrimination Doctrine, Feminist Theory and Antiracist Politics," *University of Chicago Legal Forum*, 1989, 139-67; "Mapping the Margins: Intersectionality, Identity Politics, and Violence against Women of

Color," *Stanford Law Review* 43: 6, 1991, 1241-99; Patricia Hill Collins, Black Feminist Thought, New York: Routledge, 1991.

95 Leslie McCall, "The Complexity of Intersectionality," *Signs: Journal of Women, Culture and Society* 30: 3, 2005, 1771-800.

96 See Folbre, *Greed, Lust, and Gender*, Chapter 11.

97 John Stuart Mill, *The Subjection of Women*, with an introduction by Wendell Carr, Cambridge, MA: MIT Press, 1970, 11. (해리엇 테일러는 공식적으로 공동 저자로 열거되지 않았지만 밀은 그녀가 공동 저자라고 밝혔다.)

98 Mill, *The Subjection of Women*, 13.

4장 전유, 재상산 그리고 생산

1 Ulla Grapard, "Robinson Crusoe: The Quintessential Economic Man?" *Feminist Economics* 1: 1, 1995, 33-52.

2 이런 정의는 내가 이전에 썼던 책에서 밝힌 정의와 세부적으로 약간 다르다. 로데스 베네리아가 내린 정의와 유사하다. Lourdes Benería, in "Reproduction, Production and the Sexual Division of Labour," *Cambridge Journal of Economics* 3, 1979, 203-25.

3 더 자세한 논의는 다음을 참조하라. Nancy Folbre, *Valuing Children*, Cambridge, MA: Harvard University Press, 2008, Chapter 2.

4 Marilyn Power, "Social Provisioning as a Starting Point for Feminist Economics," *Feminist Economics* 10: 3, 2004, 3-19; Antonella Picchio, *Social Reproduction: The Political Economy of the Labor Market*, Cambridge: Cambridge University Press, 1992.

5 Oded Galor and David N. Weil, "Population, Technology, and Growth: From Malthusian Stagnation to the Demographic Transition and beyond," *American Economic Review* 90: 4, 2000, 806-28.

6 Kingsley Davis, "Low Fertility in Evolutionary Perspective," *Population and Development Review* 12, 1986, 48-65.

7 Nancy Folbre, "Chicks, Hawks, and Patriarchal Institutions," in *Handbook of Behavioral Economics*, Morris Altman, ed., Armonk, NY: M. E. Sharpe, 2006, 499-516.

8 John Caldwell, *Theory of Fertility Decline*, New York: Academic Press, 1982; Nancy Folbre, "Of Patriarchy Born: The Political Economy of Fertility Decisions," *Feminist Studies* 9: 2, 1983, 261-84; *Who Pays for the Kids? Gender and the Structures of Constraint*, New York: Routledge, 1994.

9   Nancy Folbre, "Of Patriarchy Born: The Political Economy of Fertility Decisions," *Feminist Studies* 9: 2, 1983, 261-84.

10 Jenny Brown, *Birth Strike*, New York: PM Press, 2019.

11 Michelle Budig, Joya Misra, and Irene Boeckmann, "The Motherhood Penalty in Cross-National Perspective: The Importance of Work-Family Policies and Cultural Attitudes," *Social Politics* 19: 2, 2012, 163-93.

12 소유자가 거주하는 주택과 자가 소비를 위해 생산된 농산물의 추정치(imputed value) 는 예외적으로 국민계정시스템에 들어간다.

13 Marilyn Waring, *If Women Counted*, New York: Harper and Row, 1988.

14 Tom Toles, "He Who Dies with the Most Toys Now Loses!" *Washington Post*, October 24, 2016, washingtonpost.com.

15 James K. Boyce, *The Political Economy of the Environment*, Northampton, MA: Elgar, 2002; Jared Diamond, *Collapse*, New York: Penguin, 2006; Geoff rey Heal, *Endangered Economies*, New York: Columbia University Press, 2016.

16 Nancy Folbre and Jooyeoun Suh, "Valuing Unpaid Child Care in the U.S.: A Prototype Satellite Account Using the American Time Use Survey," *Review of Income and Wealth* 62: 4, 2016, 668-85; Robert Costanza, Rudolf de Groot, Paul Sutton, Sander van der Ploeg, Sharolyn J. Anderson, Ida Kubiszewski, Stephen Farber, and R. Kerry Turner, "Changes in the Global Value of Ecosystem Services," *Global Environmental Change* 26, 2014, 152-58.

17 Folbre and Suh, "Valuing Unpaid Child Care."

18 Kenneth Boulding, *The Economy of Love and Fear*, Belmont: Wadsworth, 1973.

19 Raul Caruso, "The Economy of Love and Fear, by Kenneth Boulding," *Crossroads* 5: 3, 2005, 109-18.

20 Albert O. Hirschman, *The Passions and the Interests: Political Arguments for Capitalism before Its Triumph*, Princeton, NJ: Princeton University Press, 1977.

21 John Roemer, *A General Theory of Exploitation and Class*, Cambridge, MA: Harvard University Press, 1982; David Harvey, *The New Imperialism*, Oxford: Oxford University Press, 2005.

22 Michelle Garfinkel, "Stable Alliance Formation in Distributional Confl ict," *European Journal of Political Economy* 20, 2004, 829-52.

23 Maria Mies, *Patriarchy and Accumulation on a World Scale*, New York: Zed, 1986, 66.

24 Frank Knight, *Risk, Uncertainty, and Profit*, Boston: Houghton Mifflin, 1921, 374-75.

25 Pedro Manuel Carneiro and James J. Heckman, "Human Capital Policy," IZA

Discussion Papers, No. 821, Bonn: Institute for the Study of Labor, 2003, econstor.eu.

26 Jane Humphries, "Class Struggle and the Persistence of the Working Class Family,"
    Cambridge Journal of Economics 1, 1977, 242-58; Christopher Lasch, *Haven in a
    Heartless World*, New York: Norton, 1995.

27 Sut Jhally, *Advertising and the End of the World*, Documentary video, 1998.

28 Nancy Folbre, "Children as Public Goods," *American Economic Review* 84: 2, 1994,
    86-90; Douglas A. Wolf, Ronald D. Lee, Timothy Miller, Gretchen Donehower, and
    Alexandre Genest, "Fiscal Externalities of Becoming a Parent," *Population and
    Development Review* 37: 2, 2011, 241-66.

29 Paul Samuelson, "An Exact Consumption-Loan Model of Interest with or without the
    Social Contrivance of Money," *Journal of Political Economy* 66: 6, 1958, 468.

30 Mark Lino, Kevin Kuczynski, Nestor Rodriguez, and TusaRebecca Schap,
    Expenditures on Children by Families, 2015, Washington, DC: US Department of
    Agriculture, Center for Nutrition Policy and Promotion, 2014, isminc.com.

31 원칙적으로 '재생산 함수'를 도출하는 것은 가능하다. 그러나 생산 함수에서 자본을
    독립적으로 측정할 수 있는지에 관해 20세기에 있었던 회의론은 재생산 부문의 투
    입과 산출을 측정하는 어려움에 대한 논의를 예고했다고 할 수 있다.

32 Amartya Sen, "Human Capital and Human Capability," *World Development* 25:
    12, 1997, 2; Martha Nussbaum, *Women and Human Development*, New York:
    Cambridge University Press, 2001; Ingrid Robeyns, "Sen's Capability Approach and
    Gender Inequality: Selecting Relevant Capabilities," *Feminist Economics* 9: 2-3,
    2003, 61-92.

33 Sen, "Human Capital and Human Capability," 2.

34 헌신과 투자에 관한 좀 더 자세한 논의는 다음을 참조하라. Nancy Folbre, *Valuing
    Children*, Cambridge, MA: Harvard University Press, 2008, Chapter 3.

35 Nancy Folbre, *Valuing Children: Rethinking the Economics of the Family*,
    Cambridge, MA: Harvard University Press, 2008.

36 Nancy Folbre and Julie Nelson, "For Love or Money?" *Journal of Economic
    Perspectives* 14: 4, 2000, 123-40.

37 Diane Elson, "Social Reproduction in the Global Crisis: Rapid Recovery or Long-
    Lasting Depletion," in *The Global Crisis and Transformative Social Change*, Peter
    Utting, Shahra Razavi, and Rebecca Varghese Buchholz, eds., New York: Palgrave
    Macmillan, 2012, 63-80; Tithi Bhattacharya, "What Is Social Reproduction Th
    eory?" *Socialist Worker*, September 10, 2013, socialistworker.org..

38 Nancy Folbre, "Exploitation Comes Home: A Critique of the Marxian Theory of
    Family Labor," *Cambridge Journal of Economics* 6: 4, 1982, 317-29.

39 Nancy Fraser, "Capitalism's Crisis of Care," *Dissent* 63: 4, 2016, 30.

40 Barbara Laslett and Johanna Brenner, "Gender and Social Reproduction: Historical Perspectives," *Annual Review of Sociology* 15, 1989, 382; Maureen Mackintosh, "Gender and Economics: The Sexual Division of Labor and the Subordination of Women," in *Of Marriage and the Market*, Kate Young, Carol Wolkowitz, and Roslyn McCullagh, eds., London: CSE Books, 1981, 10.

41 Meg Luxton, "Feminist Political Economy in Canada and the Politics of Social Reproduction," in *Social Reproduction*, Kate Bezanson and Meg Luxton, eds., Montreal: McGill-Queen's University Press, 2006, 36.

42 See, for instance, Antonella Picchio, Social Reproduction: *The Political Economy of the Labor Market*, Cambridge: Cambridge University Press, 1992; Jane Humphries and Jill Rubery, "The Reconstitution of the Supply Side of the Labour Market: The Relative Autonomy of Social Reproduction," *Cambridge Journal of Economics* 8: 4, 1984, 331-46. See also Bezanson and Luxton, eds., *Social Reproduction*. Colin Farrelly, "Patriarchy and *Historical Materialism*," *Hypatia* 26: 1, 2011, 1-21.

43 James Coleman, "Social Capital in the Creation of Human Capital," *American Journal of Sociology* 84, 1988, S95-S120; Shirley Burgraaf, *The Feminine Economy and Economic Man: Revising the Role of Family in the Post-Industrial Age*, Reading, MA: Perseus Books, 1997.

44 Frank Ackerman and Lisa Heinzerling, *Priceless*, New York: New Press, 2004. 나는 비시장 노동의 가치 추정을 해서는 안 된다는 그들의 주장에 반대한다. 외부성의 가치에 대한 대략적 추정치라도 비시장 노동의 가치를 시장 참가자가 쉽게 이해할 수 있는 척도가 되기 때문이다.

45 Thomas Princen, "The Shading and Distancing of Commerce: When Internalization Is Not Enough," *Ecological Economics* 20: 3, 1997, 235-53.

46 Nancy Folbre, "Children as Public Goods," *American Economic Review* 84: 2, 1994, 86-90.

47 고용주는 자신의 기업에서만 활용될 수 있는 숙련 노동자를 잃을 가능성을 최소화하기 위해 연공급이라는 당근과 노동자 이직을 제한하는 근로계약 체결이라는 채찍을 사용한다. 당근에 관해서는 다음을 참조하라. Edward P. Lazear, *Personnel Economics*, Cambridge, MA: MIT Press, 1995. On sticks, see Alan Krueger and Orley Ashenfelter, "Theory and Evidence on Employer Collusion in the Franchise Sector," Department of Economics, Princeton University, Working Paper, September 2017, econpapers.repec.org.

48 Laura Addati, "Extending Maternity Protection to All Women: Trends, Challenges, and Opportunities," *International Social Security Review* 68: 1, 2015, 69-93.

49 Rosemary L. Hopcroft, "Parental Status and Differential Investment in Sons and Daughters: Trivers-Willard Revisited," *Social Forces* 83: 3, 2005, 111-36.

50 남아 선호의 경제적 동기에 대한 논의는 다음을 참조하라. Nancy Folbre, "Comment on Market Opportunities, Genetic Endowments, and Intrafamily Resource Distribution, by Mark Rosenzweig and T. Paul Schultz," *American Economic Review* 74: 3, 1984, 518-20. 특히 설득력 있는 사례 연구는 다음을 참조하라. Mead Cain, "The Consequences of Reproductive Failure: Dependence, Mobility, and Mortality Among the Elderly of Rural South Asia," *Population Studies* 40: 3, 1986, 375-88.

51 Lawrence B. Glickman, *A Living Wage. American Workers and the Making of Consumer Society*, Ithaca, NY: Cornell University Press, 1997.

52 Shelly Lundberg, "Sons, Daughters, and Parental Behavior," *Oxford Review of Economic Policy* 21: 3, 2005, 340-56.

53 Kenneth Feinberg, *What Is Life Worth?* New York: Public Aff airs, 2005.

54 Jane Waldfogel, "Understanding the 'Family Gap' in Pay for Women with Children," *The Journal of Economic Perspectives* 12: 1, 1998, 137-56.

55 Wendy Sigle-Rushton and Jane Waldfogel, "Motherhood and Women's Earnings in Anglo American, Continental European, and Nordic Countries," *Feminist Economics* 13: 2, 2007, 55-91.

56 Victor Fuchs, *Women's Quest for Economic Equality*, Cambridge, MA: Harvard University Press, 1988.

57 Nancy Folbre, "Should Women Care Less? Intrinsic Motivation and Gender Inequality," *British Journal of Industrial Relations* 50: 4, 2012, 597-619.

58 Evelyn Nakano Glenn, *Forced to Care: Coercion and Caregiving in America*, Cambridge, MA: Harvard University Press, 2010.

59 사회자본에 관해서는 다음을 참조하라. Glenn Loury, "A Dynamic Theory of Racial Income Diff erences," in *Women, Minorities, and Employment Discrimination*, P. Wallace and A. Lamond, eds., Lexington, MA: Lexington Books, 1977; James Coleman, "Social Capital in the Creation of Human Capital," *American Journal of Sociology* 84, 1988, S95-S120; Charles Tilly, *Durable Inequalities*, Berkeley: University of California Press, 1999.

60 Ayelet Shachar, *The Birthright Lottery: Citizenship and Global Inequality*, Cambridge, MA: Harvard University Press, 2009.

61 David Roediger, *The Wages of Whiteness*, New York: Verso, 2007; George Lipsitz, *The Possessive Investment in Whiteness*, Philadelphia: Temple University Press, 2006.

62 Lee Badgett and Jeff Frank, eds., *Sexual Orientation Discrimination: An International Perspective*, New York: Routledge, 2007.

63 Nancy Folbre, "The Political Economy of Human Capital," *Review of Radical Political Economics* 44: 3, 2012, 281-92.

64 Annette Lareau, *Unequal Childhoods: Race, Class, and Family Life. A Decade Later,* 2nd ed., Oakland: University of California Press, 2011.

65 Sabino Kornrich and Frank Furstenberg, "Investing in Children: Changes in Parental Spending on Children, 1972-2007," *Demography* 50: 1, 2013, 1-23.

66 Samuel Bowles, Herbert Gintis, and Melissa Osborne Groves, eds., Unequal Chances: Family Background and Economic Success, Princeton, NJ: Princeton University Press, 2005.

67 Greg J. Duncan and Jeanne Brooks-Gunn, eds., The Consequences of Growing Up Poor, New York: Russell Sage Foundation, 1999.

68 Sara McLanahan and Christine Percheski, "Family Structure and the Reproduction of Inequalities," *Annual Review of Sociology* 34, 2008, 257-76.

69 Motoko Rich, Amanda Cox, and Matthew Bloch, "Money, Race and Success: How Your School District Compares," *New York Times*, April 29, 2016.

70 George Borjas, "Ethnicity, Neighborhoods, and Human-Capital Externalities," *American Economic Review* 85, 1995, 365-90; Shelly J. Lundberg and Richard Startz, "Inequality and Race: Models and Policy," in *Meritocracy and Economic Inequality*, Kenneth Arrow, Samuel Bowles, and Steven Durlauf, eds., Princeton, NJ: Princeton University Press, 2000.

5장 위계 구조와 착취

1 경제학자가 집단선택 이론을 응용한 방식에 관해서는 다음을 참조하라. Jeroen C. J. M. van den Bergh and John M. Gowdy, "A Group Selection Perspective on Economic Behavior, Institutions, and Organizations," *Journal of Economic Behavior and Organization* 72, 2009, 1-20.

2 Robert A. Pollak, "A Transaction Cost Approach to Families and Households," *Journal of Economic Literature* 23: 2, 1985, 581-608.

3 Edward Lazear, "Pay Equality and Industrial Politics," *Journal of Political Economy* 97, 1989, 561-80.

4 Philip J. Cook and Robert H. Frank, *The Winner-Take-All Society*, New York: Free Press, 1995.

5 Richard D. Alexander, *The Biology of Moral Systems*, New York: Aldine de Gruyter, 1987; Kevin MacDonald, "The Establishment and Maintenance of Socially Imposed Monogamy in Western Europe," *Politics and the Life Sciences* 14: 1, 1995, 3-23.

6　Steven A. Frank, "Repression of Competition and the Evolution of Cooperation," *Evolution* 57: 4, 2003, 693-705.

7　Frans de Waal, *Good Natured*, Cambridge, MA: Harvard University Press, 1996.

8　Edward O. Wilson, *The Social Conquest of Earth*, New York: W. W. Norton, 2012.

9　Edward O. Wilson, "Evolution and Our Inner Conflict," *New York Times*, June 24, 2012, opinionator.blogs.nytimes.com.

10　Frans de Waal, *Good Natured*, 30.

11　Herbert Gintis, Samuel Bowles, and Ernst Fehr, "Explaining Altruistic Behavior in Humans," *Evolution in Human Behavior* 24: 3, 2003, 153-72.

12　Samuel Bowles and Herbert Gintis, *A Cooperative Species*, Princeton, NJ: Princeton University Press, 2013.

13　Jung-Kyoo Choi and Samuel Bowles, "The Coevolution of Parochial Altruism and War," *Science* 318: 5850, October 26, 2007, 636-40.

14　Herbert A. Simon, "A Mechanism for Social Selection and Successful Altruism," *Science*, 250: 4988, December 21, 1990, 1665-68.

15　Nancy Folbre, "Should Women Care Less? Intrinsic Motivation and Gender Inequality," *British Journal of Industrial Relations* 50: 4, 2012, 597-619.

16　Nancy Folbre, *Greed, Lust and Gender*, New York: Oxford University Press, 2009.

17　Nancy Folbre, *The Invisible Heart: Economics and Family Values*, New York: New Press, 2001.

18　Mancur Olson, "Dictatorship, Democracy, and Development," *American Political Science Review* 87: 3, 1993, 567-76; Douglass North, "Institutions," *Journal of Economic Perspectives* 5: 1, 1991, 97-112.

19　Mancur Olson, *The Logic of Collective Action*, Cambridge, MA: Harvard University Press, 1965.

20　Paul A. Samuelson, "Social Indifference Curves," *Quarterly Journal of Economics* 70: 1, 1956, 12.

21　J. M. Buchanan, R. D. Tollison, and G. Tullock, *Toward a Theory of the Rent-Seeking Society*, College Station: Texas A and M Press, 1980.

22　Alec Nove, *The Economics of Feasible Socialism*, New York: Taylor and Francis, 1983.

23　Gary Becker, *A Treatise on the Family*, Cambridge, MA: Harvard University Press, 1981.

24　Jack Hirshleifer, "Shakespeare vs. Becker on Altruism: The Importance of Having the Last Word," *Journal of Economic Literature* 15: 2, 1977, 500-2.

25　Nancy Folbre, "Hearts and Spades: Paradigms of Household Economics," *World Development* 14: 2, 1986, 245-55.

26　Mancur Olson, "Dictatorship, Democracy, and Development," Douglass North, John

Joseph Wallis, and Barry R. Weingast, *Violence and Social Orders*, New York: Cambridge University Press, 2009; Daron Acemoglu and James Robinson, *Why Nations Fail*, New York: Crown, 2012.

27 비둘기와 매가 아닌 협력자와 배신자 측면에서 이런 동학을 가장 간단하고 쉽게 설명한 내용은 7장을 참조하라. "Beyond Self Interest" of Robert H. Frank, *Microeconomics and Behavior*, New York: McGraw Hill, 1991.

28 경제 이론에서 남성다움과 여성다움 사이의 양극성은 전자에 강한 긍정을 부여하고 후자에 강한 부정을 부여하는 경향이 있다. Julie Nelson, "Gender, Metaphor, and the Definition of Economics," *Economics and Philosophy* 8: 1, 1992, 103-25. 포식자는 아니지만, 매에게 약하지만은 않은 여성적 의미를 지닌 새로는 백조가 있다. 매보다 매력이 떨어지는 남성적 의미를 지닌 새로는 독수리가 있다.

29 Douglass North, John Joseph Wallis, and Barry R. Weingast, *Violence and Social Orders*, New York: Cambridge University Press, 2009. 그런 노력이 점차 주목을 받고 있는지는 여전히 논쟁의 대상이다. 비관적인 견해는 다음을 참조하라. Scheidel, The Great Leveler; 낙관적인 견해는 다음을 참조하라. Steven Pinker, *The Better Angels of Our Nature*, New York: Penguin, 2011.

30 Mancur Olson, "Dictatorship, Democracy, and Development," *American Political Science Review* 87: 3, 1993, 567-76.

31 Steven Marglin, "What Do Bosses Do? The Origins of Hierarchy in Capitalist Production," *Review of Radical Political Economics* 6, 1974, 60-112.

32 Susan Brownmiller, *Against Our Will: Men, Women, and Rape*, New York: Simon and Schuster, 1975; Silvia Federici, *Caliban and the Witch: Women, Capitalism and Primitive Accumulation*, New York: Autonomedia, 2005.

33 Kenneth Arrow, *Social Choice and Individual Values, New Haven*, CT: Yale University Press, 1963; Jane Mansbridge, "What Is Political Science For?" *Perspectives on Politics* 12: 1, 2014, 8-17.

34 Quoted in Phil McKenna, "No Voting System Is Perfect, but Why do We Put Up with One of the Worst?" *New Scientist*, April 12, 2008, 33.

35 이 인용문의 배경에 대한 논의는 다음을 참조하라. Richard M. Langworth, "Democracy is the Worst Form of Government...," June 26, 2009, richardlangworth.com.

36 인용문 전체를 문맥에서 보려면 다음을 참조하라. "(1857) Frederick Douglass, 'If There Is no Struggle, There Is no Progress,'" BlackPast, January 25, 2007, blackpast.org.

37 John Wall, "Why Children and Youth Should Have the Right to Vote: An Argument for Proxy-Claim Suff rage," *Children Youth and Environments* 24: 1, 2014, 108-23.

38 Carol Anderson, "The Five Ways Republicans Will Crack Down on Voting Rights in 2020," *The Guardian*, November 13, 2019, theguardian.com.

39 Martin Gilens, *Affluence and Influence*, Princeton, NJ: Princeton University Press, 2012.

40 주인-대리인 모형은 2장에서 사용된 행위자 정의보다 더 구체적인 정의를 적용한다.

41 전통적인 정식화를 찾으려면 다음을 보라. Armen A. Alchian and Harold Demsetz, "Production, Information Costs, and Economic Organization," *American Economic Review* 62: 5, 1972, 777-95.

42 Samuel Bowles and Herbert Gintis, "A Political and Economic Case for the Democratic Enterprise," *Economics and Philosophy* 9, 1993, 75-100; Gregory K. Dow, *Governing the Firm*, New York: Cambridge University Press, 2003.

43 Joseph R. Blasi, Richard B. Freeman, and Douglas L. Kruse, *The Citizen's Share*, New Haven, CT: Yale University Press, 2014.

44 Samuel Bowles, "The Production Process in a Competitive Economy: Walrasian, Neo-Hobbesian, and Marxian Models," *American Economic Review* 75: 1, 1985, 16-36.

45 Elissa Braunstein and Nancy Folbre, "To Honor or Obey: The Patriarch as Residual Claimant," *Feminist Economics* 7: 1, 2001, 25-54.

46 이 점에 대한 간단하지만 설득력 있는 설명은 다음을 참조하라. Robin Hahnel, *The ABCs of Political Economy*, London: Pluto Press, 2002, 106.

47 미국 남부의 노예 교육 반대에 대해서는 다음 자료를 참조하라. the Thirteen Media with Impact Site, pbs.org.

48 Harry Braverman, *Labor and Monopoly Capital*, New York: Monthly Review Press, 1974; Peter Skott and Frederick Guy, "A Model of Power-Biased Technological Change," *Economics Letters* 95: 1, 2007, 124-31.

49 John Rawls, *A Theory of Justice*, Cambridge, MA: Harvard University Press, 1971.

50 Amartya Sen, "Cooperation, Inequality, and the Family," *Population and Development Review* 15, 1989, 61-76.

51 Charles W. Mills, *The Racial Contract*, Ithaca, NY: Cornell University Press, 1999.

52 록인 효과에 대한 자세한 설명은 다음을 참조하라. W. Brian Arthur, "Self-Reinforcing Mechanisms in Economics," in *The Economy as an Evolving Complex System*, Philip W. Anderson, Kenneth J. Arrow, and David Pines, eds., , New York: Addison-Wesley, 1988, 9-31.

53 지대 추구에 관해서는 다음을 참조하라. J. M. Buchanan, R. D. Tollison, and G. Tullock, *Toward a Theory of the Rent-Seeking Society*, College Station: Texas A and M Press, 1980.

54 신고전학파의 한계생산성 이론에서 '응분의 대가just deserts'와 그 의미에 대한 자세한 논의는 다음을 참조하라. Nancy Folbre, "Just Deserts? Earnings Inequality and Bargaining Power in the US Economy," Washington Center for Equitable Growth

Working Paper, 2016, equitablegrowth.org.

55 여기에 설명된 모형은 협동적 내쉬 협상 접근 방식이다. William D. Ferguson,
    Collective Action and Exchange, Stanford, CA: Stanford University Press, 2013,
    Chapter 4.

56 Ferguson, *Collective Action and Exchange*, Chapter 4.

57 수학적으로 양 집단에 지도자와 추종자의 상대적 숫자가 같다고 가정하자. 민주주
    의에서의 산출을 Y라고 하고 추종자의 몫을 λ라 하자. 권위주의에서 산출을 Z라 하
    고 추종자의 몫을 ϖ라 하자. 추종자들은 λY = ϖ Z일 때 똑같은 수준의 행복을 누린
    다. Y/Z = ϖ/λ일 때, 즉 각 체제에서 산출과 몫의 비중이 같을 때는, Z가 Y보다 크다
    고 해도 추종자들의 행복 수준은 똑같다.

58 앨버트 허시먼Albert Hirschman은 이런 선택지들 가운데 하나를 설명했다. 다음을
    참조하라. *Exit, Voice and Loyalty*, Cambridge: Harvard University Press, 1970.

59 Karl Marx, *Capital*, Vol. 1, Chapter 26, marxists.org.

60 Naila Kabeer, "Gender Equality and Women's Empowerment: A Critical Analysis of the
    Third Millennium Development Goal 1," *Gender & Development* 13: 1, 2005, 13-24.

61 Leslie McCall, "The Complexity of Intersectionality," *Signs* 30: 3, 2005, 1771-1800.

62 Maria Mazzucato, *The Value of Everything*, New York: Penguin, 2018.

63 Erik Olin Wright, *Class Counts: Comparative Studies in Class Analysis*, New York:
    Cambridge University Press, 1997, 11.

64 APM Research Lab Staff , "The Color of Coronavirus: Covid-19 Deaths by Race and
    Ethnicity in the U.S.," APM Research Lab, June 24, 2020, apmresearchlab.org.

65 Benjamin Ferguson, "Exploitation and Disadvantage," *Economics & Philosophy* 32:
    3, 2016, 485-509.

66 William Darity Jr. and Darrick Hamilton, "Bold Policies for Economic Justice," *The
    Review of Black Political Economy* 39: 1, 2012, 79-85.

67 Karl Marx, *Capital*, Vol. 1, Chapter 26, New York: Vintage Books, 1976; David
    Harvey, "The 'New Imperialism': Accumulation by Dispossession," *Socialist Register*
    40, 2004, 63-87.

68 Robert Nozick, *Anarchy, State and Utopia*, Malden, MA: Basic Books, 1974.

69 William Darity, "Forty Acres and a Mule in the 21st Century," *Social Science
    Quarterly* 89: 3, 2008, 656-64.

70 John Roemer, *A General Theory of Exploitation and Class*, Cambridge, MA:
    Harvard University Press, 1982. 인적 자본도 생산적 자산이지만 한 세대 내에 재분
    배될 수 있는 자산이 아니기 때문에 형용사 "소외될 수 있는"이라는 용어 사용은 적
    절하다.

71 Robert E. Goodin, "Women's Work: Its Irreplaceability and Exploitability," in *Illusion*

of Consent: Engaging with Carole Pateman, Daniel I. O'Neill, Mary Lyndon Shanley, and Iris Marion Young, eds., University Park: Pennsylvania State Press, 2008.

72 Erik Wright, *Envisioning Real Utopias*, London: Verso, 2010, 26.

73 Ferguson, *Collective Action and Exchange*, Chapter 4.

74 Marjorie McElroy, "The Empirical Content of Nash-Bargained Household Behavior," *Journal of Human Resources* 25: 4, 1990, 559-83; Nancy Folbre, "Gender Coalitions: Extrafamily Influences on Intrafamily Inequality," in *Intrahousehold Resource Allocation in Developing Countries: Methods, Models and Policy*, Lawrence Haddad, John Hoddinott, and Harold Alderman, eds., Baltimore: Johns Hopkins University Press, 1998; P. A. Chiappori, B. Fortin, and G. Lacroix, "Marriage Market, Divorce Legislation and Household Labor Supply," *Journal of Political Economy* 110, 2002, 37-72.

75 See karrass.com.

76 Samuel Bowles and Herbert Gintis, "The Revenge of Homo Economicus: Contested Exchange and the Revival of Political Economy," The *Journal of Economic Perspectives* 7: 1, 1993, 83-102.

77 Bina Agarwal, "Bargaining and Gender Relations: Within and Beyond the Household," *Feminist Economics* 3: 1, 1997, 1-51.

78 Shelly Lundberg and Robert A. Pollak, "Efficiency in Marriage," *Review of Economics of the Household* 1: 3, 2003, 153-67.

79 전통적인 설명은 다음을 참조하라. Pierre Bourdieu, *Outline of a Theory of Practice*, New York: Cambridge University Press, 1977. Edward Ross, *Social Control: A Survey of the Foundations of Order*, New York: The Macmillan Company, 1901.

80 Edna Ullmann-Margalit, *The Emergence of Norms*, Oxford: Clarendon Press, 1977, 189.

81 Paula Ionide, *The Emotional Politics of Racism*, Stanford, CA: Stanford University Press, 2015; Richard Sennett and Jonathan Cobb, *The Hidden Injuries of Class*, New York: Norton, 1993.

82 Karla Hoff and Priyanka Pandey, "Discrimination, Social Identity, and *Durable Inequalities*," *American Economic Review* 96: 2, 2006, 206-11.

83 Paula England, "Sometimes the Social Becomes Personal," *American Sociological Review* 81: 1, 2016; Paula England and Irene Browne, "Internalization and Constraint in Women's Subordination," *Current Perspectives in Social Theory* 12, 1992, 97-123. Frantz Fanon, *The Wretched of the Earth*, New York: Grove Press, 1968.

2부 서사의 재구성

6장 가부장제 전사前史

1 Maria Mies, *Patriarchy and Accumulation on a World Scale*, New York: Zed, 1986; Gerda Lerner, *The Creation of Patriarchy*, New York: Oxford University Press, 1986; Riane Eisler, *The Chalice and the Blade*, New York: Harper, 1988

2 See for instance, Colin Farrelly, "Patriarchy and *Historical Materialism*," *Hypatia* 26: 1, 2011, 1-21.

3 젠더화된 주제를 탐구하는 "큰 역사"에 대한 비교적 최근의 대중적인 이야기는 다음을 참조하라. Malcolm Potts, Martha Campbell, and Thomas Hayden, *Sex and War*, Dallas: Benbella, 2008; Stephen Pinker, *The Better Angels of Our Nature*, New York: Penguin, 2011; and David Christian, *Maps of Time*, Berkeley: University of California Press, 2011.

4 Kimberly A. Hamlin, *From Eve to Evolution*, Chicago: University of Chicago Press, 2015.

5 Charlotte Perkins Gilman, *Women and Economics*, Carl N. Degler, ed., New York: Harper and Row, 1966. (Original work published 1898)

6 Leta Hollingworth, "Social Devices for Impelling Women to Bear and Rear Children," *American Journal of Sociology* 22: 1, 1916, 19.

7 Frederick Engels, *The Origin of the Family, Private Property and the State*, New York: Pathfinder, 1972. (Original work published 1884)

8 August Bebel, *Woman Under Socialism*, translated from the original German of the 33rd edition by Daniel De Leon, New York: Schocken Books, 1971.

9 James C. Scott, *Against the Grain: A Deep History of the Earliest States*, New Haven, CT: Yale University Press, 2017.

10 Maria Mies, *Patriarchy and Accumulation on a World Scale*, New York: Zed, 1986.

11 Riane Eisler, *The Chalice and the Blade*, New York: Harper, 1988. 이 책은 다음 책을 이어 받은 것이다. Marija Gimbutas, *The Goddesses and Gods of Old Europe*, Berkeley: University of California Press, 1982.

12 Plutarch, *The Lives of the Noble Grecians and Romans*, translated by John Dryden, New York: Modern Library, 1992.

13 현대 인도의 내혼과 카스트 제도에 대한 흥미로운 논의는 다음을 참조하라. Janaki Abraham, "Contingent Caste Endogamy and Patriarchy," *Economic and Political Weekly* XLIX: 2, 2014, 56-65.

14 Susan Brooks Thistlewaite, "You May Enjoy the Spoil of Your Enemies: Rape as a

Biblical Metaphor for War," *Semeia* 61, 1993, 59-78.

15 Numbers 31, King James Version of *the Old Testament*, biblegateway.com.

16 Sandie Gravett, "Reading 'Rape' in the Hebrew Bible: A Consideration of Language," *Journal for the Study of the Old Testament* 28: 3, 2004, 279-99.

17 Friedrich Nietzsche, *Thus Spoke Zarathustra*, Adrian Del Caro and Robert B. Pippin, eds., translated by Adrian Del Caro, New York: Cambridge University Press, 2006, Chapter 18.

18 진화심리학자 연구로는 다음을 참조하라. David M. Buss, *Evolutionary Psychology*, 5th ed., New York: Routledge, 2015; Leda Cosmides and John Tooby, "Better than Rational: Evolutionary Psychology and the Invisible Hand," *American Economic Review* 84: 2, 1994, 327-32. 페미니스트 심리학자 연구는 다음을 참조하라. Alice H. Eagly and Wendy Wood, "The Social Role Theory of Sex Differences," in *Encyclopedia of Gender and Sexuality Studies*, New York: Wiley and Sons, 2016.

19 Bruce Winterhalder and Eric Alden Smith, "Analyzing Adaptive Strategies: Human Behavioral Ecology at Twenty-Five," *Evolutionary Anthropology* 9: 2, 2000, 51-72; R. Boyd and P. J. Richerson, *Culture and the Evolutionary Process*, Chicago: University of Chicago Press, 1985.

20 Elizabeth Kolbert, *The Sixth Extinction*, New York: Henry Holt, 2014.

21 Lars Rodseth and Shannon A. Novak, "The Impact of Primatology on the Study of Human Society," in *Missing the Revolution*, Jerome Barkow, ed., New York: Oxford, 2006, 187-220.

22 Sarah Blaff er Hrdy, *Mother Nature*, New York: Pantheon, 1999.

23 Patricia Adair Gowaty, "Power Asymmetries Between the Sexes, Mate Preferences, and Components of Fitness," in *Evolution, Gender, and Rape*, Cheryl Brown Travis, ed., Cambridge, MA: The MIT Press, 2003, 61-86; "Sexual Dialectics, Sexual Selection, and Variation in Reproductive Behavior," in *Feminism and Evolutionary Biology*, Patricia Adair Gowaty, ed., New York: Chapman and Hall, 1997, 351-84.

24 Barbara Smuts, "Male Aggression Against Women: An Evolutionary Perspective," *Human Nature* 3, 1992, 1-44; "The Evolutionary Origins of Patriarchy," *Human Nature* 6: 1, 1995, 1-32.

25 Kathleen Sterling, "Man the Hunter, Woman the Gatherer? The Impact of Gender Studies on Hunter Gatherer Research (A Retrospective)," in *The Oxford Handbook of the Archaeology and Anthropology of Hunter Gatherers*, Vicki Cummings, Peter Jordan, Marek Zvelebil, eds., New York: Oxford, 2014.

26 Hillard S. Kaplan and Jane B. Lancaster, "An Evolutionary and Ecological Analysis of Human Fertility, Mating Patterns, and Parental Investment," in *Offspring: Human*

돌봄과 연대의 경제학

Fertility Behavior in Biodemographic Perspective, Kenneth W. Wachter and Rodolfo A. Bulatao, eds., Washington: National Research Council, 2003, 170-223.

27 Robert W. Sussman and Roberta L. Hall, "Addendum: Child Transport, Family Size, and Increase in Human Population During the Neolithic," *Current Anthropology* 13: 2, 1972, 258-67; George J. Armelagos, Alan H. Goodman, and Kenneth H. Jacobs, "The Origins of Agriculture: Population Growth during a Period of Declining Health," *Population and Environment* 13: 1, 1991, 9-22.

28 Laurence J. Kirmayer, Christopher Fletcher, and Lucy J. Boothroyd, "Suicide Among the Inuit of Canada," in *Suicide in Canada*, Antoon A. Leenaars, Susanne Wenckstern, Isaac Sakinofsky, Ron Dyck, Michael J. Kral, and Roger Bland, eds., Toronto: University of Toronto Press, 1998, 189-211.

29 Eleanor Leacock, "Women's Status in Egalitarian Society: Implications for Social Evolution," *Current Anthropology* 19: 2, 1978, 247-75.

30 Jung-Kyoo Choi and Samuel Bowles, "The Coevolution of Parochial Altruism and War," *Science* 318: 5850, October 26, 2007, 636-40.

31 Pinker, *The Better Angels of Our Nature*, 678.

32 Jared Diamond, *Guns, Germs, and Steel*, New York: W. W. Norton, 1999.

33 Kyle Summers, "The Evolutionary Ecology of Despotism," *Evolution and Human Behavior* 26, 2005, 106-35.

34 Adrienne Mayor, "Animals in Warfare," in *The Oxford Handbook of Animals in Classical Thought and Life*, Gordon Lindsay Campbell, ed., New York: Oxford University Press, 2014.

35 S. C. Gwynne, *Empire of the Summer Moon*, New York: Simon and Schuster, 2010.

36 Adrienne Mayor, *The Amazons*, Princeton, NJ: Princeton University Press, 2014.

37 Claude Lévi-Strauss, *The Elementary Structures of Kinship*, Boston: Beacon, 1969; Claude Meillasoux, *Maidens, Meal and Money*, New York: Cambridge University Press, 1981.

38 Luke Glowacki, Michael L. Wilson, and Richard W. Wrangham, "The *Evolutionary Anthropology* of War," *Journal of Economic Behavior and Organization*, 2017, sciencedirect.com.

39 Michelle Scalise Sugiyama, "Fitness Costs of Warfare for Women," *Human Nature* 25, 2014, 476-95.

40 William Tulio Divale and Marvin Harris, "Population, Warfare, and the Male Supremacist Complex," *American Anthropologist* 78: 3, 1976, 521-38.

41 David Eaton, *Violence, Revenge and the History of Cattle Raiding along the Kenya–Uganda Border*, Halifax, Nova Scotia: Dalhousie University, 2008.

42 Barbara Rogers, *The Domestication of Women*, New York: Routledge, 2005.

43 Dorothy L. Hodgson, "Pastoralism, Patriarchy and History: Changing Gender Relations among Maasai in Tanganyika, 1890-1940," *The Journal of African History* 40: 1, 1999, 41-65.

44 수컷의 짝 보호하기에 관해서는 다음을 참조하라. David Buss, *The Evolution of Desire*, New York: Basic Books, 2003.

45 Malcolm Potts, Martha Campbell, and Thomas Hayden, *Sex and War*, Dallas: Benbella, 2008.

46 Timothy Earle, *How Chiefs Come to Power*, Stanford, CA: Stanford University Press, 1997; Napoleon Chagnon, *Yanomamo: The Fierce People*, 3rd ed., New York: Holt, Rinehart, and Winston, 1983.

47 Daron Acemoglu and James Robinson, *Why Nations Fail*, New York: Crown, 2012.

48 Eric Alden Smith, Kim Hill, Frank Marlowe, David Nolin, Polly Wiessner, Michael Gurven, Samuel Bowles, Monique Borgerhoff Mulder, Tom Hertz, and Adrian Bell, "Wealth Transmission and Inequality among Hunter-Gatherers," *Current Anthropology* 51: 1, 2010, 19-34; Amy Bogaard, Mattia Fochesato, and Samuel Bowles, "The Farming-Inequality Nexus: New Methods and Evidence from Western Eurasia," 93: 371, 2019, 1129-43.

49 Ian Hodder, "Çatalhöyük: The Leopard Changes its Spots. A Summary of Recent Work," *Anatolian Studies* 64, 2014, 1-22.

50 Ian Hodder, "Women and Men at Çatalhöyük," *Scientific American* 290: 1, 2004, 76-83.

51 Robert Carneiro, "A Theory of the Origin of the State," *Science* 169: 3947, August 21, 1970, 733-38.

52 Ian Frazier, "Invaders," *The New Yorker*, April 5, 2005, newyorker.com.

53 Bo Li and Yin Zheng, *50000 Years of Chinese History*, Inner Mongolia, China: Inner Mongolian People's Publishing, 2001, 925. (in Chinese)

54 Ester Boserup, *The Conditions of Agricultural Growth*, London: Allen and Unwin, 1965; D. B. Grigg, *Population Growth and Agrarian Change*, New York: Cambridge University Press, 1980.

55 Hillard Kaplan, "Evolutionary and Wealth Flows Theories of Fertility: Empirical Tests and New Models," *Population and Development Review* 20: 4, 1994, 753-91.

56 Nancy Folbre, "Of Patriarchy Born: The Political Economy of Fertility Decisions," *Feminist Studies* 9: 2, 1983, 261-84.

57 Judith Blake, "Coercive Pronatalism and American Population Policy," in *Aspects of Population Growth Policy*, R. Parke and C. F. Westoff, eds., Vol. 6 of The

Commission on Population Growth and the American Future Research Reports, Washington, DC: US Government Printing Office, 1972, 81-109; Adrienne Rich, "Compulsory Heterosexuality and Lesbian Existence," *Signs* 5: 4, 1980, 631-60.

58   Laura L. Betzig, *Despotism and Differential Reproduction*, New York: Aldine, 1986.

59   Claude Meillassoux, *Maidens, Meal and Money: Capitalism and the Domestic Community*, New York: Cambridge University Press, 1981; Gerda Lerner, *The Creation of Patriarchy*, New York: Oxford University Press, 1986.

60   Esther K. Hicks, *Infibulation: Female Mutilation in Islamic Northeastern Africa*, New York: Transaction, 1993.

61   Lucia Corno, Eliana La Ferrara, and Alessandra Voena, "The Historical Roots of Female Genital Cutting," paper presented at the meetings of the Allied Social Science Association, San Diego, CA, January 3, 2020.

62   Orlando Patterson, *Slavery and Social Death*, Cambridge, MA: Harvard University Press, 1985

63   Karl Marx, "The Life-Destroying Toil of Slaves," in *The Karl Marx Library*, Vol. II: *On America and the Civil War*, Saul K. Padover, ed., New York: McGraw-Hill, 1972; Eric Williams, Capitalism and Slavery, Chapel Hill: University of North Carolina Press, 1944; Edward E. Baptist, *The Half Has Never Been Told: Slavery and the Making of American Capitalism*, New York: Basic Books, 2014.

64   Steven Jay Gould, "The Geometer of Race," *Discover*, November 1994, 65-68.

65   Christine B. Hickman, "The Devil and the One Drop Rule: Racial Categories, African Americans, and the U.S. Census," *Michigan Law Review* 95: 5, 1997, 1161-265.

66   Theodore W. Allen, *The Construction of the White Race*, London: Verso, 1997.

67   Pamela D. Bridgewater, "Un/Re/Dis Covering Slave Breeding in Thirteenth Amendment Jurisprudence," *Washington and Lee Journal of Civil Rights and Social Justice* 7: 1, 2001, 11-43.

68   Robert Fogel, *Without Consent or Contract: The Rise and Fall of American Slavery*, New York: W. W. Norton, 1989.

69   Fogel, *Without Consent or Contract.*

70   Andrew F. Hanssen and Robert K. Fleck, "Rulers Ruled by Women: An Economic Analysis of the Rise and Fall of Women's Rights in Ancient Sparta," *Economic Governance* 10 (2009), 221-45.

71   Hanssen and Fleck, "Rulers Ruled by Women."

72   Perry Anderson, *Passages from Antiquity to Feudalism*, London: Verso, 1996.

73   Chris Middleton, "Peasants, Patriarchy and the Feudal Mode of Production in England: 2 Feudal Lords and the Subordination of Peasant Women," *The*

Sociological Review 29: 1, 1981, 137-54.

74 Gordon J. Schochet, *Patriarchalism in Political Thought: The Authoritarian Family and Political Speculation and Attitudes, Especially in 17th Century England*, Oxford: Blackwell, 1975.

75 Jean Bodin, *The Six Books of a Commonweal*, Kenneth Douglas McRae, ed., Cambridge: Harvard University Press, 1962, 20-30. Facsimile reprint of the English translation of 1606)

76 F. L. Carsten, ed., *The New Cambridge Modern History*, Vol. V. *The Ascendancy of France*, 1648-88, Cambridge: Cambridge University Press, 1961, 105.

77 Sir Robert Filmer, "Observations Upon Aristotle's Politics," in *Patriarcha and Other Political Works*, Peter Laslett, ed., Oxford: Basil Blackwell, 1949.

78 Ester Boserup, *The Conditions of Agricultural Growth*, London: Allen & Unwin, 1965.

79 Wally Seccombe, *A Millennium of Family Change*, New York: Verso, 1992.

80 Silvia Federici, *Caliban and the Witch*, New York: Autonomedia, 2004, 189.

81 Federici, *Caliban and the Witch*, 14.

82 Wally Seccombe, *A Millennium of Family Change*, New York: Verso, 1993. See also his *Weathering the Storm*, New York: Verso, 1993.

83 Weijing Lu, "Women, Gender, the Family, and Sexuality," in *A Companion to Chinese History*, Michael Szonyi, ed., New York: John Wiley and Sons, 2017, 207-20.

84 See discussion in Chapter 2 of Steven Cheung, "The Enforcement of Property Rights in Children and the Marriage Contract," *Economic Journal* 82: 326, 1972, 641-57.

85 James Z. Lee and Cameron D. Campbell, *Fate and Fortune in Rural China*, New York: Cambridge University Press, 2007.

86 Gerry Mackie, "Ending Footbinding and Infibulation: A Convention Account," *American Sociological Review* 61: 6, 1996, 999-1017.

87 Uma Chakravarti, "Conceptualising Brahmanical Patriarchy in Early India: Gender, Caste, Class and State," *Economic and Political Weekly* 28: 14, April 3, 1993, 585.

88 Janaki Abraham, "Contingent Caste Endogamy and Patriarchy," *Economic and Political Weekly* 49: 2, 2014, 56-65.

89 Leila Ahmed, *Women and Gender in Islam*, New Haven, CT: Yale University Press, 1992.

90 Lena Edlund, "Cousin Marriage Is Not Choice: Muslim Marriage and Underdevelopment," *American Economic Review* 108, 2018, 353-57.

91 Elissa Braunstein, "Patriarchy versus Islam: Gender and Religion in Economic Growth," *Feminist Economics* 20: 4, 2014, 58-86.

92 Diamond, *Guns, Germs, and Steel*.

93 Douglass North and R. P. Thomas, *The Rise of the Western World: A New Economic*

History, Cambridge: Cambridge University Press, 1973; Nathan Rosenberg and L. E. Birdzall, Jr., *How the West Grew Rich, The Economic Transformation of the Industrial World*, New York: Basic Books, 1986.

94   Eric Williams, *Capitalism and Slavery*, Chapel Hill: University of North Carolina Press, 1944; Serap A. Kayateikin, "Between Political Economy and Postcolonial Theory: First Encounters," *Cambridge Journal of Economics* 33: 6, 2009, 1113-18.

95   Dennis O. Flynn, "Fiscal Crisis and the Decline of Spain (Castile)," *Journal of Economic History* 42: 1, 1982, 139-47.

96   왕실 부패에 대한 주목할 만한 이야기는 다음을 참조하라. Adam Hochschild, *King Leopold's Ghost*, New York: Mariner Books, 1998.

97   E. Zein-Elabdin, "Economics, Postcolonial Theory, and the Problem of Culture: Institutional Analysis and Hybridity," *Cambridge Journal of Economics* 33: 6, 2009, 1153-67.

98   John A. Crow, *The Epic of Latin America*, Berkeley: University of California Press, 1992.

99   June Nash, "Aztec Women: The Transition from Status to Class in Empire and Colony," in *Women and Colonization: Anthropological Perspectives*, Mona Etienne and Eleanor Leacock, eds., New York: Bergin and Garvey, 1980, 134-48.

100 Crow, *The Epic of Latin America*, 150.

101 Ann Stoler, "Carnal Knowledge and Imperial Power: Gender, Race, and Morality in Colonial Asia," in *Gender at the Crossroads of Knowledge: Feminist Anthropology in the Postmodern Era*, Micaela di Leonardo, ed., Berkeley: University of California Press, 1991, 58.

102 Stoler, "Carnal Knowledge and Imperial Power," 79.

103 Kenneth Ballhatchet, Race, *Sex, and Class under the Raj*, New York: St. Martin's Press, 1980, 98.

104 Ballhatchet, *Race, Sex, and Class*, 14.

105 Vrushali Patil, "From Patriarchy to Intersectionality: A Transnational Feminist Assessment of How Far We've Really Come," *Signs* 38: 4, 2013, 847-67; Anthony Pagden, *Lords of All the World: Ideologies of Empire in Spain, Britain, and France*, c.1500-c.1800, New Haven, CT: Yale University Press, 1995.

106 Ashis Nandy, *Traditions, Tyranny and Utopias*, Delhi: Oxford University Press, 1987.

107 Evelyn Nakano Glenn, "Settler Colonialism as Structure: A Framework for Comparative Studies of US Race and Gender Formation," *Sociology of Race and Ethnicity* 1: 1, 2015, 52-72.

108 Bernard Magubane, "The Native Reserves (Bantustans) and the Role of the Migrant Labor System in the Political Economy of South Africa," in *The World as a*

Company Town: Multinational Corporations and Social Change, Elizabeth Idris-Soven and Mary K. Vaughan, eds., Berlin: de Gruyter, 1978.

109 Luise White, *The Comforts of Home: Prostitution in Colonial Nairobi*, Chicago: University of Chicago Press, 1990.

110 Eleanor Leacock, "Interpreting the Origins of Gender Inequality: Conceptual and Historical Problems," *Dialectical Anthropology* 7: 4, 1983, 263-84.

111 Benedict Carton, *Blood from Your Children: The Colonial Origins of Generational Conflict in South Africa*, Charlottesville: University of Virginia Press, 2000.

112 Dorothy L. Hodgson, "Pastoralism, Patriarchy and History: Changing Gender Relations among Maasai in Tanganyika, 1890-1940," *The Journal of African History* 40: 1, 1999, 41-65.

113 Nancy Folbre, "Patriarchal Social Formations in Zimbabwe," in *Patriarchy and Class in Africa*, Sharon Stichter and Jane Parpart, eds., New York: Sage, 1997, 61-80.

114 Debbie Budlender and Francie Lund, "South Africa: A Legacy of Family Disruption," *Development and Change* 42: 4, 2011, 925-46.

115 Erik Kades, "The Dark Side of Efficiency: Johnson v. M'Intosh and the Expropriation of American Indian Lands," *University of Pennsylvania Law Review* 148: 4, 2000, 1065-190.

116 Suad Joseph, *Gender and Citizenship in the Middle East*, Syracuse, NY: Syracuse University Press, 2000.

117 Max Fisher, "The Real Roots of Sexism in the Middle East (It's Not Islam, Race, or 'Hate')," *Atlantic*, April 25, 2012, theatlantic.com.

118 Ella Shohat, "Area Studies, Transnationalism, and the Feminist Production of Knowledge," *Signs* 26: 4, 2001, 1270.

119 Diskin Clay and Andrea L. Purvis, *Four Island Utopias*, Newburyport, MA: Focus Publications/R. Pullins, 1999.

120 Phillip W. Porter and Eric S. Sheppard, *A World of Difference*, New York: Guilford Press, 1998, 108.

7장 자본주의 궤적

1 Joseph A. Schumpeter, *Capitalism, Socialism and Democracy*, London: Routledge, 1994, 82-83.

2 Andrew Ure, *The Philosophy of Manufactures*, New York: Augustus M. Kelley, 1967, 475. (1835년 초판 발행)

3   Nancy Folbre, *Greed, Lust, and Gender*, New York: Oxford University Press, 2009.

4   Chandra Mohanty, "Under Western Eyes, Revisited. Feminist Solidarity Through Anticapitalist Struggles," *Signs* 28: 2, 2003, 499-535.

5   Rhonda M. Williams, "Capital, Competition, and Discrimination: A Reconsideration of Racial Earnings Inequality," *Review of Radical Political Economics* 19: 2, 1987, 1-15; Rhonda M. Williams and Robert E. Kenison, "The Way We Were? Discrimination, Competition, and Inter-Industry Wage Differentials in 1970," *Review of Radical Political Economics* 28: 2, 1996, 1-31.

6   미국 상황에 적용할 수 있는 다양한 자본주의에 대한 정의를 심도 있게 논의한 글 로는 다음을 참조하라. Michael Merrill, "Putting Capitalism in its Place: A Review of Recent Literature," *The William and Mary Quarterly* 52: 2, 1994, 315-26.

7   원시 축적의 지속성에 대해서는 다음을 참조하라. David Harvey, "The 'New Imperialism': Accumulation by Dispossession," *Socialist Register* 40, 2004, 63-87.

8   Anibal Quijano, "Coloniality of Power and Eurocentrism in Latin America," *International Sociology* 15: 2, 2000, 215-32.

9   Ashley Bohrer, "Intersectionality and Marxism: A Critical Historiography," *Historical Materialism* 26: 2, 2018, historicalmaterialism.org.

10 Tithi Bhattacharya, "Introduction: Mapping Social Reproduction Theory," in *Social Reproduction Theory*, Tithi Bhattacharya, ed., London: Pluto, 2017, 1-20.

11 Susan B. Carter, "Labor," in *Historical Statistics of the United States*, Millennial Edition, Susan B. Carter, Scott S. Gartner, Michael Haines, Alan Olmstead, Richard Sutch, and Gavin Wright, eds., New York: Cambridge University Press, 2004; Phyllis Deane, *The First Industrial Revolution*, New York: Cambridge University Press, 1979, 162; Ronald Aminzade, "Reinterpreting Capitalist Industrialization: A Study of Nineteenth-Century France," *Social History* 9: 3, 1984, 329-50.

12 Jane Humphries, "Enclosures, Common Rights, and Women: The Proletarianization of Families in the Late Eighteenth and Early Nineteenth Centuries," *Journal of Economic History* 50: 1, 1990, 17-42; Marjorie Abel and Nancy Folbre, "Women's Market Participation in the Late 19th Century: A Methodology for Revising Estimates," *Historical Methods* 23: 4, 1990, 167-76; Nancy Folbre, "Informal Market Work in Massachusetts, 1875-1920," *Social Science History* 17: 1, 1993, 135-60.

13 Nancy Folbre, "The Unproductive Housewife: Her Evolution in Nineteenth-Century Economic Thought," *Signs: Journal of Women in Culture and Society* 16: 3, 1991, 463-84.

14 Steven Ruggles, "Patriarchy, Power, and Pay: The Transformation of American Families, 1800-2015," *Demography* 52: 6, 2015, 1797-823.

15 Nancy Folbre and Barnet Wagman, "Counting Housework: New Estimates of Real Product in the U.S., 1800-1860," *Journal of Economic History* 53: 2, 1993, 275-88. Barnet Wagman and Nancy Folbre, "Household Services and Economic Growth in the U.S., 1870-1930," *Feminist Economics* 2: 1, 1996, 43-66.

16 Steven Ruggles, "Patriarchy, Power, and Pay."

17 Isis Gaddis and Stephan Klasen, "Economic Development, Structural Change, and Women's Labor Force Participation," *Journal of Population Economics* 27: 3, 2014, 639-81.

18 Gary S. Fields, "Self-employment and Poverty in Developing Countries," *IZA World of Labor*, 2019, wol.iza.org.

19 Stephan Klasen and Janneke Pieters, *What Explains the Stagnation of Female Labor Force Participation in Urban India?* Washington, DC: The World Bank, 2015.

20 Denise Hare, "What Accounts for the Decline in Labor Force Participation Among Married Women in Urban China, 1991-2011?" *China Economic Review* 38, 2016, 251-66; Lan Liu, Xiao-yuan Dong, and Xiaoying Zheng. "Parental Care and Married Women's Labor Supply in Urban China," *Feminist Economics* 16: 3, 2010, 169-92.

21 Gargi Bhattacharya, *Rethinking Racial Capitalism*, New York: Rowman and Littlefield, 2018; Kalyan Sanyal, *Rethinking Capitalist Development*, New York: Routledge, 2007.

22 International Labour Office, *Status in Employment*, May 2018, ilo.org. 주로 여성과 아동인 가족 노동자는 가족 기업에 취업한 사람들로 정의되는데, 그 기업에 공식적으로 소속되어 있지는 않다.

23 International Labour Office, *Labour Market Access—A Persistent Challenge for Youth All Around the World*, Geneva: Author, ilo.org.

24 International Labour Office, *Care Work and Care Jobs*, Geneva: Author, 2018, Table A.3.1. 예를 들어 미국, 캐나다, 영국, 프랑스의 총시간을 참고하라. 또한 다음 자료도 참고하라. Table 1, Time spent in detailed primary activities and percent of the civilian population engaging in each activity, averages per day by sex, 2016 annual averages, American Time Use Survey, US Bureau of Labor Statistics, bls.gov.

25 International Labour Office, *Care Work and Care Jobs*; see totals for China, India, Ecuador, and Ghana.

26 Bina Agarwal, *A Field of One's Own: Gender and Land Rights in South Asia*, New York: Cambridge University Press, 1994.

27 Carmen Diana Deere and Magdalena León de Leal, *Empowering Women: Land and Property Rights in Latin America*, Pittsburgh: University of Pittsburgh Press, 2014. Cheryl Doss, Chiara Kovarik, Amber Peterman, Agnes Quisumbing, and Mara

van den Bold, "Gender Inequalities in Ownership and Control of Land in Africa: Myth and Reality," *Agricultural Economics* 46: 3, 2015, 403-34.

28 Christopher Middleton, "The Sexual Division of Labour in Feudal England," *New Left Review* 113, 1979, 147-68.

29 Ivy Pinchbeck, *Women Workers in the Industrial Revolution*, New York: Routledge, 2013. (Original work published 1930) Jane Humphries and Jacob Weisdorf, "The Wages of Women in England, 1260-1850," The *Journal of Economic History* 75: 2, 2015, 405-47.

30 Katherine A. Moos, "The Political Economy of State Regulation: The Case of the English Factory Acts," unpublished manuscript, Department of Economics, University of Massachusetts, Amherst, 2017.

31 Wally Seccombe, "Patriarchy Stabilized: The Construction of the Male Breadwinner Wage Norm," *Social History* 11: 1, 1986, 53-76.

32 Jane Humphries, "Class Struggle and the Persistence of the Working-Class Family," *Cambridge Journal of Economics* 1, 1977, 24-58.

33 Friedrich Engels, *The Condition of the Working Class in England*, 1845.

34 Ibid.

35 Folbre, *Greed, Lust and Gender.*

36 Ibid.

37 Stephanie Seguino, "Accounting for Gender in Asian Economic Growth," *Feminist Economics* 6: 3, 2000, 27-58.

38 Cedric Robinson, *Black Marxism*, Chapel Hill: University of North Carolina Press, 2000; Gargi Bhattacharyya, *Rethinking Racial Capitalism*, New York: Rowman and Littlefi eld, 2018.

39 Ben Johnson, "Rule Britannia," at Historic UK, historic-uk.com.

40 Roxanne Dunbar-Ortiz, *An Indigenous People's History of the U.S.*. Boston: Beacon Press, 2014; Eric Kades, "The Dark Side of Efficiency: Johnson v. M'Intosh and the Expropriation of American Indian Lands," *University of Pennsylvania Law Review* 148: 4, 2000, 1065-190.

41 William Darity Jr., "Forty Acres and a Mule in the 21st Century," *Social Science Quarterly* 89: 3, 2008, 656-64.

42 Edna Bonacich, "A Theory of Ethnic Antagonism: The Split Labor Market," *American Sociological Review* 37, 1972, 547-59; John Roemer, "Divide and Conquer: Microfoundations of the Marxian Theory of Discrimination," *Bell Journal of Economics* 10, August 1979, 695-705; Michael Reich, *Racial Inequality*, Princeton, NJ: Princeton University Press, 1981.

43   Randy Albelda and Chris Tilly, "Towards a Broader Vision: Race, Gender, and Labor Market Segmentation," in David Kotz, Terrence McDonough, and Michael Reich, eds., *Social Structures of Accumulation: The Political Economy of Growth and Crisis*, New York: Cambridge University Press, 1994.

44   Randy P. Albelda, "Occupational Segregation by Race and Gender, 1958-1981," *Industrial and Labor Relations Review* 39: 3, 1986, 404-11; James S. Cunningham and Nadja Zalokar, "The Economic Progress of Black Women, 1940-1980: Occupational Distribution and Relative Wages," *Industrial and Labor Relations Review* 45: 3, 1992, 540-55.

45   Evelyn Nakano Glenn, "From Servitude to Service Work: Historical Continuities in the Racial Division of Paid Reproductive Labor," *Signs* 1, 1992, 1-43.

46   Samuel Bowles and Herbert Gintis, *Schooling in Capitalist America: Educational Reform and the Contradictions of Economic Life*, New York: Basic Books, 1976; Robert Margo, *Race and Schooling in the South, 1880–1950: An Economic History*, Chicago: University of Chicago Press, 1990.

47   Andre Gunder Frank, *The Development of Underdevelopment*, Boston: Free Press, 1966.

48   Daron Acemoglu and James Robinson, *Why Nations Fail*, New York: Crown, 2012.

49   Alice Amsden, *Asia's Next Giant: South Korea and Late Industrialization*, New York: Oxford University Press, 1989.

50   Michael L. Ross, "Oil, Islam, and Women," *American Political Science Review* 102: 1, 2008, 107-23.

51   Timothy J. Hatton and Jeffrey G. Williamson, *Global Migration and the World Economy: Two Centuries of Policy and Performance*, Cambridge, MA: MIT Press, 2006.

52   Pierrette Hondagneu-Sotelo and Cynthia Cranford, "Gender and Migration," in *Handbook of the Sociology of Gender*, Janet Saltzman Chafetz, ed., New York: Springer, 2008, 105-26.

53   Holly J. McCammon and Karen E. Campbell, "Winning the Vote in the West: The Political Successes of the Women's Suffrage Movements, 1866-1919," *Gender and Society* 15: 1, 2001, 55-82.

54   Thomas Piketty, *Capital in the Twenty-First Century*, Cambridge, MA: Harvard University Press, 2014.

55   Tom Brokaw, *The Greatest Generation*, New York: Random House, 2005.

56   Stephen Marglin and Juliet Schor, eds., *The Golden Age of Capitalism*, Oxford: Clarendon Press, 1991.

57   Ida Kubiszewski, Robert Costanza, Carol Franco, Philip Lawn, John Talberth, Tim Jackson, and Camille Aylmer, "Beyond GDP: Measuring and Achieving Global

Genuine Progress," *Ecological Economics* 93, 2013, 57-68.

58 Vrushali Patil, "From Patriarchy to Intersectionality: A Transnational Assessment of How Far We've Really Come," *Signs* 38: 4, 2013, 847-67.

59 Chandra Talpade Mohanty, "Cartographies of Struggle. Third World Women and the Politics of Feminism," in *Third World Women and the Politics of Feminism*, Chandra Talpade Mohanty, Ann Russo, and Lourdes Torres, eds., Bloomington: Indiana University Press, 1991, 1-47.

60 Radha Kumar, *The History of Doing: An Illustrated Account of Movements for Women's Rights and Feminism in India, 1800–1990*, New York: Verso, 1993.

61 Manisha Desai, *Gender and the Politics of Possibilities*, New York: Rowman and Littlefi eld, 2009.

62 Ashwini Deshpande, *The Grammar of Caste*, New York: Oxford University Press, 2011.

63 Peggy A. Lovell, "Race, Gender, and Development in Brazil," *Latin American Research Review* 29: 3, 1994, 1-36.

64 Amy Chua, *Worlds on Fire*, New York: Doubleday, 2002.

65 Birte Siim and Pauline Stolz, "Particularities of the Nordic: Challenges to Equality Politics in a Globalized World," in *Remapping Gender, Place, and Mobility*, Stine Thidemann Faber and Helene Pristed Nielsen, eds., New York: Routledge, 2016, 19-31.

66 Vera Mackie, Feminism in Modern Japan, New York: Cambridge University Press, 2003; Ito Peng, "Gender and Generation: Japanese Child Care and the Demographic Crisis," in *Child Care Policy at the Crossroads: Gender and Welfare State Restructuring*, Sonya Michel and Rianne Mahan, eds., New York: Routledge, 2013, 31-56.

67 Jenny Brown, *Birth Strike: The Hidden Fight over Women's Work*, New York: PM Press, 2019.

68 Joel Mokyr, "Technological Progress and the Decline of European Mortality," *American Economic Review* 83: 2, 1993, 324-30.

69 Wally Seccombe, *Weathering the Storm*, New York: Verso, 1995.

70 Cornelia Usborne, *The Politics of the Body in Weimar Germany: Women's Reproductive Rights and Duties*, New York: Springer, 1992, 9.

71 K. D. Kingsley, "Parents Go On Strike," *The North American Review* 245: 2, 1938, 221-39.

72 Martha J. Bailey, "'Momma's Got the Pill': How Anthony Comstock and Griswold v. Connecticut Shaped US Childbearing," *American Economic Review* 100: 1, 2010, 98-129; Martha J. Bailey, "Fifty Years of Family Planning: New Evidence on the

Long-Run Effects of Increasing Access to Contraception," *Brookings Papers on Economic Activity*, Spring 2013, 341-409.

73 Betsy Hartmann, *Reproductive Rights and Wrongs*, Boston: South End Press, 1999; Michelle Goldberg, *The Means of Reproduction*, New York: Penguin, 2009.

74 Stuart Basten and Quanbao Jiang, "Fertility in China: An Uncertain Future," *Population Studies* 69, 2015, S97-S105.

75 George A. Akerlof, Janet L. Yellen, and Michael L. Katz, "An Analysis of Out-of-Wedlock Childbearing in the United States," *Quarterly Journal of Economics* 111: 2, 1996, 277-317.

76 Elissa Braunstein and Nancy Folbre, "To Honor or Obey: The Patriarch as Residual Claimant," *Feminist Economics* 7: 1, 2001, 25-54.

77 R. Geddes and D. Lueck, "The Gains from Self-Ownership and the Expansion of Women's Rights," *American Economic Review* 92: 4, 2002, 1079-92.

78 Matthias Doepke and Michèle Tertilt, "Women's Liberation: What's In It for Men?" *Quarterly Journal of Economics* 124: 4, 2009, 1541.

79 Jocelyn Viterna and Kathleen M. Fallon, "Gender, the State, and Development," in *Handbook of the Sociology of Development*, Gregory Hooks, ed., Berkeley: University of California Press, 2015, 414-39.

80 S. Laurel Weldon and Mala Htun, "Feminist Mobilisation and Progressive Policy Change: Why Governments Take Action to Combat Violence Against Women," *Gender and Development* 21: 2, 2013, 231-47.

81 Barbara Bergmann, *The Economic Emergence of Women*, New York: Basic Books, 1986.

82 Bergmann, *The Economic Emergence of Women*.

83 Nancy Folbre and Julie Nelson, "For Love or Money?" *The Journal of Economic Perspectives* 14: 4, 2000, 123-40.

84 Maria Charles and David B. Grusky, *Occupational Ghettos: The Worldwide Segregation of Women and Men*, Stanford, CA: Stanford University Press, 2004.

85 Charles and Grusky, *Occupational Ghettos*, 204; Paula England, "The Gender Revolution: Uneven and Stalled," *Gender and Society* 24: 2, 2010, 149-66.

86 Susan Pinker, *The Sexual Paradox*, New York: Simon and Schuster, 2009.

87 Piketty, *Capital in the Twenty-First Century*.

88 Samuel Bowles, Herbert Gintis and Melissa Osborne Groves, *Unequal Chances*, Princeton, NJ: Princeton University Press, 2009.

89 인적 자본의 대물림에 대해서는 다음을 참조하라. George Borjas, "Ethnicity, Neighborhoods, and Human-Capital Externalities," *American Economic Review* 85, 1995, 365-90; Shelly J. Lundberg and Richard Startz, "Inequality and Race: Models

and Policy," in *Meritocracy and Economic Inequality*, Kenneth Arrow, Samuel
Bowles, and Steven Durlauf. eds., Princeton, NJ: Princeton University Press, 2000.
경제적 자산의 대물림에 관해서는 다음을 참조하라. William Darity Jr. and Darrick
Hamilton, "Race, Wealth and Intergenerational Poverty," *The American Prospect*,
August 14, 2009, prospect.org.

90   William J. Wilson, *The Declining Significance of Race*, Chicago: University of
Chicago Press, 1980.

91   Gavin Wright, *Sharing the Prize*, Cambridge, MA: Harvard University Press, 2013.

92   David B. Grusky, Francine D. Blau, and Mary C. Brinton, *The Declining
Significance of Gender?* New York: Russell Sage Foundation, 2008.

93   F. D. Blau and L. M. Kahn, "The US Gender Pay Gap in the 1990s: Slowing
Convergence," *Industrial and Labor Relations Review* 60, 2006, 45-66; Hadas
Mandel and Moshe Semyonov, "Gender Pay Gap and Employment Sector: Sources
of Earnings Disparities in the United States, 1970-2010," *Demography* 51, 2014,
1597-618.

94   D. H. Autor, "Skills, Education, and the Rise of Earnings Inequality Among the 'Other
99 Percent.'" *Science* 344: 6186, May 22, 2014, 843-51; Rachel E. Dwyer, "The
Care Economy? Gender, Economic Restructuring, and Job Polarization in the U.S.
Labor Market," *American Sociological Review* 78: 3, 2013, 390-416.

95   Gail Lapidus, *Women in Soviet Society*, Berkeley: University of California Press, 1978.

96   Lapidus, *Women in Soviet Society*.

97   Diane P. Koenker, "Men against Women on the Shop Floor in Early Soviet Russia:
Gender and Class in the Socialist Workplace," *American Historical Review* 100: 5,
1995, 1438-64.

98   Gail Lapidus, "Occupational Segregation and Public Policy: A Comparative Analysis
of American and Soviet Patterns," *Signs* 1: 3, Part 2, 1976, 136.

99   "Vladimir Putin Embraces the Russian Church," *The Economist*, February 3, 2018,
economist.com.

100 Miriam Elder, "Pussy Riot Sentenced to Two Years in Prison Colony over Anti-Putin
Protest," *The Guardian*, August 17, 2012, theguardian.com.

101 Lawrence King, Patrick Hamm, and David Stuckler, "Rapid Large-scale Privatization
and Death Rates in Ex-communist Countries: An Analysis of Stress-Related and
Health System Mechanisms," *International Journal of Health Services* 39: 3, 2009,
461-89.

102 Andrea Atencio and Josefina Posadas, *Gender Gap in Pay in the Russian
Federation: Twenty Years Later, Still a Concern*, Washington, DC: The World

Bank, 2015.

103 Eva Fodor and Daniel Horn, "Economic Development and Gender Equality: Explaining Variations in the Gender Poverty Gap aft er Socialism," *Social Problems* 62: 2, 2015, 286-308.

104 Judith Stacey, "When Patriarchy Kowtows: The Significance of the Chinese Family Revolution for Feminist Theory," *Feminist Studies* 2: 2, 1975, 64-112.

105 Elizabeth Croll, "The Exchange of Women and Property: Marriage in Post-Revolutionary China," in *Women and Property—Women as Property*, Renee Hirschon, ed., London: Croom Helm, 1984, 44-61.

106 H. Liaw, "Women's Land Rights in Rural China: Transforming Existing Laws Into a Source of Property Rights," *Pacific Rim Law and Policy* 17, 2008, 237-64.

107 John Knight, "China as a Developmental State," *World Economy* 37: 10, 2014, 1335-47.

108 Avraham Ebenstein, "The 'Missing Girls' of China and the Unintended Consequences of the One Child Policy," *Journal of Human Resources* 45: 1, 2010, 87-115; Y. Zhang and F. W. Goza, "Who Will Care for the Elderly in China? A Review of the Problems Caused by China's One-Child Policy and Their Potential Solutions," *Journal of Aging Studies* 20: 2, 2006, 151-64; Yu Changyong, Dai Zhiming, and Ma Ruili, "Reality and Expectation: An Empirical Study of Shrinking Family Support for the Elderly in Rural China," *China Rural Survey* 2, 2017, en.cnki.com.cn.

109 Edward Wong, "A Chinese Virtue Is Now the Law," *New York Times*, July 13, 2013, nytimes.com.

110 Vanessa L. Fong, "China's One-Child Policy and the Empowerment of Urban Daughters," *American Anthropologist* 104: 4, 2002, 1098-109.

111 Timothy Hildebrandt, "The One-Child Policy, Elder Care, and LGB Chinese: A Social Policy Explanation for Family Pressure," *Journal of Homosexuality*, 2018, 1-19.

112 Cindy Fan, *China on the Move: Migration, the State, and the Household*, New York: Routledge, 2007.

113 Sarah Cook and Xiao-yuan Dong, "Harsh Choices: Chinese Women's Paid Work and Unpaid Care Responsibilities Under Economic Reform," *Development and Change* 42: 4, 2011, 947-65; Yingchun Ji, Xiaogang Wu, Shengwei Sun, and Guangye He, "Unequal Care, Unequal Work: Toward a More Comprehensive Understanding of Gender Inequality in Post-reform Urban China," *Sex Roles* 77: 11-12, 2017, 765-78.

114 Amy Qin, "A Prosperous China Says 'Men Preferred,' and Women Lose," *New York Times*, July 16, 2019, nytimes.com.

115 Claude Diebolt and Faustine Perrin, "From Stagnation to Sustained Growth: The Role of Female Empowerment," *American Economic Review* 103: 3, 2013, 545-49.

116 George Lee, "Rosa Luxemburg and the Impact of Imperialism," The *Economic Journal* 81: 324, 1971, 847-62.

117 대런 에이스모글루Daron Acemoglu와 제임스 로빈슨James Robinson은 다음에서 유사한 주장을 전개한다. *Why Nations Fail*, New York: Crown, 2012. 그러나 그들은 군사력, 인종/민족 또는 젠더의 역할에 관심을 기울이지 않고 '포용적 자본주의'가 국내총생산 성장을 주도한다는 긍정적인 관점을 제공한다.

8장 복지국가 긴장

1 Wikipedia의 '보모 국가' 항목에서 보모 국가에 대한 참고문헌이 제대로 달린 몇 가지 흥미로운 사례를 찾을 수 있다. accessed March 18, 2019, at en.wikipedia.org/wiki/Nanny_state; 공적 가부장제에 관해서는 다음을 참고하라. Sylvia Walby, *Theorizing Patriarchy*, London: Basil Blackwell, 1990.

2 Peter H. Lindert, *Growing Public*, Vols. I and II, New York: Cambridge University Press, 2004; Ito Peng, "Social Investment Policies in Canada, Australia, Japan, and South Korea," *International Journal of Child Care and Education Policy* 5: 1, 2011, 41-53.

3 여기서 나의 주장은 대니 로드릭의 저술에 기대고 있다. Dani Rodrik, "Populism and the Economics of Globalization," *Journal of International Business Policy* 1: 1-2, 2018, 12-33.

4 Diane Elson, *Male Bias in the Development Process*, Manchester, UK: Manchester University Press, 1995; Maria Karamessini and Jill Rubery, eds., *Women and Austerity: The Economic Crisis and the Future for Gender Equality*, New York: Routledge, 2013; Irene Gedalof, *Difference in an Age of Austerity*, New York: Springer, 2017.

5 Joseph E. Stiglitz, *Economics of the Public Sector*, New York: Norton, 2000; J. M. Buchanan, R. D. Tollison, and G. Tullock, *Toward a Theory of the Rent-Seeking Society*, College Station: Texas A and M Press, 1980.

6 Ian Gough, *The Political Economy of the Welfare State*, New York: Macmillan, 1979; James O'Connor, *The Fiscal Crisis of the State*, New York: St. Martin's Press, 1973.

7 Vladimir S. Tikunov and Olga Yu Chereshnya, "Public Health Index in Russian Federation from 1990 to 2012," *Social Indicators Research* 129: 2, 2016, 775-86.

8 Alec Nove, *The Economics of Feasible Socialism*, New York: Harper Collins, 1991. 이런 일반화에 대한 중요한 예외는 다음을 참고하라. Peter Bohmer, Savvina Chowdhury, and Robin Hahnel, "Reproductive Labor and Participatory Economics," manuscript, Department of Economics, Portland State University, Portland, Oregon.

9   Nancy Folbre, "Roemer's Market Socialism: A Feminist Critique," *Politics and Society* 22: 4, 1995, 595-606.

10   M. Boldrin, M. D. Nardi, and L. E. Jones, "Fertility and Social Security," Journal of Demographic Economics 81, 2015, 261-99; Gary S. Becker, "A Theory of Social Interactions," *Journal of Political Economy* 82, 1974, 1063-93.

11   Martin Feldstein, "Social Security, Induced Retirement, and Aggregate Capital Accumulation," *Journal of Political Economy* 82: 5, 1974, 905-26. 이 주장은 "리카도 등가"라는 이름이 붙었지만 데이비드 리카도의 작업에서 파생된 것인지는 의문이 제기되었다

12   주류 경제학이 이 명제를 변호한 방식은 다음을 참조하라. Robert Shiller, *The New Financial Order: Risk in the Twenty-First Century*, Princeton, NJ: Princeton University Press, 2004.

13   James M. Buchanan, "The Samaritan's Dilemma," in *Altruism, Morality and Economic Theory*, Edmund S. Phelps, ed., New York: Russell Sage Foundation, 1975, 71-85.

14   John Stuart Mill, *Principles of Political Economy: And Chapters on Socialism*, New York: Oxford Classics, 1999, 350.

15   Bruno S. Frey, "How Intrinsic Motivation Is Crowded Out and In," *Rationality and Society* 6: 3, 1994, 334-52; David U. Himmelstein, Dan Ariely, and Steffie Woolhandler, "Pay-for-Performance: Toxic to Quality? Insights from Behavioral Economics," *International Journal of Health Services* 44: 2, 2014, 203-14.

16   George A. Akerlof, "Labor Contracts as Partial Gift Exchange," *Quarterly Journal of Economics* 97: 4, 1982, 543-69.

17   세대 간 이전을 스스로 강제하는 규칙이 어떻게 작동하는지 설명하는 정식화된 모형은 다음을 참조하라. Alessandro Cigno, "Intergenerational Transfers Without Altruism: Family, Market and State," *European Journal of Political Economy* 9: 4, 1993, 505-18.

18   '탈상품화'에 관해서는 다음을 보라. G. Esping-Andersen, *The Three Worlds of Welfare Capitalism*, Cambridge, England: Polity Press, 1990. 초기의 비판에 대해서는 다음을 보라. Jane Lewis, "Gender and the Development of Welfare Regimes: Further Thoughts," *Social Politics* 4: 2, 1997, 160-77.

19   Folbre, *Valuing Children: Rethinking the Economics of the Family*, Cambridge, MA: Harvard University Press, 2009, and Nancy Folbre, "Varieties of Patriarchal Capitalism," *Social Politics* 16: 2, 2009, 204-9.

20   Gøsta Esping-Anderson, *Social Foundations of Postindustrial Economies*, New York: Oxford University Press, 1999, 45.

21 Diane Elson, "Gender Awareness in Modeling Structural Adjustment," *World Development* 23: 11, 1995, 1851-68.

22 Peter H. Lindert, *Growing Public*, Vols. I and II, New York: Cambridge University Press, 2004; Ito Peng, "Social Investment Policies in Canada, Australia, Japan, and South Korea," *International Journal of Child Care and Education Policy* 5: 1, 2011, 41-53.

23 United Nations, *Human Development Report 2016: Human Development for Everyone*, New York: United Nations Development Programme, 2016, hdr.undp.org.

24 Mauricio Avendano and Ichiro Kawachi, "Why Do Americans Have Shorter Life Expectancy and Worse Health Than Do People in Other High-Income Countries?" *Annual Review of Public Health* 35, 2014, 307-25.

25 James J. Heckman, "Skill Formation and the Economics of Investing in Disadvantaged Children," *Science* 312, 2006, 1900-2. See also the special issue of the *Journal of Human Development and Capabilities* 17: 4, 2016, "Investing in Early Childhood Development."

26 David E. Bloom, David Canning, and Jaypee Sevilla, "The Effect of Health on Economic Growth: A Production Function Approach," *World Development* 32: 1, 2004, 1-13.

27 Jane Jenson, "Lost in Translation: The Social Investment Perspective and Gender Equality," *Social Politics* 16: 4, 2009, 446-83.

28 Jenson, "Lost in Translation."

29 Chris Leck, Dominic Upton, and Nick Evans, "Social Return on Investment: Valuing Health Outcomes or Promoting Economic Values?" *Journal of Health Psychology* 21: 7, 2016, 1481-90.

30 Kate Pickett and Richard G. Wilkinson, *The Spirit Level: Why Greater Equality Makes Societies Stronger*, London: Bloomsbury, 2009.

31 Campbell Robertson and Robert Gebeloff, "How Millions of Women Became the Most Essential Workers in America," *New York Times*, April 18, 2020, nytimes.com.

32 Steven Saxonberg, "From Defamilialization to Degenderization: Toward a New Welfare Typology," *Social Policy & Administration* 47: 1, 2013, 26-49; Sophie Mathieu, "From the Defamilialization to the 'Demotherization' of Care Work," *Social Politics: International Studies in Gender, State & Society* 23: 4, 2016, 576-91.

33 Nancy Folbre, *Greed, Lust and Gender: A History of Economic Ideas*, New York: Oxford, 2009.

34 Jane Humphries, "Enclosures, Common Rights, and Women: The Proletarianization of Families in the Late Eighteenth and Early Nineteenth Centuries," *Journal of*

Economic History 50: 1, 1990, 17-42.

35 Folbre, *Greed, Lust and Gender*.

36 Donald O. Parsons, "On the Economics of Intergenerational Control," *Population and Development Review* 10: 1, 1984, 41-54; Nancy Folbre, "'The Wealth of Patriarchs': Deerfield, Massachusetts, 1720-1840," *Journal of Interdisciplinary History* 16: 2, 1985, 199-220.

37 Jack Caldwell, "On Net Intergenerational Wealth Flows: An Update," *Population and Development Review* 31: 4, 2005, 721-40.

38 Laura L. Lovett, *Conceiving the Future: Pronatalism, Reproduction, and the Family in the United States, 1890–1938*, Chapel Hill: University of North Carolina Press, 2009.

39 Hilary Land, "The Family Wage," *Feminist Review* 6, 1980, 55-77.

40 Alice Kessler-Harris, *A Woman's Wage: Historical Meanings and Social Consequences*, Lexington: University Press of Kentucky, 2014.

41 Susan Pederson, *Family, Dependence, and the Origins of the Welfare State*, New York: Cambridge University Press, 1995.

42 Folbre, *Greed, Lust and Gender*.

43 Jay Winter, *The Great War and the British People*, 2d ed., New York: Springer, 2003.

44 Jennifer Mittelstadt, *The Rise of the Military Welfare State*, Cambridge, MA: Harvard University Press, 2015.

45 Eleanor F. Rathbone, *The Disinherited Family*, London: Edward Arnold, 1924.

46 Joya Misra, "Mothers or Workers? The Value of Women's Labor: Women and the Emergence of Family Allowance Policy," *Gender and Society* 12: 4, 1998, 376-99.

47 Folbre, *Valuing Children*.

48 Edward J. McCaffery, *Taxing Women*, Chicago: University of Chicago Press, 1999.

49 For a discussion of the empirical implications, see Nancy Folbre, Marta Murray-Close, and Jooyeoun Suh. "Equivalence Scales for Extended Income in the US," *Review of Economics of the Household* 16: 2, 2018, 189-227.

50 Lawrence B. Glickman, *A Living Wage*, Ithaca, NY: Cornell University Press, 1999.

51 경제정책연구소Economic Policy Institute의 생활임금 정의는 epi.org/ publication/ what-families-need-to-get-by-epis-2015-family-budgetcalculator를, MIT의 Living Wage Project는 livingwage.mit.edu/articles/27-new-data-up-calculation-of-the-living-wage를 참조하라.

52 MIT의 Living Wage Project 참조.

53 Global Living Wage Coalition 웹사이트(globallivingwage. org) 참조.

54 Richard Anker and Martha Anker, *Living Wages Around the World*, Cheltenham:

Edward Elgar, 2017.

55 Michelle Adato and John Hoddinott, eds., *Conditional Cash Transfers in Latin America*, Washington, DC: Institute for Food Policy Research, 2010, ifpri.org.

56 Hans-Werner Sinn, "The Pay-as-You-Go Pension System as Fertility Insurance and an Enforcement Device," *Journal of Public Economics* 88, 2004, 1336.

57 David M. Cutler and Richard Johnson, "The Birth and Growth of the Social-Insurance State: Explaining Old-Age and Medical Insurance Across Countries," *Research Division*, Federal Reserve Bank of Kansas City, 2001.

58 Theda Skocpol, *Protecting Soldiers and Mothers*, Cambridge, MA: Belknap Press, 1995.

59 Gary S. Becker and Kevin M. Murphy, "Family and the State," *Journal of Law and Economics* 31, 1988, 1-18.

60 Seymour Moskowitz, "Filial Responsibility Statutes: Legal and Policy Considerations," *Journal of Law and Policy* 9, 2000, 709-36.

61 Shirley Burgraaf, *The Feminine Economy and Economic Man. Revising the Role of Family in the Post-Industrial Age*, Reading, MA: Perseus Books, 1997. 이 제안의 다른 결함에도 주목할 가치가 있다. 이혼한 어머니와 아버지에게 사적 이전을 어떠한 방식으로 분배해야 할까? 공적 이전과 마찬가지로 다음과 같은 구축 효과가 발생할 수도 있다. "15퍼센트 이상은 한 푼도 지불하지 않을 겁니다"라거나 "법적 의무를 다 지불했으니 병문안은 기대하지 마세요."

62 Rita Jing-Ann Chou, "Filial Piety by Contract? The Emergence, Implementation, and Implications of the 'Family Support Agreement' in China," *Gerontologist* 51: 1, 2011, 3-16.

63 Organization for Economic Cooperation and Development, *Pensions at a Glance 2015*, Washington, DC: Author.

64 David E. Bloom and Roddy McKinnon, "The Design and Implementation of Public Pension Systems in Developing Countries: Issues and Options," *IZA Policy Paper* No. 59, May 2013, econstor.eu.

65 Stein Ringen and Kinglun Stein, "What Kind of Welfare State Is Emerging in China?" *Working Paper* No. 2013-2, United Nations UNRISD, 2013, econstor.eu.

66 Gary Becker and Kevin Murphy, "The Family and the State," *Journal of Law and Economics* 31: 1, 1988, 1-18.

67 Claudia Dale Goldin and Lawrence Katz, *The Race Between Education and Technology*, Cambridge, MA: Harvard University Press, 2007.

68 Samuel Bowles and Herbert Gintis, *Schooling in Capitalist America*, New York: Basic Books, 1976.

69 Jacob S. Hacker, "The Historical Logic of National Health Insurance: Structure and

Sequence in the Development of British, Canadian, and US Medical Policy," *Studies in American Political Development* 12: 1, 1998, 57-130.

70 David M. Cutler and Richard Johnson, "The Birth and Growth of the Social-Insurance State: Explaining Old-Age and Medical Insurance Across Countries," *Research Division*, Federal Reserve Bank of Kansas City, 2001.

71 "Both in Rich and Poor Countries Universal Health Care Brings Huge Benefits," *The Economist*, April 26, 2018, economist.com.

72 Guy Carrin and Chris James, "Social Health Insurance: Key Factors Affecting the Transition Towards Universal Coverage," *International Social Security Review* 58: 1, 2005, 45-64.

73 World Bank and World Health Organization, *Tracking Universal Health Coverage: The 2017 Global Monitoring Report*, December 13, 2017, worldbank.org.

74 Robert W. Patterson, "What Happened to the America in Corporate America?" *National Review*, July 31, 2013, nationalreview.com.

75 Skocpol, *Soldiers and Mothers*.

76 Grant Miller, "Women's Suffrage, Political Responsiveness, and Child Survival in American History," *Quarterly Journal of Economics* 123: 3, 2008, 1287-327.

77 Claudia Goldin, *Understanding the Gender Gap*, New York: Oxford, 1990.

78 Suzanne Mettler, *Dividing Citizens: Gender and Federalism in New Deal Public Policy*, Ithaca, NY: Cornell University Press, 1998.

79 Ira Katznelson, *When Affirmative Action Was White*, New York: W. W. Norton, 2005.

80 Eileen Boris and Jennifer Klein, *Caring for America*, New York: Oxford University Press, 2012.

81 Robert Margo, *Race and Schooling in the South, 1880–1950*, Chicago: University of Chicago Press, 2007.

82 Jill Quadagno, *The Color of Welfare. How Racism Undermined the War on Poverty*, New York: Oxford University Press, 1994; John E. Roemer, Woojin Lee, and Karine van der Straeten, *Racism, Xenophobia and Distribution*, Cambridge, MA: Harvard University Press, 2007.

83 Martin Gilens, *Why Americans Hate Welfare*, Chicago: University of Chicago Press, 2009.

84 Christopher Howard, *The Hidden Welfare State*, Princeton, NJ: Princeton University Press, 1999.

85 National Academies of Sciences, Engineering, and Medicine, The Economic and Fiscal Consequences of Immigration, Washington, DC: National Academies Press, 2017.

86 Suzanne Mettler, "The Transformed Welfare State and the Redistribution of Political Voice," in The Transformation of American Politics: Activist Government and

the Rise of Conservatism, Paul Pierson and Theda Skocpol, eds., Princeton, NJ: Princeton University Press, 2007, 191-222.

87 Nancy Folbre, "The Resentment Zone: Losing Means-Tested Benefi ts," *New York Times*, March 22, 2010, economix.blogs.nytimes.com.

88 Jane Mayer, Dark Money: The Hidden History of the Billionaires behind the Rise of the Radical Right, New York: Doubleday, 2016; Nancy McClean, Democracy in Chains, New York: Penguin, 2017.

89 Larry Bartels, Unequal Democracy, Princeton, NJ: Princeton University Press, 2009.

90 Alberto Alesina, Reza Baqir, and William Easterly, "Public Goods and Ethnic Divisions," *The Quarterly Journal of Economics* 114: 4, 1999, 1243- 84; Michael Bleaney and Arcangelo Dimico, "Ethnic Diversity and Confl ict," Journal of Institutional Economics 13: 2, 2017, 357-78.

91 Lena Edlund and Rohini Pande, "Why Have Women Become Left -Wing? The Political Gender Gap and the Decline in Marriage," *Quarterly Journal of Economics* 117: 3, 2002, 917-61; Lena Edlund, Laila Haider, and Rohini Pande, "Unmarried Parenthood and Redistributive Politics," Journal of the European Economic Association 3: 1, 2005, 95-119.

92 Monika L. McDermott, Masculinity, Femininity, and American Political Behavior, New York: Oxford University Press, 2016.

93 "The Health Care Bill's Insults to Women," *New York Times*, May 12, 2017, nytimes.com.

94 Amanda Clayton and Pär Zetterberg, "Quota Shocks: Electoral Gender Quotas and Government Spending Priorities Worldwide," The Journal of Politics 80: 3, 2018, 916-32.

95 Raghabendra Chattopadhyay and Esther Duflo, "Women as Policy Makers: Evidence from a Randomized Policy Experiment in India," Econometrica 72: 5, 2004, 1409-43; Lori Beaman, Esther Duflo, Rohini Pande, and Petia Topalova, "Female Leadership Raises Aspirations and Educational Attainment for Girls: A Policy Experiment in India," Science 335: 6068, 2012, 582-86.

96 Anne Marie Goetz, "The New Cold War on Women's Rights," United Nations Research Institute for Social Development, June 22, 2015, unrisd.org.

97 William Grieder, One World, Ready or Not, New York: Simon and Schuster, 1998; Alan Tonelson, The Race to the Bottom, New York: Basic Books, 2000.

98 Hongbin Cai and Daniel Treisman, "Does Competition for Capital Discipline Governments? Decentralization, Globalization, and Public Policy," *American Economic Review* 95: 3, 2005, 817-30.

99 Dani Rodrik, The Globalization Paradox: Democracy and the Future of the *World*

Economy, New York: W. W. Norton, 2011.

100 Peter Abrahamson, "Future Welfare. An Uneven Race to the Top and/or a Polarized World?" in The Routledge International Handbook to Welfare State Systems, Christian Aspalter, ed., New York: Routledge, 2017, 41-70.

101 James K. Boyce and Léonce Ndikumana, "Is Africa a Net Creditor? New Estimates of Capital Flight from Severely Indebted Sub-Saharan African Countries, 1970-96," Journal of Development Studies 38: 2, 2001, 27-56.

102 Nicholas Shaxson, Treasure Islands, London: Bodley Head, 2011; Gabriel Zucman, "Taxing Across Borders: Tracking Personal Wealth and Corporate Profits," Journal of Economic Perspectives 28: 4, 2014, 121-48.

103 Alan S. Blinder, "Off shoring: The Next Industrial Revolution?" Foreign Aff airs 85: 2, 2006, 113-28.

104 Greg LeRoy, The Great American Jobs Scam, Oakland, CA: Berrett-Koehler, 2005.

105 Claudia Goldin and Lawrence Katz, The Race Between Education and Technology, Cambridge, MA: Harvard University Press, 2009.

106 Richard Freeman, "The Great Doubling: The Challenge of the New Global Labor Market," unpublished manuscript, 2006, emlab.berkeley.edu. See also his "What Does Global Expansion of Higher Education Mean for the U.S.?" in American Universities in a Global Market, Charles T. Clotfelter, ed., Chicago: University of Chicago Press, 2010, 373-404.

107 Nancy Folbre, Saving State U: Fixing Public Higher Education, New York: New Press, 2010.

108 Richard Morin, "Indentured Servitude in the Persian Gulf," New York Times, April 12, 2014, nytimes.com.

109 Susan Ferguson and David McNally, "Precarious Migrants: Gender, Race, and the Social Reproduction of a Global Working Class," Socialist Register 51, 2015, 1-23; Bridget Anderson, "Migration, Immigration Controls and the Fashioning of Precarious Workers," Work, Employment, and Society 24: 2, 2010, 300-17

110 Rhacel Parreñas, Servants of Globalization, Stanford, CA: Stanford University Press, 2015.

111 Nancy Folbre and Douglas Wolf, "The Intergenerational Welfare State," Population and Development Review 38, 2012, 36-51.

112 Douglas A. Wolf, Ronald D. Lee, Timothy Miller, Gretchen Donehower, and Alexandre Genest, "Fiscal Externalities of Becoming a Parent," Population and Development Review 37: 2, 2011, 241-66.

113 Ronald Demos Lee and Andrew Mason, eds., Population Aging and the Generational Economy: A Global Perspective, Cheltenham, UK: Edward Elgar, 2011.

114 Adam Tooze, "Germany," in Families and States in Western Europe, Quintin

Skinner, ed., New York: Cambridge University Press, 2011, 81.

115 Folbre and Wolf, "The Intergenerational Welfare State."

116 Samuel H. Preston "Children and the Elderly: Divergent Paths for America's Dependents," *Demography* 21: 4, 1984, 435-57; Heather Hahn, "Federal Expenditures on Children," *Society for Research in Child Development Social Policy Report* 29: 1, 2015, 1-26, fi les.eric.ed.gov.

117 Ron Lee and Andy Mason, "National Transfer Accounts and Intergenerational Transfers," in *International Handbook on Aging and Public Policy*, Sarah Harper and Kath Hamblin, eds., Northampton, MA: Edward Elgar, 2014, Chapter 12.

118 Sandra L. Colby and Jennifer M. Ortman, *Projections of the Size and Composition of the U.S. Population: 2014 to 2060*, Washington, DC: U.S. Census Bureau Report P25-1143; March 3, 2015, census.gov.

119 James M. Poterba, "Demographic Structure and the Political Economy of Public Education," *Journal of Policy Analysis and Management* 16: 1, 1997, 48-66; David N. Figlio and Deborah Fletcher, "Suburbanization, Demographic Change, and the Consequences for School Finance," *Journal of Public Economics* 96: 11-12, 2012, 1144-53.

120 Liz Alderman, "After Economic Crisis, Low Birthrates Challenge Southern Europe," *New York Times*, April 16, 2017, nytimes.com.

121 Zhongwei Zhao, Quinzi Xu, and Xin Yuan, "Far Below Replacement Fertility in Urban China," *Journal of Biosocial Science* 49, 2017, S4-S19.

122 Nicholas Bakalar, "U.S. Fertility Rate Reaches a Record Low," *New York Times*, July 3, 2017, nytimes.com.

123 Gøsta Esping-Anderson, *Social Foundations of Postindustrial Economies*, New York: Oxford, 1999.

124 Jenny Brown, *Birth Strike: The Hidden Fight over Women's Work*, Oakland, CA: PM Press, 2019.

125 Michelle Goldberg, *The Means of Reproduction*, New York: Penguin, 2009.

126 Diane Elson, "Recognize, Reduce, and Redistribute Unpaid Care Work: How to Close the Gender Gap," *New Labor Forum* 26: 2, 2017, 52-61.

9장 젠더와 돌봄 비용

1 Ingrid Palmer, "Public Finance from a Gender Perspective," *World Development* 23: 11, 1995, 1981-86; Robert I. Lerma, "Policy Watch: Child Support Policies," *Journal of Economic Perspectives* 7: 1, 1993, 171-82.

2   치킨 게임에 대한 확장된 논의를 보려면 다음을 참고하라. Nancy Folbre and Thomas Weisskopf, "The Rise and Decline of Patriarchal Capitalism," in *Capitalism on Trial: Explorations in the Tradition of Thomas E. Weisskopf*, Robert Pollin and Jeannette Wicks-Lim, eds., Cheltenham, UK: Edward Elgar, 2013.

3   Sara Cantillon, "Measuring Differences in Living Standards Within Households," *Journal of Marriage and Family* 75: 3, 2013, 598-610.

4   Anne L. Alstott, *No Exit: What Parents Owe Their Children and What Society Owes Parents*, New York: Oxford University Press, 2005.

5   연인이나 부부가 서로에게 제공하는 서비스의 대체 가능성에 대한 선견지명이 있는 논의는 다음을 참조하라. Paula England and George Farkas, *Households, Employment and Gender*, New York: Aldine, 1986.

6   Michelle J. Budig and Paula England, "The Wage Penalty for Motherhood," *American Sociological Review* 66: 2, 2001, 204-25; Jane Waldfogel, "Understanding the 'Family Gap' in Pay for Women with Children," The *Journal of Economic Perspectives* 12: 1, 1998, 137-56; Michelle J. Budig, Joya Misra, and Irene Boeckman, "The Motherhood Penalty in Cross-National Perspective: The Importance of Work-Family Policies and Cultural Attitudes," *Social Policy* 19: 2, 2012, 163-93; Yoon Kyung Chung, Barbara Downs, Danielle H. Sandler, and Robert Sienkiewicz, "The Parental Gender Earnings Gap in the United States," 2017, Working Papers 17-68, Center for Economic Studies, US Census Bureau; Henrik Kleven, Camille Landais, and Jakob Egholt Søgaard, "Children and Gender Inequality: Evidence from Denmark," *American Economic Journal: Applied Economics* 11: 4, 2019, 181-209.

7   LeeAnne DeRigne and Shirley L. Porterfield, "Employment Change Among Married Parents of Children with Special Health Care Needs," *Journal of Family Issues* 3: 5, 2017, 579-606.

8   Paula England, Jonathan Bearak, Michelle Budig, and Melissa Hodges, "Do Highly Paid, Highly Skilled Women Experience the Largest Motherhood Penalty?" *American Sociological Review* 81: 6, 2016, 1161-89.

9   Eliza K. Pavalko and Joseph D. Wolfe, "Do Women Still Care? Cohort Changes in US Women's Care for the Ill or Disabled," *Social Forces* 94: 3, 2015, 1359-84. Hiroyuki Yamada and Satoshi Shimizutani, "Labor Market Outcomes of Informal Care Provision in Japan," *The Journal of the Economics of Ageing* 6, 2015, 79-88.

10 Donald Cox and Beth Soldo, "Motives for Care that Adult Children Provide to Parents: Evidence from 'Point Blank' Survey Questions," *Journal of Comparative Family Studies* 44: 4, 2013, 491-518.

11 Angelina Grigoryeva, "Own Gender, Sibling's Gender, Parent's Gender: The Division

of Elderly Parent Care Among Adult Children," *American Sociological Review* 82: 1, 2017,116-46.

12 Anna Aizer, "The Gender Wage Gap and Domestic Violence," *American Economic Review* 100:4, 2010, 1847-59.

13 Dan Anderberg, Helmut Rainer, Jonathan Wadsworth, and Tanya Wilson, "Unemployment and Domestic Violence: Theory and Evidence," *Economic Journal* 126: 597, 2016, 1947-79.

14 Gustavo J. Bobonis, Melissa González-Brenes, and Roberto Castro, "Public Transfers and Domestic Violence: The Roles of Private Information and Spousal Control," *American Economic Journal: Economic Policy* 5: 1, 2013, 179-205.

15 Sara Cantillon and Brian Nolan, "Poverty Within Households: Measuring Gender Differences Using Nonmonetary Indicators," *Feminist Economics* 7: 1, 2001, 5-23.

16 두 연구가 특히 영향력이 있다. Duncan Thomas, "Intra-household Resource Allocation: An Inferential Approach," *Journal of Human Resources* 25: 4, 1990, 635-64; and Shelly Lundberg and Robert A. Pollak, "Separate Spheres Bargaining and the Marriage Market," *Journal of Political Economy* 101: 6, 1993, 988-1010.

17 Nancy Folbre, Jayoung Yoon, Kade Finnoff, and Allison Sidle Fuligni, "By What Measure? Family Time Devoted to Children in the United States," *Demography* 42: 2, 2005, 373-90.

18 Michael Burda, Daniel S. Hamermesh, and Philippe Weil, "Total Work and Gender: Facts and Possible Explanations," *Journal of Population Economics* 26: 1, 2013, 239-61.

19 Suzanne M. Bianchi, John P. Robinson, and Melissa A. Milke, *The Changing Rhythms of American Family Life*, New York: Russell Sage, 2006; Avanti Mukherjee, *Three Essays on 'Doing Care,' Gender Differences in the Work Day, and Women's Care Work in the Household*, Ph.D. dissertation, University of Massachusetts Amherst, 2017, scholarworks.umass.edu.

20 Mukherjee, *Three Essays*.

21 Nancy Folbre, "Developing Care," 2018, Policy Brief, International Development Research Centre. Ottawa, Canada, https://idl-bnc-idrc. dspacedirect.org.

22 Sanjiv Gupta and Michael Ash, "Whose Money, Whose Time? A Nonparametric Approach to Modeling Time Spent on Housework in the United States," *Feminist Economics* 14: 1, 2008, 93-120.

23 Michael Bittman, Paula England, Liana Sayer, Nancy Folbre, and George Matheson "When Does Gender Trump Money? Bargaining and Time in Household Work," *American Journal of Sociology* 109: 1, 2003, 186-214; Marianne Bertrand,

Emir Kamenica, and Jessica Pan, "Gender Identity and Relative Income within Households," *Quarterly Journal of Economics* 130: 2, 2015, 571-614.

24 Lundberg and Pollak. "Separate Spheres Bargaining and the Marriage Market."

25 Victor R. Fuchs, "Sex Differences in Economic Well-being," *Science* 232: 4749, April 25, 1986, 459-64.

26 Karen C. Holden and Pamela J. Smock, "The Economic Costs of Marital Dissolution: Why Do Women Bear a Disproportionate Cost?" *Annual Review of Sociology* 17, 1991, 51-78.

27 Laura M. Tach and Alicia Eads, "Trends in the Economic Consequences of Marital and Cohabitation Dissolution in the U.S.," *Demography* 52: 2, 2015, 401-32.

28 J. Jarvis and S. P. Jenkins, "Marital Splits and Income Changes: Evidence From the British Household Panel Survey," *Population Studies* 53: 2, 1999, 237-54; R. Finnie, "Women, Men, and the Economic Consequences of Divorce: Evidence from Canadian Longitudinal Data," *Canadian Journal of Sociology and Anthropology* 30, 1993, 205-41; R. V. Burkhauser, G. J. Duncan, and R. Berntsen, "Wife or Frau, Women do Worse: A Comparison of Women and Men in the United States and Germany after Marital Dissolution," *Demography* 28: 3, 1991, 353-60.

29 Andrew J. Cherlin, *The Marriage Go-Round*, New York: Knopf, 2010.

30 Tach and Eads, "Trends in the Economic Consequences of Marital and Cohabitation Dissolution."

31 George A. Akerlof, "Men Without Children," The *Economic Journal* 108, 1998, 287-309.

32 U.S. Census, CH-1. *Living Arrangements of Children Under 18 Years Old: 1960 to Present*, cps.ipums.org.

33 Ursula Henz, "Long-Term Trends of Men's Co-Residence with Children in England and Wales," *Demographic Research* 30: 23, 2014, 685.

34 J. Bart Stykes, Wendy D. Manning, and Susan L. Brown, "Nonresident Fathers and Formal Child Support: Evidence from the CPS, the NSFG and the SIPP," *Demographic Research* 29: 46, 2013, 1299-1330.

35 Emily Higgs, Cristina Gomez-Vidal, and Michael J. Austin, "Low-Income Nonresident Fatherhood: A Literature Review with Implications for Practice and Research," *Families in Society* 99: 2, 2018, 115.

36 Nancy Folbre, *Valuing Children*, Cambridge, MA: Harvard University Press, 2008.

37 Ariel Kalil, Rebecca Ryan, and Elise Chor, "Time Investments in Children Across Family Structures," *The Annals of the American Academy of Political and Social Science* 654: 1, June 9, 2014, 150-168.

38 Sara McLanahan, "Diverging Destinies: How Children Are Faring Under the Second Demographic Transition," *Demography* 41: 4, 2004, 607-27.

39 Sara McLanahan and Wade Jacobsen, "Diverging Destinies Revisited," in *Families in an Era of Increasing Inequality*, Paul R. Amato, Alan Booth, Susan M. McHale, and Jennifer Van Hook, eds., New York: Springer, 2015, 3-23.

40 Sarah Bradshaw, Sylvia Chant, and Brian Linneker, "Challenges and Changes in Gendered Poverty: The Feminization, De-feminization and Re-feminization of Poverty in Latin America," *Feminist Economics* 25: 1, 2019, 119-44.

41 Laurie DeRose and W. Bradford Wilcox, "The Cohabitation-Go-Round: Cohabitation and Family Instability Across the Globe," New York: Social Trends Institute and Institute for Family Studies, 2017, worldfamilymap.ifstudies.org. Chia Liu, Albert Esteve, and Rocío Treviño, "Female Headed Households and Living Conditions in Latin America," *World Development* 90, 2017, 311-28.

42 Nancy Folbre, "Measuring Care: Gender, Empowerment, and the Care Economy," *Journal of Human Development* 7: 2, 2006, 183-200.

43 Sylvia Chant, *Gender and Generation and Poverty: Exploring the 'Feminization of Poverty' in Africa, Asia and Latin America*, Northampton, MA: Edward Elgar, 2007.

44 Nancy Folbre, "The Pauperization of Mothers: Patriarchy and Public Policy in the US," *Review of Radical Political Economics* 16: 4, 1985, 72-88.

45 Sarah Bradshaw, Sylvia Chant, and Brian Linneker, "Gender and Poverty: What We Know, Don't Know, and Need to Know for Agenda 2030," *Gender, Place & Culture*, 2017, 1-22.

46 폭넓은 정의에 따른 여성 가장에 초점을 맞춘 최근 연구는 다음을 참고하라. Liu, Esteve, and Treviño, "Female-headed Households and Living Conditions in Latin America"; Annamaria Milazzo and Dominique van de Walle, "Women Left Behind? Poverty and Headship in Africa," *Demography* 54: 3, 2017, 1119-45; Stephan Klasen, Tobias Lechtenfeld, and Felix Povel, "A Feminization of Vulnerability? Female Headship, Poverty, and Vulnerability in Thailand and Vietnam," *World Development* 71, 2015, 36-53.

47 Nancy Folbre, Marta Murray-Close, and Jooyeoun Suh, "Equivalence Scales for Extended Income in the US," *Review of Economics of the Household* 16: 2, 2018, 189-227.

48 David Newhouse, Pablo Suárez Becerra, and Martin Evans, "New Global Estimates of Child Poverty and Their Sensitivity to Alternative Equivalence Scales," *Economics Letters* 157, 2017, 125-28.

49 Mary Romero, "Reflections on Globalized Care Chains and Migrant Women

Workers," *Critical Sociology* 44: 7-8, 2018, 1179-89.

50 Nancy Folbre, "Gender and the Care Penalty," in *Oxford Handbook of Women in the Economy*, Laura Argys, Susan Averett, and Saul Hoffman, eds., New York: Oxford University Press, 2018; Heidi Hartmann and Steve Rose, "Still a Man's Labor Market: The Long-Term Earnings Gap," Washington, DC: Institute for Women's Policy Research, 2004, iwpr.org.

51 Youngjoo Cha and Kim A. Weeden, "Overwork and the Slow Convergence in the Gender Gap in Wages," *American Sociological Review* 79: 3, 2014, 457-84.

52 Ipshita Pal and Jane Waldfogel, "The Family Gap in Pay: New Evidence for 1967 to 2013," *RSF: The Russell Sage Foundation Journal of the Social Sciences* 2: 4, 2016, 104-27.

53 Daniel Horn, "The Pandemic Could Put Your Doctor out of Business," The *Washington Post*, April 24, 2020, washingtonpost.com.

54 Torben Iverson and Frances Rosenbluth, *Women, Work and Politics*, New Haven, CT: Yale University Press, 2010.

55 Shelley J. Correll, Stephen Benard, and In Paik, "Getting a Job: Is There a Motherhood Penalty?" *American Journal of Sociology* 112: 5, 2007, 1297-1339.

56 Marianne Bertrand and Sendhil Mullainathan, "Are Emily and Greg More Employable than Lakisha and Jamal? A Field Experiment on Labor Market Discrimination," *American Economic Review* 94: 4, 2004, 991-1013; András Tilcsik, "Pride and Prejudice: Employment Discrimination Against Openly Gay Men in the United States," *American Journal of Sociology* 117: 2, 2011, 586-626.

57 Joan C. Williams and Stephanie Bornstein, "Evolution of FReD: Family Responsibilities Discrimination and Developments in the Law of Stereotyping and Implicit Bias," *Hastings Law Journal* 59, 2007, 1311.

58 United States Federal Equal Employment Opportunity Commission family discrimination guidelines, eeoc.gov.

59 Joan C. Williams and Nancy Segal, "Beyond the Maternal Wall: Relief for Family Caregivers Who Are Discriminated Against on the Job," *Harvard Women's Law Journal* 26, 2003, 77-162.

60 Claudia Goldin and Lawrence F. Katz, "A Most Egalitarian Profession: Pharmacy and the Evolution of a Family-Friendly Occupation," *Journal of Labor Economics* 34: 3, 2016, 705-46.

61 Joan Williams, *Unbending Gender*, New York: Oxford University Press, 2001; Damian Grimshaw and Jill Rubery, "The Motherhood Pay Gap: A Review of the Issues, Theory and International Evidence," Working Paper No. 1/2015, Geneva:

돌봄과 연대의 경제학

International Labour Organization, Gender equality and diversity branch, 2015.

62   Nancy Folbre, "A Theory of the Misallocation of Time," in Family Time, Nancy Folbre and Michael Bittman, eds., New York: Routledge, 2004.

63   Dan Clawson and Naomi Gerstel, *Unequal Time*, New York: Russell Sage, 2014; Lonnie Golden, "Irregular Work Scheduling and Its Consequences," Economic Policy Institute Briefing Paper No. 394, April 9, 2015, ssrn.com.

64   B. Gault, H. Hartmann, A. Hegewisch, J. Milli, and L. Reichlin, *Paid Parental Leave in the United States: What the Data Tell Us About Access, Usage, and Economic and Health Benefits*, Washington, DC: Institute for Women's Policy Research, 2014; Elaine McCrate, "Work Flexibility for Whom? Control over Work Schedule Variability in the U.S.," *Feminist Economics* 18: 1, 2012, 39-72; Naomi Gerstel and Dan Clawson, "Class Advantage and the Gender Divide: Flexibility on the Job and at Home," *American Journal of Sociology* 120: 2, 2014, 395-431.

65   Harriet B. Presser, "Shift Work and Child Care Among Young Dual-Earner American Parents," *Journal of Marriage and the Family* 50: 1, 1988, 133-48.

66   Greta Friedemann-Sánchez, *Assembling Flowers and Cultivating Homes*, New York: Lexington Books, 2006.

67   Jessica Pan, "Gender Segregation in Occupations: The Role of Tipping and Social Interactions," *Journal of Labor Economics* 33: 2, 2015, 365-408; Paula England, Paul Allison, and Yuxiao Wu, "Does Bad Pay Cause Occupations to Feminize, Does Feminization Reduce Pay, and How Can We Tell with Longitudinal Data?," *Social Science Research* 36: 3, 2007, 1237-56.

68   Áine Cain, Anaele Pelisson, and Shayanne Gal, "9 Places in the US Where Job Candidates May Never Have to Answer the Dreaded Salary Question Again," *Business Insider*, April 10, 2018, businessinsider.com.

69   Maria Charles and David B. Grusky, *Occupational Ghettos: The Worldwide Segregation of Women and Men*, Stanford, CA: Stanford University Press, 2004.

70   Heather McLaughlin, Christopher Uggen, and Amy Blackstone, "The Economic and Career Effects of Sexual Harassment on Working Women," *Gender & Society* 3: 3, 2017, 333-58.

71   Kristin J. Kleinjans, Karl Fritjof Krassel, and Anthony Dukes, "Occupational Prestige and the Gender Wage Gap," *Kyklos*, February 2017; Susan Pinker, *The Sexual Paradox*, New York: Simon and Schuster, 2009.

72   Lee Badgett and Nancy Folbre, "Job Gendering: Occupational Choice and the Labor Market," *Industrial Relations* 42: 2, 2003, 270-98.

73   L. Bursztyn, T. Fujiwara, and A. Pallais, "Acting Wife: Marriage Market Incentives and

Labor Market Investments," *American Economic Review* 107: 11, 2017, 3288-319.

74 M. V. Lee Badgett, "The Wage Effects of Sexual Orientation Discrimination," *Industrial and Labor Relations Review* 48: 4, 1995, 726-39.

75 Nancy Folbre, ed., *For Love and Money: Care Provision in the U.S.*, New York: Russell Sage.

76 Nicole M. Fortin, "The Gender Wage Gap Among Young Adults in the United States: The Importance of Money Versus People," *Journal of Human Resources* 43: 4, 2008, 884-918.

77 Nancy Folbre, "When a Commodity Is not Exactly a Commodity," *Science* 319: 5871, 2008, 1769-70.

78 Paula England, Michelle Budig, and Nancy Folbre, "Wages of Virtue: The Relative Pay of Care Work," *Social Problems* 49: 4, 2002, 455-73; David N. Barron and Elizabeth West, "The Financial Costs of Caring in the British Labor Market: Is There a Wage Penalty for Workers in Caring Occupations?" *British Journal of Industrial Relations* 51: 1, 2013, 104-23; Barry T. Hirsch and Julia Manzella, Who Cares—And Does it Matter? Measuring the Wage Penalty for Caring Work," in *Research in Labor Economics: Why Are Women Becoming More Like Men (and Men More Like Women) in the Labor Market?* 40 (2015), 213-75; Michelle Budig, Melissa Hodges, and Paula England, "Wages of Nurturant and Reproductive Care Workers: Adjudicating Individual and Structural Mechanisms Producing the Care Pay Penalty," *Social Problems* 66:2, 2018, 294-319; Bruce Pietrykowski, "The Return to Caring Skills: Gender, Class, and Occupational Wages in the US," *Feminist Economics* 23: 4, 2017, 32-61.

79 노동통계국의 2017년 5월 직업고용조사에 따르면 보육교사의 시간당 중위임금은 10.72달러이고 주차장 관리인은 10.97달러였다. bls.gov/oes/ current/oes_stru.htm.

80 Paula England, *Comparable Worth*, Rutgers, NJ: Transaction, 1992.

81 Michelle J. Budig and Joya Misra, "How Care-Work Employment Shapes Earnings in Cross-National Perspective," *International Labor Review*, Special Issue: Workers in the Care Economy, 149: 4, 2010, 441-60.

82 Folbre, ed., *For Love and Money*; Shereen Hussein, Mohamed Ismail, and Jill Manthorpe, "Changes in Turnover and Vacancy Rates of Care Workers in England from 2008 to 2010: Panel Analysis of National Workforce Data," *Health & Social Care in the Community* 24: 5, 2016, 547-56.

83 Nancy Folbre and Julie Nelson, "Why a Well Paid Nurse Is a Better Nurse," *Journal of Nursing Economics* 24: 3, 2006, 127-30.

84 Maelan Le Goff, "Feminization of Migration and Trends in Remittances," *IZA World of Labor*, January 2016, wol.iza.org.

85   Patricia Cortés and José Tessada, "Low-Skilled Immigration and the Labor Supply of Highly Skilled Women," *American Economic Journal: Applied Economics* 3: 3, 2011, 88-123; Delia Furtado and Heinrich Hock, "Low Skilled Immigration and Work-Fertility Tradeoffs Among High Skilled US Natives," *American Economic Review* 100: 2, 2010, 224-28.

86   Lídia Farré, Libertad González Luna, and Francesca Ortega, "Immigration, Family Responsibilities and the Labor Supply of Skilled Native Women," 2009, IZA Discussion Paper No. 4265; Guglielmo Barone and Sauro Mocetti, "With a Little Help from Abroad: The Effect of Low-skilled Immigration on the Female Labour Supply," *Labour Economics* 18: 5, 2011, 664-75; Patricia Cortés and Jessica Pan, "Outsourcing Household Production: Foreign Domestic Workers and Native Labor Supply in Hong Kong," *Journal of Labor Economics* 31: 2, 2013, 327-71.

87   Francesca Bettio, Annamaria Simonazzi, and Paola Villa, "Change in Care Regimes and Female Migration: The 'Care Drain' in the Mediterranean," *Journal of European Social Policy* 16: 3, 2006, 271-85; Isabel Shutes and Carlos Chiatti, "Migrant Labour and the Marketisation of Care for Older People: The Employment of Migrant Care Workers by Families and Service Providers," *Journal of European Social Policy* 22: 4, 2012, 392-405.

88   David J. Deming, "The Growing Importance of Social Skills in the Labor Market," National Bureau of Economic Research, Working Paper 2147, 2015, nber.org.

89   Jennifer Utrata, *Women Without Men*, Ithaca, NY: Cornell University Press, 2015, 16.

90   M. V. Lee Badgett, *When Gay People Get Married*, New York: New York University Press, 2009.

91   Michelle Goldberg, *The Means of Reproduction*, New York: Penguin, 2010.

92   Guttmacher Institute, "Unintended Pregnancy in the U.S., Guttmacher Institute, January 2019," https://www.guttmacher.org/fact-sheet/unintended-pregnancy-united-states; Robin H. Pugh Yi, "Abortionomics: When Choice Is a Necessity. The Impact of Recession on Abortion," Prepared by Akeso Consulting, LLC, for Turner Strategies December 2011, ontheissuesmagazine.com.

93   Ronnie Cohen, "Denial of Abortion Leads to Economic Hardship for Low-Income Women," Reuters, January 2018, reuters.com.

94   Olanike Adelakun-Odewale, "Recovery of Child Support in Nigeria," in *The Recovery of Maintenance in the E.U. and Worldwide*, Paul Beaumont, Burkhard Hess, Lara Walker, and Stefanie Spancken, eds., Oxford: Hart, 2014, 244, 241-60.

95   Vanessa Rios-Salas and Daniel R. Meyer, "Single Mothers and Child Support Receipt in Peru," *Journal of Family Studies* 20: 3, 2014, 298-310. See also Laura Cuesta,

"Child Support Policy Schemes in Latin America and Their Potential Consequences on the Economic Wellbeing of Children and Families," paper presented at the Latin American Studies Association annual conference, Boston, MA, May 2019.

96 OECD Family Database, "PFI.5: Child Support," Table PF1.5.B, oecd.org.

97 Michael Rush, *Between Two Worlds of Father Politics: USA or Sweden?* New York: Oxford University Press, 2015, 113.

98 Paula England and Nancy Folbre, "Involving Dads: Parental Bargaining and Family Well Being," in *Handbook of Father Involvement: Multidisciplinary Perspectives*, Catherine S. Tamis-LeMonda and Natasha Cabrera, eds., Mahwah, NJ: Lawrence Erlbaum, 2002.

99 Ultrata, *Women Without Men*.

100 Rush, *Between Two Worlds*, 113.

101 Beaumont et al., *The Recovery of Maintenance*.

102 Maria Cancian and Daniel R. Meyer, "Reforming Policy for Single-Parent Families to Reduce Child Poverty," *RSF: The Russell Sage Foundation Journal of the Social Sciences* 4: 2, 2018, 91-112.

103 Helena Bergman and Barbara Hobson, "Compulsory Fatherhood: The Coding of Fatherhood in the Swedish Welfare State," in *Making Men into Fathers*, Barbara Hobson, ed., New York: Cambridge University Press, 2002, 92-124.

104 Peter McDonald, "Very Low Fertility: Consequences, Causes and Policy Approaches," *Japanese Journal of Population* 6: 1, 2008, 19-23.

105 Peter McDonald, "Gender Equality, Social Institutions and the Future of Fertility," *Journal of Population Research* 17, 2000, 1-16; Goldberg, *Means of Reproduction*.

106 Janet Gornick and Marcia Meyers, *Families that Work: Policies for Reconciling Parenthood and Employment*, New York: Russell Sage, 2003; Claudia Olivetti and Barbara Petrongolo, "The Economic Consequences of Family Policies: Lessons from a Century of Legislation in High-Income Countries," *Journal of Economic Perspectives* 31: 1, 2017, 205-30.

107 Ann-Zofie Duvander and Mats Johansson, "Parental Leave Use for Different Fathers: A Study of the Impact of Three Swedish Leave Reforms," in *Fatherhood in the Nordic Welfare States*, Guðný Björk Eydal and Tine Rostgaard, eds., Bristol, UK: Policy Press, 2016.

108 Signe Hald Andersen, "Paternity Leave and the Motherhood Penalty: New Causal Evidence," *Journal of Marriage and Family* 80: 5, 2018, 1125-43.

109 Guðný Björk Eydal, Ingólfur V. Gíslason, Tine Rostgaard, Berit Brandth, Ann-Zofie Duvander, and Johanna Lammi-Taskula, "Trends in Parental Leave in the Nordic

돌봄과 연대의 경제학

Countries: Has the Forward March of Gender Equality Halted?" *Community, Work & Family* 18: 2, 2015, 167-81.

110 A. S. Orloff, "Gendering the Comparative Analysis of Welfare States: An Unfi nished Agenda," *Sociological Theory*, 27: 3, 2009, 317-43.

111 Carmen Castro-García and Maria Pazos-Moran, "Parental Leave Policy and Gender Equality in Europe," *Feminist Economics* 22: 3, 2016, 51.

112 Mary Daly and Emanuele Ferragina. "Family Policy in High-Income Countries: Five Decades of Development," *Journal of European Social Policy* 28:3 (2017), 255-270.

113 Merike Blofield and Juliana Martínez Franzoni, "Maternalism, Co-responsibility, and Social Equity: A Typology of Work-Family Policies," *Social Politics* 22: 1, 2014, 38-59.

114 Rachel Connelly, Xiao-yuan Dong, Joyce Jacobsen, and Yaohui Zhao, "The Care Economy in Post-Reform China: Feminist Research on Unpaid and Paid Work and Well-Being," *Feminist Economics* 24:2 (2018), 1-30.

115 Ito Peng, "The 'New' Social Investment Policies in Japan and South Korea," in *Inclusive Growth, Development and Welfare Policy: A Critical Assessment*, Reza Hasmath, ed., New York: Routledge, 2015, 142-60.

116 Folbre, *Valuing Children*.

117 Zhanna Chernova, "New Pronatalism? Family Policy in Post-Soviet Russia," *Region* 1: 1, 2012, 75-92.

118 Fabián Slonimyczyk and Anna Yurko, "Assessing the Impact of the Maternity Capital Policy in Russia," *Labour Economics* 30, 2014, 265-81; Ekaterina Borozdina, Anna Rotkirch, Anna Temkina, and Elena Zdravomyslova, "Using Maternity Capital: Citizen Distrust of Russian Family Policy," *European Journal of Women's Studies* 23: 1, 2016, 60-75.

119 Ruth Milkman and Eileen Appelbaum, *Unfinished Business*, Ithaca, NY: Cornell University Press, 2013.

120 Folbre, *Valuing Children*.

121 더 구체적인 묘사는 다음을 참고하라. Nancy Folbre, "Valuing Houses but not Housewives," *New York Times Economix Blog*, September 9, 2013, economix.blogs. nytimes.com.

122 Robert A. Moffitt, "The Deserving Poor, the Family, and the U.S. Welfare System," *Demography* 52: 3, 2015, 729-49.

123 Nicholas Bakalar, "U.S. Fertility Rate Reaches a Record Low," *New York Times*, July 3, 2017, nytimes.com.

124 Thomas Baudin, David De la Croix, and Paula E. Gobbi, "Fertility and Childlessness in the United States," *American Economic Review* 105: 6, 2015, 1852-82.

125 Francine D. Blau and Lawrence M. Kahn, "The Gender Wage Gap: Extent, Trends, and Explanations," *Journal of Economic Literature* 55: 3, 2017, 789-865.

126 Jay Ginn and Ken MacIntyre, "UK Pension Reforms: Is Gender Still an Issue? Social Policy and Society 12: 1, 2013, 91-103; John Jankowski, "*Caregiver Credits in France*, Germany, and Sweden: Lessons for the United States," *Social Security Bulletin* 71: 4, 2011, 61-76.

127 Katrine V. Løken, Shelly Lundberg, and Julie Riise, "Lifting the Burden: Formal Care of the Elderly and Labor Supply of Adult Children," *Journal of Human Resources* 52: 1, 2017, 247-71.

128 Howes, "Living Wages and Retention of Home-Care Workers."

129 Kanika Arora and Douglas A. Wolf, "Does Paid Family Leave Reduce Nursing Home Use? The California Experience," *Journal of Policy Analysis and Management* 37: 1, 2018, 38-62.

130 Nancy Folbre and Douglas Wolf, eds., *Universal Long-Term Care in the U.S.: Can We Get There from Here?* New York: Russell Sage, 2012.

131 이 문제에 대한 소비자 중심의 논의는 다음을 참조하라. "Receive Payment ad a Caregiver: Cash and Counseling and Other Options," payingforseniorcare.com.

132 캘리포니아주의 재가 돌봄 서비스에 대한 연구에 따르면 이용자가 직접 고용한 노동자(주로 친인척)는 기관 소속 노동자보다 급여가 적고 복리 혜택을 받을 가능성이 적다. A. E. Benjamin and R. Matthias, "Work-Life Differences and Outcomes for Agency and Consumer-Directed Home-Care Workers," *Gerontologist* 44: 4, 2004, 479-88. 2000년에서 2003년까지 아칸소, 플로리다, 뉴저지주에서 메디케이드가 재정 지원하는 재가 돌봄 노동자를 대상으로 한 설문 조사에 따르면 이용자가 직접 고용한 노동자는 실제로 제공한 돌봄 시간 중 절반에 못 미치는 시간의 서비스에 대해서만 급여를 받았다: Leslie Foster, Stacy B. Dale, and Randall Brown, "How Caregivers and Workers Fared in Cash and Counseling," *Health Services Research* 42, February 2007, 510-32.

133 B. Douglas Bernheim, Andrei Shleifer, and Lawrence H. Summers, "The Strategic Bequest Motive," *Journal of Political Economy* 93: 6, 1985, 1045- 76; Max Groneck, "Bequests and Informal Long-Term Care: Evidence from HRS Exit Interviews," *Journal of Human Resources* 52: 2, 2017, 531-72; John Hoddinott, "Rotten Kids or Manipulative Parents: Are Children Old Age Security in Western Kenya?" *Economic Development and Cultural Change* 40: 3, 1992, 545-65.

134 Nancy Folbre and Douglas Wolf, "The Intergenerational Welfare State," *Population and Development Review* 38, 2012, 36-51.

135 Liliana E. Pezzin and Barbara Steinberg Schone, "Parental Marital Disruption

and Intergenerational Transfers: An Analysis of Lone Elderly Parents and Their Children," *Demography* 36: 3, 1999, 287-97.

136 Ronald Demos Lee and Andrew Mason, eds., *Population Aging and the Generational Economy: A Global Perspective, Cheltenham*, UK: Edward Elgar, 2011.

137 Alessio Cangiano, "Elder Care and Migrant Labor in Europe: A Demographic Outlook," *Population and Development Review* 40: 1, 2014, 131-54.

138 Mitchell P. LaPlante, "The Woodwork Effect in Medicaid Long-Term Services and Supports," *Journal of Aging and Social Policy* 25, 2013, 161-80.

139 Organisation for Economic Co-operation and Development, Growing Unequal? Income Distribution and Poverty in OECD Countries, Paris: Author, 2008.

140 Joint Economic Committee, US Congress, "The Impact of Coronavirus on the Working Poor and People of Color,"n.d., jec.senate.gov.

141 Raewyn Connell, *Gender*, New York: Policy Press, 2009.

142 M. V. Lee Badgett "Gender, Sexuality, and Sexual Orientation: All in the Feminist Family?" *Feminist Economics* 1: 1, 1995, 121-39.

143 Promundo mission statement, promundoglobal.org.

144 Rosemary Crompton, ed., *Restructuring Gender Relations and Employment: The Decline of the Male Breadwinner*, New York: Oxford University Press, 1999; Gornick and Meyers, *Families that Work*; Nancy Fraser, "After the Family Wage: Gender Equality and the Welfare State," *Political Theory* 22: 4, 2004, 591-618.

145 David S. Pedulla and Sarah Thébaud, "Can We Finish the Revolution? Gender, Work-Family Ideals, and Institutional Constraint," *American Sociological Review* 80: 1, 2015, 116-39.

146 Iverson and Rosenbluth, *Women*, Work and Politics, 169.

147 Nicola Yeates, *Globalizing Care Economies and Migrant Workers: Explorations in Global Care Chains*, New York: Palgrave Macmillan, 2009.

148 Rhacel Parreñas, *Servants of Globalization*, 2d ed., Stanford, CA: Stanford University Press, 2015.

149 Lowell Jaeger, "At the Monk-a-stery": Bending the Facts to Tell the Truth from Issue 297.4, *North American Review*, northamericanreview.org.

10장 분열과 동맹

1 Susan Watkins, "Which Feminisms?" *New Left Review* 109, 2018, 5-76.

2 Radhika Balakrishnan, James Heintz, and Diane Elson, *Rethinking Economic Policy for Social Justice*, New York: Routledge, 2016.

3　UN Women, *Progress of the World's Women 2019–2020: Families in a Changing World*, 2019, unwomen.org.

4　Helaine Olen, "5 Years Later, 'Lean In' Seems Like a Relic from Another Time," *The Nation*, March 21, 2018, thenation.com.

5　Ashley Fern, "23 Times Women Decided They Could Become the Men They Want to Marry," June 10, 2015, elitedaily.com.

6　William Thompson, *Appeal of One Half the Human Race: Women, Against the Pretensions of the Other Half, Men, to Retain Them in Political, and Hence in Civil and Domestic, Slavery; in Reply to a Paragraph of Mr. Mill's Celebrated Article on Government*, London: Longman, Hurst, Rees, Orme, Brown and Green, 1825.

7　See Nancy Folbre, *Greed, Lust and Gender: A History of Economic Ideas*, New York: Oxford, 2009, Chapter 11.

8　Joel Bleifuss, "A Care Socialist Speaks Out," *In These Times*, November 13, 2011, inthesetimes.com.

9　Ruth Pearson and Diane Elson, "Transcending the Impact of the Financial Crisis in the United Kingdom: Towards Plan F—a Feminist Economic Strategy," *Feminist Review* 109, 2015, 8-30.

10　UN Women, *Progress of the World's Women 2019–2020.*.

11　International Labour Office, *Care Work and Care Jobs*, Geneva: Author, 2018; Nancy Folbre, "Demanding Quality: Worker/Consumer Coalitions and 'High Road' Strategies in the Care Sector," *Politics and Society* 34: 1, 2005, 1-21.

12　Candace Howes, "Living Wages and Retention of Homecare Workers in San Francisco," *Industrial Relations* 44: 1, 2005, 139-63; Dana Goldstein, "Teacher Walkouts: What to Know and What to Expect," *New York Times*, April 3, 2018, nytimes.com; Isaac Davison and Claire Trevett, "Government Announces Historic Pay Equity Deal for Care Workers," *New Zealand Herald*, April 18, 2017, nzherald.co.nz.

13　Francine Deutsch, *Halving It All*, Cambridge, MA: Harvard University Press, 2000.

14　David S. Pedulla and Sarah Thébaud, "Can We Finish the Revolution? Gender, Work-Family Ideals, and Institutional Constraint," *American Sociological Review* 80: 1, 2015, 116-39.

15　M. V. Lee Badgett, *When Gay People Get Married*, New York: New York University Press, 2010.

16　Karl Polanyi, *The Great Transformation*, Boston: Beacon Press, 1957.

17　Thomas Piketty, *Capital in the Twenty-First Century*, Cambridge, MA: Harvard University Press, 2014.

18　Richard V. Reeves, *Dream Hoarders*, Washington, DC: Brookings Institutions Press, 2017.

19 인적 자본의 외부성이 인종적 차이에 미치는 영향에 대한 경제 모형은 계급 차이에
    도 확장될 수 있다. George Borjas, "Ethnicity, Neighborhoods, and Human-Capital
    Externalities," *American Economic Review* 85, 1995, 365-90; Shelly J.
    Lundberg and Richard Startz, "Inequality and Race: Models and Policy," in *Meritocracy and
    Economic Inequality*, Kenneth Arrow, Samuel Bowles, and Steven Durlauf. eds.,
    Princeton, NJ: Princeton University Press, 2000.

20 Branko Milanovic, *The Haves and the Have-Nots*, New York: Basic Books, 2010.

21 Lauren Markham, "A Warming World Creates Desperate People," *New York Times*,
    June 29, 2018, nytimes.com.

22 Riane Eisler, *The Real Wealth of Nations*, San Francisco: Berrett-Koehler, 2008.

23 Alberto Minujin and Shailen Nandy, eds., *Global Child Poverty and Wellbeing:
    Measurement, Concepts, Policy and Action*, Bristol: Policy Press, 2012.

24 Anne Case and Angus Deaton, "Mortality and Morbidity in the 21st Century,"
    Brookings Papers on Economic Activity, 2017, 397-476; Richard G. Wilkinson
    and Kate E. Pickett, "The Enemy Between Us: The Psychological and Social Costs of
    Inequality," *European Journal of Social Psychology* 47: 1, 2017, 11-24.

25 James K. Boyce, "Inequality as a Cause of Environmental Degradation," *Ecological
    Economics* 11: 3, 1994, 169-78; Moritz A. Drupp, Jasper N. Meya, Stefan
    Baumgärtner, and Martin F. Quaas, "Economic Inequality and the Value of Nature,"
    Ecological Economics 150, 2018, 340-45.

26 K. J. Gibson-Graham, *The End of Capitalism (As We Knew It)*, Cambridge, MA:
    Blackwell, 1996.

27 Stuart Andreason, "COVID-19, Workers, and Policy," *Workforce Currents*, March 18,
    2020, frbatlanta.org.

28 Titan M. Alon, Matthias Doepke, Jane Olmstead-Rumsey, and Michèle Tertilt, "The
    Impact of COVID-19 on Gender Equality," National Bureau of Economic Research
    Working Paper No. W26947, March 2020, https:// www.nber.org/papers/w26947.

29 Campbell Robertson and Robert Gebeloff, "How Millions of Women Became the
    Most Essential Workers in America," *New York Times*, April 18, 2020, nytimes.com.

30 Caitlin E. Cox, "Healthcare Workers With COVID-19 Relatively Young, Mostly
    Female: CDC," TCD/MD The Heartbeat, April 15, 2020, tctmd. com.

31 Jeffery C. Mays and Andy Newman, "Virus Is Twice as Deadly for Black and Latino
    People Than Whites in New York City, *New York Times*, April 14, 2020, nytimes.com.

32 Gerald Posner, "Big Pharma May Pose an Obstacle to Vaccine Development," *New
    York Times*, March 2, 2020, nytimes.com.

33 노래 설명과 전체 가사를 보려면 다음을 참고하라. https://genius.com/ Billy-bragg-

the-internationale-lyrics.

34 Arlie Russell Hochschild, *Strangers in Their Own Land*, New York: New Press, 2016, 224.

35 John Roemer, Woojin Lee, and Katrine Van Der Straeten, *Racism, Xenophobia, and Distribution*, Cambridge, MA: Harvard University Press, 2007.

36 N. Gregory Mankiw, "Spreading the Wealth Around: Reflections on Joe the Plumber," *Eastern Economic Journal* 210: 36, 2010, 291.

37 Erik Olin Wright, *Envisioning Real Utopias*, New York: Verso, 2010.

38 Janet C. Gornick and Marcia K. Meyers, eds., *Gender Equality*, New York: Verso, 2009.

39 Julie Matthaei, "Feminism and Revolution: Looking Back, Looking Ahead," *Resilience*, July 2, 2018, resilience.org.

40 Linda Alcoff, Cinzia Arruzza, Tithi Bhattacharya, Rosa Clemente, Angela Davis, Zillah Eisenstein, Liza Featherstone, Nancy Fraser, Barbara Smith, and Keeanga-Yamahtta Taylor, "We Need a Feminism for the 99%. That's Why Women Will Strike This Year," *The Guardian*, January 27, 2018, theguardian.com.

41 For a list of the UN Sustainable Development goals, see un.org.

42 Langston Hughes, "Let America be America Again," poets.org.

43 Leila J. Rupp and Verta Taylor, "Forging Feminist Identity in an International Movement: A Collective Identity Approach to Twentieth-Century Feminism," *Signs: Journal of Women in Culture and Society* 24: 2, 1999, 363-86.

44 See letter of James Madison to Thomas Jefferson of October 24, 1787, in *The Founder's Constitution*, Philip B. Kurland and Ralph Lerner, eds., Chicago: University of Chicago Press, and James Madison, Federalist Paper #10, Bill of Rights Institute, hialeahhigh.org.

45 이 정식화는 Wally Seccombe에게서 빌려왔다.

46 Corey Robin, *The Reactionary Mind*, New York: Oxford University Press, 2018, 4.

47 Carolyn Forché, Introduction to *Against Forgetting*, New York: W. W. Norton, 1993, 43.

옮긴이 해제

낸시 폴브레는 돌봄과 젠더라는 주제를 오랫동안 연구해 온 페미니스트 경제학자이다. 수십 년 동안 그는 경제와 사회의 젠더화된 구성이 갖는 다양한 구조와 함의에 대해 중요한 통찰력을 제공해 왔다. '경제'를 시장 경제의 규모나, 이윤이나 가치의 창출, 유한한 자원의 합리적 배분 문제로 협소하게 정의하고 분석하는 경제학 전통을 비판한다. '경제적인 것'의 의미를 확장하여 가족과 여성이 수행해 온 무급 돌봄 노동을 포함해야 한다는 돌봄경제학 분야의 선구자로 인정받고 있다. 그는 마르스크주의 정치경제학, 신고전파 경제학, 제도학파, 행동주의 경제학, 게임이론 등을 비판적으로 수용하는 경제학자로서, 문화의 영향, 시민사회와 정치 제도의 중요성, 집단 갈등과 전략적 행동, 이타주의와 의무/헌신 등 규범적 요소를 아우르는 전체론적 접근을 취한다. 가장 최근 저작인 『돌봄과 연대의 경제학』은 지금까지의 연구 관심과 열정의 결정체라고 할 수 있을 정도로, 돌봄과 돌봄 경제, 페미니즘과 이단 경제학 이론들, 개인과 집단, 행위성과 구조, 공감과 연대에 관한 이해를 넓혀 온 연구 성과를 담았다.

국내에 이미 소개된 『보이지 않는 가슴』에서 그는 현대 자본주의 경제에서의 돌봄 문제를 이론과 정책, 제도와 역사를 넘나들며 일반 대중에게 알기 쉽게 전달한 바 있다. 시장 경제의 성공은 아이를 낳아 키우고 노약자를 돌보는 가족의 돌봄 노동 없이는 불가능하다.

'보이지 않는 손'이 시장 경제를 효율적으로 작동시킨다는 명제에 대해 폴브레는 '보이지 않는 가슴', 즉 사랑, 의무, 호혜의 원리가 없다면 시장 경제 작동은 물론이고 인간의 생존과 사회의 유지와 발전은 애초에 어려운 것이었다고 일깨운다. 특히 가족 구성원과 이웃을 위한 돌봄 노동은 보이지 않는 가슴이 지배한다. 이윤 창출 능력으로만 노동의 가치를 평가하는 시장 환경에서 돌봄이라는 사회적 관계가 시장화될 때 보이지 않는 가슴이 제대로 작동하지 않을 위험이 크다. 그 피해는 고스란히 양질의 돌봄을 받지 못하는 우리 자신에게로 돌아온다.

그는 주류 경제학이 간과했거나 자연적이며 고정적이라 치부했던 사랑, 의무, 호혜 같은 가치와 규범을 분석틀로 끌어온다. 자본주의 시장 경제 확대와 더불어 가부장제적 강압적 규범과 이타심이 약화되면서 돌봄 노동은 감소되었다. 개인은 자신의 효용을 극대화하려는 비용-편익 분석을 고려하여 선택한다는 신고전파 경제학자들의 논리는 전혀 틀린 말은 아니다. 가족을 위한 돌봄에 시간을 쓰는 행위는 자본주의 시장 경제에서 경쟁력을 상실하게 하는 일이기에 점차 돌보는 사람은 줄어든다. 오늘날 많은 여성이 출산과 양육이라는 과거의 강요된 의무를 던져버린 것은 놀랍지 않으며 여성을 비난할 일은 아닌 것이다.

폴브레는 주류 경제학자들이 연구 대상으로 삼으려고 하지 않았던 가족과 돌봄에 기존 경제학적 개념과 이론을 적용하여 분석해 낸다. 아동은 '공공재'라는 주장이 그 예이다. 돌봄은 개인에게 비용을 초래하지만 사회 전체에 혜택을 가져온다. 아이를 키운 노동의 편익은 모든 사회가 나눠 가지지만 그 편익은 부모가 온전히 회수할 수 없다. 아이가 반려동물이나 명품 같은 소비재가 아니라 공공재라는 설명은 자녀 양육에 대한 광범위한 국가 재정 지원을 뒷받침하는 논리가 된다. 또한 무임승차자를 양산할 수 있는 공공재인 돌봄이라는 행위를 장려하고 보상하기 위한 사회적 공동 노력이 필요하다. 국가는 시장 실패에 대응할 뿐 아니라 '가족 실패'에도 대응해야 하며 돌봄에 대한 책임을 집합적으로 정의하고 집행하는 민주주의적 기획을 제안한다. 그러한 기획의 핵심은 돌봄의 비용이 남성과 여성에게 공평하게 부과되고, 돌봄에 대한 보상이 증가하고, 이타적 가치가 장려될 수 있는 해결책 마련이다.

이 책은 여러모로 획기적이다. 특히 돌봄 부담이 어떻게 분배되는지는 『보이지 않는 가슴』을 비롯한 이전 저작들을 관통하는 핵심 아이디어였지만, 이 책에서는 역사적으로 경제에서 여성이 수행해 온 돌봄 역할을 사회문화적, 경제적, 정치적 맥락과 연결하려는 대담한 시도를 보여준다. 수렵 채집 사회 집단의 출현부터 고대와 현대를 거쳐 현재에 이르기까지의 돌봄 노동의 불평등한 분배에 주목하면서, 가부장제 제도가 역사를 관통하여 전 세계 곳곳에서 어떻게 경제와 정치, 사회에 영향을 주고 있는지를 이해하는 데 유익한 분석틀을 발전시킨다. 과거에 있었던 흥미롭고 영향력 있는 논쟁과 담론을 훑으며 여러 이론들을 수정하고 차용하면서 성별 차이와 그 경제적 결과에 대한 보다 명확한 인식을 제공한다.

폴브레의 접근 방식은 근본적으로 '교차적'이다. 돌봄 노동을 전략적으로 여성화하고 저평가한 가부장제 시스템에 대해 명료하고 포괄적인 교차 분석을 수행한다. 신고전파 경제학이나 전통 마르크스주의 정치경제학으로 쉽게 짜 맞출 수 없는, 착취가 교차하고 중첩되는 형태에 초점을 맞춘다. 경제적 이해관계 대 사회적 정체성, 계급 분할 대 비계급 분할, 착취 대 억압이라는 표준적인 이분법을 거부한다. 정치경제학의 기본적 개념을 문제화하고 확장한다. '생산'이라는 개념은 시장가치의 창출을 넘어 인간 역량의 생산과 발전, 유지를 포함하는 것으로 확장해야 한다고 본다. 그에게 인간 노동력은 '생산'되는 것이다. '착취'는 생산 과정에서 창출된 잉여 가치의 몰수만이 아니라, 다른 사람이나 집단을 부당하게 이용한다는 의미의 보다 일반적인 정의로 확장되어야 한다. 이럴 경우 착취는 강요된 협동으로부터 얻은 이익의 불평등한 분배로 정의되는데, 강요는 개인과 단체 협상력에 영향을 미치는 과정에서 행사되는 힘이다.

폴브레는 초기 계급 기반 사회에서 진행된 사유재산의 증가가 젠더 불평등을 야기했다는 프리드리히 엥겔스의 주장을 명쾌하게 비판한다. 엥겔스의 주장은 사실 많은 사회주의 페미니스트들의 사상에 영향을 미쳤다. 전통 마르크스주의적 접근 방식은 단일한 헤게모니적 체제로서 자본주의를 전개하는 주역이 계급 갈등이라고 본다. 폴브레는 엥겔스가 반박하려고 했던 베벨의 주장을 암묵적으로 선호한다. 즉 계급과 젠더에 기반한 불평등은 순차적인 현상이 아니라 병렬적 현상이라는 것이다. 계급 불평등이나 젠더 불평등 둘 다, 힘 있는 자를 유리하게 만들어주는 강압적인 법과 규범을 폭력적으로 강제한 결과이다. 그러나 그는 베벨에서 멈추지 않고 더 나아간다. 사람들은 동시에 여러 집단에 속해 있어서 어떤 면에서는 승자가 되고 다른 면에서는 패자가 되기도 한다는 것이다. 이러한 교차성은 계급 투쟁과 페미니스트 투쟁을 훨씬 더 복잡하고 난해하게 만드는 주된 원인이다.

계급 불평등과 젠더 불평등은 병렬적 현상이지만 가부장적 통제 규범은 시간상 사유재산보다 앞서 있다. 가부장적 통제 규범은 여성의 노동력, 특히 광범위한 차원의 사회적 재생산과 돌봄 노동을 통제하는 능력과 깊은 관계가 있다. 이러한 가부장적 제도와 돌봄 노동의 본질적 관계는 가부장적 통제가 역사적으로 어떻게 다양하고 교차적인 방식으로 행사되어 왔는지를 결정한다. 여성이 돌봄 노동에 특화하도록 하는 가부장적 통제는 개인과 집단 복지 사이의 긴장을 해결하는 데 기여한다. 돌봄 노동은 누군가 반드시 수행해줘야 하는 보편적 필요이기 때문이다. 가정과 사회 전반에 걸친 이러한 특화는 여성에게 여러 면에서 비용을 초래한다. 돌봄 노동은 우리 경제에 필요한 노동력을 생산하는 데 중요한 기여를 하고 있지만, 그러한 노동을 수행하는 가족과 여성에게 보상보다는 경제적 불이익을 부과한다. 한편 돌봄은 통합과 배제라는 복잡한 양상을 만들어낸다. 본질적으로 협동으로 보이는 것이 담합일 수 있고, 담합은 음모가 될 수도 있다. 보통 집단 구성원에 대한 돌봄은 집단 밖의 사람들을 향한 적대감을 수반한다.

폴브레는 가부장적 통제가 계급과 민족, 카스트 같은 다른 사회적 소속 집단에 기반한 다른 형태의 통제와 공진화하면서 교차하고 중첩되는 착취 형태를 만들어냈다는 점을 보여주기 위해 다양한 문화의 고대 역사를 불러온다. 예를 들어, 여성의 노예화는 남성의 노예화에 앞서 존재하면서 영향을 미쳤다. 집단 간 갈등의 연장인 식민주의를 관철시키는 데 젠더는 중요한 기제였다.

　가부장적 통제는 완전히 다른 사회역사적 맥락에 있는 여성들이 공통 관심사를 공유한다는 사실을 드러낸다. 그 중 많은 부분이 돌봄 노동의 특화에서 비롯된다. 폴브레가 설명하듯이 '가부장적 협상'의 기본 조건은 돌봄 노동의 정서적 요소가 결정한다는 근본적인 공통점이 있다. 돌봄에 내재한 정서적 요소는 여성을 더욱 취약하게 만든다. 여성은 자신이 돌보는 사람들에게 애정과 애착을 가진다. 돌봄의 정서적 요소는 돌봄을 제공하지 않을 능력에 영향을 미치기 때문에 협상력을 감소시키고, 협상력의 감소는 여성을 착취에 더 취약하게 만든다. 결과적으로 여성이 가정과 시장에서 돌보는 일을 주로 한다는 사실은 삶의 많은 측면에 영향을 미친다. 가정 내로 역할이 제한되고, 자유로운 이동을 못하고, 노동 시장 조건이 악화되며, 여성 집중 직종에 취업하며, 정치력은 약화되고 사회적 발언권을 확보하기 어렵다. 반대로 돌봄 노동을 덜 하는 사람들은 권력과 우월한 사회경제적 지위, 정치적 통제를 강화하는 '가부장적 배당금'을 받는다. 자본주의 시스템이 이 취약성을 이용하는 것은 불가피하다. 폴브레는 가부장적 제도와 자본주의 제도의 공통점은 둘 다 다른 사람의 역량에 투자하는 사람들의 권한을 박탈하고 특히 여성에게 불이익을 안기는 제도 구조라고 지적한다.

　가부장제가 부상했다가 쇠락했다는 책의 제목은 낙관적으로 들릴 소지가 있다. 적어도 특정 사회에서 가부장제 제도의 요소가 어느 정도 쇠락하고 있다는 징후를 반영한다. 예를 들어 선진국의 낮은 출산율은 가부장적 제도가 약화된 원인이자 결과이다. 그러나 종교와 인종, 계급, 카스트, 국가 정체성과 젠더 불평등 간의 복잡한 상호작용에 대한 폴브레의 설명처럼, 다른 사회적 소속집단의 이해관계와 잠재적으로 상충되는 여성의 이해관계가 대두하여 특정 맥락에서는 젠더 이해관계가 '더 큰 이해관계'에 종속되기도 한다.

가부장적 제도의 쇠락은 인류 역사상 가장 회복탄력성이 큰 사회 구조가 몰락함을 의미할 것이다. 가부장제에 대한 교차정치경제적 분석이 꼭 가부장제 쇠락에 대한 장밋빛 청사진을 제공하지는 않는다. 그러나 그가 지적하듯이 돌봄에 대한 협상은 필연적으로 생산에 대한 협상을 포함하며, 이는 잠재적으로 경쟁 집단들의 통합과 동맹을 가져올 수 있다. 가부장적 체제의 변형에 대항하기 위해서는 젠더뿐만 아니라 섹슈얼리티, 민족, 연령, 계급, 이민, 시민권 등으로 분열된 집단들 간의 연대가 필요하다. 특정 집단에 사회적으로 소속되어 있거나 동일시한다는 것이 그 집단의 대부분의 구성원이 동일한 우선순위나 관점을 공유한다는 것을 의미하지는 않는다. 모든 집단들과의 동맹 뒤에는 단순한 도덕적 호소만으로 화해하기 어려운 상충하는 이해관계의 힘이 자리 잡고 있다. '필요는 동맹의 어머니가 될 수 있다'는 말로 교차성에 대한 기대를 버리지 않는 폴브레는 동맹이 성공하려면 억압과 취약성의 교차하는 특성을 진정으로 이해해야 한다고 주장한다.

전 세계적으로 극우가 득세하고 여성 혐오와 백래시backlash가 부상하는 시대에 이 책은 가부장제와 자본주의, 집단 갈등과 공존에 대한 이해를 넓히는 데 매우 중요하고 필요한 기여를 하고 있다. 젠더 갈등이든 계급 갈등이든, 그 본질과 해결책을 정확히 파악하기 위해서는 교차 정치경제적 관점이 필요하다. 그러한 관점만이 연대와 사회 진보를 위한 경로를 안내할 수 있다. 정치적 권리에는 경제적 권리뿐만 아니라 서로와 다음 세대를 돌볼 의무가 수반되어야 한다는 그의 메시지는 사회 진보를 위한 정치와 경제의 재구성에 들어갈 아젠다가 무엇이 되어야 하는지를 간명하게 알려준다.

찾아보기

돌봄과 연대의 경제학

돌봄과 연대의 경제학
가부장제 체제의 부상과 쇠락, 이후의 새로운 질서

지은이─낸시 폴브레
옮긴이─윤자영

2023년 10월 13일 초판 1쇄 펴냄
2024년 6월 17일 초판 2쇄 펴냄

펴낸곳─에디토리얼
출판등록─제2024-000007호(2018년 2월 7일)
주소─서울시 도봉구 마들로11길 65, 503-5호
전화─02-996-9430
팩스─0303-3447-9430
이메일─editorial@editorialbooks.com
홈페이지─www.editorialbooks.com
인스타그램─editorial.books

편집─최지영
교정교열─박기효
디자인─형태와내용사이 홍지연
제작─세걸음

ISBN 979-11-90254-35-9 05300